KB055213

안중근 자료집 제8권

일본인 신문·청취기록

편역자 신운용(申雲龍)
한국외국어대학교 사학과 졸업
한국외국어대학교 대학원 사학과 졸업(문학박사)
한국외국어대학교 사학과 강사
(사)안중근평화연구원 책임연구원

안중근 자료집 제8권
일본인 신문 · 청취기록

1판 1쇄 펴낸날 | 2016년 03월 26일

기 획 | (사)안중근평화연구원
엮은이 | 안중근 자료집 편찬위원회

총 괄 | 윤원일
편역자 | 신운용

펴낸이 | 서채윤
펴낸곳 | 채륜
책만듦이 | 김미정·김승민·오세진
책꾸밈이 | 이현진·이한희

등 록 | 2007년 6월 25일(제2009-11호)
주 소 | 서울시 광진구 자양로 214, 2층(구의동)
대표전화 | 02-465-4650 | 팩스 02-6080-0707
E-mail | book@chaeryun.com
Homepage | www.chaeryun.com

책값은 뒤표지에 있습니다.
ISBN 979-11-86096-28-4 94910
ISBN 978-89-93799-84-2 (세트)

이 책은 '안중근 의사 전집 발간 연구사업'으로 서울특별시의 인쇄비 지원을 받아 만들었습니다.

안중근 자료집 제8권

일본인 신문·청취기록

(사)안중근평화연구원

채륜
CHAE RYUN

발간사 _ 하나

안중근 의사의 삶과 교훈

'안중근의사기념사업회'에서는 2004년부터 역사, 정치, 경제학자들과 일본어, 한문 번역 전문가들을 모시고 안중근전집발간위원회(위원장: 조광 교수, 고려대학교 명예교수)를 구성하여 안중근 의사와 관련된 자료를 모아 약 40여 권의 책으로 자료집을 발간하기로 하였습니다. 안중근 자료집 발간의 참뜻은 100년 후 안중근 의사가 오늘 우리에게 요구하는 시대정신을 확인하고 실천하는 계기를 만들자는 것입니다. 이를 위해 자료집 발간에 앞서 역사적 안중근과 오늘의 안중근정신을 확인하고 연구할 필요가 있다는 것을 자료집 발간위원들과 정치, 경제, 역사, 인권 등 여러 분야의 전문가들이 제언하고 동의하였습니다. 이에 따라 우리 사업회에서는 안중근 의사 의거와 순국 100주년을 준비하면서 10여 차례의 학술대회를 개최하였습니다. 특히 2008년 10월 24일에는 한국정치학회와 공동으로 한국외국어대학교에서 "안중근 의사의 동양평화론"을 주제로 학술대회를 하였고, 의거와 순국 100주년에 안중근 의사의 정신을 실천하기 위한 방안을 모색하는 국제학술대회를 개최하고 지속적으로 안중근 의사의 뜻을 실현하기 위한 연구 사업을 위해 노력하고 있습니다. 2004년 이후 학술대회 성과를 묶어 안중근 연구 총서 5권으로 이미 출판하였습니다. 특히 안중근 의사의 의거와 순국 100주년을 맞아 남북의 동포가 함께 개성과 여순감옥에서 안중근 의사를 기억하며 남북의 화해와 일치를 위해 노력하기로 다짐한 행사는 참으로 뜻깊은 사건이었습니다.

역사를 기억하는 것은 역사적 사실로부터 미래를 지향하는 가치를 확인하는 것입니다. 일본 제국주의의 잔혹한 식민지 통치와 2차 세계대전의 잔혹한 역사적 잘못에 대해 이미 일본 국민과 학자들도 비판과 반성을 통해 동아시아 국가들과 화해를 시대적 가치로 제시하고 있습니다.

그럼에도 불구하고 한국현대사학회가 중심이 된 교과서포럼과 교학사 역사교과서 논쟁에서 보여준 식민지근대화론을 주장하거나 이에 동조하는 학자들, 특히 국사편찬위원장을 역임한 이태진 교수, 공주대학교 이명희 교수, 권희영 한국학중앙연구원 교수, 안병직, 박효종, 이인호, 유영익, 차상철, 김종석 교수 등이 보여준 언행은 비판받아 마땅하다고 생각합니다.

특히 "정신대는 일제가 강제동원한 것이 아니라 당사자들이 자발적으로 참여한 상업적 매춘이자 공창제였다."(교과서포럼 이영훈 교수), "그 시기(일제강점기)는 억압과 투쟁의 역사만은 아니었다. 근대 문명을 학습하고 실천함으로써 근대국민국가를 세울 수 있는 '사회적 능력'이 두텁게 축적되는 시기이기도 하였다."(박효종 교수)고 주장하며 분명한 사실조차 왜곡하려는 현대사학회와 교과서포럼의 구성원들에게 진심으로 안타까움을 넘어 인간적 연민을 갖게 됩니다.

안중근 연구 사업은 안중근 자료집이 역사적 사실에 한정되지 않고 우리 역사와 함께 진화하고 발전하기를 바라는 자료집 발간에 참가하는 위원들과 우리 사업회의 소망이 함께하고 있습니다. 2009년 안중근 의사 의거 100주년을 맞아 자료집 5권을 출판한 이후 많은 어려움으로 자료집 발간이 지체되는 것을 안타까워한 서울시와 서울시의회 의원들의 지원으로 자료집 완간을 위한 계획을 수립하게 되었습니다. 앞으로 순차적으로 40여 권의 자료집을 3년여에 걸쳐 완간할 것입니다.

저는 지난 85년부터 성심여자대학교(현재 가톨릭대학교와 통합)에서 〈종교의 사회적 책무〉라는 주제로 20여 년간 강의를 했습니다. 강의를 하면서 학생들로부터 새로운 시각과 신선함도 배우고 또한 학생들을 격려하며 자극하기도 했습니다. 새 학년마다 3월 26일 안중근 의사 순국일을 맞아 〈안중근 의사의 삶과 교훈〉을 학생들에게 강의하고 안중근 의사의 자서전, 공판기록 등 그와 관련된 책을 읽고 보고서를 제출토록 과제를 주고 이를 1학기 학점에 반영했습니다. 학생들은 누구나 숙제를 싫어하지만 학점 때문에 내 요구에 마지못해 응했습니다. 그런데 학생들의 보고서를 읽으면서 저는 큰 보람을 느끼곤 했습니다. 그중 큰 공통점은 거의 모든 학생들이 "안 의사에 대해서는 어린 시절 교과과정을 통해 일본의 침략자 이토 히로부미(伊藤博文)를 사살한 분 정도로만 알고 있었는데 그분의 자서전을 읽고는 그분의 투철한 신념, 정의심, 교육열, 사상, 체계적 이론 등을 깨달았고 무엇보다도 우리 민족의 선각자, 스승임을 새삼 알게 되었다"고 고백했습니다.

그렇습니다. 우리에게 귀감이 되고 길잡이가 되는 숱한 선현들이 계시지만 안중근 의사야말로 바로 지금 우리 시대에 우리가 되새기고 길잡이로 모셔야 할 스승이며 귀감입니다.

그러나 스스로 자신을 낮추며 나라와 겨레를 위해 목숨까지 바친 안 의사의 근본 정신은 간과한 채 거짓 언론과 몇몇 무리들은 안 의사를 형식적으로 기념하면서 안 의사의 삶을 장삿속으로 이용하기만 합니다. 참으로 부끄럽고 가슴 아픈 일입니다. 그뿐 아니라 나라를 빼앗긴 피눈물의 과정, 일제의 침략과 수탈을 근대화의 계기라는 어처구니없는 주장을 감히 펼치고 있는 이 현실, 짓밟히고 삭제되고 지워지고 조작된 역사를 바로 잡기 위한 역사학도들의 피눈물 나는 노력과 뜻있는 동지들의 진정성을 아직도 친일매국노의 시각으로 훼손하고 자유당 독재자 이승만, 그리고 유신체제의 군부독재자 박정희 등 이들의 졸개들이 으쓱거리고 있는 이 시대는 바로 100년 전 안중근 의사가 고민했던 바로 그때를 반영하기도 합니다.

역사와 국가공동체 그리고 교회공동체의 모든 구성원들은 조선 침탈의 원흉 이토 히로부미를 안 의사가 제거하였다는 업적과 동양 평화와 나라의 독립을 위하여 헌신하시고 제안한 방안들을 얼마나 지키려 하였는지, 일본의 한국병탄(倂呑)에 동조하거나 협력하였던 외국인 선교사들을 거부하고 직접 하느님의 뜻을 확인하려하신 그 신앙심에 대하여 진심으로 같이 고백하였는지 이제는 깊게 반성하여야 합니다. 확인되지도 않는 일본인들 다수가 안 의사를 존경하는 것처럼 호도하고 안 의사의 의거의 정당성을 일본과 그에 협력하였던 나라들에게 당당하게 주장하지도 않았으면서 그 뜻을 받들고 있는 것처럼 때가 되면 모여서 묵념하는 것이야말로 역사를 모독하고 안 의사를 훼손하고 있다는 것도 이 기회에 함께 진심으로 반성하여야 합니다. 심지어 안 의사 연구의 전문가인 양 온 나라에 광고하면서 진정한 안 의사의 의거의 정당성과 사상과 그 생각을 실현하려는 방안을 하나도 제시하지 않고 있는 사람들의 속내를 과연 무엇이라고 해석하여야 합니까?

안중근 자서전의 공개과정과 내용

안중근은 의거 후 중국 여순 감옥에 갇혀 죽음을 앞두고 자신의 삶을 되돌아보면서 〈안응칠 역사〉를 기술하였습니다. 아직 원본은 발견되지 않았지만, 1969년 4월 일본 동경에서 최서면 씨가 한 일본인으로부터 입수한 〈안중근 자서전〉이라는 필사본과 1979년 9월 재일동포 김정명(金正明) 교수가 일본 국회도서관 헌정연구실 '7조 청미(七條淸美)' 문서 중에서 '안응칠 역사'와 '동양평화론'의 등사 합본을 발굴함으로써 더욱 명료해졌습니다(신성국, 의사 안중근(도마), 지평, 36~37, 1999).

우리 안중근의사기념사업회와 (사)안중근평화연구원에서는 안중근 자료집 발간과 함께 안중근 자서전을 새롭게 번역하여 출간할 계획입니다. 〈안중근 자서전〉은 한자로 기록된 문서로 한글번역 분량은 신국판 70여 쪽에 이르지만 해제를 덧붙여야하기에 그 두 배에 이를 것입니다. 안 의사는 감옥생활 5개월 동안 감옥에서 유언과 같은 자서전 〈안응칠 역사〉를 집필한 뒤 서문, 전감, 현상, 복선, 문답 등 5장으로 구성된 〈동양평화론〉의 서문과 전감은 서술하고 나머지 3개장은 완성하지 못한 채 순국하셨습니다.

안 의사는 자서전에서 출생과 성장과정(1879~1894) 등 15세 때까지의 회상을 서론과 같이 기술하고, 결혼, 동학당(東學党)과의 대결, 갑신정변(1894), 갑오농민전쟁(1895)에 대한 청년시절 체험을 얘기하고 있습니다. 이어 그는 19세 때인 1897년 아버지와 함께 온 가족이 세례 받게 된 경위와 빌렘(J. Wilhelm, 한국명: 홍석구)신부를 도와 황해도 일대에서 선교에 전념하던 일을 증언하면서 특히 하느님 존재 증명방법과 그리스도를 통한 구원론, 각혼, 생혼, 영혼에 대한 설명, 하느님의 심판, 부활영생 등의 기본적 교리를 천명하고 있습니다. 이 증언을 통해 우리는 그의 돈독한 신앙과 19세기 말엽의 교리체계를 이해하고 확인할 수 있습니다.

안 의사는 빌렘신부를 도와 선교에 힘쓰면서 교회공동체나 주변의 억울한 사람들을 만나면 그들의 권리나 재산을 보호하기 위하여 스스로 위험을 감수하고 앞장섰습니다. 우리는 신앙인으로서 청년 안중근의 열정과 정의심을 몇 가지 사례를 통해 확인할 수 있습니다. 당시 서울의 세도가였던 전 참판 김중환(金仲煥)이 옹진군민의 돈 5천 냥을 빼앗아간 일이 있었는데 이를 찾아주기 위해 서울까지 가서 항의하고 꼭 갚겠다는 약속을 얻어내기도 했습니다. 또 다른 일은 해주 병영의 위관 곧 오늘의 표현으로는 지방군부대 중대장 격인 한원교(韓元校)가 이경주라는 교우의 아내와 간

통하여 결국 아내와 재산까지 빼앗은 횡포에 대해 법정투쟁까지 벌이면서 사건을 해결하려 했으나 결국 한원교가 두 사람의 자객을 시켜 이경주를 살해한 일을 회상하면서 끝내 한원교가 처벌되지 않는 불의한 현실을 개탄하였습니다. 안중근 의사의 이와 같은 정의감과 불의한 현실적 모순에 대한 그의 고뇌와 갈등을 우리는 여러 대목에서 확인할 수 있습니다. 이 자서전을 읽을 때마다 우리는 19세기 말 당시의 상황과 안중근 의사의 인간미를 새롭게 깨닫고 그의 진면목을 대하게 됩니다.

선교과정에서 안 의사는 무엇보다도 교육의 필요성을 절감하고 빌렘신부와 함께 뮈텔(G.Mutel, 한국명: 민효덕)주교를 찾아가 대학설립을 건의하는데 두 번, 세 번의 간청에도 불구하고 뮈텔은 "한국인이 만일 학문을 하게 되면 신앙생활에 좋지 않을 것이니(不善於信敎) 다시는 이러한 얘기를 꺼내지 말라"라고 거절했습니다. 고향으로 돌아오는 길에 안 의사는 뮈텔의 이러한 자세에 의노를 느끼며 마음속으로 "천주교의 진리는 믿을지언정 외국인의 심정은 믿을 것이 못된다" 하고 그때까지 배우던 프랑스어를 내던졌다고 술회하고 있습니다. 특히 교회공동체와 사제에게 가장 성실했던 신앙인 안 의사는 1907년 안 의사의 독립운동을 못마땅하게 여기며 독립투쟁을 포기할 때에만 비로소 성사생활을 할 수 있다면서 성사까지 거부했던 원산성당의 브레 사제(Louis Bret, 한국명: 백류사) 앞에서 당당하게 신앙을 증거하고 끝까지 독립운동을 지속했습니다. 당시 대부분의 선교사들이 일제에 영합하는 정교분리의 원칙에 따라 독립운동을 방해하고 반대하였음에도 불구하고 해외에서 무장투쟁을 펼치며 마침내 이토 히로부미를 주살하였습니다. 여기서 우리는 선교사의 한계를 뼈저리게 느끼며 하느님과의 직접적인 관계를 생각하셨던 안 의사의 신앙적 직관과 통찰력을 엿볼 수 있습니다. 특히 프랑스 사제들의 폐쇄적 자세와 인간적 한계를 극복한 성숙한 신앙인의 결단과 자세는 우리 모두의 귀감이며 사제와 주교 때문에 신앙이 흔들리는 우리 시대의 많은 형제자매들에게 안 의사는 참으로 든든한 신앙의 길잡이입니다.

일본의 침략이 노골화되자 안 의사는 가족과 함께 이주할 계획으로 상해를 방문했고 어느 날 성당에서 기도하고 나오던 길에 우연히 르각(Le Gac, 한국명: 곽원량) 신부를 만나 깨우침을 얻게 됩니다. 안 의사의 계획을 듣고 르각 신부는 프랑스와 독일의 국경지대인 알자스 지방을 예로 들면서 많은 이들이 그 지역을 떠났기에 다시는 회복할 수 없게 되었다고 설명하면서 만일 조선인 2천만 명이 모두 이주계획을 가지고 있다면 나라가 어떻게 되겠느냐 하면서 무엇보다도 ①교육 ②사회단체돕기 ③공동협심 ④실력양성을 해야 한다고 강조했습니다. 이에 안 의사는 진남포로 돌아와 돈의학교를 인수하고 야학 삼흥학교를 설립하여 후학을 위해 교사로서 봉사했습니다. 삼흥(三興)이란 국사민(國士民), 곧 나라와 선비와 백성 모두가 흥해야 한다는 그의 교육이념이기도 합니다. 또한, 안 의사는 국채보상운동에도 안창호와 함께 참여하고 스스로 사업도 하였으나 일본인들의 방해로 실패하게 됩니다.

그 후 1907년 정미 7조약으로 군대가 해산되고 경찰, 사법권 등 국가 권력이 일본에게 넘어가고 고종이 강제 퇴위를 당하자 일본의 한국의 보호와 동양 평화에 대한 주장이 한국을 일본의 식민지로 병탄하려는 의도라고 확신하고 독립군에 투신합니다. 독립군 시절 일본군인과 상인 등을 포로로 잡아 무장해제한 후 돌려보낸 일화는 유명합니다. 엄인섭 등 독립군들은 일본인 포로 2명을 호송하기도 어렵고 번거로우니 제거하자고 주장했으나 안중근은 독립군은 스위스 만국공법(萬國公法)을 지켜야 한다고 주장하며 공법에 따라 포로들을 관리할 수 없다는 이유로 이 둘을 석방했습니다. 이 일로 인해 위치가 노출되어 독립군부대는 일본군의 급습을 받고 완전히 괴멸되었습니다. 안 의사는 1달 반 동안 쫓기면서 여러 차례 죽을 고비를 넘깁니다. 이러한 과정에서 동행했던 2명의 동지들에게 세례를 베풀었고 죽을 고비마다 안 의사는 하느님께 전적으로 의탁하며 기도와 신앙으로 살아날 수 있었다고 기록하고 있습니다.

미완의 원고 〈동양평화론〉

이후 안 의사는 독자적으로 독립운동을 전개하다가 1909년 연추의 김씨댁 여관에서 11명의 동지들과 함께 대한독립의 결의를 다지며 자신의 손가락을 잘랐습니다. 안 의사는 이를 정천동맹(正天同盟)이라 했습니다. 하늘을 바로 세우고, 하늘 앞에서 바르게 살겠다는 서약이며 봉헌이었습니다. 그리고 이토 히로부미의 러시아 방문 소식을 접하고 그를 응징하기로 동지들과 계획하고 마침내 1909년 10월 26일에 하얼빈에서 침략자 이토 히로부미를 주살(誅殺)하였습니다. 이토 히로부미의 주살에 대하여 안 의사는 15가지의 죄상을 주장하였습니다. 그러나 그 근본적인 죄과에 대해 대한국의 독립국으로서의 지위 보장에 대한 명백한 약속 위반과 동양평화를 해치는 주범으로서 온 세상을 기만 죄로 죽음이 마땅하다고 주장하였습니다. 동양의

평화를 이루는 구체적인 방안들을 안 의사는 자신의 미완성의 원고인 동양평화론에서 제시하였습니다. 동양 삼국의 제휴를 통하여 평화회의 체제를 구성하고 상공업의 발달을 촉진하여 삼국의 경제적인 발전을 도모하고 이의 지원을 위하여 공동은행의 설립과 삼국연합군대의 창설과 교육을 통하여 백인들의 침략을 견제 대비하여야 진정한 세계평화를 유지할 수 있다고 제안 주장하였습니다. 어느 한 나라의 군사 경제적인 발전만으로는 평화와 발전이 불가능하다는 것을 안 의사는 간파하고 있었던 것입니다. 한나라의 강성함은 필히 주변국들과의 불화의 원인이 되므로 연합과 연대를 통하여 공동의 발전과 평화를 유지하기 위한 다자간 협력 체제와 이를 위한 국제기구의 필요성에 대해 안 의사는 강력한 소신을 가지고 있었던 세계 평화주의자였습니다. 국제적인 갈등의 해결 방법들을 제안한 안 의사의 생각을 읽으면 오늘 우리에게 부여되어있는 과제들을 돌아보게 됩니다. 분단의 해소를 통한 통일을 모두가 염원하고 있지만 그 구체적인 과정을 실천하기에는 아주 많은 난관을 우리 스스로 만들어 가고 있는 현실을 직면하게 됩니다. 남과 북의 대립, 그에 앞서 치유되지 않고 있는 지역, 계층 세대 간의 갈등과 반목이라는 부끄러운 현실 속에서 안 의사의 자서전을 대할 때마다 죄송스러움과 한계를 절감하게 됩니다.

신뢰를 지킨 빌렘사제

안 의사는 대한독립군 참모중장으로서 거사의 정당성과 이토 히로부미의 죄상을 밝히는 의연한 주장에도 불구하고 여순 감옥에서 일제의 부당한 재판을 통하여 사형을 선고받고 죽음을 앞두고 두 동생들을 통하여 뮈텔주교에게 성사를 집전할 사제의 파견을 요청하였습니다. 그러나 뮈텔주교는 '안 의사가 자신의 범죄를 시인하고 정치적인 입장을 바꾸도록' 요구합니다. 곧 독립운동에 대한 잘못을 스스로 시인해야만 사제를 파견할 수 있다고 이를 거절합니다. 더구나 여순의 관할 주교인 술래(Choulet)와 일본 정부의 사제 파견에 대한 동의가 있었음에도 불구하고 뮈텔주교의 입장은 완강하였습니다. 이에 빌렘신부는 스스로 뮈텔주교에게 여순으로 간다는 서신을 보내고 안 의사를 면회하여 성사를 집전하고 미사를 봉헌하였습니다. 이 일로 뮈텔주교는 빌렘신부에게 성무집행정지 조치를 내렸으나 빌렘신부는 뮈텔주교의 부당성을 바티칸에 제소하였고 뮈텔주교에게는 공식적 문서를 통하여 주교의 부당한 명령을 지적하고 죽음을 앞둔 신자에게 성사를 집행하는 것은 사제의 의무이며 권리임을 강조했습니다. 바티칸은 성사집행이 사제로서의 정당한 성무집행임을 확인하였습니다. 그러나 뮈텔과의 불화로 빌렘은 프랑스로 돌아가 안중근을 생각하며 여생을 마쳤습니다.

〈동양평화론〉의 저술을 마칠 때까지 사형 집행을 연기하기로 약속한 일본 법원의 약속 파기로 순국을 예견한 안 의사는 동생들에게 전한 유언에서 나라의 독립을 위하여 국민들이 서로 마음을 합하고 위로하며 상공업의 발전을 위하여 힘써 나라를 부강하게 하는 것이 독립의 초석임을 당부하시고 나라가 독립되면 기뻐하며 천국에서 춤을 출 것이라고 하였습니다. 사실 현재 우리나라는 부강해졌고 국민들의 소득수준은 높아졌습니다. 그러나 부의 편중으로 가난한 사람들은 점점 늘어가고 일자리가 없는 사람들의 수는 정부 통계로도 그 수를 짐작하기가 어려운 실정입니다. 그런데 국론은 분열되어 있고 정책은 일관되게 부자들과 재벌들을 위해 한 쪽을 향해서만 달려가고 있습니다. 상식이 거부되고 있는 현실입니다. 안 의사가 다시 살아나 설득을 하신다면 과연 이들이 안 의사의 말씀에 귀를 기울이겠습니까?

역사는 반복이며 미래를 위한 창조적 길잡이라고 했습니다. 오늘도 안중근과 같은 의인(義人)을 박해하고 괴롭히는 또 다른 뮈텔, 브레와 같은 숱한 주교와 사제들이 엄존하고 있는 이 현실에 대해 후대에 역사는 과연 어떻게 평가하겠습니까?

십인십색이라는 말과 같이 사람의 생각은 늘 같을 수만은 없습니다.

그러나 함께 생각하고, 역사의 삶을 공유하는 것이 우리의 도리이기에 이 자료집을 만들어 우리시대 미완으로 남아있는 안중근 의사의 참뜻을 실현할 것을 다짐하고 후대 역사의 지침으로 남기려 합니다.

자료집 발간을 위해 도와주신 박원순 시장님과 서울시 관계자분들 그리고 서울시의회 새정치민주연합 전 대표 양준욱 의원님, 임형균 의원님에게 진심으로 감사드립니다. 10년을 넘게 자료집 발간을 위해 한결같은 마음으로 애쓰고 계시는 조광 교수님, 신운용 박사, 윤원일 사무총장과 자료집 발간에 참여하고 계시는 편찬위원들과 번역과 교정에 참여해 주신 모든 분들, 출판을 맡아준 채륜의 서채윤 사장님과 직원분들 모두에게 감사와 위로의 인사를 드립니다.

안 의사님, 저희는 부끄럽게도 아직 의사님의 유해를 찾지 못했습니다. 아니, 잔악한 일본인들이 안 의사의 묘소를 아예 없앤 것 같습니다. 그러나 이 책이 그리고 우리 모두의 마음이 안 의사를 모신 무덤임을 고백하며 안 의사의 열정을 간직하고 살기로 다짐합니다. 8천만 겨레 저희 마음속에 자리 잡으시어 민족의 일치와 화해를 위한 열정의 사도가 되도록 하느님께 전구해 주십시오.

안 의사님, 우리 겨레 모두를 돌보아주시고 지켜주소서.

아멘.

2016년 3월

안중근의사기념사업회, (사)안중근평화연구원 이사장

함 세 웅

발간사 _ 둘

"역사를 잊은 민족에게 미래는 없다."

역사는 현재를 살아가는 우리에게 거울과 같은 존재입니다. 우리는 지나온 역사를 통해 과거와 현재를 돌아보고 미래를 설계해야 합니다. 암울했던 일제강점기 우리 민족에게 빛을 안겨준 안중근 의사의 자료집 출간이 더욱 뜻 깊은 이유입니다.

107년 전(1909년 10월 26일), 만주 하얼빈 역에는 세 발의 총성이 울렸습니다.

전쟁에 몰입하던 일제 침략의 부당함을 전 세계에 알리고 나아가 동양의 평화를 위해 동양 침략의 선봉에 섰던 이토 히로부미를 안중근 의사가 저격한 사건입니다. 안중근 의사의 하얼빈 의거는 이후 수많은 독립운동가와 우리 민족에게 큰 울림을 주었고, 힘들고 암울했던 시기를 분연히 떨치고 일어나 마침내 조국의 광복을 맞이하게 했습니다.

그동안 독립 운동가들의 활동상을 정리한 문집들이 많이 출간되었지만, 안중근 의사는 뛰어난 업적에도 불구하고 관련 자료가 중국과 일본, 러시아 등으로 각각 흩어져 하나로 정리되지 못하고 있었습니다.

이번에 발간되는 『안중근 자료집』에는 안중근 의사의 행적과 사상, 그 모든 것이 집대성되어 있습니다. 이 자료집을 통하여 조국의 독립과 세계평화를 위해 일평생을 바친 안중근 의사의 숭고한 희생정신과 평화정신이 대한민국 전 국민의 가슴에 깊이 아로새겨져 우리 민족의 미래를 바로 세울 수 있는 밑거름이 될 수 있기를 기원합니다.

2016. 3

서울특별시장 박 원 순

발간사 _ 셋

역사 안에 실재하는 위인을 기억하는 것은 그 삶을 재현하고 실천하는 것입니다.

지금 우리 시대 가장 존경받는 분은 안중근 의사입니다.

특히 항일투쟁기 생존했던 위인 중 남북이 함께 기억하고 있는 유일한 분이기도 합니다.

그것은 "평화"라는 시대적 소명을 실천하자는 우리 8천만 겨레의 간절한 소망이 담긴 징표라고 저는 생각합니다.

안중근 의사는 20세기 초 동양 삼국이 공존할 수 있는 평화체제를 지향했고 그 가치를 훼손하고 힘을 앞세워 제국주의 질서를 강요하는 일제를 질타하고 이토 히로부미를 주살했습니다.

안중근 의사 의거 100년이 지난 지금 중국대륙에서 새롭게 안중근을 조명하고 있습니다. 그것은 100여 년 전 동양을 위협했던 제국주의 세력이 다시 준동하고 있다는 증거이며 안중근을 통해 공존의 아름다운 가치를 회복하자는 다짐입니다.

안중근 의사는 동양평화론을 저술하기 전에 "인심단합론"이라는 글을 남기셨습니다.

지역차별과 권력 그리고 재력 등 개인과 집단의 상대적 우월을 통해 권력을 행사하거나 집단을 통제하려는 의지를 경계하신 글입니다. 그런 행위는 공동체를 분열하고 해체하는 공공 악재가 되기 때문에 이를 경계하라 하신 것입니다.

해방 이후 지난 70년 우리 사회는 끊임없는 갈등과 분열을 경험하고 있습니다. 이런 상황을 문제로 인식하고 해결하려는 의지를 공동체가 공유하기보다 당연한 결과로 받아들이며 갈등과 분열을 사회 유지 수단으로 이용하고 있습니다.

사회구성원으로 살아가는 한 개체로서 인간은 자신의 의지와 관계없이 역사와 정치 이념의 영향을 받게 됩니다. 안중근 의사는 차이를 극복하고 서로 존중하는 공동체 유지 방법을 "인심단합론"이라 했습니다. "동양평화"는 그를 통해 이루어지는 결과입니다.

우리 사회는 민주화와 경제화 과정에 있습니다.

미완의 제도들은 갈등의 원인으로 작용하고 있으며 아름다운 공동체를 위해 많은 문제를 해결해야 한다는 것을 모두 알고 있습니다.

오늘은 어제의 결과이며 미래의 모습입니다. 지난 역사와 그 안에 실재했던 우리 선열들의 가르침은 우리에게 많은 지혜를 알려 주고 있습니다. 그 중에도 "안중근"이 우리에게 전하려는 "단합"과 "평화"는 깊이 숙고하고 논의를 이어가야 할 우리 시대 가치입니다.

안중근 의사의 독립전쟁과 공판투쟁 등 그분의 모든 행적을 담은 자료를 모아 자료집으로 만들어 우리 시대 자산으로 삼고 후대에 전하는 일에 기꺼이 동참해 오늘 작은 결실을 공동체와 함께 공유하게 되었습니다. 앞으로 이보다 더 많은 자료를 엮어 발간해야 합니다. 기쁜 마음으로 함께 결실을 거두어 낼 것입니다.

안중근 자료집 발간을 통해 많은 분들이 안중근 의사의 나라의 독립과 민족의 자존을 위해 가졌던 열정과 결단을 체험하고 우리 시대 정의 실현을 위해 헌신할 것을 다짐하는 계기가 되기를 바랍니다.

10년이 넘도록 안중근 자료집 발간을 위해 애쓰고 계시는 안중근의사기념사업회, ㈔안중근평화연구원 이사장 함세웅 신부님과 임직원 여러분들에게 진심으로 존경과 감사의 인사를 드립니다.

서울특별시의회 새정치민주연합 전 대표의원

양 준 욱

편찬사

안중근은 1909년 10월 26일 하얼빈에서 대한제국의 침략에 앞장섰던 이토 히로부미를 제거해서 국가의 독립과 동양평화에 대한 의지를 드높인 인물이다. 그에 대한 연구는 한국독립운동사 연구에 있어서 중요한 부분을 이루고 있으며, 그의 의거는 오늘날까지도 남북한 사회에서 적극적 의미를 부여받고 있다. 안중근의 독립투쟁과 그가 궁극적으로 추구했던 평화에 대한 이상을 밝히는 일은 오늘을 사는 우리 연구자들에게 공통된 과제이다.

안중근이 실천했던 일제에 대한 저항과 독립운동은 5백 년 동안 닦아온 우리 민족문화의 특성을 가장 잘 나타내주고 있다. 조선왕조가 성립된 이후 우리는 문치주의를 표방하며 문민(文民)들이 나라를 다스렸다. 그러나 개항기 이후 근대 우리나라 사회에서는 조선왕조가 유학사상에 바탕한 문치주의를 장려한 결과에 대한 반성이 일어나기도 했다. 문치주의로 나라는 이른바 문약(文弱)에 이르게 되었고, 그 결과로 나라를 잃게 되었다는 주장이 제기된 것이었다.

그러나 조선왕조가 표방하던 문치주의는 불의를 용납하지 않고 이욕을 경시하면서 정의를 추구해 왔다. 의리와 명분은 목숨만큼이나 소중하다고 가르쳤으며, 우리의 정통 문화를 지키는 일이 무엇보다도 중요함을 늘 일깨워주었다. 이러한 정신적 경향은 계급의 위아래를 떠나서 삼천리강산에 살고 있던 대부분의 사람들의 심중에 자리잡은 문화적 가치였다. 그러므로 나라가 위기에 처했을 때, 유생들을 비롯한 일반 농민들까지도 의병을 모두어 침략에 저항해 왔다. 그들은 단 한 번 무기를 잡아본 적이 없었다. 그렇다 하더라도 우리나라에 대한 상대방의 침입이 명분 없는 불의한 행위이고, 사특한 움직임으로 규정될 경우에는 유생들이나 농민지도자들이 의병장으로 일시에 전환하여 침략에 목숨을 걸고 저항했다. 일반 농민들도 군사훈련을 받지 않은 상태임에도 불구하고 자신의 몸을 던져 외적의 침입에 맞서고자 했다.

그러나 엄밀히 말하자면, 글 읽던 선비들이 하루아침에 장수가 될 수는 없었던 일이며, 군사훈련을 받지 않은 사람을 전선으로 내모는 일은 살인에 준하는 무모한 행동으로 비난받을 수도 있었으나 이러한 비난은 우리 역사에서 단 한 번도 일어나지 않았다. 그 까닭은 바로 문치주의에서 강조하던 정의와 명분은 사람의 목숨을 걸 수 있을 만큼 소중한 것으로 보았기 때문이다.

우리는 안중근에게서 바로 이와 같은 의병문화의 정신적 전통이 계승되고 있음을 확인하게 된다. 물론 전통시대 의병은 충군애군(忠君愛君)을 표방하던 근왕주의적(勤王主義的) 전통이 강했다. 안중근은 전통 유학적 교육을 통해 문치주의의 향기에 접하고 있었다. 그는 무인(武人)으로서 훈육되었다기보다는 전통적인 문인(文人)으로 교육받아 왔다. 또한 안중근은 천주교 입교를 통해서 유학 이외의 새로운 사조를 이해하기 시작했다. 안중근은 전통적 근왕주의를 뛰어넘어 근대의 세례를 받았던 인물이다. 그의 혈관에는 불의를 용납하지 않고 자신을 희생하여 정의를 세우고자 했던 의병들의 문화전통과 평등이라는 가톨릭의 정신이 흐르고 있었다. 이 때문에 안중근의 생애는 전통적인 의병이 아닌 근대적 독립운동가로 규정될 수 있었다.

안중근은 우리나라의 모든 독립운동가들에게 존경의 대상이 되었다. 그는 독립운동가들에게 '역할 모델(role model)'을 제공해 주고 있다. 그의 의거는 한국독립운동사에 있어서 그만큼 큰 의미를 가지고 있었다. 그렇다면 해방된 조국에서 그에 관한 학문적 연구도 본격적으로 착수되어야 했다. 그러나 안중근에 관한 연구는 다른 독립운동가에 비교해 볼 때 체계적 연구의 시기가 상대적으로 뒤늦었다. 그 이유 가운데 하나는 『안중근 전집』이나 그에 준하는 자료집이 간행되지 못했던 점을 들 수도 있다. 돌이켜 보건대, 박은식·신채호·안창호·김구·이승만 등 주요 독립운동가의 경우에 있어서는 일찍이 그분들의 저작집이나 전집들이 간행된 바 있었다. 이러한 문헌자료의 정리를 기초로 하여 그 독립운동가에 대한 본격적 연구가 가능하게 되었다. 그러나 안중근은 아직까지도 『저작전집(著作全集)』이나 본격적인 『자료집』이 나오지 못하고 있다. 이로 인하여 안중근에 대한 연구가 제한적으로밖에 이루어지지 못하고 있다. 그리고 안중근에 대한 본격적 이해에도 상당한 어려움이 따르게 되었다.

물론 안중근의 『자서전』과 그의 『동양평화론』이 발견된 1970년대 이후 이러한 안중근의 저술들을 중심으로 한 안중근의 자료집이 몇 곳에서 간행된 바도 있다. 그리고 국사편찬위원회 등 일부 기관에서는 한국독립운동사 자료집을 간행하는 과정에서 안중근의 재판기록을 정리하여 자료집으로 제시해 주기도 했다.

그러나 안중근에 대한 연구 자료들은 그 범위가 매우 넓다. 거기에는 안중근이 직접 저술하거나 집필했던 문헌자료들이 포함된다. 그리고 그는 공판투쟁과정에서 자신의 견해를 분명히 제시해 주고 있다. 따라서 그에 대해 알기 위해서는 그가 의거 직후 체포당하여 받은 신문 기록부터 재판과정에서 생산된 방대한 양의 기록들이 검토되어야 한다. 또한 일본의 관인들이 안중근 의거 직후 이를 자국 정부에 보고한 각종 문서들이 있다. 여기에서도 안중근에 관한 생생한 기록들이 포함되어 있다. 그리고 안중근 의거에 대한 각종 평가서 및 정보보고 등 그와 그의 의거에 관한 기록은 상당 분량에 이른다.

안중근 의거 직후에 국내외 언론에서는 안중근과 그 의거에 관해 자세한 내용을 경쟁적으로 보도하고 있었다. 특히 국내의 주요 신문들은 이를 보도함으로써 의식 무의식적으로 문치주의적 의병정신에 동참하고 있었다. 안중근은 그의 순국 직후부터 우국적 언론인의 탐구대상이 되었고, 역사학자들도 그의 일대기와 의거를 연구하여 기록에 남겼다. 이처럼 안중근에 관해서는 동시대를 살았던 독립운동가들과는 달리 그의 행적을 알려주는 기록들이 무척 풍부하다.

앞서 말한 바와 같이, 개항기 이래 식민지강점기에 살면서 독립을 위해 투쟁했던 주요 독립운동가들의 전집이나 자료집은 이미 간행되어 나왔다. 그러나 그 독립운동가들이 자신의 모델로 삼기 위해 노력했고 존경했던 안중근 의사의 자료집이 전집의 형태로 간행되지 못하고 있었다. 이는 그 후손으로서 안중근을 비롯한 독립 선열들에게 대단히 면목 없는 일이었다. 따라서 안중근 전집 내지 자료집의 간행은 많은 이들에게 대단히 중요한 과제로 남게 되었다.

이 상황에서 안중근의사기념사업회 산하에 안중근연구소가 발족한 2005년 이후 안중근연구소는 안중근 전집 내지 자료집의 간행을 가장 중요한 과제로 삼았다. 그리하여 2005년 안중근의사기념사업회 안중근연구소는 전집간행을 준비하기 시작했다. 그 과정에서 안중근연구소는 안중근 연구를 필생의 과업으로 알고 있는 신운용 박사에게서 많은 자료를 제공받아 이를 중심으로 하여 전집 간행을 위한 가편집본 40여 권을 제작하였다. 그리고 이렇게 제시된 기본 자료집에 미처 수록되어 있지 못한 별도의 자료들을 알고 있는 경우에는 그것을 제공해 달라고 연구자들에게 요청했다. 한편, 『안중근 자료집』에는 해당 자료의 원문과 탈초문 그리고 번역문의 세 가지를 모두 수록하며, 원문의 교열 교감과 번역과정에서의 역주작업을 철저히

하여 가능한 한 완벽한 자료집을 간행하기로 의견을 모았다.

안중근의사기념사업회에서는 안중근연구소의 보고에 따라 그 자료집이 최소 25책 내외의 분량에 이를 것으로 추정했다. 또한 자료집 간행이 완간되는 목표 연도로는 안중근 의거 100주년에 해당되는 2009년으로 설정했다. 안중근의사기념사업회는 이 목표를 달성하기 위해 백방으로 노력했다. 그러나 안중근 자료집의 간행이라는 이 중차대한 작업에 대한 국가적 기관이나 연구재단 등의 관심에는 큰 한계가 있었다. 안중근의사기념사업회는 정리비와 간행비의 마련에 극심한 어려움을 겪고 있었다. 이 어려움 속에서 안중근 의거와 순국 100주년이 훌쩍 지나갔고, 이 상황에서 안중근의사기념사업회는 출혈을 각오하고 자력으로라도『안중근 자료집』의 간행을 결의했다. 자료집을 순차적으로 간행하기로 하였다.

이 자료집의 간행은 몇몇 분의 특별한 관심과 노력의 소산이었다. 먼저 안중근의사기념사업회, (사)안중근평화연구원 이사장 함세웅 신부는『안중근 자료집』간행의 비용을 마련하기 위해 많은 노력을 기울였다. 무엇보다도 이 자료집의 원사료를 발굴하여 정리하고 이를 번역해서 원고를 제공해준 신운용 박사의 노고로 이 자료집은 학계에 제시될 수 있었다. (사)안중근평화연구원 부원장 윤원일 선생은 이 간행작업의 구체적 진행을 위해 수고를 아끼지 않았다. 안중근의사기념사업회의 일에 깊은 관심을 가져준 여러분들도『안중근 자료집』의 간행을 학수고대하면서 격려해 주었다. 이 모든 분들의 선의가 모아져서 2010년 5권이 발간되었으나 더 이상 진척되지 못하고 있었다. 여러 어려움으로 자료집 발간이 지체되는 것을 안타깝게 여긴 박원순 서울시장님과 서울시의회 새정치민주연합 전 대표 양준욱 의원님과 임형균 의원님을 비롯한 서울시의원님들의 지원으로 자료집 발간 사업을 다시 추진하게 되었다. 이 자리를 빌려 서울시 역사문화재과 과장님과 관계자들 서울시의원님들에게 심심한 감사의 인사를 드린다. 앞으로 이 자료집은 많은 분들이 도움을 자청하고 있어 빠른 시간 내에 완간될 것이라 생각한다. 이 자료집 발간에 기꺼이 함께한 편찬위원 모두의 마음을 모아 안중근 의사와 순국선열들에게 이 책을 올린다.

광복의 날에
안암의 서실(書室)에서
안중근 자료집 편찬위원회 위원장
조 광

『일본인 신문·청취기록』 해제

신운용*

목차

1. 들어가는 말

안중근평화연구원은 그동안 안중근사료를 11권 출간하였다. 이들 사료는 주로 안중근 등의 신문과 재판 기록 그리고 러시아의 사건초기 조사기록으로 이루어진 것들이다. 이 자료집은 그동안 거의 알려지지 않은 이토 수행원과 하얼빈 일본인의 증인 신문조서, 감정인 신문조서, 감정서, 청취서, 시말서를 번역 탈초하여 원본과 함께 수록한 것이다.

안중근의거의 배경을 이해하려면 러시아 한인사회의 성립과 발전 그리고 한인의 활동을 주목할 필요가 있다. 더불어 하얼빈이라는 같은 시공간 속에서 살고 있던 한인과 일본인의 관계도 살펴보아야 할 것이다. 이를 위해 우선 필자는 일본인 거류민회의 성립과 한인에 대해 기술하려고 한다. 이를 통하여 안중근의거의 시공간적 배경인 하얼빈의 상황을 이해할 수 있을 것이고 더 나아가 안중근의거의 의미를 확대시키는 계기가 될 것이다.

---

* (사) 안중근평화연구원 책임연구원.

이 자료집에는 총 26명의 일본인에 대한 신문조서, 청취서, 시말서가 수록되어 있다. 한인사회의 구조, 하얼빈 일본인들의 안중근의거에 대한 인식, 하얼빈역의 경비상황, 의거상황, 일제의 한인 정책과 의거 수습과정 등을 알 수 있다는 면에서 이 자료집의 의미를 부여할 수 있을 것이다. 필자는 이 자료집에 대한 독자의 이해를 돕기 위해 이러한 맥락에서 일본인 26명의 진술내용을 요약하고 그 의미를 살펴보겠다.

안중근의거와 그에 대해 폄하하는 글들이 의거 당시로부터 일본사회에 광범위하게 퍼져 있다.[1] 그 이론적 기원은 무로다가 제공하였다. 이후 이토를 저격한 인물은 안중근이 아니라 제3의 한인이라는 제3의 저격설을 지지하는 여러 편의 논문과 저작물[2]이 발표되었다. 이로 인해 제3의 저격설이 일본에서 힘을 얻어가고 있는 것이 사실이다.

제3의 저격설과 관련하여 이 자료집에서 특히 주목해야 할 것은 후루야 히사즈나(古谷久綱) 추밀원의장 비서, 모리 타이지로(森泰二郎) 궁내대신 비서관, 카와카미 토시츠네(川上俊彦) 하얼빈총영사, 타나카 세이지로(田中清次郎) 등의 진술이다.

본고에서 구체적으로 제3의 저격설의 허구성을 드러냄으로써 본서가 갖는 가치를 부여할 기회를 살리려고 한다. 이를 통하여 제3의 저격설의 허상이 밝혀질 것이고 이와 더불어 안중근의거의 역사적 진실은 더욱 확고해질 것으로 기대된다.

---

1 제3의 저격설은 인터넷상에 광범위하게 퍼져 있는 것이 현실이다. 이러한 경향의 대표적인 사례는 와카사 카즈토모(若狭和朋)의 「이토 히로부미 암살-안중근은 이토 히로부미의 범인이 아니다(伊藤博文暗殺-安重根は犯人ではない)」에 대한 아래와 같은 논평이다. "내용은 제목대로 「안중근은 이토 히로부미(伊藤博文)의 암살범이 아니다」라는 것이다. 이는 단순한 추측이 아니고 충분한 이유·근거가 있다는 것을 알게 되었다. 물론 진상규명을 회피하고 안중근을 범인으로 처형한 것은 「일본 측의 사정」에 따른 것으로 보인다. 일본에서는 「알고 있는 사람은 알고 있다」는 말이겠지요. 모르는 내가 (이런 것을) 쓰는 것은 비겁한 일이지만 한국인들 특히 학자는 이를 인식하고 있는지 걱정스럽다"(http://blog.livedoor.jp/sumiin/archives/253715.html).

2 제3의 저격의 대표적 주장은 다음과 같다. 田谷広吉·山野辺義智 編纂, 『室田義文翁譚』, 常陽明治記念会東京支部, 1938; 室田義文, 「伊藤博文公ハルピン驛頭の凶變」, 『あの事件の思出を語る』(森田英亮 編), 金星堂, 1939; 木村孝子·增本寬, 「故伊藤公爵遭難時の肌着に就ての法醫學的考察」, 『犯罪學雜誌』26-3, 日本犯罪學會, 1960; 藤田幸男, 「伊藤博文暗殺事件犯人は安重根でない」, 『文藝春秋』 1966年 4月號; 平川綺一, 「伊藤博文ノ暗殺をめぐって」, 『工學院大學研究論叢』5, 1966; 全日本新聞聯盟, 「犯人は安重根か」, 『近世日本世上史』, 全日本新聞聯盟新聞時代社, 1971; 上垣外憲一, 『暗殺·伊藤博文』, 筑摩書房, 2000; 『週刊新潮』2003年 12月 4日字, 「安重根の他にもいた「伊藤博文暗殺犯」」; 大野芳, 『伊藤博文 暗殺事件』, 新潮社, 2003; 海野福壽, 『伊藤博文と韓國併合』, 青木書店, 2004; 若狭和朋, 「伊藤博文暗殺 安重根は犯人ではない」, 『歴史通』(特集 韓国併合100年目の真実) 2010年 7月号.

2. 일본인거류민회의 성립과 한인

안중근에게 총격을 받은 카와카미 토시츠네(川上俊彦)는 1907년 2월 21일 하얼빈 일본 총영사관의 총영사로 임명되었다.[3] 일제가 하얼빈에 총영사관을 3월 4일 개설한 이유는 러일전쟁이후 무역·교통·항해 등 일본의 이익을 지키고 청국과 체결한 조약의 준수여부를 감시하기 위한 것이었다.[4] 다른 말로 하면 이는 러일전쟁으로 장춘이남 남만주를 장악한 데 이어서 북만주마저 장악하여 만주전체를 지배하려는 일제의 전략에서 나온 것이다.[5] 이러한 이유에서 이토가 하얼빈에서 까깝쵸프와 만나 회견을 하려고 한 것이었다.[6]

거류민회의 설치는 1905년에 3월 7일 일왕의 제가를 얻은 「법률 제41호 거류민단법」에 규정되어 있다.[7] 그런데 총영사관이 설치되기 전에도 비인가 거류민회가 있었지만 공식적으로 하얼빈 총영사관의 인가를 받은 일본인 거류민단은 적어도 1907년 8월까지는 설치되지 않았던 것으로 보인다.

카와카미는 그 이유를 "일본인들의 다툼이 끊이지 않아 새로 만들려고 하여도 남만주의 다른 지역과 사정이 다르고 영사관령으로 거류민회를 설치하려고 하여도 맡아 운영할 적임자가 없기 때문이다"[8]고 설명하고 있다. 여기에서 보듯이 하얼빈 일

---

3 国立公文書館, 「清国哈爾賓駐在総領事川上俊彦 同国吉林駐在領事島川毅一郎へ御委任状御下付ノ件」, 『公文雑纂·明治四十年·第十五巻·外務省四』

4 위와 같음.

5 이는 카와카미의 일련의 보고서에 잘 드러나 있다(日本外交史料館, 『露國ノ北萬州經營關係雜纂』(문서번호: 1.2.4, 23)).

6 이토 까깝쵸프의 회견 배경에 대해서는 신운용, 「안중근의거의 국제정치적 배경에 관한 연구」, 『안중근과 한국근대사』, 안중근의사기념사업회, 2009, 참조.

7 "제1조 전관거류지, 각국거류지, 잡거지 기타에 주거하는 일본인의 상태에 따라 외무대신이 필요하다고 인정하는 지구(地區)를 정하고 그 지구내에 거주하는 제국신문으로 조직하는 거류민단을 설립할 수 있다. 거류민단의 폐치분합(廢置分合) 또는 그 지국의 변경에 관한 사항은 명령으로 정한다. 제2조 거류민단은 법인으로 관의 감독을 받고 명영 또는 조약의 범위내에서 그 공공사무 및 법령, 조양, 또는 관례에 따라 이에 속하는 사무를 처리한다. 제3조 거류민단에 이원(吏員) 및 거류민회를 둔다. 제4조 거류민회의 조직, 거류민단 이원(吏員) 또는 거류민회의원의 임면, 선거, 임기, 급여 및 직무권한 등에 관한 사항과 거류민단의 재산, 부채, 영조물(營造物), 경비의 부과징수 및 회계에 관한 사항은 명령으로 정한다. 제5조 거류민단은 영사공사 및 외무대신 순차로 이를 감독한다. 단 토지의 상황에 따라 제2차의 감독을 생략할 수 있다. 전항 감독에 관해 필요로 하는 사상은 명령으로 정한다. 제6조 거류민단설립시 그 지구 내에 거류하는 제국신민의 공동재산 및 부원의 처분 기타 본법시행에 관해 필요로 하는 사항은 명령으로 정한다(国立公文書館, 「御署名原本·明治三十八年·法律第四十一号·居留民団法」, 『内閣 太政類典 公文録 公文類聚 公文雑纂 明治 明治 38年』).

8 日本 外交史料館, 「日本人會及韓國人會ニ關スル件」, 『在外国集會ニ関スル雜纂』(문서번호: 1.3.5, 2).

본인 사이에도 상당한 반목과 질시가 상존하였음을 알 수 있다. 때문에 카와카미는 "적당한 시기에 이르기까지는 일본인회의 개조를 미루고 단지 종래의 규칙을 다소 개정을 하여 감독을 엄하게 할 것이다"[9]이라는 대책을 내놓았던 것이다. 때문에 일본인거류민회는 1907년 8월에 일제의 사주로 설립된 한인회보다 늦은 1908년 4월 성립에 성립되었다.[10]

일제의 한국침략이 가중되던 의거 당시 하얼빈 한인과 일본인 사이의 정치적 의미를 갖는 충돌은 구체적으로 일어나지 않은 것 같다. 이는 "눈에 띠게 사이가 나쁜 것 같은 모양은 없다."[11]라는 후루사와의 진술에서도 알 수 있다.

김성백 등에서 보듯이 하얼빈 한인들은 반일성향을 보이고 있었던 것도 사실이지만, 한인사회가 일본인 사회와 대립할 만한 기반이 조성되지 못하였다. 이는 우편의 발송 등 하얼빈 일본총영사관의 도움을 현실적으로 받고 있다는 점,[12] 대부분이 담배말이와 같은 단순노동에 종사하는 등 경제 사회적으로 일본인에 비해 한인사회가 열악하다는 점, 친러 한인이 활동하고 있다[13]는 점 등에서 그 이유를 설명할 수 있을 것이다.

한편, 하얼빈 총영사관은 하얼빈 한인사회를 통제하는 의도를 분명히 갖고 있었다. 그 대표적인 사건은 동청철도 내의 한인의 치외법권을 청국에 귀속시키려는 러시아의 「민정청훈령 제19호」에 대한 일제의 반발과 한인이 일본인을 죽인 김재동·서재근 사건이다. 이 두 사건을 계기로 일제는 한인의 치외법권을 부정하면서 재외한인을 일제의 사법권에 종속시켰던 것이다.[14] 이러한 상황 속에서 하얼빈 일본인들은 한인에 대한 통제에 불만을 드러내며 그 책임을 외무성으로 돌리기도 하였다.[15]

---

9 위와 같음.

10 朝鮮雜誌社 編著, 『新朝鮮及新滿洲』, 朝鮮雜誌社, 1913년, 868쪽.

11 신운용 편역, 「후루사와 코키치 증인 신문조서」, 『일본인 신문·청취기록』(안중근 자료집 8), (사)안중근평화연구원, 2016, 17쪽.

12 신운용 편역, 「김려수 제2회 신문기록」, 『재하얼빈 한인 신문기록』(안중근 자료집 7), (사)안중근평화연구원, 2016, 10쪽.

13 신운용 편역, 「후루사와 코키치 증인 신문조서」, 『일본인 신문·청취기록』(안중근 자료집 8), (사)안중근평화연구원, 2016, 16~17쪽.

14 신운용, 「일제의 국외한인에 대한 사법권침탈과 안중근재판」, 『안중근과 한국근대사』, 채륜, 2009, 470~476쪽.

15 신운용 편역, 「후루사와 코키치 증인 신문조서」, 『일본인 신문·청취기록』(안중근 자료집 8), (사)안중근평화연구원, 2016, 19쪽.

3. 내용과 그 의미

이 책은 1909년 10월 27일 고야마 젠(小山善) 시의와 후루야 히사즈나(古谷久綱)에 대한 증인 신문부터 12월 10일 쇼지 쇼고로(庄司鐘五郎) 만철 러시아어 통역관에 대한 신문이 끝나기까지의 증인 신문조서, 감정인 신문조서, 청취서, 시말서로 구성되어 있다. 증인 신문조서의 대략적인 내용은 다음과 같다.

① 카와카미 토시히코(川上俊彦, 하얼빈총영사관 총영사, 1909년 11월 9일)는 하얼빈 도착 후 기내에서 있었던 까깝쵸프·이토의 회담내용, 사열과정, 의거상황을 진술하였다.

② 스기노 호타로(杉野鋒太郎, 하얼빈 총영사관 서기, 1909년 11월 9일)는 이토의 방만을 기하여 한인의 동정을 조사했다는 것을 못 들었다는 점, 이토의 환영 순서를 러시아 측과 협의하지 않았다는 점, 러시아의 경계상황, 일본인단의 위치, 환영단의 정렬순서, 의거상황, 이토와 그 수종자의 상황, 러시아의 안중근 취조에 입회한 사실 등을 진술하였다.

③ 후루사와 코키치(古澤幸吉, 하얼빈 영사관 통역관, 1909년 11월 9일)[16]는 하얼빈 총영사관 한인통역 채용 계획이 있음을 밝히면서, 하얼빈 총영사관이 주목하고 있는 한인은 김형재·김성옥·김성백인 점, 하얼빈 한인은 블라디보스토크 계통으로 모두 친로파인 점, 일본인 환영단에 한인 2명(방사첨·이진옥)이 가입하였다는 점 등의 한인회 상황을 진술하였다. 이어서 한인에 대한 대비를 하지 못했으며 일본인 환영단은 이토 도착 30분 전에 정거장에 모이기로 되어 있었던 사실을 언급하면서 일본인 환영단의 위치와 정렬 상황, 의거 상황, 범인은 한국인이라는 것을 총영사에게 말했다고 진술하였다.

④ 나츠아키 카메이치(夏秋龜一, 만철 하얼빈출장소 주임, 1909년 11월 9일)는 다음과 같은 내용을 진술하였다. "나는 이토 환영위원, 거류민회 평의원이다. 총영사관은 한인에 대한 취급에 아무런 관련이 없다. 블라디보스토크 한인들이 의거 소식을 듣고

---

16 1874년 6월 17 에이히메 현(愛媛県) 출신. 도오지사(同志社)大 졸업 후 유럽으로 건너가 벨기에 브르셀 대학에서 법제경제를 공부함. 귀국후 국민신문사에 들어갔다가 나중에 도쿄광(東京高商, 一橋大)교수가 됨. 이토 히로부미(伊藤博文)의 신임을 얻어 이후 이토가 수상, 조선통감, 추밀원의장을 역임함에 따라 그 비서관으로 다년간 근무함. 이토 사후에는 궁내성에 들어가 칙임십부관(勅任式部官), 이왕가 어용계 겸 왕세자부(李王家御用掛兼王世子付)를 역암, 1914년 중원의원이어 정우회(政友会)에서 활동함. 1919년 2월 11일 사망.

대단히 기뻐하고 있다. 이토 환영에 기부금을 낸 한인(방사첨·이진옥)이 있다. 러시아 혁명당원이 한인 이토에게 위해를 가한 것처럼 까깝쵸프에게 위해를 가하려고 계획하고 있다. 하얼빈 만철 출장소 직원 나이토 준타로(内藤順太郎)가 한인에 대한 단속을 하얼빈 총영사관에 건의하였으나 받아들여지지 않았다." 아울러 한인회 상황, 의거상황, 의거이후의 상황, 러시아인들의 반응을 밝혔다.

⑤ 다나카 세이지로(田中淸次郎, 만철 이사, 1909년 11월 12일)는 환영인단 정렬 순서, 하차 상황, 의거 상황, 안중근의 모습을 진술하면서 하얼빈역 플랫폼에는 일반 러시아인이 없었다는 사실을 밝히면서 자신이 맞은 총알을 증거로 제출하였다.

⑥ 나카무라 제코[17](中村是公, 만철 총재,1909년 11월 12일)는 환영인단 정렬 순서, 저격당한 이토의 모습, 안중근의 모습, 이토의 상흔 등을 진술하였다.

⑦ 쇼지 쇼고로(庄司鐘五郎, 만철 러시아어 통역관, 1909년 12월 10일)는 호위병을 붙이겠다는 헌병대의 제의에 대한 이토의 거절, 장춘에 이토 환영을 위해 예기(藝妓)를 마련한 사실, 이토가 탄 열차의 구조, 하얼빈역 1등 대합실 출구 앞에 이토 귀빈차를 세운 점, 이토·까깝쵸프 회담시 하얼빈역의 상황, 하얼빈역 사진과 이토 하차 사진에 대한 설명, 이토의 열병과 의거상황, 환영인의 정렬 순서, 의거상황, 의거 때 러시아 대좌가 안중근에게 칼을 뽑아 휘두른 사실, 의거 이후의 일본인들의 상황, 이토의 피격은 일본에 책임 있고 안중근은 한국으로 넘겨야 한다는 까깝쵸프의 주장, 장춘에서 러청 관헌에게 한 이토 연설내용, 러시아 관헌의 감상 등을 진술하였다.

⑧ 고야마 젠[18](小山善, 시의, 1909년 10월 27일)은 이토 수행원, 의거상황, 이토의 시체 검안 내용과 총알 3발을 이토의 체내에 남겨 둔 사실을 진술하였다.

⑨ 후루야 히사즈나(古谷久綱, 추밀원의장 비서관, 1909년 10월 27일)는 이토 수행원, 직접 목격한 의거상황, 이거 후 대련으로 되돌아가는 과정을 밝히면서, 까깝쵸프로부터 들은 안중근이 잡힌 이후의 러시아 관헌의 조치내용 등을 진술하면서 현장상황도를 제출하였다.

⑩ 미야자키 신조(宮崎新造, 요리점, 1909년 11월 1일)는 김택신에게 담배를 말게 하

---

17 1867년 11월 25일 히로시마 현(広島県) 아키(安芸) 출생. 제국대학 졸업, 대장성에 있다가 1896년 대만총독부에 들어가 총무국장, 재무국장 등을 역임함. 1906년 만철 부총재, 1909년 만철총재. 후에 철도원총재, 도쿄 시장, 귀족원의원을 역임하고 1927년 3월 1일 62세로 사망.

18 1860년 8월 니가타 현(新潟県) 에치고(越後) 출신. 이토 히로부미(伊藤博文)의 주치의, 이왕세자부전의장(李王世子付典医長)을 역임, 궁내성 시의료어용계(侍医寮御用掛)을 역임, 1933년 5월 6일 75세로 사망.

였다는 것을 진술하였다.

⑪ 카와하라 군헤이(河原郡平, 요리점, 1909년 11월 5일)는 3등 대합실이 닫혀 있어 1등 대합실 입구를 통해 역내로 들어갔다고 하면서, 이토의 하차 상황, 의거상황을 진술하였다.

⑫ 모리 레이이치(森良一, 음식점,1909년 11월 2일)는 자신이 고용하고 있는 작부 아베 타카(阿部タカ)·이나다 하루(稲田ハル)와 함께 이토 환영을 위해 하얼빈역으로 갔다고 하면서, 의거상황과 김형재가 자신의 음식점에 가끔 온다는 사실을 진술하였다.

⑬ 에자키 카쓰타로(江崎勝太郎, 세탁업, 1909년 11월 5일)는 1등 개찰구에서 한인을 보았으나 거동이 수상한 사람은 보지 못했다고 진술하였다.

⑭ 쿠토 세이사부로(工藤清三郎, 잡화상, 1909년 11월 6일)는 3등 대합실 출입구에서 작부 2명을 보았으나 한인 방사첨을 알고 있었지만 거동수상자는 모르겠다고 하면서, 의거후의 상황을 진술하였다.

⑮ 쓰마키 야스에(妻木ヤスエ, 여관)는 1909년 11월 9일 정대호 가족과 안중근 가족이 자신의 여관 국수관(菊水館)에 24일 오전 2시에 도착하여 오전 6시에 첫차로 초하구로 출발한 사실을 진술하고, 숙박인명부 사본을 제출하였다.

⑯ 코지마 신지(兒島信治, 여관 급사, 1909년 11월 12일)는 1909년 10월 24일 오전 7시경에 투숙하고 25일 오전 6시15분에 열차를 타고서 봉천으로 출발한 사실을 진술하였다.

⑰ 아베 타카(阿部タカ, 작부, 1909년 11월 2일)는 다음과 같이 진술하였다. "이나다 하루와 함께 하얼빈역으로 갔다. 하얼빈 역내의 상황, 의거상황 아베는 안중근이 1909년 10월 26일 의거직전 러시아 관료와 악수를 하였고 아베 타카를 가리키며 웃으며 이야기를 했다." 하지만 이러한 주장은 사실과 거리가 멀다. 안중근은 대합실에서 차를 마시다가 이토가 기차에서 내리는 것을 보고서 플랫폼으로 나와 의거를 결행하였던 것이다.

⑱ 이나다 하루(稲田ハル, 작부, 1909년 11월 6일)는 "아베 타카와 함께 하얼빈역으로 갔다. 하얼빈 역내의 상황, 의거상황 안중근과 같이 생긴 사람을 보았다"고 진술하였다.

감정인 신문조서의 대략적인 내용은 다음과 같다.

① 고야마 젠(小山善, 시의, 1909. 10. 27)은 "1. 각피해자의 창상 부위정도·치사의 원

인·생존자의 예후(豫後)[19], 1. 흉기의 종류"라는 이토에 대한 사항의 감정을 명받고서 다음과 같이 감정을 하였다.

1. 이토공 창상의 정도 등.

첫째, 오른쪽 상박(上膊) 중앙 밖으로부터 들어와 다섯 번째 갈비뼈 사이로부터 수평으로 양폐(兩肺)를 관통하여 왼쪽 폐에 박힌 흉내(胸內) 출혈이 많음.

둘째, 오른쪽 관절 뒤쪽 밖으로부터 들어와 오른쪽 흉협(胸脇) 아홉 번째 갈비뼈 사이로 부터 흉막을 관통하여 왼쪽 갈비뼈(季肋) 아래에 박힘.

셋째, 오른쪽 상박(上膊) 중앙의 바깥 부분을 스치고서 상복(上腹)중앙으로 들어와 복중(腹中)에 박힘.

치명상 제1, 제2 창상.

치사 원인, 내출혈로 인한 허탈.

흉기종류, 투사력이 대단한 즉 예리한 힘이 있는 피스톨의 탄환과 같은 것이다.

이외에 고야마는 모리 궁내대신 비서관 타나카(田中) 만철 이사의 부상에 대한 감정서를 제출하였다.

② 토쿠오카 테루타카(德岡凞敬, 관동도독부 대련병원 원장 1등 군의관, 1909. 11. 9)는 미조부치 타카오(溝淵孝雄) 검찰관으로부터 카와카미 총영사에 대해 다음과 같은 사항의 감정을 명받았다. "1. 창상부위·형상(形狀)·개수, 2. 자타상(自他傷)의 구별, 3. 위 창상을 일으킨 흉기종류와 신체접촉방법, 4. 치료 일수, 5. 치유 후 기능장애 여부." 하지만 토쿠오카의 감정서는 외무성 사료에 포함되어 있지 않다.

③ 오미 카오루(尾見薰, 의사, 1909. 11. 12)는 11월 12일 미조부치 타카오 총영사로부터 타나카의 부상에 대한 감정을 명받고서 감정인 신문을 받았다. 11월 22일 그는 타나카의 부상에 대한 감정서를 작성하였다.

청취서의 대략적인 내용은 다음과 같다.

---

19 예상되는 경과.

① 모리 타이지로(森泰二郎, 궁내대신 비서관 1909년 11월 15일)는 수행원, 이토의 장춘 연설, 하얼빈 역내의 상황, 수행원 하차순서와 이토의 하차, 의거상황, 수행원의 부상과 치료상황, 안중근의 인상 등을 진술하였다. 특히 그는 무로다의 제3의 저격설을 부인하였다. 아울러 저격자와 피격자가 누구냐고 물은 이토에게 그는 무로다 또는 후루야가 저격자는 한인이며 카와카미타나카 모리가 부상을 입었다는 답을 듣고 의거 15분 만에 인사불성이 되고 그 후 15분 만에 절명하였다고 진술하였다. 이는 이토가 '바보같은 놈'이라고 하고서 죽었다는 일본 저작물들의 주장이 사실과 다름을 증명하고 있다.

② 무로다 요시아야(室田義文, 귀족원 의원, 1909년 11월 16일·1909년 11월 20일)는 9년 11월 16일과 11월 20일 두 번에 걸쳐 진술하였다. 전자에서 관동도독부 관리의 경호 제의에 대한 이토의 거절, 의거상황. 저격자가 한인임을 알고서 바보같은 놈이라고 하였다고 진술하였다. 그런데 무엇보다 제3의 저격설을 주장한 무로다가 스스로 "나는 달려가 그를 부축하고 "권총이니 염려 없습니다. 정신을 차리십시오"(경험에 의하면 권총 탄환은 쉽사리 상대의 목적대로 맞는 일이 드물다고 한 데 의함)라고 말하고 격려하였다"고 하여 제3의 저격설을 부정하는 모순된 진술을 하고 있다는 데 주목할 필요가 있다. 이는 앞으로 자세히 살펴보겠지만 제3의 저격설이 허구임을 알 수 있는 결정적인 근거이다.

후자에서 이토수행자, 이토 도착 후 하얼빈역상황, 이토의 열병과 의거상황, 의거 후 자신과 이토 수행원의 부상상황 등을 진술하였다. 이때 그는 특히 이토에 맞은 "탄도는 모두 위에서 아래 쪽으로 기울어져 있었다"고 하면서 "저격자는 7연발의 총을 사용하여 발사하고 1발이 남아 있었다고 한다. 따라서 이점으로 추찰해 보면 공작을 저격한 자는 이 사진(필자: 안중근)에 있는 자가 아니고 다른 자일 것이라고 생각한다"고 하여 '제3의 저격설'을 주장하였다. 이는 앞으로 구체적으로 밝혀지겠지만 무로다의 의도된 허구임이 분명하다.

③ 오니시 하츠(大西ハツ, 초음(初音) 여관, 1909년 11월 2일과 1909년 11월 6일)는 11월 2일·6일 두 번에 걸쳐 진술을 했다. 전자에서 오니시는 정대호가 그와 안중근의 가족을 이끌고 26일 하얼빈으로 출발한 사실을 밝히면서 정대호 일행에 수상한 점이 없었음을 진술하였다. 후자에서 오니시는 정대가 그와 안중근의 가족을 데리고 자신의 여관에 머문 사실을 진술하고 숙박인명부를 제출하였다.

④ 후루바 와키(古場ワキ, 에자키 카쓰타로의 내연처, 1909년 11월 7일)는 이토가 하차하

는 쪽으로 가는 12~13세의 남자를 보았으나 안중근은 아니었고 하면서 현장에서 총소리를 들었으며 러시아 장교가 카와카미의 손을 뒤에서 잡고서 잘 보살펴주고 있는 것을 보았다고 진술하였다.

⑤ 고니시 오토야(小西音哉, 야마토옥(大和屋))는 정대호가 10월 13일 자신의 호텔에 투숙하고서 14일 봉천으로 출발하였는데 14일 진남포 세관 앞으로 "지금 출발한다"는 전보를 보냈다고 하면서 정대호에게 수상점은 없었다고 진술하였다.

⑥ 요시미 호시치(吉見保七, 여인숙, 1909년 11월 7일)는 정대호가 1909년 8월 26일 장춘으로부터 봉천으로 와서 투숙하였다가 27일 안동현으로 떠난 일과 10월 14일 장춘에서 봉천으로 왔다가 15일 안동현으로 떠한 사실을 진술하였다. 아울러 10월 25일 장대호가 그와 안중근 가족이 함께 투숙하였다가 26일 길림(하얼빈)으로 떠난 것도 진술하였다.

마지막으로 시말서에서 요시미 호시치(吉見保七, 여인숙, 1909년 11월 7일)는 "1909년 10월 25일 초하구에 숙박하였다가 26일 길림(하얼빈)으로 출발하였다고 밝혔다.

이 자료집에 등장하는 일본인은 모두 26명이다. 이들 중 일본인 관리는 하얼빈 총영사관 관계자가 3명, 만철관계자가 4명, 추밀원 의장 비서관이 1명, 궁내부 대신 비서관 1명, 귀족원의원 1명, 시의 1명, 관동도독부 대련병원 원장 1명으로 12명이고, 일반 일본인은 요리점 2명, 음식점 1명, 세탁업 1명, 잡화상 1명, 의사 1명, 여관관계자 5명, 작부 2명, 부인 1명으로 14명이다. 이는 일제의 조사당국이 의거현장의 진상을 밝히기 위해 다양한 계층의 사람들을 조사하였음을 의미하는 것으로 볼 수 있다. 다시 말해 일부의 주장[20]과 달리 러시아와의 외교관계 때문에 의거를 은폐하려고 조사를 소홀히 하지 않았음을 뜻하는 것이다.

이 자료집의 주된 내용은 거동 수상자의 유무, 이토의 하얼빈 역에 도착하기까지의 과정, 의거전의 하얼빈 역의 상황, 까깝쵸프와의 회담 내용, 하차 순서와 러시아 관리와의 인사, 안중근의 의거상황, 수행원의 부상과 그 치료, 러시아의 경계 상황, 안중근이 하얼빈역에 들어올 수 있었던 이유, 이토와 부상당한 수행원들의 감정서, 하얼빈 한인과 일본인의 관계, 이토 방만과 한인에 대한 일제의 대응, 정대호와 안중근 가족이 하얼빈에 도착한 과정 등을 들 수 있다.

---

20 大野芳, 「エピローグ」, 『伊藤博文 暗殺事件』, 新潮社, 2003, 336쪽; 海野福壽, 「伊藤博文暗殺」, 『伊藤博文と韓國併合』, 青木書店, 2004, 136쪽.

이 자료집의 의미는 의거 상황을 일본인의 다양한 입장과 시각에서 그리고 있다는 것이다. 하지만 무엇보다 중요한 점은 무로다의 제3의 저격설의 허구성이 일본인들의 진술로 증명되고 있다는 점에 특히 이 자료집의 의미가 있다.

4. 제3의 저격론의 허구성

오늘날 일본의 안중근연구의 현실은 일본 우파성향의 인사들이 무로다의 가설을 적극적으로 받아들여 제3의 저격설로 확대 재생하고 있는 상황에 직면하고 있다는 데 심각성을 더하고 있다. 그 초석을 놓은 사람은 히라카와 키이치(平川綺一)이다. 무로다의 가설에 기반한 「이토 히로부미(伊藤博文)의 암살을 둘러싸고」[21]라는 그의 논문은 "안중근이 이토를 처단하지 않았다"는 제3의 저격설의 형성에 결정적인 영향을 끼쳤다. 이후 그의 주장은 전일본신문연맹이 발간한 『근세일본세상사』에서 다시 무로다의 발언을 인용하여 제3의 저격설도 있다는 식으로 언급하여 무로다설의 불씨를 살려 놓았다.[22]

이러한 경향을 카미가이토 켄이치(上垣外憲一)와 오오노 카오루(大野芳)를 거쳐 운노 후쿠쥬(海野福壽)로 이어져 일본사회에 광범위하게 되고 있는 것이 일본의 현실이다. 이러한 점에서 히라카와가 내세우는 논리를 살펴보고 그 허구성을 파헤쳐보고자 한다.[23]

히라카와는 무로다설을 전적으로 받아들여 다음과 같은 논거를 내세워 안중근의거 사실을 부정하는 제3의 저격설을 내세웠다. ① 안중근은 약 10보정도의 거리에서 발사하여 이토에게 3발을 명중시켰으며 카와카미·모리·타나카에게 상처를 입혔고 무로다·나카무라의 옷을 관통시켰다고 하는데 총을 연사하는 것은 가능한가.[24] ② 증거로 법원에 제출된 안중근의 총 탄소는 비워져 있었는데 총신에 1발이 남아

---

21 平川綺一, 「伊藤博文ノ暗殺をめぐって」, 『工學院大學研究論叢』5, 1966.

22 全日本新聞聯盟, 「犯人は安重根か」, 『近世日本世上史』, 全日本新聞延命 新聞時代史, 1971, 243~244쪽.

23 자세한 내용은 신운용, 「일본의 안중근연구에 대한 비판적 검토-제3의 저격설을 중심으로」, 『안중근과 한국근대사 2』, 2013 참조.

24 平川綺一, 위의 논문, 111~112쪽.

있으므로 발사탄수와 피탄수가 다른 것은 모순이 아닌가.[25] ③ 이토에게 명중된 탄은 살상효과를 높이기 위해 머리부분에 십자를 새겨 넣었는데 이는 권총이 아니라 프랑스 보병총이 아닌가.[26] ④ 이토가 맞은 총탄의 사입(射入)각도가 세발 모두 상반신의 오른쪽에서 아랫방향으로 향하고 있는데 이는 높은 데 있던 세 사람이 거의 동시에 발사한 것이 아닌가.[27] ⑤ 안중근은 이토의 얼굴을 모르고 「키가 크고 콧수염을 기른 사람」이라고 한 데 보듯이 키가 큰 무로다를 단신인 이토로 잘못 보고서 무로다를 쏜 것이 아닌가.[28] ⑥ 재판에 무로다의 신문조서가 채택되지 않은 것은 정치적 의도가 깔린 것이 아닌가.[29] ⑦ 현장을 촬영한 러시아 사진사의 필름을 구매하지 않은 것은 안중근을 범인으로 단정하기 위한 것이 아닌가.[30] ⑧ 까깝쵸프가 말한 하얼빈 이웃 역(隣驛) 부근을 배회하던 기병총을 갖고 있는 수상한 조선인 3명을 잡으려고 하자 도망갔다는 까깝쵸프의 언급에서 보듯이 안중근과 함께 하얼빈역 2층에서 저격한 3사람의 한인은 아닌가.[31]

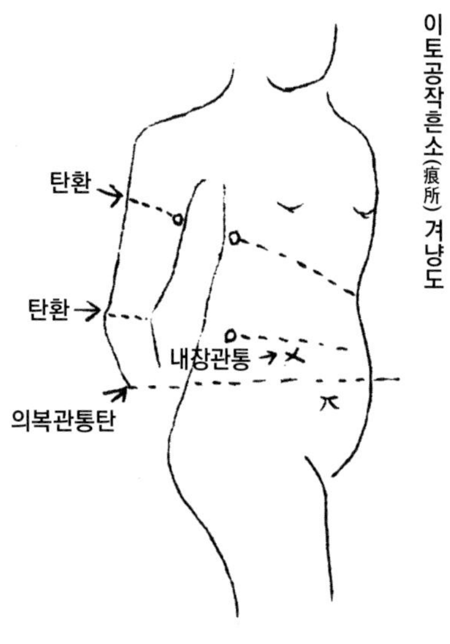

이토공작흔소(痕所) 겨냥도

25 平川綺一, 위의 논문, 112쪽.
26 平川綺一, 위의 논문, 112~113쪽.
27 平川綺一, 위의 논문, 113쪽.
28 위와 같음.
29 위와 같음.
30 平川綺一, 위의 논문, 113~114쪽.
31 平川綺一, 위의 논문, 114~115쪽.

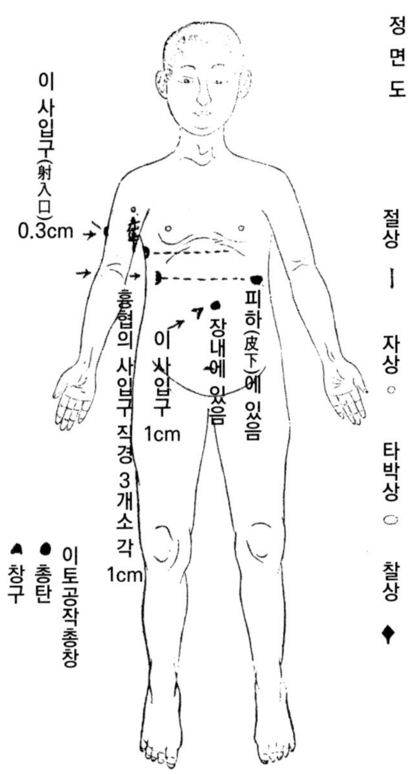

이상에서 히라카와가 제기한 의문점을 무로다의 「이토공작흔소(痕所) 겨냥도」와 고야마의 「정면도」를 중심으로 분석해 본다면 제3의 저격설의 허구성이 저절로 증명될 것이다. 우선 ①에 대해 살펴보면 다음과 같다. 팔꿈치를 겨누어 쏘면 심장에 맞출 가능성이 높다는 사실을 안중근 잘 알고 있을 정도로 사격술에 대단히 능숙하였다.[32] 지근거리에 있던 무로다·타나카·카와카미 등이 안중근의 저격을 당한 사실은 가까운 거리에서도 그가 얼마든지 이토를 저격할 수 있다는 증거인 것이다.

②에 대해 살펴보면 다음과 같다. 유탄에 의해 발사탄수와 피탄수가 다를 가능성은 상존하는 것이다. 이토에 명중된 세 발 이외에 안중근은 세 발을 더 발사하여 총 6발을 쏘았다. 그중 카와카미와 모리는 각각 오른쪽 팔 관통상과 오른쪽 옆구리 찰

32 신운용 편역, 「안중근 제1회 신문기록」, 『안중근 신문기록』(안중근 자료집 3), (사)안중근평화연구원, 2014, 17쪽.

과상과 왼팔 중앙 관통상·왼쪽 등 연부 관통을 입었다.[33] 타나카는 왼발 복숭아뼈 아래 부위에 부상을 입었다. 이처럼 일본인 여러명이 총탄 한 발에 하나의 상처만 난 것이 아니라 다발성 총창을 입었던 것이다. 따라서 외투에 네 군데[34]에 구멍이 난 무로다의 경우도 유탄에 의한 것으로 추정된다.

③에 대해 살펴보면 다음과 같다.

제3의 저격설을 주장하는 일본인들은 고야마 젠(小山善) 시의가 이토의 체내에 있던 프랑스 기마총의 총알을 적출했다고 주장하고 있다. 하지만 러시아측에 이토부검을 하지말라고 요청한 점[35]에서나, "공작의 것은 그대로 몸에 3개 남아 있다"[36]라고 한 고야마의 진술에서도 알 수 있듯이 안중근이 쏜 총알은 이토의 몸속에 박힌 채로 있었던 것이다. 더욱이 무로다는 "나는 달려가 그를 부축하고 "권총이니 염려 없습니다. 정신을 차리십시오"(경험에 의하면 권총 탄환은 쉽사리 상대의 목적대로 맞는 일이 드물다고 한 데 따름)라고 말하고 격려하였다"[37]라고 하였는데 이는 이토를 저격한 총이 프랑스 기마총이 아닌 '권총'이라는 증거가 된다. 그러므로 무로다의 주장은 제3의 저격설을 합리화시키기 위한 사실의 왜곡으로밖에 볼 수밖에 없는 것이다.

④에 대해 살펴보면 다음과 같다. 무로다의 「이토공작흔소(痕所) 겨냥도」에서 보는 바와 같이, 사입각도가 세발 모두 상반신의 오른쪽에서 아랫방향으로 향하고 있다는 무로다와 일본의 연구자들의 주장은 믿을 만한 것이 못된다. 무로다가 제시한 「이토공작흔소(痕所) 겨냥도」[38]에는 세발 중 2발이 고야마 젠(小山善)의 「정면도」[39]와 같이 거의 수평 또는 아래에서 위로 사입되어 있다. 문제는 무로다의 「이토공작흔소

---

33 신운용 편역, 「고야마 젠 증인 신문조서」, 『일본인 신문·청취기록』(안중근 자료집 8), (사)안중근평화연구원, 2016, 46쪽.

34 신운용 편역, 「무로다 요시아야 청취서 (1)-무로다 요시아야 의복 탄환 관통 겨냥도」, 『일본인 신문·청취기록』(안중근 자료집 8), (사)안중근평화연구원, 133쪽. 이 점도 그의 주장의 신빙성을 떨어트리는 대목이다.

35 신운용 편역, 「조서(역문) 증인신문(블라디미르 니콜라예비치 까깝쵸프)」, 『러시아 관헌 취조문서』(안중근 자료집 2), (사)안중근평화연구원, 2014, 9쪽.

36 신운용 편역, 「고야마 젠 증인 신문조서」, 『일본인 신문·청취기록』(안중근 자료집 8), (사)안중근평화연구원, 2016, 47쪽.

37 신운용 편역, 「무로다 요시아야 청취서 (2)」, 『일본인 신문·청취기록』(안중근 자료집 8), (사)안중근평화연구원, 2016, 136쪽.

38 신운용 편역, 「무로다 요시아야 청취서 (1)-이토공작흔소(痕所) 겨냥도」, 『일본인 신문·청취기록』(안중근 자료집 8), (사)안중근평화연구원, 2016, 132쪽.

39 신운용 편역, 「고야마 젠 감정인 신문조서-정면도」, 『일본인 신문·청취기록』(안중근 자료집 8), (사)안중근평화연구원, 2016, 116쪽.

(痕所) 겨냥도」에서 보는 바와 같이 무로다가 이토에 명중된 제1발의 총알이 맨 위 부위 즉 위팔[40]을 관통하여 약 17도의 왼쪽 갈비뼈 부근[41]에 박힌 것으로 추측하여 그린 데 있다. 이는 "이토공의 상흔을 살펴보니 탄환 3발 모두가 오른쪽 어깨에서 아랫방향으로 향해 있었다"는 그의 주장과 상당히 다른 대목이다. 설사 이 부분을 받아들여 역 2층에서 제3의 인물이 이토를 저격했다는 것을 인정한다고 하더라도 제2발이 거의 수평으로 사입된 것으로 표시한 사실을 어떻게 설명할 수 없을지 알 수 없다. 더구나 약 5도 아래에서 윗 방향으로 탄도(彈道)를 그린 제3발은 무로다의 설명과는 정반대이다.

이처럼 무로다의 「이토공작흔소(痕所) 겨냥도」와 탄도방향의 설명이 다른 점, 무로다의 「이토공작흔소(痕所) 겨냥도」와 고야마 젠(小山善)의 「정면도」·감정[42]과 현격하게 차이 나는 점, 이토를 맞힌 3발 모두 위에서 아래로 사입되었다는 무로다의 주장이 사실과 다른 점에서 무로다설을 기초로 한 히라카와의 주장은 전적으로 신뢰할 수 없다.

⑤에 대해 살펴보면 다음과 같다. 안중근은 이토의 외모에 대해 사진으로 숙지하고 있었고 현장에서는 '앞서 가는 모습', '특이한 복장', 그리고 '노인'이라는 점 등으로 이토임을 알아보았다고 하였다.[43] 또한 이토의 얼굴을 알고 있느냐는 러시아 관헌

---

40 무로다는 탄환 1발의 사입구를 '오른쪽 어깨'라고 주장한다

41 고야마는 오른쪽 위팔로부터 사입된 탄환이 왼쪽 폐에 박혔다는 검안 의견을 냈다(신운용 편역, 「고야마 젠 감정인 신문조서」, 114쪽). 반면 무로다는 제1탄이 흉부 유방 아래 부분에 박혔다고 주장하였다(『室田義文翁譚』).

42 신운용 편역, 「고야마 젠 감정인 신문조서」, 『일본인 신문·청취기록』(안중근 자료집 8), (사)안중근평화연구원, 2016, 114쪽.
"이토공 창상의 정도 등.
첫째, 오른쪽 상박(上膊) 중앙 밖으로부터 들어와 다섯 번째 갈비뼈 사이로부터 수평으로 양폐(兩肺)를 관통하여 왼쪽 폐에 박힌 흉내(胸內) 출혈이 많음.
둘째, 오른쪽 관절 뒤쪽 밖으로부터 들어와 오른쪽 흉협(胸脇) 아홉 번째 갈비뼈 사이로 부터 흉막을 관통하여 왼쪽 갈비뼈(季肋) 아래에 박힘.
셋째, 오른쪽 상박(上膊) 중앙의 바깥 부분을 스치고서 상복(上腹)중앙으로 들어와 복중(腹中)에 박힘.
치명상 제1, 제2 창상.
치사 원인, 내출혈로 인한 허탈.
흉기종류, 투사력이 대단한 즉 예리한 힘이 있는 피스톨의 탄환과 같은 것이다."

43 신운용 편역, 「첫째날 공판」, 『안중근·우덕순·조도선·유동하 공판기록-안중근사건 공판속기록』(안중근 자료집 10), (사)안중근평화연구원, 2014, 54쪽.

의 물음에 안중근이 "알고 있다. 키가 크고 콧수염을 기른 사람이다"[44]고 하였다는 무로다 주장을 뒷받침 할 수 있는 공신력 있는 사료는 존재하지 않는다.[45] 오히려 안중근은 "키가 작은 수염이 있는 노인이 맨 앞에 서서 걸어가고 있는데 모두 그 자에게 경례를 하므로 그 사람이 이토라고 생각했다"[46]고 하였다. 따라서 안중근이 무로다를 이토로 착각하고 쏘았을 리가 없는 것이다. 설사 무로다를 이토로 착각하였다면 무로다를 먼저 쏘았을 텐데 그렇지 않았다.

⑥에 대해서 살펴보면 다음과 같다. 이는 일본의 근대사를 지나치게 평면적으로 보는 시각이라는 점에서 문제가 있다. 일본근대 정치세력 간에 어느 정도의 차이가 존재하겠지만 대체로 대외팽창과 침략 노선은 주된 방향이었던 것은 분명한 사실이다. 특히 구라치의 지적대로 이토는 적어도 1909년 4월 무렵부터는 야마가타 아리토모(山縣有朋)를 중심으로 하는 대외강경파와 노선을 함께 하였음이 분명하다. 이를 배경으로 대한제국의 병탄을 진행시켰던 것이다.

따라서 이토가 제거된 배경으로 야마가타 등의 대외강경파를 지적하는 것은 타당하지 않을 뿐만 아니라 이를 구체적으로 뒷받침할 수 있는 사적 근거가 전혀 없다는 점에서 몰역사학적 태도이다. 사료의 뒷받침 없이 단언한다면 이는 역사학이 아니라 소설에 지나지 않는 것이라는 비판을 피할 수 없을 것이다.

⑦에 대해 살펴보면 다음과 같다. 일제가 안중근의거 장면이 담겨져 있을 것으로 확실시되는 러시아 사진기사가 찍은 필름을 매입을 하지 않은 것은 정치적 판단이라기보다 현실적으로 1만루블이라는 막대한 돈을 드려 구입할 가치가 없었기 때문에 사들이지 않았던 것으로 보인다.

그런데 여기에서 안중근이 이토를 저격했다는 결정적인 증거인 사료가 있다는 점에 주목할 필요가 있다. 즉, 1909년 11월 22일자 『만주신보(滿洲新報)』에

---

44 무로다는 이를 근거로 안중근이 자신을 이토로 착각하여 쏘았다고 주장하였다(室田義文, 「伊藤博文公ハルピン驛頭の凶變」(『あの事件の思出を語る』(森田英亮)), 金星堂, 1939, 151쪽).

45 오오노도 이토의 얼굴을 알고 있느냐는 법관(재판관)의 질문에 대해 안중근이 "모른다. 다만 키가 크고 콧수염이 난 사람이라고 들었다"고 하였다면서 무로다를 이토로 잘못보고서 쏘았다고 주장하고 있다(大野芳, 「エピログ」, 『伊藤博文 暗殺事件』, 新潮社, 366쪽). 또한 여기에서 보듯이, 무로다는 안중근이 이토의 얼굴을 안다고 하였고 오오노는 모른다고 하였다. 이 점 또한 이들의 주장을 신뢰할 수 없게 한다.

46 신운용 편역, 「안중근 제10회 신문기록」, 『안중근 신문기록』(안중근 자료집 3), (사)안중근평화연구원, 2014, 179쪽.

길이 오천척 희대의 진품

이토공이 하얼빈에 도착하였을 때 그곳의 한 러시아인은 우연히 공의 도착광경을 활동사진으로 찍으려고 기다리고 있다가 열차가 하얼빈역에 도착한 때부터 러시아 장상과의 회견 열병 등의 모양에 이어서 흉한 안중근이 돌연 환영자의 열 사이에서 뛰어 나와 단총으로 공을 저격하고 공은 종용한 태도로 쓰러지고 수행원 기타의 당황한 정거장의 대혼란한 실황과 수행원이 공을 열차내로 옮기기까지의 정밀한 광경이 실로 길이 5,000척(필자: 1515m)의 사진 속에 담겨져 있다. 이것은 실로 절대적인 진품으로 각국 동업자는 서로 다투어 이것을 매수하려고 분주하였는데 결국 이번에 도쿄 자판프레스(東京 JAPAN PRESS)의 타노 모키(賴母木)씨의 손에 15,000엔에 매수되었다. 다음달 10일경 일본에 도착한다고 한다(밑줄: 필자).[47]

라고 기록되어 있다. 이 기사는 필시 의거장면이 담겨있는 필름을 보고 쓴 것으로 보인다. 무엇보다 이는 제3의 저격설을 이토처단 장면이 필름에 담겨져 있다는 사실을 증명할 뿐만 아니라 제3의 저격설이 타당하지 않음을 확인할 수 있는 사료라는 데 크나큰 의미가 있다.

그리고 이 필름은 일본 저펜프레스 사장 타노 모기(賴母木)가 구입하여 1910년 2월 3일부터 일본 동경 국기원에서 상영되었다는 사실을 보아도[48] 안중근의거는 당시 일본에 역사적 사실로 알려졌던 것이다.

⑧에 대해 살펴보면 다음과 같다. 총성의 진원지에 대해 조사에 임한 러시아인과 일본인 중에 오직 무로다만이 역 2층이라고 강조하고 있다는 점, 까깝쵸프의 언급이 기록된 어느 사료에서도 무로다의 이러한 주장이 발견되지 않고 있다는 점, 1909년 11월 20일의 진술과 1939년에 간행된 『무로다 요시아야 옹담(室田義文翁談)』 두 사료가 저격 장소가 '역 2층'으로, 인수가 '3명'으로, 탄도의 방향이 '세발 모두 아래 방향'으로 내용의 변화가 있다는 점, 까깝쵸프가 "범인은 안중근이라는 조선인입니다"고 했다는 이 대목에서도 안중근의거 사실을 확인할 수 있다는 점 등에서 프랑스 기마총을 가진 3명의 한인이 이토를 저격하였다는 제3의 저격설은 어떤

47 『滿洲新報』 1909년 11월 22일자, 「藤公遭難 活動寫眞」.
48 『東京朝日新聞』 1910년 2월 2일자, 「故伊藤公遭難實寫 活動寫眞」.

목적을 가지고 의도적으로 조작한 것으로 밖에 볼 수 없다.

5. 나가는 말

이상에서 필자는 하얼빈 '일본인사회의 형성과 한인'과 제3의 저격설을 살펴보면서 이 책의 내용과 그 의미를 기술하였다.

1909년 3월 4일 일제는 자신들의 이익을 지키고 청일조약을 강제하기 위해 하얼빈에 총영사관을 세웠다. 물론 한인에 대한 감시도 그 목적중의 하나였다. 하얼빈 총영사 카와카미는 하얼빈 일본인들 사이의 상존하는 반목과 질시 때문에 일본인회의 설립을 보류하고 있었다. 일본 총영사관의 주도로 강봉주 등이 한인회를 1907년 8월 설립하였다.

그러나 반일성향의 한인의 압력으로 이는 해체될 수밖에 없었다. 많은 하얼빈 한인이 반일성향을 갖고 있었던 것도 사실이지만, 일정하게 일제와 협력관계를 맺거나 더 나아가서 부일성향의 한인도 있었다. 그리고 하얼빈 일본인 중에는 한인에 대한 통제를 엄밀하게 하지 못한 데에 대한 불만도 표출되기도 하였다.

이 자료집에 등장하는 일본인은 모두 26명이다. 일제의 조사당국은 의거현장의 진상을 밝히기 위해 다양한 계층의 사람을 조사하였다. 이는 일부의 주장과 달리 의거를 은폐하려고 조사를 소홀히 하지 않았음을 뜻하는 것이다.

이 자료집에는 거동 수상자의 유무, 이토의 하얼빈 역에 도착하기까지의 과정, 의거전의 하얼빈 역의 상황, 까깝쵸프와의 회담 내용, 하차 순서와 러시아 관리와의 인사, 안중근의 의거상황, 수행원의 부상과 그 치료, 러시아의 경계 상황, 안중근이 하얼빈역에 들어올 수 있었던 이유, 이토와 부상당한 수행원들의 감정서, 하얼빈 한인과 일본인의 관계, 이토 방만과 한인에 대한 일제의 대응, 정대호와 안중근 가족이 하얼빈에 도착한 과정 등의 내용이 수록되어 있다.

또한 이 책의 의미는 일본인의 다양한 입장과 시각에서 의거 상황을 그리고 있다는데서 찾을 수 있다. 하지만 무엇보다 중요한 점은 무로다의 제3의 저격설의 허구성이 일본인들의 진술로 증명되고 있다는 것이다.

제3의 저격설은 오직 무로다만 총성의 진원지를 하얼빈역 2층이라고 강조하고 있다는 점, 까깝쵸프의 언급이 기록된 어느 사료에서도 무로다의 주장이 발견되지 않고 있다는 점, 1909년 11월 20일의 진술과 달리 1939년에 간행된 『무로다 요시아야 옹담(室田義文翁談)』에서는 저격 장소가 '역 2층'으로, 인수가 '3명'으로, 탄도의 방향이 '세 발 모두 아래 방향'으로 내용의 변화가 있다는 점, 까깝쵸프가 "범인은 안중근이라는 조선인입니다"라고 한 대목에서도 안중근의거 사실을 확인할 수 있다는 점, 무로다의 탄도의 방향 설명과 무로다의 「이토공작흔소(痕所) 겨냥도」가 다른 점, 일제의 모든 공식기록에서 제3의 저격론을 부정한다는 점 등의 내용이 첨가되었다는 면에서 어떤 목적을 가지고 의도적으로 조작된 것임이 분명하다.

이처럼 제3의 저격설을 주장하는 일본인들은 사료의 자의적 해석과 의도적 왜곡, 무로다설에 대한 비판적 접근의 결여 등으로 왜곡을 낳았던 것이다. 더 나아가 이들은 역사서라기보다 소설에 가까운 글쓰기에 매진한 결과 이토를 '평화주의자'로 변모시켜 놓는 우를 범하고 말았다.

결론적으로 이 책은 식민사관과 몰역사적 태도가 낳은 제3의 저격설의 허구성을 증명하는데 대단히 의미가 있는 것이다.

차례

일본인 신문·청취기록

일본인 신문·청취기록 번역본

신문조서

청취서

시말서

日本人 訊問·聽取記錄 日本語本

訊問調書

聽取書

始末書

일본인 신문·청취기록 원본(原本)

신문조서

청취서

시말서

일본인 신문·청취기록

번역본

범례

- 이 책은 일본외무성 외교사료관 소장본을 저본으로 하여 국사편찬위원회 소장본으로 보충하였다.
- 이 책은 일본 외무성 외교사료관 소장본인『伊藤公爵遭難ニ關シ倉知政務局長旅順へ出張中犯人 訊問之件 聽取書』第1·2卷(문서번호: 4.2.5,245-4)과 국사편찬위원회 소장본「안중근등살인피고공판기록」(문서번호: B6B 319 V.1, V.2) 중에서 일본인의 신문조서 등을 번역하여 일본어본, 원본을 붙인 것이다.
- 외무성본: (　)은 외무성 소장본에는 있으나 국사편찬위원회 소장본에는 없는 경우이다.
- 국편번역본은『한국독립운동사』자료 6이다.
- 국편본은「안중근등살인피고공판기록」이다.
- 외무성본: (　)은 외무성 소장본에는 있으나 국사편찬위원회 소장본에는 없는 경우이다.
- 국편본: (　)은 국사편찬위원회 소장본에는 있으나 일본외무성 외교사료관 소장본에는 없는 경우이다.
- 원문에서 틀린 부분은 주에서 수정하였다.
- 일본어 인명·지명은 일본어 발음으로 표기하였다.
- 중국 지명은 하얼빈을 제외하고는 한글발음대로 표시하였다.
- 러시아어 지명 등은 원음에 가깝게 표기하였다. 단, 확인이 안 될 경우 일본어 발음을 따랐다.
- 한자로 된 러시아 지명은 가급적 러시아어로 표기하였다.

신문조서

1 에자키 카쓰타로 증인 신문조서

증인 신문조서

증인 에자키 카쓰타로(江崎勝太郎)

위의 자를 안응칠(安應七)·우연준(禹連俊)·조도선(曺道先)·유강로(柳江露)·정대호(鄭大鎬)·김성옥(金成玉)·김형재(金衡在)·탁공규(卓公圭)·김려수(金麗水)·장수명(張首明)·김택신(金澤信)·정서우(鄭瑞雨)·홍시준(洪時濬)·이진옥(李珍玉)·방사첨(方士瞻)·김배근(金培根)에 대한 살인피고사건에 대해 1909년(명치 42) 11월 5일 하얼빈 일본제국 총영사관에서 검찰관 미조부치 타카오(溝淵孝雄) 서기 기시다 아이분(岸田愛文)이 열석하여 검찰관은 다음과 같이 증인신문을 하였다.

문 성명, 연령, 신분, 직업, 주소는 무엇인가.
답 성명은 에자키 카쓰타로(江崎勝太郎)
연령은 31세
신분은 평민
직업은 세탁업
주소는 하얼빈 포레바야가(街) 13로.

문 피고인과 친척, 후견인, 피후견인, 고용인, 동거인 등의 관계는 없는가.
답 없다.

문 10월 26일 정거장에 이토공의 내착에 대해 환영하러 갔는가.
답 처를 데리고 오전 9시경 갔다.

문 정거장에 가서 어디에 있었는가.
답 정거장에 가서 1등 개찰구로부터 플래이트폼으로 나갔다.

문 그때 그대의 복장은 어떠했는가.
답 나는 플룩코트에 산고모(山高帽)를 쓰고 갔다. 그때 하나다 한사부로(花田半三郎)

도 함께 갔다.

문 하나다(花田)는 어떤 복장이었는가.

답 그 사람도 플룩코트로 헌병이 쓰는 것과 같은 모자를 쓰고 있었다.

문 플래이트폼으로는 위에서 말한 세 사람이 함께 나갔는가.

답 세 사람이 함께 플래이트폼으로 나와서 일단 러시아 대장대신 기차 앞에 있는 일본인단이 있는 곳에 갔다. 하지만 나는 정거장 오른쪽에 있는 변소로 용변을 보러 나갔을 때 이토 씨는 이미 하차하였으므로 청국인 병이 있던 곳까지 달려서 갔다.

문 그 청국병의 뒤쪽에는 사람이 있었는가.

답 보통의 러시아인이 5·6명 있었다.

문 청국 악대의 뒤쪽인가.

답 악대는 일본인단 쪽에 있었다.

문 그대가 변소에 갔을 때 플래이트폼으로 가는 길에 일본인 내지 조선인은 없었는가.

답 내가 변소에 갔을 때 1등 개찰구 입구에 한국인이 한 사람이 있었다. 그 외에 5·6간 거리에 붉은 색 무늬의 옷을 입은 일본인 여자가 있었다. 내가 변소에 갔다가 왔으므로 그 조선인이 있었는지 어떤지 모른다.

문 그 한국인은 어떠한 복장이었는가.

답 보통의 양복으로 외투를 입고 사냥모를 섰다.

문 러시아병은 어디에 있었는가.

답 각국 영사가 있는 곳에서 좀 떨어진 곳에 있었다. 또한 각국 영사가 있는 곳에 러시아 사관(士官)이 5·6명 있었다.

문 그곳에 풍채가 이상한 자는 없었는가.

답 그것은 모른다. 내가 변소에 갔다가 돌아왔을 때 탕탕 소리가 났다.

문 그 소리를 들은 것은 어디인가.

답 러시아 사관(士官)이 있는 곳의 뒤로 왔을 때였다. 그때 이토 씨가 통행하던 곳에서 사람이 쓰러지는 것 같았는데 그것은 모자의 모양으로 그렇게 생각되었다.

문 이토 씨는 그 후 어떻게 되었는가.

답 러시아 사관(士官)이 많이 모여들었으므로 나는 단총으로 쏘았을 것이라고 생각하고 소리를 지르며 일본인단 쪽으로 걸어갔다.

문 이토 씨가 총을 맞았을 때 이외에 수상한 사람이 있었는가. 부상을 입은 사람이 있었는가.

답 일본인으로 키가 그다지 크지 않은 사람도 총을 맞았다는 것이었다. 그러나 내가 보았을 때 그 사람은 서 있었다.

문 어떤 자가 단총을 쏘았는지 모르는가.

답 그것은 모른다.

문 이곳 영사는 어떻게 하고 있었는가.

답 나는 영사의 모습을 보지 못했다.

문 이토 씨를 쏜 하수인을 체포한 것을 보지 않았는가.

답 못 봤다.

문 플래이트폼으로 나오기 전에 대합실에서 풍채가 수상한 자를 보지 않았는가.

답 나는 보지 못했다. 내 처의 말에 따르면 이토 씨는 기차가 도착하지 곧 1등대합실 안에 있는 음식점에서 얼굴이 넓적하고 키가 크지 않은 자가 플래이트폼 쪽으로 22·23세의 남자가 걸어 나오는 것을 보았다고 한다.

문 그자는 풍채가 어떠하다고 들었는가.

답 일본인으로 보이는 옷깃에 단추 두개를 단 자였다고 했다.

문 그자는 음식점에서 식사를 하였는가.

답 그것은 모르지만 처를 데리고 온 러시아 사관(士官)과 이야기를 나누고 있었다고 하였다. 그 러시아 사관(士官)은 키가 그다지 크지 않은 사람이라고 하였다.

문 그자는 보면 아는가.

이때 피고안중근의 사진을 보이다.

답 모른다.

증인 에자키 카쓰타로(江崎勝太郎)

위의 내용을 읽어 들려주었더니 틀림없음을 승낙하고 자서하였다.
그날 앞서 언급한 장소에서
단, 출장 중이므로 소속관서의 도장을 사용하지 못하다.

관동도독부지방법원
서기 기시다 아이분(岸田愛文)
고등법원검찰관 미조부치 타카오(溝淵孝雄)

2 후루야 히사즈나 증인 신문조서

증인 신문조서

증인 후루야 히사즈나(古谷久綱)

위의 자를 안응칠(安應七)·우연준(禹連俊)·조도선(曺道先)·유강로(柳江露)·정대호(鄭大鎬)·김성옥(金成玉)·김형재(金衡在)·탁공규(卓公圭)·김려수(金麗水)·장수명(張首明)·김택신(金澤信)·홍시준(洪時濬)·이진옥(李珍玉)·방사첨(方士瞻)·정서우(鄭瑞雨)·김배근(金培根)에 대한 살인피고사건에 대해 1909년(명치42) 10월 27일 관동도독부 고등법원 검찰관 미조부치 타카오(溝淵孝雄) 서기 타케우치 카츠모리(竹內靜衛) 열석하여 검찰관은 다음과 같이 증인 신문을 하였다.

문 성명, 연령, 신분, 직업, 주소는 무엇인가.

답 성명은 후루야 히사즈나(古谷久綱)
연령은 36세
신분은 평민
직업은 관리
주소는 도쿄시(東京市) 아카사카구(赤坂區) 히노키정(檜町) 2번지.

문 피고인과 친척 동거인 후견인 피후견인 등의 관계없는가.

답 아무런 관계도 없다.

문 이번 이토 공작 만주순시에 증인은 수행하였는가.

답 나는 식무관(式武官)으로서 만주에 출장 가라는 지시를 받았는데 대신이 따라가서 이토 공작을 수행하라는 명령이었다.

문 수행원은 누구 누구인가.

답 모리(森) 궁내대신비서관·고야마(小山) 시의(侍醫)察[1]어용계(御用掛)·쿠로자와(黑澤) 궁내속(宮內屬)은 궁내성으로부터, 테이(鄭) 대사관 2등서기관은 외무성으로부터, 참모본부 원 마츠키(松木) 육군소좌는 육군으로부터 출장을 명받았다. 이들 모두가 이토 공작을 수행하라는 명을 받았던 것이다. 그리고 시모노세키(馬關)로부터 무로다(室田)귀족원의장이 동행하고 이외에 공작 수종자 고바야시 세이사부로(小林淸三郞)와 오쿠무라 카네노스케(奧村金之助) 모두 2명이다. 그리고 이 일행의 접대를 위해 남만주철도회사 비서관장 타츠이 라이조(龍居賴三)이 대련(大連)으로부터 시종 동행하였다.

문 대련(大連)으로터 동행한 자는 어떠한가.

답 장춘(장춘)에서부터 동한한 자는 잘 알고 있다. 그들은 나카무라(中村)총재·다나카(田中) 이사·러시아통역 쇼지 쇼고로(庄司鐘五郞) 만철회사 비서 등 도독부 오오우치(太內) 사무관 등이다. 그리고 하얼빈으로부터 카와카미(川上)총영사가 장춘까지 마중하러 와 있어 동행하였다.

문 어제 하얼빈에 도착하였는가.

답 이번 달 26일 오전 9시이다(러시아 표준시로).

문 하얼빈에서 공작이 부상을 입었는가.

답 그렇다.

문 그때의 모양은 어떠한가.

답 오전 9시 기차가 하얼빈에 도착하자 우연히 그곳에 출장 온[2] 러시아 대장대신 까깝쵸프 씨는 공작을 마중하기 위해 정거장에 온 공작의 열차 실내로 들어가 환영사를 하였다. 그곳에 있던 사람은 나카무라(中村)·구로다(室田)·나·테이(鄭)·카와카미(川上) 총영사였다. 통역은 카와카미(川上) 총영사가 하였다. 공작과 대

1 의무국(醫務局).

2 이토가 하얼빈에 온 것은 우연한 일이 아니다. 이에 대해서는 신운용, 「안중근의거의 국제 정치적인 배경에 관한 연구」, 『안중근과 한국근대사』, 채륜, 2009 참조.

신이 간담을 나눈 끝에 대신은 공작을 그날 석찬(夕餐)과 향응을 차 내에서 극소의 사람에게만으로 베풀고 싶다고 하였더니 공작은 이를 쾌락하였다. 이야기가 끝나 하차하려고 하자 먼저 대신은 공작에게 자신은 철도수비 등을 맡고 있는 호경군단(護境軍團)의 명예군단장이므로 공작에게 경의를 표하기 위해 부하의 군대를 정거장 내에 정렬시켰으므로 이를 검열할 것을 요청한 바, 공작은 대단한 광영이라고 쾌락하고 대신과 서로 앞뒤로 플래이트폼으로 나가 그곳에서 기다리고 있는 러시아 관헌의 인사를 받고 다시 다수의 러시아 문무관과 수행원 등 일동을 따라서 대신과 서로 나란히 서 있다가 앞서서 군대의 검열을 하였다. 이로부터 한 무리의 일본인 외국인 앞을 통과하여 가장 끝에 있는 외국영사의 인사를 받고서 그곳에서 되돌아 4·5보 걸었다. 그곳에 흡사 일본인 외국인단과 러시아 군대사이의 작은 틈이 있었다. 공작이 그곳까지 왔을 때 그 빈 사이에서 단발의 양복을 입은 한 남자가 비틀거리며 나타나서 손에 총을 들고서 공작을 향해서 정확하게 3발을 계속해서 쏘고 이어서 3발 정도를 수행원을 향해 발사하였다. 그때 공작과 흉행자의 거리는 불과 1간 내지 1간 이내 정도였다고 생각한다.

이때 부상을 당한 사람은 공작을 비롯하여 다나카(田中)·카와무라(上村) 총영사이다. 그외 나카무라(中村)·무로다(室田)는 외투와 바지에 탄환이 관통된 것을 나중에 발견하였지만 부상은 입지 않았다.

문 흉행자는 정렬해 있는 무리로부터 앞으로 나왔는가.

답 흉행자는 팔을 뻗어 공작을 쏘았다. 공작은 총을 맞으면서 몇 발작을 더 나갔다. 그리고 흉행자는 총을 계속 쏘았으므로 그때는 열에서 조금 앞으로 나왔다[3] 고 생각한다.

문 흉행자의 인상은 어떠한가.

답 나이는 30세로 수염이 있다고 생각한다. 양복을 입어 언뜻 보아 장인(匠人) 풍의 남자로 보였다.

---

3 안중근은 이를 부정하였다(신운용 편역, 「안중근 제2회 신문기록」, 『안중근 신문기록』(안중근 자료집 3), (사)안중근평화연구원, 2014, 45쪽).

문 부상 후 공작은 어떻게 되었는가.

답 공작이 곧바로 맞았다고 하였으므로 나는 그 옆으로 가서 그런 일은 있을 수 다고 하였다. 그러자 공작은 "뭐에 맞았다. 아마 탄환에 맞은 것 같다"고 하기에 외투를 살펴보니 탄환의 흔적을 발견하였으므로 놀라 다나카(田中) 총재·무로다(室田) 등과 함께 안고서 기차 안 원래 있던 방으로 들어가 고야마(小山)의사와 곧바로 응급조치를 하였으나 점차 쇠약해졌다. 공작은 누가 쏘았는지 물어보았는데 그때는 아직 누구인지 모를 때였으므로 이제 막 잡았다고 말씀드렸다. 그러는 가운데 공작은 꿍꿍 소리를 내며 이제 가능성이 없다고 하였다. 그리고 고야마 의사도 더 이상 가망이 없다고 하므로 나는 곧바로 영사관으로 가서 총리대신과 공작부인에게 "공작 부상 생명 가망 없다"는 전보를 보내고 돌아와 보니 공작은 이미 절명하였다. 옆에 있던 자에게 들었더니 부상 후 30분만인 10시에 훙거하였다는 것이다.

문 범인의 인원수, 공모자, 성명 등에 대해 사람들에게서 들은 적이 없는가.

답 공작 훙거 후 유해 운반을 시작하여 실내를 깨끗이 하는 동시에 한편으로는 나카무라(中村) 총재, 수행원들과 협의한 결과, 일각이라도 빨리 하얼빈을 떠나기 위해 기차를 되돌리도록 총재가 동청철도회사에 교섭하여 그 승낙을 얻었다. 이에 따라 수행원이 대장대신에게 다시 열차에 올라 공작과 마지막 이별을 하는 것을 희망하였다. 이에 대신은 쾌락하여 곧바로 와서 성의껏 열심히 계속 조사를 읊었다. 그 후 범인에 관해 다음과 같이 진술하였다. "러시아 경찰에서 지금까지 심문한 결과에 의하면 그 범인은 한국인으로 블라디보스토크로부터 어제 밤 이 곳에 와서 하루 밤을 정거장 부근에서 지낸 자로 흉행의 목적은 이토 공작으로 인해 한국은 정치상의 명예를 더럽혔기 때문에 공을 해하여 얼마간 그 명예를 회복하려고 한 것으로 일개인으로서 공작에게 전혀 원한이 없고 단지 자신의 친구가 공작으로 인해 중형에 처해진 자가 여러 명이고 자신은 어떤 정당과도 관계가 없으며 그 흉행은 오로지 독단으로 한 것으로 누구와도 공모하지 않았다."[4] 그 말을 믿을 수 없으나 어제 밤늦게 이곳으로부터 몇리 남쪽에

4 이에 대해서는 신운용, 「안중근의거와 대동공보사의 관계에 대한 재검토」, 『한국사연구』150, 한국사연구회, 2010, 참조.

있는 정거장[5]에서 우연히 의심스러운 한인 세 사람을 잡았는데[6] 모두 피스톨을 갖고 있었다는 보고를 접한 적이 있다. (중략) 더욱이 그 범인은 가톨릭교도로 몸에 십자가를 지고 있었다. 검사의 앞에 끌려 나왔을 때 기세 좋게 그 목적을 달성한 것을 하느님께 감사하였다.[7] 흉행자의 성명은 이제 분명하나 그는 기억하지 못한다고 한다.

위 대장대신의 담화 이외에는 나는 전혀 들은 것이 없다.
증인은 현장약도를 스스로 그려 제출하여 이를 본조서의 말미에 첨부한다.

증인 후루야 히사즈나(古谷久綱) 인(印)

위의 내용을 읽어 들려주었더니 틀림없다고 하고서 자서하고 날인하다
1909년(명치42) 10월 27일 대련 야마토호텔 내
단, 출장 중이므로 소속관서의 도장을 날인하지 못하다.
서기 타케우치 가츠모리(竹內靜衛)
고등법원검찰관 미조부치 타카오(溝淵孝雄)

---

5 채가구.
6 우덕순 조도선은 채가구에서 의거 당일인 26일 오후 11경에 러시아 관헌에게 잡혔다(신운용 편역, 「동청철도전신 전보 번호 66」, 『러시아 관헌 취조문서』(안중근 자료집 2), (사)안중근평화연구원, 2014, 50쪽). 안중근은 25일 하얼빈으로 돌아갔다.
7 안중근은 이를 부정하였다(신운용 편역, 「안중근 제10회 신문기록」, 『안중근 신문기록』(안중근 자료집 3), (사)안중근평화연구원, 2014, 183쪽).

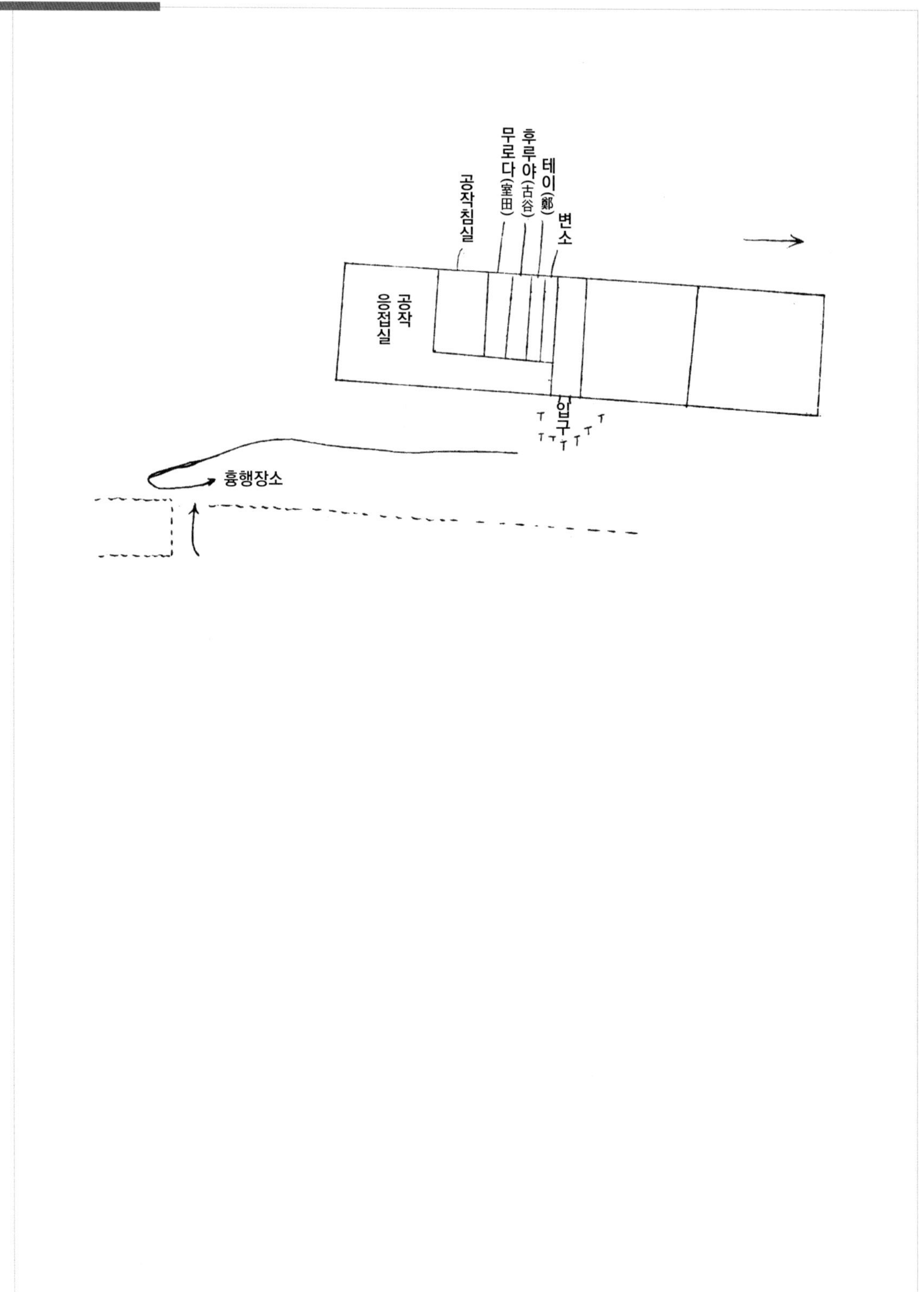
공작침실
무로다(室田)
후루야(古谷)
테이(鄭)
변소
공작
응접실
입구
흉행장소

3 후루사와 코키치 증인 신문조서

증인 신문조서

증인 후루사와 코키치(古澤幸吉)

위의 자를 안응칠(安應七)·우연준(禹連俊)·조도선(曺道先)·유강로(柳江露)·정대호(鄭大鎬)·김성옥(金成玉)·김형재(金衡在)·탁공규(卓公圭)·김려수(金麗水)·장수명(張首明)·김택신(金澤信)·정서우(鄭瑞雨)·홍시준(洪時濬)·이진옥(李珍玉)·방사첨(方士瞻)·김배근(金培根)에 대한 살인피고사건에 대해 1909년(명치42) 11월 9일 하얼빈 일본제국 총영사관에서 검찰관 미조부치 타카오(溝淵孝雄) 서기 기시다 아이분(岸田愛文)이 열석하여 검찰관은 다음과 같이 증인으로 신문을 하였다.

문 성명, 연령, 신분, 직업, 주소는 무엇인가.

답 성명은 후루사와 코키치(古澤幸吉)
연령은 36세
신분은 사족(士族)
직업은 영사관 통역생
주소는 하얼빈 일본 총영사관.

문 위 피고인과 친척, 후견인, 피후견인, 고용인, 동거인 등의 관계는 없는가.

답 그런 관계는 없다.

문 증인은 언제부터 이곳에 있었는가.

답 1907년(명치 40) 4월 이곳 총영사관 개관과 동시에 러시아 통역으로 이곳에 와서 근무하고 있다.

문 영사관에서 한국민을 일본인과 똑같이 취급하는 것에 대해 본성(本省)으로부터 훈령이 있었는가.

답 내가 이곳 영사관에 오기 전에 블라디보스토크 영사관에 재근 중 그 훈령이 있었다. 이 곳 영사관에서도 한국인 취급에 관해 한어(韓語) 통역 임용을 본성(本

省)에 전하였는데, 그곳에서 편리한 대로 새로 고용하라는 것으로 예산도 회부되었으나 적임자가 없어서 아직 고용 움직임이 없다.

문 한인취급에 대한 본성(本省)의 훈령에 근거하여 이곳 총영사관에서 특별히 한국인에 대해 취급을 한 적이 있는가.

답 일찍이[1] 당관에서 한국민회를 조직하게 하여 회장을 뽑고 모든 재류한인에 대한 신분 취조를 할 수 있는 권리를 부여하고 한편으로 그 이동(異動) 등은 영사관에 신고하도록 하였다. 하지만 본래 이곳에서 러시아파 한인과 일본파 한인이 있어 그들의 사이는 서로 좋지 않은 때 황도하자(黃道河子)에 있는 박(朴)이라는 자가 민회장이 되려고 하여 그 당시의 회장배척운동에 착수하였으나 결국 그 경쟁은 이루어지지 않았다. 하지만 그 당시 회장에 취임하였지만 그 후 러시아파 한인이 세력을 장악하고 블라디보스토크로부터도 그 파에 속하는 한인이 들어와 일본파에 반대했기 때문에 그 민회는 결국 엉망이 되었다[2]고 들었다. 나는 한국인에 관한 취급에는 그다지 관계가 없으므로 자세한 것은 모른다.

문 민회장 후보 운동을 한 박(朴)이라는 자는 러시아파인가.

답 그 사람은 일본파로 단지 회장을 하려고 경쟁한 것에 지나지 않은 것 같이 들었다.

문 이곳 영사관에 한국민회로부터 한인 거류인원 그 성명 직업 등을 기록한 명부를 제출하였는가.

답 처음에 영사관이 관계하여 민회를 설립하였을 때 그 회장이 명부를 제출한 적이 있지만 그 후 한인의 이동(異動) 또는 명부와 같은 것을 제출한 적이 없는 것 같다.

문 이곳에 있는 한인 중에 친로파 친일파 등의 구별은 분명히 되는가.

답 전에 영사관이 뽑은 회장 아래에 있는 자는 모두 친일파이었으나 친로파도 아

1 1907년 8월.

2 국가보훈처, 「在哈爾賓韓國人ノ狀況ニ關シ報告ノ件」, 『아주제일의협 안중근』 3, 1995, 513쪽.

주 많이 있으므로 나는 그 구별을 충분히 모른다.

문 그중에서 가장 주의해야 할 인물이 있는가.
답 이곳 학교에 관계하고 있는 김형재·김성옥·김성백 등이 가장 주의해야 할 인물이다.

문 친일파 한민회장 때 한인에 대해 특히 일본인처럼 취급한 적이 있는가.
답 그때의 회장은 영사관에도 온 적이 없으므로 취급에 관한 것은 잘 모릅니다.

문 이곳 일본 거류민회과 한국인 사이에서 서로 반목하고 있는 것 같은 모양은 없는가.
답 눈에 띄게 사이가 나쁜 것 같은 모양은 없다.

문 일한인 사이에 평소 출입을 하고 있는가.
답 한국인은 대부분 담배말이와 같은 일을 하고 있으므로 일본인이 깊이 교제 또는 출입하고 있는 것 같은 일은 못 들었다.

문 김성백은 러시아에 귀화하였다고 진술하였는데 과연 그런가.
답 그것은 모른다.

문 현재 한국민회는 친로파인가.
답 블라디보스토크 방면은 대개 친로파이고 이곳의 한민(韓民)도 그 계통이므로 모두 친로파이다.

문 이곳 한민회는 러시아에서 보호하고 있느냐. 또 종교에 입교하면 특별한 대우를 한다고 하는데 그것은 무슨 종교인가.
답 블라디보스토크 방면에서는 그런 말을 들었으나 이곳에서는 그런 말을 못 들었다.

문 대개 이곳 친일파 한국인은 세력이 없는 편인가.

답 그렇다.

문 이토 공작이 내착한다는 것이 판명되었을 때 영사관에서 한국인이 어떠한 당파에 속하는지를 조사해보면 판명될 것인데 그것에 대해 뭔가 생각이 있는가.

답 이전에 고무라(小村) 외무대신이 하얼빈에 왔을 때도 아무 일도 없었으므로 이번에도 영사관으로서는 아무런 생각도 없었다고 생각한다.

문 공작 환영에 대해 러시아 측의 계획은 들었는가.

답 러시아 측에서는 환영에 관한 순서를 적은 서면류(書面類)를 보내 와 공작의 승낙을 얻어 달라는 것이었으므로 그 이유를 여순(旅順)에 있는 이토공 쪽에 전보로 알려 승낙을 받았다.

문 일본인의 환영순서는 정해졌는가.

답 그것도 약속을 하여 미리 공작의 승낙을 받았다.

문 한인의 환영에 대해서는 어떠한가.

답 특별히 한인에 대해서는 들은 것이 없다. 다만 한인 두 세 사람이 가입되어 있는 정도이다.

문 이토 빵(伊藤方) 즉 방사첨과 이진옥은 어느 파인가.

답 어느 파에 속하는지 모르지만 평소 일본인과 교제를 하고 있는 것 같다.

문 이토공이 하얼빈에 오는 것에 대해 처음부터 변고를 미리 알지 못하였으므로 경호 방법을 강구하지 않았는가.

답 경찰 쪽에서는 다소 그 준비는 되어 있었을 것으로 생각한다. 또한 이제까지 귀족이 하얼빈에 오는 것에 대해서는 러시아 관헌에서 경호를 하는 것이 관례였다.

문 정거장 출입에 대해 한국인 단속법은 정해져 있지 않는가.

답 그것은 정해져 있지 않았다.

문 러시아 측으로부터 정거장 단속에 관해 입장표제도를 두는 교섭이 있었는가.

답 그 교섭이 있었다. 그러나 이곳 총영사관에서는 러시아인 측이 하여튼 일본인에게 표를 주는 것은 중지했으면 한다고 했다는 것을 들었다.

문 한국인과 일본인은 신분을 알 수 없는데 그것을 어떻게 한다는 것 같은 것은 듣지 못했는가.

답 당시 그런 것에까지 생각이 미치지 못한 것으로 보이고 전혀 대책도 없었던 것 같이 생각된다.

문 러시아 측에서는 자국민에 대해 정거장에 들어 올 때는 표를 주기로 했다는 통지는 없었는가.

답 그 통지가 있었다. 그리고 러시아인은 표가 없으면 정거장으로 들어갈 수 없도록 하였다.

문 한국인과 일본인을 구별하는 것에 대해 총영사로부터 뭔가 이야기가 있었는가.

답 그런 말은 듣지 못했다.

문 공작의 도착 시간이 다 되었을 때 플래이트폼 또는 대합실 안팎에 뭔가 이상한 일은 없었는가.

답 일본인은 열차가 도착하기 30분 전에 정거장에 가기로 되어 있었다. 그러므로 나도 30분 전쯤에 정거장에 갔다. 그런데 평소보다 많은 러시아 헌병 등을 배치하였다. 또한 플래이트폼으로 들어오지 않은 많은 러시아인이 러시아 대장대신의 특별차 뒤쪽 담장 밖에 서있었다. 그 이외 별로 이상한 모양은 보지 못했다.

문 그때 대합실 안에 사람들이 많이 모여 있었는가.

답 평소보다 많은 사람이 있었다. 전에 러시아 대장대신이 도착하였을 때는 대합실 밖에서 입장자의 표를 검사하였으나 이토공이 도착하였을 때에는 러시아 측 어디에서 표를 검사하고 있었는지 모른다.

문 3등 대합실에서 플래이트폼으로 나가는 입구는 닫혀 있었는가.

답 그 출구는 닫혀 있어 출입할 수 없게 되어 있었다.

문 일본인 환영단이 있을 장소는 미리 정했는가.
답 미리 정하지 않았다. 임시로 대장대신의 객차 앞으로 정했다.

문 일본인단의 중앙에 대장대신이 객차에서 나오는 길을 열어두었는가.
답 통행로는 열어 두었다. 특별히 통로를 열 필요 없이 일본인단의 뒤는 넓으므로 대장대신은 뒷문으로 자유롭게 지나다녔다. 대장대신은 일본인단의 앞을 지나간 적이 없으므로 뒷문 쪽으로 다녔다고 생각한다. 일본인단 앞을 이토공의 열차 쪽으로 동청 철도 부총재 「벤트첼」이라는 한 사람이 통행하였을 뿐이다.

문 이토 공작은 일본인 환영단이 있는 곳으로 인사를 하러 오는 것을 미리 협의했는가.
답 오기로 되어 있었다. 그때는 일본인단이 공작 만세를 부를 예정이었다.

문 이토공이 도착하는 아침 정거장과 그 내외에 호위병은 평소보다 많이 배치되어 있었는가.
답 눈에 띌 정도로 많지는 않았다. 그러나 역 밖에는 많은 호위병이 있었던 것 같이 생각된다.

문 플래이트폼에 정렬하고 있던 환영단의 순서는 어떠한가.
답 플래이트폼 왼쪽 끝에 위에서 말한 대로 일본인단이 있고 그 오른쪽에 청국군대가 정렬하여 있고 그 오른쪽에 있던 한 무리의 각국 대표단이 조금 앞으로 나와 있었다. 그러므로 내가 있던 곳에서 러시아군대가 있는 곳은 보이지 않았다. 그러나 공작의 객차는 보였다. 공의 객차는 승강구 1등 대합실 출입구 반대쪽에 있었다.

문 증인은 공작이 하차하는 것을 보았는가.
답 보았다. 하차하고서 공작은 우리들이 있는 곳으로 왔다. 하지만 곧바로 각국대표자 일단에 모습이 가려 보이지 않게 되었다.

문 공작의 하차 순서는 어떠한가.

답 첫 번째로 러시아 대장대신이, 이어서 「벤트첼」이, 그 다음으로 이토 공작이 하차한 것 같이 생각된다.

문 이토 공작은 외투를 입고 있지 않았는가.

답 하차할 때는 외투를 있고 있었는지 어떤지 생각나지 않는다. 하지만 저격당하여 열차 안으로 옮겨져 왔을 때는 분명히 외투는 입지 않은 것 같이 생각된다.

문 공작이 하차하고 그 후의 모양은 어떠한가.

답 공작이 하차함과 동시에 군악대가 주악을 울리기 시작하였는데 공작은 외교단이 있는 곳까지 와서 되돌아 간 것 같다. 그때 펑펑 소리가 났다. 나는 폭죽인가라고 생각하였는데 그때 플래이트폼에서 쓰러져 손을 집는 사람이 한 사람이 있었다. 더욱이 그와 동시에 선로 안에 넘어진 사람이 있는 것을 보았다. 나중에 들었더니 선로에 넘어진 사람은 러시아 민정장관 「아파나시예프」라는 사람이다. 또한 당시 나는 플래이트폼에 손을 집은 사람이 「오오민」라는 외국인인가 생각하고 있었다. 하지만 틀림없이 다나카(田中) 이사였다는 것이다.

그 후 나는 일본인이 소란을 피우는 것을 제지하고서 공작이 있는 곳으로 가려고 하였다. 하지만 사람이 많이 있어서 접근할 수 없었다. 그래서 사람들이 있는 뒤를 돌아서 1등 대합실 출입구가 있는 곳으로 갔을 때 공작을 객차 안으로 안아서 들어가는 것을 보았다.

그때 공작은 얼굴색이 나빴다. 그리고 왼손에 손잡이를 금으로 만든 검고 긴 「지팽이」를 지니고 있었는데 눈은 한 곳을 응시하고 있었다고 생각한다.

문 그때 모리(森)라는 사람도 부상을 입은 것을 알았는가.

답 나는 모리(森)의 상황은 모른다. 그러나 그때 카와카미(川上) 총영사도 없었으므로 찾았더니 카와카미(川上)도 부상을 입고 병원에 갔다고 들었다. 그래서 곧바로 병원에 갔더니 다나카(田中)라는 사람도 부상을 입고서 병원에서 상처를 세척하는 것을 보았다.

문 카와카미 총영사를 만났는가.

답　만났다. 총영사에게는 이토 공작이 저격당한 것과 범인은 한국인이라는 것을 드디어 말하고 사건의 시말을 영사관에 보고하기 위해 되돌아갔다. 그런데 내가 영사관으로 돌아왔을 때 후루야(古谷) 씨가 와 있어 도쿄(東京) 쪽으로 전보를 치고 있는 것을 보았다.

문　그리고 그 외에 당시의 모양에 대해 증인이 보고 들은 것은 없는가.

답　이상의 것 이외에 그다지 이렇다 할 말을 듣지 못했다.

증인 후루사와 코키치(古澤幸吉)

이상의 내용을 읽어 들려주었더니 틀림없음을 승낙한 후 자서하였다.
그날 앞에서 언급한 영사관에서
단 출장 중이므로 소속관서의 도장을 사용하지 못하다.

관동도독부지방법원
서기 기시다 아이분(岸田愛文)
고등법원검찰관 미조부치 타카오(溝淵孝雄)

4 쿠토 세이사부로 증인 신문조서

증인 신문조서

증인 쿠토 세이사부로(工藤淸三郞)

위의 자를 안응칠(安應七)·우연준(禹連俊)·조도선(曺道先)·유강로(柳江露)·정대호(鄭大鎬)·김성옥(金成玉)·김형재(金衡在)·탁공규(卓公圭)·김려수(金麗水)·장수명(張首明)·김택신(金澤信)·홍시준(洪時濬)·이진옥(李珍玉)·방사첨(方士瞻)·정서우(鄭瑞雨)·김배근(金培根)에 대한 살인피고사건에 대해 1909년(명치 42) 11월 6일 하얼빈 일본제국 총영사관에서 검찰관 미조부치 타카오(溝淵孝雄) 서기 기시타아이분(岸田愛文)이 열석하여 검찰관은 다음과 같이 증인으로 신문을 했다.

문 성명, 연령, 직업, 주소는 무엇인가.
답 성명은 쿠토 세이사부로(工藤淸三郞)(구마모토현(熊本縣) 일본인)
연령은 41세
신분은 평민
직업은 잡화상
주소는 하얼빈 프레스탄 모스토와야.
(일본인회앞)

문 위 피고인과 친척, 후견인, 피후견인, 고용인, 동거인 등의 관계는 없는가.
답 없다.

문 10월 26일 이토공이 이곳에 왔을 때 정거장에 맞이하러 갔었는가.
답 갔었다.

문 어떠한 옷을 입고 갔는가.
답 플룩코트에 외투를 입고 중절모를 쓰고 갔다.

문 지팡이는 갖고 갔는가.

답 갖고 갔다.

문 몇시경에 정차장에 갔는가.
답 내가 갔을 때는 이토 씨의 열차가 도착하였다.

문 정거장에는 어디로부터 들어갔는가.
답 3등 대합실 입구로부터 들어가 대합실에서 외투를 벗어 맡겨 놓고 1등 출입구로부터 플래이트폼으로 들어갔다.

문 그때 그 출구에 여자는 없었는가.
답 대합실 출입구가 있는 곳에 파란 옷을 입은 작부로 보이는 여자가 2명 정도 있었다.

문 그대는 플래이트폼으로 나가 어디로 갔는가.
답 대합실을 나와 오른쪽으로 가서 이토 씨가 타고 있는 기차가 보이는 데까지 갔다.

문 이토 씨가 기차에서 내리는 것을 보았는가.
답 보았다.

문 이토 씨에 앞서 누군가 내렸는가.
답 이토 씨가 가운데 있고 두 세 사람이 함께 내린 것같이 생각된다.

문 이토 씨는 누구인가에게 인사를 했는가.
답 그것은 보지 못했다. 앞에 사람이 있어서 내가 있는 곳에서는 자세히 몰랐다.

문 그리고 나서 그대는 어느 쪽으로 갔는가.
답 이토 씨 모자만 보았으므로 그 모자가 가는 쪽으로 따라 갔다.

문 그대는 플래이트폼 오른쪽으로 갔을 때 일본인이 많이 있었는가.
답 일본인이 러시아 군인이 있는 뒤 쪽에 7·8명이 있었다. 또한 내가 왼쪽으로 되돌아왔을 때도 일본인을 만났다.

문 그대는 플래이트폼에서 가와하라 군베이(河原郡平)를 만났는가.
답 플래이트폼에서는 그 사람을 만나지 않았다.

문 그대는 총소리를 들었는가.
답 악대와 청국병이 있는 뒤쪽으로 갔을 때 탕탕 소리를 들었다.

문 그 소리는 어디에서 났는가.
답 내 앞의 오른쪽에서 5·6발 들려왔다.

문 누가 쏘았는지 모르는가.
답 그것은 모른다.

문 그 소리는 러시아병 가운데서 났는가. 또는 어디에서 났는가.
답 그것은 잘 모른다. 소리가 났으므로 나는 이상하게 여겼는데 나의 오른쪽에 있던 사람이 일본어로 이토 씨도 카와카미(川上) 씨도 저격당했다고 하였다.

문 그 말을 한 남자는 풍채가 어떠했는가.
답 그것은 모른다.

문 그 이후 그대는 어떻게 했는가.
답 누구나 할 것 없이 이토 씨는 1등 출입구로부터 밖으로 나왔다고 들었으므로 나는 1등 대합실을 빠져나와 출구가 있는 곳으로 갔다. 그때 카와카미(川上) 씨가 그 출구의 왼쪽 아래에서 오른손을 축 내려트리고 왼손을 오른쪽 상박(上膊)에 대고 있었다. 그래서 나는 어떻게 된 일이냐고 하였더니 카와카미(川上) 씨가 당했다고 하였으므로 나는 의사를 불러올 생각으로 플래이트폼으로 나갔으나 의사는 없었다. 그래서 되돌아왔더니 그때 카와카미(川上) 씨가 있는 곳으로 가와하라 군베이(河原郡平)가 가서 부축하였다.

문　그대가 처음 카와카미(川上) 씨가 있는 곳으로 왔을 때 그 옆에 사람이 있었는가.
답　사람은 아무도 없었다. 내가 두 번째 되돌아왔을 때 많은 사람이 왔고 러시아 헌병도 와 있어서 카와카미(川上) 씨를 차에 태워갔다.

문　그대가 처음 플래이트폼으로 나왔을 때 대합실 안에 있는 음식점에 아무도 없었는가.
답　음식점에는 러시아부인과 러시아인 남자가 2·3명이 있었다.

문　그곳에 일본인 또는 한국인은 없었는가.
답　그런 사람은 보지 못했다.

문　이 사람을 그대는 모르는가.

이때 피고 안응칠을 제외한 피고 일동의 사진을 보이다.
증인 방사첨의 사진을 지시하며

답　이 사람은 의사이다. 나는 때때로 보았다. 그 외의 사람은 모른다.

문　이 사람은 알고 있는가.

이때 피고 안응칠의 사진을 보이다.

답　작년경 이도가(二道街)에 있었던 것 같이 생각되나 자세히는 모른다. 또한 앞서 말한 남자(방사첨)는 이토(伊藤)라는 일본 치과 의사와 함께 온 러시아인 처가 있는 사람이다.

문　그대는 뭔가 한국인 중에 이상한 풍설이 있음을 듣거나 또는 풍채가 이상한 자로 짐작이 가는 자는 없는가.
답　작년경 러시아 관공소에 고용된 자로 청국인 패거리들이 도박을 하면 곧바로 가서 돈을 빼앗는다고 청국인이 나쁘게 말하는 한국인이 있다.

문　그 사람의 인상은 알고 있는가.
답　얼굴이 길고 눈이 작다.

증인 쿠토 세이사부로(工藤淸三郞)

위의 내용을 읽어 들려주었더니 틀림없음을 승낙하고 자서하였다.
그 날 앞에서 언급한 장소에서
단, 출장 중이므로 소속관서의 도장을 사용하지 못하다.

관동도독부지방법원
서기 기시다 아이분(岸田愛文)
고등법원검찰관 미조부치 타카오(溝淵孝雄)

5 미야자키 신조 증인 신문조서

증인 신문조서

증인 미야자키 신조(宮崎新造)

위의 자를 안응칠(安應七)·우연준(禹連俊)·조도선(曺道先)·유강로(柳江露)·정대호(鄭大鎬)·김성옥(金成玉)·김형재(金衡在)·탁공규(卓公圭)·김려수(金麗水)·장수명(張首明)·김택신(金澤信)·홍시준(洪時濬)·이진옥(李珍玉)·방사첨(方士瞻)·정서우(鄭瑞雨)·김배근(金培根)에 대한 살인피고사건에 대해 1909년(명치42) 11월 1일 하얼빈 일본제국 총영사관에서 검찰관 미조부치 타카오(溝淵孝雄) 서기 타케우치 가츠모리(竹內靜衛)가 열석하여 검찰관은 다음과 같이 증인으로 신문을 하였다.

문 성명, 연령, 직업, 주소는 무엇인가.

답 성명은 미야자키 신조(宮崎新造)
연령은 39세
직업은 요리점 영업
주소는 하얼빈 프리탄프테와야가(街).

문 위 피고인과 친척, 후견인, 피후견인, 고용인, 동거인 등의 관계는 없는가.

답 그런 관계는 더욱이 없다.

문 그대는 한국인 김택신이라는 자를 알고 있는가.

답 얼굴을 보면 알 수 있으나 이름은 잘 모른다.

문 이토 공작이 이곳 정거장에서 조난당한 날 그대는 한국인에게 담배를 말게 한 일이 있는가.

답 담배를 말게 한 것은 24일까지로 끝나고 모두 그 품삯을 주었다. 그 후에는 담배를 말게 한 일이 없다.

문 24일 품삯을 주었을 때 일의 유무를 물으러 와도 좋다고 했는가.

답 그런 말을 하지 않았다.

문 그대 집에 한국인 이부((李莩)「쿠와」)라는 지배인이 있는가.
답 한국인 지배인은 없다.

문 그대 집의 담배를 말고 있던 김택신이 있는 곳은 모르는가.
답 그것은 전혀 모른다.

문 그대가 담배를 말게 한 한인은 누구인가.

이때 피고 김택신을 증인에게 보이다.

답 그렇다. 이 사람이다.

문 이 사람은 그대 집에 오는데 어느 방면에서 오는가.
답 어디에서 오는지 잘 모른다.

문 그대 집 근방에 청국인 요리점이 있는가.
답 청국인 요리점이 있는 곳까지는 내 집에서 10정(町)[1] 정도나 걸린다.

문 원래 지금의 한국인이 우리 집 담배말이를 하게 된 것은 우치다(內田)라는 집의 지배인으로 거의 두 달 정도 전부터 담배말이를 시켰다. 하지만 지금까지 3번 정도밖에 담배말이를 시킨 적이 없다.

증인 미야자키 신조(宮崎新造)

위의 내용을 읽어 들려주었더니 승낙하고서 자서하다.

---

1 1.090m.

그날 앞서 언급한 총영사관에서
단지 출장 중이므로 소속관서의 도장을 못 사용하다.

관동도독부지방법원
서기 기시다 아이분(岸田愛文)
고등법원검찰관 미조부치 타카오(溝淵孝雄)

6 모리 레이이치 증인 신문조서

증인 신문조서

증인 모리 레이이치(森良一)

위의 자를 안응칠(安應七)·우연준(禹連俊)·조도선(曺道先)·유강로(柳江露)·정대호(鄭大鎬)·김성옥(金成玉)·김형재(金衡在)·탁공규(卓公圭)·김려수(金麗水)·장수명(張首明)·김택신(金澤信)·정서우(鄭瑞雨)·홍시준(洪時濬)·이진옥(李珍玉)·방사첨(方士瞻)·김배근(金培根)에 대한 살인피고사건에 대하여 1909년(명치 42) 11월 이일 하얼빈 일본제국 총영사관에서 검찰관 미조부치 타카오(溝淵孝雄) 서기 기시다 아이분(岸田愛文)이 열석하여 검찰관은 다음과 같이 증인신문을 하였다.

문 성명 연령 직업 주소는 어떠한가.
답 성명은 모리 레이이치(森良一)(일본인)
연령은 32세
직업은 음식점업
주소는 하얼빈 전가전 북사도가(傳家甸北四道街) 51호.

문 위 피고인과 친척, 후견인, 피후견인, 고용인, 동거인 등의 관계는 없는가.
답 없다.

문 이토 공작이 도착하여 그대는 10월 26일 아침 하얼빈 정거장에 환영 나갔는가.
답 갔다.

문 그때 그 집 접대부 아베 타카(阿部タカ)·이나다 하루(稲田ハル) 두 사람과 함께 갔는가.
답 그렇다.

문 그대는 정거장에 가서 어디에 있었는가. 이 도표에 지시하라.

이때 러시아 관헌이 보낸 정거장 약도의 번역을 보이고 지시케 하여 조서에 첨부하다

답 처음에 대합실에 갔더니 많은 사람이 있었다. 잠시 후 나는 2명의 여자를 데리고 플래이트폼으로 나가 일본인단이 있는 곳에 갔더니 영사관 사람이 부인은 이곳에 와서는 안 된다고 하므로 여자들을 뒤 쪽으로 가게 하였다. 그런데 그 여자 두 사람은 대합실 입구 쪽으로 갔다. 그 후 그 작부로부터 정거장 입구 남쪽(별지도면 이(イ) 로(ロ)의 장소)에 가서 잠시 서 있다가 다시 입구 북쪽(별지도면 하(ハ) 니(ニ)의 장소)에 가서 둘이 서 있었다고 들었다.

나는 여자들이 간 후 일본인단이 있는 곳에 있었는데 기차가 도착하여 여자들에게 이토 공작을 알려 주려고 생각하여 대합실 입구 쪽으로 갔더니 여자들은 입구 북쪽(도면 하(ハ) 니(ニ)의 장소)에 있었으므로 이토 공작을 알려 주었다. 그때 공작은 기차 안에 서 있었다. 내가 보았을 때 내 집의 작부가 있는 바로 북쪽에 러시아 사관과 양복을 입은 일본인 같은 사람이 4·5명 서 있었다.

나는 여자들에게 이토 공작을 알려주고 돌아와 일본인단과 청국병대가 정열하고 있는 사이에 있었는데 탕탕 하는 소리가 났다. 그때 러시아 사관 1명이 플래이트폼에서 서쪽으로 쓰러지는 것을 보았다. 그러나 이 사람은 별로 부상을 입지 않은 것을 나중에 알았다.

그때 순사들이 달려왔으므로 뭔가 변고가 일어났다고 생각하고 일본인들과 함께 청국병이 정열하고 있는 앞을 지나 기차 쪽으로 갔더니 부상 입은 사람을 사람들이 안고 기차 안으로 들어가고 그 후 또 이토 공작을 기차 안으로 부축하여 들여가는 것을 보았다. 그보다 앞서 기차에 안으로 부축하여 들어간 사람은 다나카(田中) 씨이라 하는 사람으로 발에 부상을 입었다고 나중에 들었다.

그리고 나서 나는 작부의 모습이 보이지 않았으므로 대합실에 들어가 물어보았더니 먼저 돌아갔다고 들었으므로 나는 그대로 집으로 왔다.

문 그대가 일본인단이 있는 곳에 있을 때 이토 공작이 하차하는 것을 보았는가.

답 그것은 보이지 않았다.

문 그대는 이 사진 속의 인물을 정거장에 갔을 때 보지 않았는가.

이때 피고 안응칠의 사진을 제시하다

답 정거장에 갔을 때 본 것 같이 생각되나 대개 조선인의 얼굴은 모두 다 비슷하므로 반드시 이 남자였는지 아닌지는 모르겠다.

문 이 사람들은 아는가.

이때 피고인 일동(안응칠 제외)의 사진을 지시하다

답 이 사람은 가끔 내 집에 온다.

이때 피고 김형재의 사진을 제시하다

모리 레이이치(森良一)

이상의 내용을 읽어 들려 준 바 승낙한 후 자서하다.
그날 앞에서 언급한 영사관에서
단 출장 중이므로 소속관서의 도장을 사용하지 못하다.

관동도독부 지방법원
서기 기시다 아이분(岸田愛文)
고등법원 검찰관 미조부치 타카오(溝淵孝雄)

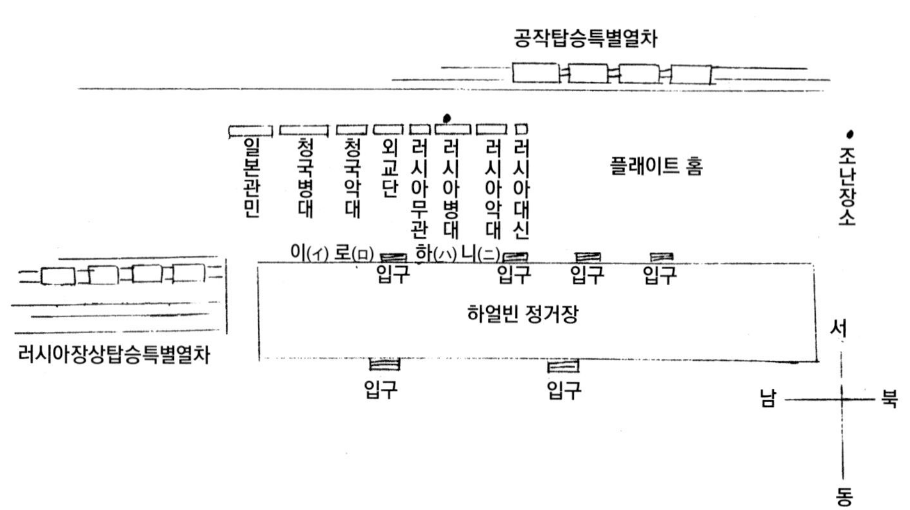
공작탑승특별열차
일본관민
청국병대
청국악대
외교단
러시아무관
러시아병대
러시아악대
러시아대신
플래이트 홈
조난장소
이(イ) 로(ロ) 하(ハ) 니(ニ)
입구
입구
입구
입구
하얼빈 정거장
러시아장상탑승특별열차
입구
입구
서
남
북
동

7 스기노 호타로 증인 신문조서

증인 신문조서

증인 스기노 호타로(杉野鋒太郎)

위의 자를 안응칠(安應七)·우연준(禹連俊)·조도선(曺道先)·유강로(柳江露)·정대호(鄭大鎬)·김성옥(金成玉)·김형재(金衡在)·탁공규(卓公圭)·김려수(金麗水)·장수명(張首明)·김택신(金澤信)·정서우(鄭瑞雨)·홍시준(洪時濬)·이진옥(李珍玉)·방사첨(方士瞻)·김배근(金培根)에 대한 살인피고사건에 대해 1909년(명치 42) 11월 9일 하얼빈 일본제국 총영사관에서 검찰관 미조부치 타카오(溝淵孝雄) 서기 기시다 아이분(岸田愛文)이 열석하여 검찰관은 다음과 같이 증인신문을 하였다.

문 성명, 연령, 신분, 직업, 주소는 무엇인가.
답 성명은 스기노 호타로(杉野鋒太郎)
연령은 1873년(명치 6) 4월 23일생
신분은 사족(士族)
직업은 외무성 서기생
주소는 하얼빈 일본제국 총영사관.

문 위 피고인과 친척, 후견인, 피후견인, 고용인, 동거인 관계는 없는가.
답 없다.

문 지난 10월 26일 이토 공작은 언제쯤 장춘에서 이곳 하얼빈 정거장에 도착했는가.
답 오전 9시 예정이었는데 10분 정도 늦게 도착하였다.

문 이곳 영사관에서 장춘까지 누가 마중 갔는가.
답 카와카미(川上) 총영사가 마중하러 10월 24일 밤 장춘에 갔다.

문 이토공이 하얼빈에 오는 것에 한국인의 동정에 관해 무슨 조사를 하였는가.

답 그런 말은 듣지 못했다. 그러나 경찰 방면에서는 조사했는지 어떤지 모른다.

문 이토공과 동행한 사람들은 미리 알고 있었는가.
답 일본에서 온 사람들의 이름은 알고 있었다. 그것은 전보로 알려 주었다.

문 그 동행자는 누구 누구인가.
답 무라타(村田)·요시아야(義文)[1]·후루야(古谷)·모리(森)·고야마(小山) 씨·마츠키(松木) 소좌 그 외 2·3명의 수행자가 있었다.

문 장춘 또는 본국정부로부터 이토공의 호위에 관한 통지는 없었는가.
답 그런 것은 없었다.

문 이곳 정거장에서 공작 환영순서는 영사와 러시아 관헌이 협의하여 정했는가.
답 환영순서는 협의하여 정하지 않았다. 다만 공이 도착하고 나서는 며칠날은 러시아 관헌, 며칠날은 청국 관헌이 한다는 것만은 알고 있었다.
그렇지만 러시아 관헌이 이토 공작 호위를 위해 군대를 정렬시켰다고 전해 왔으므로 군대의 정렬은 황족에 대한 예 어쩌고 하는데 러시아에서는 그 점은 차별이 없다고 한 적이 있다. 그것은 전혀 전해오지 않았다.

문 러시아 관헌으로부터 공작의 도착에 대해 특별히 경호를 맡는 일에 대한 통지는 없었는가.
답 그 통지는 없었다. 그렇지만 10월 23일 또는 24일 카와카미(川上) 총영사가 러시아 접대계가 있는 곳으로 갔을 때 공작에 대한 정거장 단속을 위해 입장권을 발행하는 것은 어떻겠느냐 하는 이야기가 있었으나 일본인은 누구나 환영하고 싶으니 일본인에게 입장권을 발부하지 말아달라고 한 말을 그날 밤에 카와카미(川上)영사가 돌아와서 들었다.

---

1 무로다 요시아야(室田義文).

문 일한관민에게 공작의 환영에 관해 무슨 계획이 있지 않았는가.

답 일본인의 환영 계획이 있다는 것은 들었지만 한국인에 대해서는 전혀 들은 것이 없다.

문 이곳의 한국민 중에 일본인의 공작에 대한 환영 계획에 참여한 사람은 있지 않는가.

답 그것은 듣지 못 했다.

문 일본인과 한국인은 구별을 할 수 없는데 그 단속방법을 정한 것은 듣지 못했는가.

답 이곳 영사관에서는 그런 것까지 생각하지 못하고 있다.

문 한국인은 특히 주의를 요하는 것에 대해 러시아 쪽과 전혀 교섭이 없었는가.

답 나는 그런 일을 처리할 위치에 있지 않았기 때문에 자세히는 모르나 그런 일은 없었다고 생각한다.

문 이토공이 도착하기 전 정거장 앞과 그 부근, 대합실, 플래이트폼 등 러시아의 단속은 어떠한가.

답 특별히 평일과 다른 상황은 보지 못했지만 헌병과 순사는 꽤 많이 나와 있었던 것 같이 생각된다.

문 공작의 내착에 대해 3등 대합실 출입구를 폐쇄하고 특히 헌병을 붙였는가.

답 나는 1등 대합실 입구로부터 들어가 플래이트폼으로 나갔다. 나는 영사관원으로서 일본인단 배열에 주로 관계하고 있었으므로 3등 대합실 출입구에 대한 것은 신경을 쓰지 않았다.

문 일본인단은 지정위치에 정렬했는가.

답 위치는 미리 지정한 것이 아니기 때문에 대합실 출입구의 왼쪽 러시아 대장대신이 탄 객차 앞 넓은 장소에 늘어섰다.

문 일본인이 배열하였을 때 러시아 대장대신은 어디에 있었는가.

답 그때 그 대신은 객차 안에 아직 있었다.

문 일본인단은 러시아 대장대신의 객차 승강구 앞에 위치했는가.

답 승강구 정면은 출입에 방해가 되므로 나는 통로를 비워 두도록 했다. 따라서 일본인단은 가운데에 통로를 열어 두고 그 양쪽에 정렬했다.

문 러시아 대장대신 객차 승강구에는 장식을 하였는가.

답 객차 승강구가 있는 곳에 붉은 천으로 두른 상태였다.

문 러시아 대장대신의 객차에는 몇 개의 객차가 연결되어 있는가.

답 객차, 식당, 수행원(용객차) 3량과 연결되어 있다. 그리고 대신은 열차 끝의 객차에 타고 있었다.

문 일본인단으로부터 오른쪽에 있는 환영단 정렬 순서는 어떠한가.

답 내가 「플래이트폼」에 갔을 때 일본인단의 오른쪽에는 청국의 악대 그다음에 청국병대, 그 오른쪽에 외교단이 있었고 비스듬히 앞쪽으로 나와 있었으므로 그보다 앞에 있는 열의 순서는 모른다.

문 지금 말한 배열 각단(各團)의 거리는 어떠한가.

답 각단 모두 간격 없이 거의 서로 섞여 있었던 것 같이 생각된다.

문 러시아 관헌이 보낸 그 당시의 환영원의 순서는 실제 이 도면대로인가.

이때 러시아 관헌이 보낸 관계 도면의 복사본을 보이다.[2]

답 좀 다르다. 일본인단 다음에는 청국악대와 병대가 있고 그 다음이 외교단으로 도면과 반대이다.

---

2 신운용 편역, 「의거상황도」, 『러시아관헌 취조문서』(안중근 자료집 2), (사) 안중근평화연구원, 2014, 120쪽.

문 1등 대합실의 출구과 이토 공작의 객차의 위치는 마주보고 있는 것이 아닌가.

답 객차는 훨씬 오른쪽에 있었던 것같이 생각된다. 그리고 공작이 조난당한 후 러시아 관헌이 화환을 보냈을 때 1등 대합실 출구를 나와 오른쪽으로 갖고 오는 것을 나는 보았다. 그리고 나서 생각해보니 확실히 객차는 오른쪽이었다고 생각한다.

문 일반 환영자가 플래이트폼으로 들어가는 시간제한을 두었는가.

답 특별히 시간제한을 두지 않았다. 따라서 공작이 도착한 후에도 들어갔던 것이다.

문 플래이트폼의 대합실 안팎 부근의 경계는 어떠했는가.

답 헌병 등은 평소보다 증원되어 있었는가.

문 공작의 객차가 도착한 플래이트폼의 위치는 어디인가.

답 일본인단으로부터 14·15간 정도 오른쪽에 도착하였다고 생각한다.

문 공작이 타고 있던 객차는 열차의 어느 칸에 있었는가.

답 열차 끝부분이다.

러시아 귀빈은 사방 모두 유리창으로 어느 방향에서도 보이도록 되어 있다. 그리고 후 방을 보기 위해서 열차 끝에 붙였기 때문에 열차 끝에 붙이는 것이 관례이다. 즉 공작의 객차도 그와 같이 되어 있다.

문 그런대 객차가 도착하였을 때 증인은 차내에 있던 공작의 모습을 보았는가.

답 보았다. 내가 환영단이 있는 곳으로 왔을 때 공작은 모자를 벗고 차내에 서서 우리들이 있는 쪽을 보고 있는 것을 유리창 너머로 보았다.

문 기차가 도착하여 공작이 하차하기까지의 시간은 어떠한가.

답 그날은 매우 추운 날로 환영인 모두 너무 오래 기다린다고 하고 있었다. 시간은 정확하게 모르지만 도착 후 하차하기까지는 10분이상의 시간이 지났다.

문 도착 후 하차하기까지 모양은 어떠한가.

답 기차가 왔을 때 러시아 대장대신이 일본인단 사이의 통로를 지나간 것은 알고 있었으나 그 수행원은 못 보았다. 또한 대신과 공작이 어떠한 모습으로 대화했는지 그것은 모른다.

문 공작은 하차 후 일본인단에게도 인사하기로 되어 있었는가.

답 그것은 카와카미(川上) 총영사가 합의를 하여 일본인단에게도 인사를 하였다. 그 단체는 공작 만세를 부르기로 되어 있었다.

문 플래이트폼에서 인사가 끝나면 공작은 이곳 영사관에 올 예정이었는가.

답 그렇다.

문 공작이 열차에서 내렸을 때의 모양은 어떠한가.

답 열차에서 내린 곳은 외교단에 가로막혀 있어 내가 있던 곳으로부터는 보이지 않았다.

문 증인은 흉행이 있었던 것을 몇시에 알았는가.

답 영사단의 앞이라고 생각되는 곳에서 탕탕 세 번 정도 소리를 들었다. 나는 폭죽인가라고 생각하고 있었는데 러시아 민정장관이 선로 쪽으로 뛰어들다가 무릎을 다쳤다. 또한 사람을 껴안고서 가는 것 같은 모양이었으므로 「무슨 일이 일어났는가」라고 생각하고 있었는데 환영하러 나온 사람들이 계속 나오므로 나는 그들을 제지하고 그 소리가 난 쪽으로 갔더니 이토 공작은 사람에게 부축을 받고 있었다. 그래서 이때 비로서 흉행이 일어난 것을 알았다.

문 공작은 누구에게 안겨 있었는가.

답 일본인과 러시아인이 안고 있었다. 그 사람은 모른다. 그리고 나서 일본인이 공작을 차 안으로 옮겼다.

문 증인은 나카무라(中村) 만철총재와 무로다(室田) 씨를 아는가.

답 모른다.

문　공작을 차 안으로 안고서 들어가지 전에 플래이트폼에서 「브랜디」를 준 적이 없는가.
답　그것은 모른다. 하지만 그럴 틈이 없었던 것으로 생각한다.

문　공작은 하차하였을 때 모피외투를 입고 있었는가.
답　하차 때는 모른다. 부상을 입고서 차안으로 안겨서 들어가 때는 외투를 입지도 모자를 쓰지도 않았다.

문　증인은 차 안으로 안겨서 들어가는 공작의 모습을 보았는가.
답　보았다. 차 안으로 들어올 때 얼굴이 기울어져 있었기 때문에 내가 있는 곳에서 잘 보였다. 그때 공작은 얼굴색이 창백하고 입을 다물고 눈을 뜬 채로 아무 말도 하지 않았다.

문　그때 카와카미(川上) 총영사는 어떻게 했는가.
답　공작을 차 안으로 모신 후 총영사의 모습이 보이지 않았으므로 찾아보았지만 약 10분 간 정도 지나 총영사도 부상을 입고 병원에 간 것을 들었다.

문　이토 공작을 차 안으로 안고 들어갔을 때 카와카미(川上) 총영사의 모습을 보았는가.
답　모습은 보지 못 했다.

문　공작은 저격을 당했을 때 쓰러졌는가.
답　그것은 모른다.

문　그때 공작과 동시에 부상을 입은 사람이 있는 것을 보았는가.
답　그 당시에는 못 보았다. 나중에 다나카(田中)이사가 병원에서 붕대를 하고서 돌아온 것과 모리(森)라는 사람이 부상을 입고 열차 안으로 옮겨지는 것을 보았다. 그리고 나서 나는 러시아 총영사로부터 흉행자는 한국인인데 국적이 있는 자인지 여부는 취조 중이므로 입회하라는 말을 듣고서 취조에 입회하여 조서에 기명(記名)을 하였다.

문 모리(森)가 부상을 입고 옮겨진 기차는 공작의 객차인가.
답 그렇다. 공작의 응접실을 나오면 있는 객실이다.

문 하수인이 공작 등을 저격하는 현장을 보았는가.
답 현장은 보지 못했다. 나는 러시아의 취조에 입회하였을 때 비로소 범인의 얼굴을 보았다.

문 그 범인은 이 사람인가.

이때 피고 안응칠의 사진을 보이다.

답 이 사람임에 틀림없다.

문 러시아 관헌 취조 때 범인은 외투를 입고 있었는가.
답 외투도 입지 않았고 모자도 쓰지 않았다.
옷은 이 사진 그대로의 복장이었으므로 입지도 쓰지도 않았다.

문 증인이 입회하였을 때 범인은 뭐라고 하였는가.
답 한국인이 통역하였는데 그의 말에 따르면 이토 공작을 저격한 것과 한국은 통감정치가 되어서 친구 중에 살해당한 사람이 있고 또한 고통을 당한 사람도 있으므로 원수로 여겨 공작을 쏘았다고 하였다.

문 범인은 공작에게 탄환이 명중된 것을 진술하였는가. 또 공작을 죽일 수 있었다는 것을 특별히 이야기 한 적이 있는가.
답 그런 말을 나는 듣지 못했다.

문 범인은 이름을 뭐라고 하였는가.
답 그때는 「운치안」이라고 조선문자로 자서(自署)했다.

문 범인은 공모자가 있는 것을 말했는가.

답　자기가 단독으로 결행했다고 하고 공모자에 대해서는 말하지 않았다.
기타 여러 가지 진술이 있었지만 대요는 위에서 말한 대로이다. 통역의 말은 알아듣기 어려운 데도 있었다.

증인 스기노 호타로(杉野鋒太郎)

이상의 내용을 읽어 들려주었더니 틀림없음을 승낙하고 자서하다
그 날 앞에서 언급한 장소에서
출장 중이므로 소속관서의 도장을 사용하지 못하다.

관동도독부지방법원
서기 기시다 아이분(岸田愛文)
고등법원검찰관 미조부치 타카오(溝淵孝雄)

8 고야마 젠 증인 신문조서

증인 신문조서

증인 고야마 젠(小山善)

위의 자를 안응칠(安應七)·우연준(禹連俊)·조도선(曺道先)·유강로(柳江露)·정대호(鄭大鎬)·김성옥(金成玉)·김형재(金衡在)·탁공규(卓公圭)·김려수(金麗水)·장수명(張首明)·김택신(金澤信)·홍시준(洪時濬)·이진옥(李珍玉)·방사첨(方士瞻)·정서우(鄭瑞雨)·김배근(金培根)에 대한 살인피고사건에 대해 1909년(명치 42) 10월 27일 관동도독부 고등법원 검찰관 미조부치 타카오(溝淵孝雄) 서기 타케우치 카츠모리(竹內靜衛)가 열석하여 검찰관은 다음과 같이 증인신문을 하였다.

문 성명, 연령, 신분, 직업, 주소는 무엇인가.

답 성명은 고야마 젠(小山善)
연령은 1860년(萬延元年) 8월생
신분은 평민
직업은 시위(侍衛)
주소는 도쿄시(東京市) 고지마구(麴町区) 산반정(三番町) 11번지

문 피고인과 친척 동거인 후견인 피후견인 관계가 없는가.

답 전혀 관계없다.

문 이번 이토 공작이 만주에 순유(巡遊)하는데 증인도 그 일행에 속했는가.

답 그렇다.

문 수행원은 누구인가.

답 모리(森) 궁내대신비서관·테이(鄭) 외무서기·후루야(古谷) 비서관·마츠키(松木) 육군 소좌·무로다(室田) 귀족원의원·나, 그 외 속관(屬官) 2·3명이다.

문 그 일행은 언제 하얼빈에 도착하였는가.

답　이번 달 26일 오전 9시 10분에 도착하였다.

문　이토 공작이 하얼빈 정거장에서 흉행을 당한 현장을 증인은 직접 보았는가.
답　직접 보았다.

문　그때의 모양을 상세하게 진술하라
답　기차가 하얼빈에 도착하자 곧 러시아 대장대신이 공작의 객차 실내로 들어와 약 20분간이나 이야기를 나누었다. 그리고 나서 대장대신의 선두로 공작은 플래이트폼에 내렸다. 곧 바로 그곳에는 러시아 장교 등 15·16명이나 서 있어 그들은 인사를 하고서 기차와 마주보고 정렬하고 있는 러시아 군대가 늘어서 있는 앞을 지나 군대 다음에 정렬한 일본인 일단도 통과하여 맨 끝에 있던 외국 영사단이 있는 곳으로 가서 인사를 마치고 다시 일본인단이 있는 곳까지 왔는데 마치 폭죽과 같은 소리를 들었다. 공작이 하차하여 군대 앞을 통과한 때는 카와카미(川上) 총영사가 공작의 오른쪽에 서서 길을 안내하였다. 나를 포함하여 수행원은 뒤쪽에서 따라서 갔던 것이다.
그 폭죽과 같은 소리를 들음과 거의 동시에 공작이 「당했다」 「당했다」라고 두 마디의 말을 했다. 그리고 무도다(室田) 씨가 "고야마(小山) 고야마(小山)"라고 불러서 그 쪽으로 달려갔는데 그곳에서는 별일이 없으므로 기차 안 내지 정거장 안으로 모시고 가는 것이 좋겠다고 하므로 무로다(室田) 씨가 나카무라(中村) 총재 등과 함께 공작을 안아서 객차 실내로 옮겼다.

문　공작의 부상 상태는 어떠했는가.
답　기차 안으로 모셨을 때에는 얼굴색이 창백하고 고통스럽게 보였다. 외투를 입고 있고 있었으므로 외면상 혈류 따위를 볼 수 없었다. 옷을 벗겨보았더니 와이셔츠와 속옷을 통해 다량의 출혈을 보였다. 신체를 검사해보니 왼쪽 3군데에 창상을 보았다.
첫 번째는 오른쪽 상박(上膊)중앙 바깥쪽으로부터 들어와 오른쪽 흉협 제5 늑간(右胸脇第五肋間)으로부터 수평 방향으로 양쪽 폐를 관통하여 왼쪽 폐에 박혀다. (이로 인해) 흉내(胸內) 출혈이 많았다.
두 번째는 오른쪽 팔꿈치 관절후면의 바깥쪽으로부터 들어와 오른쪽 가슴 옆구리 제9늑간(胸脇第九肋間)으로부터 흉막(胸膜)을 관통하여 오른쪽 계늑(季肋) 아래에 박혔다.

세 번째는 오른쪽 상박(上膊) 중앙의 바깥쪽을 스쳐지나가 상복(上腹)중앙으로 들어와 복중(腹中)에 박혔다.

공작은 이후 15분간 정도 지나 얼굴색이 더욱 창백해지고 얼굴에 식은 땀을 흘리고 응답불능이 되어 결국 허탈(虛脫)에 의해 오늘 오전 10시 훙거하였다.

문 공작의 부상과 동시에 다른 수행원도 부상을 입은 사람이 있었는가.

답 모리(森) 비서관·같은 수행원 다나카(田中) 만철회사 이사·카와카미(川上) 총영사가 부상을 있었다. 무로다(室田) 씨·다나카(中村) 총재가 외투와 바지 등에 탄환이 관통되었으나 부상은 입지 않았다.

문 그 세 사람의 부상도 증인이 검사했는가.

답 모리(森)와 다나카(田中) 두 사람은 검사를 했다.

문 창상은 어떠했는가.

답 모리(森)는 그 상박중앙(上膊中央)을 후방으로 관통하고 다시 왼쪽 등의 연부(軟部)를 관통하였다. 다나카(田中)는 오른쪽 발 관절을 안쪽으로부터 바깥쪽으로 관통하였다.

문 증인은 흉행자의 모습을 보았는가.

답 모습은 보지 못했지만 흉행자로 생각되는 자가 지르는 소리를 들었다. 흉행자 인수(人數)와 흉기 등도 보지 못했으므로 모른다.

문 흉행자는 현장에서 잡혔는가.

답 나는 곧바로 공작에게 응급조치를 하기 위해 때문에 기차 안으로 들어갔기 때문에 그것은 그 일은 모른다.

문 흉행자는 환영 나온 일본인단 영사단 혹은 러시아 장교단 속에서 나온 것 같지 않은가.

답　그것은 모른다. 더욱이 흉행자가 정렬하고 있던 사람들 속에 들어가 있었다는 것인지 혹은 그 뒤쪽에서 나온 것인지 모른다.

문　수행원 이외의 동행자와 대련(大連)으로부터 동행한 사람은 누구누구인가.

답　나카무라(中村) 총재·카나카(田中) 이사·오오우치(大內) 민정장관 대리·타츠이(龍居) 만철비서 등이 주된 분들이고 그 외 몇 명이 더 있으나 나는 그 이름은 모른다.

문　카와카미(川上) 총영사는 장춘까지 마중 나왔는가.

답　장춘의 관내까지 왔다.

문　흉행자가 있던 곳과 공작이 부상을 입은 곳의 거리는 어떠한가.

답　약 2간 정도로 생각된다. 그리고 그 위치는 별지와 같다.

이때 증인은 별지도면을 스스로 그렸다. 그 설명을 듣고 서기가 이를 기입하여 본조서의 말미에 첨부한다.

문　탄환은 어떻게 되었는가.

답　공작의 것은 그 대로 몸에 3개 남아 있다. 다나카(田中)이사의 것은 관통하여 구두 속에 있다. 모리(森)비서관의 것은 행방불명이다. 그리고 탄환 하나를 검사하였는데 탄의 끝 부분에 흠이 있다. 이 때문에 투사력이 둔해졌다. 따라서 공작의 창상과 같이 총알이 관통되지 않고 체내에 박힌 것이다.

증인 고야마 젠(小山善)

이상의 내용을 들려주었더니 틀림없음을 진술하고 자서하고서 날인하다.
1909년(명치 42) 10월 27일 대련 야마토호텔 내
단 출장 중이므로 소속관서의 도장을 못 찍는다.

서기 타케우치 카츠모리(竹內靜衛)
고등법원검찰관 미조부치 타카오(溝淵孝雄)

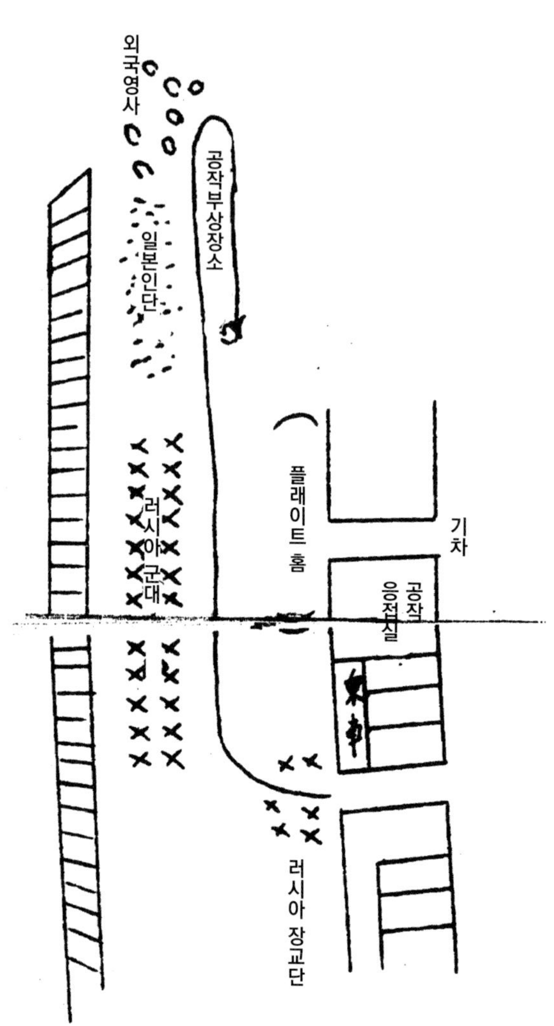
외국영사
공작부상장소
일본인단
러시아 군대
플래이트 홈
기차
공작 응접실
러시아 장교단

코지마 신지 증인 신문조서

관동도독부 고등법원 검찰관 미조부치 타카오(溝淵孝雄)의 촉탁에 의해 1909년(명치 42) 11월 12일 오전 9시 30분 당관의 소환에 응하여 출두한 카와다 토이치(川田藤一) 대리인 고지마 신지(兒島信治)를 다음과 같이 신문하였다.

문 성명은.
답 코지마 신지(兒島信治).

문 원적은.
답 코베시(神戶市) 아라이다정(荒田町) 1정목(1丁目) 15번지.

문 현주소는.
답 초하구 여관 중국방(草河口 旅館 中國方).

문 직업은.
답 여관 중국옥(中國屋) 급사.

문 중국옥에 숙박한 여행객에 대해 그대는 충분히 알고 있는가.
답 나는 10월 1일 중국옥에 고용되었으므로 그 이후의 일은 대개 알고 있다.

문 올 10월 20일 이후 같은 달 26일 이전에 남자 2명, 노부인 1명, 중년부인 1명, 아이 5명으로 이루어진 일행이 숙박한 적이 있는가.
답 10월 24일 남자 2명, 노부인 1명, 중년부인 2명, 아이 4명으로 이루어진 일행이 숙박한 적이 있다. 수염이 있는 남자는 30세쯤으로 보이고 다른 남자는 24·25세, 노부인은 60세 가까운 것으로 생각된다. 다른 2명은 24·25세와 30

세 가까운 것으로 생각되나 조선인의 경우는 정확하게 판단할 수 없다.

문 그날 숙박한 남자 2명은 이 사진 속의 사람이 아닌가.

이때 미조부치(溝淵)검찰관이 보낸 사진 두 장을 보이다.

답 이 두 사람임에 틀림없다.

문 투숙과 출발일시는 어떠한가.

답 10월 24일 오후 7시경 투숙하여 다음날 오전 6시 15분발 열차로 봉천(奉天)[1]으로 출발했다.

문 행선지로 서둘러 가거나 또는 그 외 이상한 모습은 없었는가.

답 그다지 서두르는 모습은 보이지 않았으나 장춘 하얼빈 등의 기차시간 등을 능숙한 일본어로 물었다.

그 사람은 정대호라는 수염이 있는 남자이다. 그 사람은 10월 15일 봉천 카하여관으로부터 와서 내가 근무하는 곳에 머물고 16일 아침 안동현으로 출발한 자로 마루야마 기시(丸山義市)라는 포목점을 하는 사람과 동행하여 함께 묵었다.

문 이번 일행의 복장은 어떠한가.

답 남자 2명은 양복을 입고 부인과 아이는 모두 한복을 입었다고 생각된다.

문 하물은 어떠한가.

답 보따리 같은 것이 2·3개, 마사(麻絲)로 만든 가방 1개, 손가방 같은 것이 1개 등이라고 생각하지만 분명하지 않다.

문 흉기 같은 것을 휴대하지 않았는가.

1 심양.

답　모른다.

이상의 내용을 읽어 들려주었더니
틀림없다는 것을 진술하여 서명 날인시키다.
초하구(草河口) 중국옥 여관 고용인
코지마 신지(兒島信治) 인(印)

1909년(명치 42) 11월 12일
재안동(安東) 일본영사관

외무서기생 쿠가 나루미(久我成美)
영사 키베 마루이치(木部守一) 인(印)

숙박인명부 사본

투숙 월일시 / 출발 월일시	10월24일 오시(午時)						10월 24일
전야 투숙 지명	안동현국 수옥	동	동	동	동	동	동
행선 지명	한국평양	동	동	동	동	동	동
족적(族籍) 또는 국적	조인	모친	처	아이 2명	누이 동생	아이 2명	한인
주소	청국길림 수분하						
직업	중국세관 서기						상업
씨명	정대호						정서우
생년월 또는 연령	26세	62세	24세		34세[2]		30세

위의 사본은 틀림없다.
1909년(명치 42) 11월 20일
초하구 중국옥여관(草河口中國屋旅館)

피고용인 고지마 신지(兒島信治) (손도장)

2 24세.

10 아베 타카 증인 신문조서

증인 신문조서

증인 아베 타카(阿部タカ)

위의 자를 안응칠(安應七)·우연준(禹連俊)·조도선(曺道先)·유강로(柳江露)·정대호(鄭大鎬)·김성옥(金成玉)·김형재(金衡在)·탁공규(卓公圭)·김려수(金麗水)·장수명(張首明)·김택신(金澤信)·정서우(鄭瑞雨)·홍시준(洪時濬)·이진옥(李珍玉)·방사첨(方士瞻)·김배근(金培根)에 대한 살인피고사건에 대하여 1909년(명치 42) 11월 2일 하얼빈 일본제국 총령사관에서 검찰관 미조부치 타카오(溝淵孝雄) 서기 기시다 아이분(岸田愛文)이 열석하여 검찰관은 다음과 같이 증인신문을 하였다.

문 성명, 연령, 신분, 직업 주소는 무엇인가.

답 성명은 아베 타카(阿部タカ)(일본인)
연령은 20세
신분은 평민
직업은 작부
주소는 하얼빈 전가전 북사도가(傳家甸北四道街) 501호 요리점 도오쿠호(土屋方).

문 위 피고인과 친척, 후견인, 피후견인, 고용인, 동거인 등의 관계는 없는가.

답 없다.

문 그대는 10월 27일 이나다 하루(稲田ハル)와 함께 이토 공작이 오므로 이곳 정거장에 환영 겸 보러 갔었는가.

답 갔었다.

문 그대들은 정거장의 어느 쪽에 있었는가. 이 도표에 의하여 지시하라.

(이때 러시아 관헌으로부터 보내온 정거장 약도의 번역을 보이고 지시케 하여 조서에 첨부하다)

답 처음 일본인단 쪽으로 갔었으나 저리가라고 하므로 이나다 하루(稲田ハル)와 같이 대합실 입구로 왔다.

문 입구 어느 쪽에 있었는가.
답 처음에는 입구 남쪽

(별지 도면 이(イ) 로(ロ)의 장소)에 있었으나 잠시 후 또 입구 북쪽
(별지 도면 하(ハ) 니(ニ)의 장소)에 가서 하루와 같이 서 있었다.

문 그곳에 그대들 이외에 사람이 있었는가.
답 우리들이 있는 북쪽 조금 앞쪽에 러시아 사관(士官) 한 사람과 일본인 같은 남자 3명이 있었다. 대합실 입구 쪽에 뒤로 일본부인 2·3명이 또 왔다.

문 그 일본인과 같은 남자는 모자를 쓰고 있었던가.
답 모자를 쓴 사람이 하나 있었다. 그 사람은 차색 엷은 줄이 섞인 외투를 입고 러시아 사관(士官)과 이야기하고 있었다.

문 그 사람은 러시아 사관과 처음에 악수를 하고 인사한 적이 없었는가.
답 처음에 악수하고 인사하고 그리고 이야기하였다.

문 그 러시아 사관은 어떤 사람이었는가.
답 얼굴이 가름하고 키가 큰 사람이었다.

문 어떤 복장을 하였던가.
답 사관의 옷을 입고 모자는 진분홍의 넓은 줄이 달렸고 어깨에서 흰색 칼줄(劍紐)이 늘어져 허리 뒷부분에 둥근 휘장 같은 것을 붙였다.

문 그대들은 그곳에서 끝까지 있었는가.
답 이토 씨가 기차에서 내린 후 나는 대합실 쪽으로 갔다.

문 그대는 이토 씨를 보았는가.

답 러시아병 뒤틈에서 보았다. 또 이토 씨가 내리기 조금 전에 조선인으로 보이는 사람 2명이 기차의 북쪽에서 서쪽으로 돌아갔다.

(이때 그 통로를 별지도면 호(ホ) 헤(ヘ) 토(ト)의 선을 제시하다)

문 그리고 이토 씨가 걷고 있었는가.

답 이토 씨가 기차에서 내리자 지금 말한 러시아 사관이 이토 씨에게 가서 이토의 어깨에 손을 대고 있었던 것으로 생각된다. 나는 그것을 보자 대합실 쪽으로 가서 동쪽 입구로 나가 이토 씨가 나오는 것을 보려고 대합실로 들어가려 할 때 무언가 탕탕하고 두세 번 소리가 나자 곧바로 영사가 들것에 실려 나왔다.

문 이토 씨가 기차에서 내릴 때 그대는 보았는가.

답 보았다. 이토에 앞서 키가 작은 양복을 입은 일본인 한 사람이 기차에서 내렸다.

문 러시아 사관과 이야기한 일본인 같은 남자는 모자를 쓰고 있었던 것에 틀림없는가.

답 틀림없다. 그 사람은 내가 대합실에 있을 때부터 보아 잘 알고 있다.

문 모자를 쓴 남자가 플래이트폼에 나오는 것을 보았는가.

답 그것은 못 보았다. 내가 대합실 입구 쪽으로 갔을 때 이미 그 사람은 앞으로 가고 있었다.

문 모자를 쓴 남자와 러시아 사관과 악수하였다고 하는데 누가 먼저 손을 잡았는가.

답 러시아 사관이 먼저 그 사람의 손을 잡으러 갔다.

문 그 사람은 그 사관과 친한 모양이었던가.

답 정다운 모양이었다. 그 둘이서 내 쪽을 가리키면서 웃고 무슨 이야기를 하고 있었다.

문　러시아 사관과 이야기하고 있던 모자를 쓴 남자는 이자가 아닌가.

이때 피고 안응칠의 사진을 제시하다

답　이 사람이었다.[1]

문　이자들을 정거장에서 본 일은 없는가.

이때 안응칠을 제외한 피고 일동의 사진을 제시하다

답　이 사람들은 정거장에서 본 듯하나 그러나 잘 모르겠다.

증인 아베 타카(安部[2]タカ)

이상의 내용을 읽어 들려 준 바 승낙한 후 자서하다.
그날 앞서 언급한 총령사관에서
단 출장 중이므로 소속관서의 도장을 사용하지 못하다.

관동도독부 지방법원
서기 기시다 아이분(岸田愛文)
고등법원 검찰관 미조부치 타카오(溝淵孝雄)

1　안중근이 1909년 10월 26일 의거직전 러시아 관료와 악수를 하였고 아베 타카를 가리키며 웃으며 이야기를 했다는 주장은 사실과 거리가 먼 것이다. 안중근은 대합실에서 차를 마시다가 이토가 기차에서 내리는 것을 보고서 플래이트폼으로 나와 의거를 결행하였던 것이다(신운용 편역, 「안중근 제2회 신문기록」, 『안중근 신문 기록』(안중근 자료집 3), (사)안중근평화연구원, 2014, 44쪽).
2　아베(阿部).

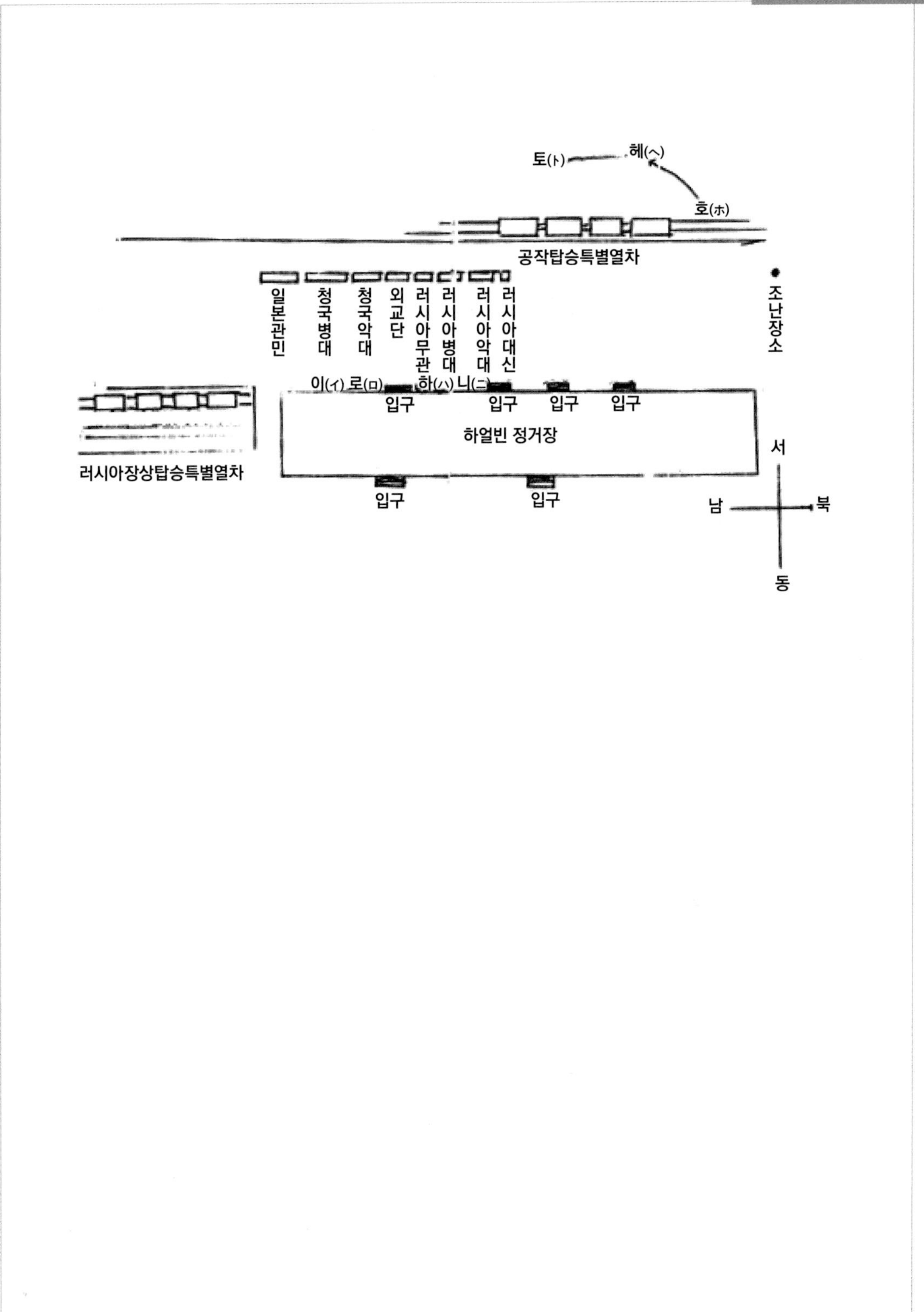
토(ト)
헤(ヘ)
호(ホ)
공작탑승특별열차
조난장소
일본관민
청국병대
청국악대
외교단
러시아무관
러시아병대
러시아악대
러시아대신
이(イ)
로(ロ)
하(ハ)
니(ニ)
입구
입구
입구
입구
하얼빈 정거장
러시아장상탑승특별열차
입구
입구
서
남
북
동

11 쇼지 쇼고로 증인 신문조서

증인 신문조서

증인 쇼지 쇼고로(庄司鐘五郎)

위의 자를 안응칠(安應七)·우연준(禹連俊)·조도선(曺道先)·김형재(金衡在)·김려수(金麗水)·유강로(劉江露)·탁공규(卓公圭)·정대호(鄭大鎬)·김성옥(金成玉)·장수명(張首明)·김택신(金澤信)·홍시준(洪時濬)·이진옥(李珍玉)·방사첨(方士瞻)·정서우(鄭瑞雨)·김배근(金培根)에 대한 살인피고사건에 대해 1909년(명치 42) 12월 10일 관동도독부지방법원에서검찰관 미조부치 타카오(溝淵孝雄) 서기 기시다 아이분(岸田愛文)이 열석하여 검찰관은 다음과 같이 증인으로 신문을 하였다.

문 성명, 연령, 신분, 직업, 주소는 무엇인가.

답 성명은 쇼지 쇼고로(庄司鐘五郎)
연령은 40세
신분은 평민
직업은 남만주철도주식회사 직원
주소는 대련시(大連市) 코다마정 9(兒玉町九).

문 피고인과 친척, 동거인, 후견, 피후견의 관계는 없는가.

답 없다.

문 지난번 이토 공작이 하얼빈에 왔을 때 증인은 공작의 기차왕래에 편의를 제공하기 위해 남만철도주식회사 총재의 시종(侍從)으로서 간 것인가.

답 나는 모지(門司)에서 공작 일행과 함께 도쿄(東京)에서 왔다. 본사의 비서역 타츠이 라이조(龍井賴三)이 북행하라는 이야기가 있어 북행하게 되었으므로 특별히 총재 시종은 아니다. 나도 그 용무범위는 모른다.

문 증인은 공작일행과 대련에서부터 동행했는가.

답 나는 나중에 대련을 출발하여 공작이 장춘에 도착한 아침에 장춘으로 가서 공작이 하얼빈을 출발하는 밤 장춘에서부터 그 일행과 함께 하였다.

문 장춘에서 그곳 이북의 공작호위 방법을 듣지 않았는가.

답 장춘에서는 그런 말을 듣지 못했지만 하얼빈으로부터 돌아올 때 누군가가 이야기하고 있는 것을 들었다. 즉, 공작이 하얼빈에 가는 것에 대해서는 장춘 헌병대가 호위를 위해 헌병을 차출하고 정복을 입고 만약 상황이 나쁘면 사복으로 나갈 것이라고 후루야(古谷)비서관에게 전해 왔다. 그 비서관은 경비 사정도 있으므로 그것은 필요가 없다고 하여 거절하였다는 것이다. 그렇지만 후루야(古谷)비서관은 헌병의 제안을 공작에게 말했는지 아닌지 나는 모른다.

문 그리고 장춘에서 신문기자의 동행도 거절한 것을 듣지 않았는가.

답 그런 말은 듣지 못했다.

문 공작을 늘 돌봐주던 노장사(老壯士) 카메다 에키헤이(龜田易平)라는 사람의 동행도 거절하였는데[1] 그 일을 듣지 않았는가.

답 그것은 신문기사로 보았지만 이야기는 듣지 못했다.

문 하얼빈 일본인 환영단이 예기(藝妓) 5명을 그곳으로 데리고 왔다는 것은 듣지 못했는가.

답 카와카미(川上) 총영사가 야치요다(八千代田)라는 요리점에서 술을 마시고 있다고 들었으나 만나지 않았다. 밤에 공작이 도착하여 우리들은 식사를 하지 않았으므로 정거장에서 만난 치치하루 영사·미츠이(三井)물산회사의 카와이(川井)·장춘의 나가타니 카와(長谷川)·하얼빈 영사관의 경부와 나츠아키(夏秋) 등과 함께 장춘의 어느 요리점에 가서 저녁밥을 먹었을 때 누군가가 환영을 하기 위해 예기를 데리고 간다거나 누구를 선발했다거나 하는 이야기를 하였다. 하지만 나는 그것을 농담으로 들었다. 그러나 실제로 데리고 갔는지 어떤지는 모른다.

---

1 신운용 편역, 「이토와 노장사」, 『재만 일본 신문 중 안중근 기사 Ⅰ-만주일일신문』(안중근 자료집 15), (사)안중근평화연구원, 2014, 143~145쪽.

문　그때 러시아 측의 경위 기타 단속에 관한 이야기를 듣지 못했는가.
답　그런 말은 들은 것 같이 생각된다. 하지만 잘 기억나지 않는다. 그것에 대해서 나는 나중에 러시아 대장대신으로부터 들은 적이 있다.

문　이토 씨의 특별열차는 몇 시에 장춘을 출발할 예정이었는가.
답　밤 11시에 출발하여 다음인 26일 오전 9시 하얼빈에 도착할 예정이었다.

문　하얼빈에는 예정대로 도착했는가.
답　도착했다.

문　조금 시각이 늦었다고 하는 사람이 있는데 어떻게 된 일인가.
답　그와 같은 일은 없었다. 예정보다 기차가 빨리 도착하게 되어 도중에 기차의 속력을 늦출 정도였으므로 연착한 적은 더욱이 없다.

문　채가구(蔡家溝) 정거장에서 기차가 승환하게 되어 있는가.
답　그렇지 않다고 생각한다. 그곳에서는 특별히 지선(支線)은 없을 터이다.

문　이토공이 탄 객차와 증인 등이 탄 객차의 순서는 어떠한가.
답　이토 씨가 탄 특별열차는 가장 끝 부분에 연결되어 있고 그 열차에는 공의 거실도 있고 응접실도 있다. 또한 공의 수행원 거실도 있다. 그 앞쪽에는 일본인이 타고 있는 객차 2대가 연결되어 있다. 또한 그 앞쪽은 식당차로 그 앞에는 마중나온 러시아인이 타고 있는 객차 1대가 연결되어 있다고 생각한다.
내가 타고 있던 객차는 공작의 특별열차 바로 앞에 있었다고 생각되지만 혹은 이제 보니 한 칸 앞인지도 모르겠다.

문　하얼빈 정거장에서 기차는 어떠한 위치에 정차하였는가.
답　이토 씨가 타고 있던 귀빈차의 앞쪽에 있는 승강구가 1등 대합실의 출구와 마주보고 있었으므로 그것은 정확한 기억임에 틀림없다고 생각한다.

문　열차가 도착한 이후의 상황은 어떠한가.

답 열차의 도착과 동시에 러시아 대장대신이 이토 씨의 객차에 갔다. 그러나 나는 그때 회담 상황은 모른다. 회담 시간은 상당히 길었으므로 모두 꽤나 길군이라며 너무 오래 기린다고 생각하고 있었다. 나와 다나카(田中)이사는 너무나 추웠지만 기차에서 내려 운동을 하였다. 러시아 측의 인사들도 손을 비비면서 기다리다가 지쳤다는 듯이 운동을 하였다. 그때 휴대하고 있던 사진기로 정거장 모양을 촬영하였다. 그런 가운데 공작이 하차하는 모양이므로 그 하차를 기다려 또한 사진을 찍고 곧바로 사진기를 기차 안으로 갖고 들어가 공작의 뒤에 두고서 갔다.

문 그때 촬영한 사진은 이것인가.

이때 42년 영특 제1호의 30의 사진 두 매를 보이다.

답 그렇다.

문 그 사진 속의 사람들은 기억하고 있는가.

답 뒤에서 촬영한 사진(특제1호의 30의 2) 속의 오른쪽 끝의 뒷모습은 다나카(田中)이사이고 러시아 병대를 끼고 그 다음이 나츠아키(夏秋) 군이고 그 다음으로 모자의 창을 손으로 잡고 있는 사람은 카와카미(川上) 총영사이다. 그 다음이 러시아 대장대신이고 그 앞쪽에 이쪽으로 향해서 외투를 입고 있는 노인은 이토 공작이고 그 앞에서 공작과 마주서 있는 분은 성명을 모르는 러시아인으로 대장대신이 공작에게 소개하고 있는 것이다. 가장 왼쪽 큰 뒷모습의 사람은 러시아인으로 사진기를 갖고 있는 남자이다.

또한 처음 찍은 사진(특 제1호 30의 1) 속의 가장 왼쪽 뒷모습의 사람은 동청철도회사 부총재 「벤트첼」이고 그 사람과 마주하고 있는 견장만 보이는 사람은 공작의 유해를 배웅 하고 온 북경주재 러시아공사 「코로스토베츠」이다. 그 다음에 있는 사람은 동청철도회사의 조사역 「루게비치」라는 사람이다.

문 이토 씨는 어떠한 순서로 환영자에게 인사를 하였다고 들었는가.

답 나는 그 순서를 자세히 듣지 못했다. 하지만 이토 씨가 하차하자 러시아 환영단의 주요 인사들이 나와서 공작과 악수를 하였으므로 나는 공작이 열병을 하고서 곧바로 정거장을 나와 마차로 갈 것이라고 생각하였다.

문 카와카미(川上) 총영사의 말에 따르면 이토 씨는 열병을 하고서 일단 기차로 돌아와서 주요 환영자들을 접견하고 인사를 할 예정이었다는데 어떠한가.

답 카와카미(川上)는 늘 공과 함께 있었으므로 그 사람이 그렇게 말했다면 그런지도 모르겠다. 하지만 내 생각으로는 대장대신은 이토공에 소개를 해둘 필요가 있는 사람은 이미 소개를 했으므로 다시 기차로 돌아올 필요는 없는 것 같이 생각된다.

문 이토공은 열병을 하였는가.

답 열병을 하였다. 러시아 환영단 주요인사와 인사가 끝나자 대장대신은 이토공의 왼쪽 병대의 열로 다가서 공작과 함께 걸어갔다. 공작은 중산모를 쓰고 있었으나 오른 손을 들어 예를 표하면서 저쪽으로 걸어갔다. 그때 러시아병은 봉총을 하였을 것으로 생각되는데 나는 몰랐다. 공작이 뒤에서부터는 공작의 일행과 러시아 환영단의 주요인사가 순서 없이 따라 갔다.

그때는 실로 천천히 갔으므로 추운 날인데도 모두 위인의 뒤를 따라서 간다는 마음가짐을 갖고서 진정으로 따뜻함을 마음속으로 느꼈다. 그것은 나 한 사람의 생각이었지만 다른 사람도 모두 같은 느낌이었을 것으로 생각된다.

문 증인이 처음으로 찍은 사진을 보면 병대의 열 앞에 있던 사람들이 앞쪽으로 튀어나온 것 것처럼 보였는데 열병 때로 이렇게 나와 있었는가.

답 열병 때에는 나와 있지 않았지만 나의 생각으로는 너무나 공작의 회담이 길었으므로 일본인 환영단이 가다리다 지쳐 앞으로 나온 것처럼 보인 것이다. 그러나 공작이 열병하였을 때는 제지를 당한 것으로 보이고 모두 정연하게 열 지어서 있었다.

문 기차가 하얼빈역으로 들어 갈 때 증인은 환영자의 정렬순서를 보았는가.

답 보았다. 기차가 들어올 때 플래이트폼에 첫 번째로 청국의 의장병 소수가 열을 지어 서 있었다. 그 다음으로 정거장의 모양을 찍기 위한 활동사진의 높은 대가

서 있고 그곳에서부터 뒤쪽으로 일본인단이 두 줄로 서 있었다. 그 다음으로 일본인단으로부터 조금 앞 쪽으로 나온 곳에 러시아 의장병이 정렬하고 있고 그 다음에 러시아의 환영단이 있었다. 그리고 그때 1등 대합실 출구 왼쪽에 일본 부인 두 사람이 자색으로 보이는 옷을 입고 서 있었던 것을 보았다.

문 각국 영사단은 어디에 있었는가.

답 그것은 모른다.

문 이토 씨가 열병을 하였을 때 병사들이 열을 지어 서 있는 왼쪽에서 악수를 한 적은 없는가.

답 악수를 한 것으로 생각된다. 그것은 각국 영사단인지도 모르겠다. 바로 그때 활동사진기가 돌아가기 시작하는 소리가 들려왔으므로 나는 비로소 그곳을 보았는데 가끔 그것을 보았으므로 잘 몰랐다.

문 이토 씨는 열병을 끝냈는가.

답 병대 앞을 지났기 때문에 바로 열병이 끝났다고 생각하였다. 특히 병의 앞을 지날 때 이토 씨는 거수경례를 하였으므로 이것이 즉 열병이라고 여겼다. 그리고 다시 되돌아와 또 열병을 한 적은 없는 것으로 생각된다.

문 증인은 폭죽과 같은 소리를 들었는가.

답 들었다.

문 어디에서 들었는가.

답 이토 씨가 병대의 앞을 지나가고 그 뒤를 따라 간 사람도 이토 씨를 따라서 되돌아오자마자 소리를 들었다.

문 이토 씨는 되돌아올 때 오른쪽으로 돌았는가. 왼쪽으로 돌았는가.

답 되돌아 올 때 왼쪽에서 활동사진기가 한창 운전을 시작하였으므로 나는 아무래도 이르다고 여겨 그쪽을 보고 있었으므로 그것은 잘 기억나지 않는다. 하지만 나는 오른쪽으로 돌지 않았다고 생각한다.

문 활동사진기는 처음 증인이 본 곳에서 위치를 바꾸어 왼쪽에 설치하였는가.

답 그렇다. 어느새 위치를 바꾸었는지 생각하니 놀랄 정도였다.

문 증인은 흉한의 모습을 보았는가.

답 손을 뻗어 권총을 잡고 있는 손끝만을 보았다.

문 흉한은 서 있었는지 또는 허리를 반쯤 숙인 자세였는지 보았는가.

답 흉한의 손은 그다지 높지 않은 듯이 생각되는데 또한 웅크린 것 같은 모양으로도 보이지 않았다. 그때 나는 이토 씨로부터 6·7척 왼쪽 뒤쪽에 있었는데 그 사이에는 많은 사람이 있었으므로 자세한 상황은 모른다. 분명히 그때 대장대신은 이토 씨의 오른쪽에 있었던 것 같이 생각된다. 따라서 앞에서 말한 바와 같이 이토 씨는 되돌아올 때 오른쪽으로 돌지는 않았다고 생각한다.

문 흉한은 무슨 소리를 질렀는가.

답 권총을 6·7발 발사한 후 뭔가 비명을 지르는 것 같은 소리가 들렸다. 그를 체포한 러시아 대좌 모(某)의 말에 따르면 흉한은 체포되었을 때 그의 주머니에서 「나이프」를 꺼내려고 하여 땅바닥에 얼굴을 눌러 비벼댔다는 것이므로 그때 아파서 비명을 지른 것으로 나는 생각하였다. 그 순간의 일제의 모양은 러시아어로 「일본인이 일본인을」라는 소리 또는 「공작인가 카와카미(川上)가, 다나카(田中)가」라는 소리를 듣고서 그쪽으로 보았더니 흉한의 손끝이 보였다. 또한 한편으로는 러시아 소장이 선로로 쓰러져 한 쪽 손을 짚고서 일어나려고 하고 있는 것을 보았다. 또한 탄환을 피하기 위해 사람들이 무리지어 내가 있는 쪽으로 밀려오는 등 여러 광경으로 머리가 혼란스러웠다. 그때의 기억은 정확하지 않다.

문 흉한은 처음 공작에게 총구를 향하여 발사하고 나서 또한 옆으로 향해 발사한 것을 보지 않았는가.

답 그것은 못 보았다.

그러나 처음 흉한은 이토 씨를 향해 2·3발 발사하였을 때 그 손목을 잡았으나 그대로 또한 발사하였다고 러시아 대좌로부터 들었다. 따라서 손목을 잡혔을 때 저절로 방향을 바꿔어 발사한 것이 아닌가라고 생각한다. 또한 내가 폭죽과 같은 소리를 듣고 그쪽을 보았을 때 칼을 뽑아 휘두르고 있는 것을 보았다. 그 칼을 내려치지 않을 것이고 생각하고 있는 가운데 칼집에 넣었다. 그 칼을 뽑은 사람은 러시아 대좌로 그 사람은 흉한을 베려고 하였으나 그 사이에 사람들이 있어 방해를 받아 벨 수가 없었다는 이야기를 나중에 그 대좌에게서 직접 들었다.

문 그때 이토 씨 이외에 또 부상을 입은 사람이 있는가.
답 카와카미(川上)·다나카(田中)·모리(森) 3명이 부상을 입었다.

문 이토 씨가 저격을 당하고서 객차 안으로 들어가기까지의 상태를 증인은 목격하였는가.
답 공작이 저격당한 것은 알았으므로 나는 공작과 다나카(田中)이사가 있는 곳으로 가서 어떻게 된 것이냐고 물었는데 그때 많은 사람들이 몰려와서 병원을 간다거나 기차 안으로 들어간다고 하였는데 결국 기차 안으로 들어가게 되었다.

문 안으로 옮기기 전에 공작에게 「브렌디」를 권한 적은 없는가.[2]
답 그런 것도 못 보았다.

문 공작이 저격 당하였 때 누군가가 저격한 자는 한국인이라고 공작에게 말한 거을 듣지 못했는가.
답 그 일은 듣지 못했다. 그러나 나중에 무로다(室田)군으로부터 들은 바에 의하면 공작은 탄환이 꽤나 박혔다는 것이다.
공작을 기차 안으로 옮긴 후 무로다(室田)인지 후루야(古谷)군인지가 카와카미(川上) 총영사를 불렀으나 없으므로 나도 그 사람을 찾았지만 보이지 않았다. 그래서 나는 카와카미(川上) 영사가 자기의 책임상 자살을 하지 않을까 걱정하고 있는데 나중에 병원에 있다는 것을 듣고 안심하였다.
나는 공작의 객실로 갔더니 많은 러시아인이 병문안하러 와 있었다. 그 러시아인들이 있는 곳으로부터 공작을 보았더니 누군가가 왼쪽 복부에 주사를 한 대

---

2 외무성본에는 "안으로 옮기기 전에 공작에게 「브렌디」를 권한 적은 없는가"가 앞부분에 이어져 있다. 그러나 문맥상 여기서 '문'이 시작된 것으로 보인다.

놓았다. 그때까지 공작은 뱃살을 움켜잡거나 다리를 오므렸다 폈다하는 등 너무나 괴로워하였다. 하지만 주사를 맞고서 점차 안정되어 눈을 떴다. 그때 후루야(古谷)군이 나에게 러시아 사람들은 모두 객차 밖으로 나가달라고 하라고 하였으므로 나는 러시아 사람들에게 상황이 이러하므로 모두 객차 밖으로 나가라고 하여도 도무지 하차하지 않았다. 그래서 나는 화를 내며 지금 이순간이 가장 중요한 시기이므로 하차하라고 하고서 러시아 사람들을 밀어냈다. 나의 등이 객차의 문에 눌리는 것을 느끼며 나왔을 때 후루야(古谷)군이 소리를 질러 공작이 뭔가 말한 것은 없느냐고 하는 것이 들려 왔다. 그리고 나서 나는 객차 밖으로 나왔을 때 후루야(古谷)군도 내렸으므로 그 사람에게 공작의 상태는 어떠냐고 물었더니 아무 말도 하지 않고 손을 저었다. 그때 공작은 훙거하였을 것이라고 생각하였다.

문 공작이 훙거한 후 러시아 대장대신이 와서 너무나 슬퍼하였다는데 그러한가.
답 그렇다.

문 대장대신과의 문답은 증인이 통역하였는가.
답 카와카미(川上) 영사가 없으므로 내가 그곳에 있었으므로 자연스럽게 내가 통역을 하게 되었다.

문 대장대신은 뭐라고 하였는지 그때의 상황을 자세하게 진술하세요.
답 알겠다. 나는 그때의 문답과 장춘 발차 시 및 공의 유해를 운반하는 도중에 러시아인의 감상을 알아보고자 생각하고 나의 견문은 후일에 뭔가 참고가 될 것이라고 기대하며 필기하였으므로 그 필기에 근거하여 진술하겠다.
이토공 훙거 후 대장대신을 비롯해 주요 러시아관민 등은 공의 유해에 대한 최후의 경례를 표하겠으니 유해를 안치한 귀빈차 안으로 들어가는 허가를 요구하여 왔다. 하지만 우리 일행은 이에 대해 진정으로 미안하지만 이번의 사변을 당한 공을 많은 사람들과 만나도록 하는 것은 우리들의 마음으로는 견딜 수 없는 일이다. 다른 사람들을 대표하여 잠시 대장대신 각하 한 사람이 들어와 보는 데는 동의한다는 뜻을 전하였다. 그랬더니 드디어 들어온 대장대신은 다음과 같이 말하였다. "진정으로 말하건대 비참한 최후를 거둔 세계의 위인 이토 공작의 유해 앞에 서 있는 나는 이제 거의 할 말을 잊었고 조난 당시 나는 누구보다 도 공작과 가까이 있었다. 그 당시 나는 나 자신이 위험범위에 있음을 잊고 있었다. 나는 첫 번째 공작을 부축하였다. 나의 마음은 아파 동요되었다. 나는 이제 똑같이 나의 마음이 동요하는 것을 느끼고 있다. 이는 여러분이 (나는 이때 있었던 사람들은 나 이외 무로다(室田)·후루야(古谷) 두 사람이었다고 기억한다) 또한 오늘 공교롭게도 함께 있었던 많은 사람들이 똑같이 인정하는 바일 것이다. 또한 내가 어떻게 슬픔을 견디는지 여러분이 잘 살펴주시기 바라는 바이다. 공이 하얼빈에 온 것은 의미 없는 여행이 아니라는 것을 확신한다. 러일양국의 친화는 공과 나의 이 회견으로 되살아나고 또한 발전될 것으로 믿어도 될 것이다. 그러나 상세한 의사 교환에 앞서 공이 서거하여 양국을 위해 깊은 유감으로 여기지 않을 수 없다. 이와 더불어 나는 확신한다. 사람은 죽을 수 있어도 다만 그 주의는 사라지지 않는다. 이토공이 하얼빈에 온 것은 이와 같이 슬픈 일로 끝나지 않는다. 또한 그렇다고 해도 나는 확신하고 열망한다. 공의 훙거는 러일 장래의 친화에 단지 장애가 되지 않을 뿐만 아니라 오히려 이번의 불행은 앞으로 양국화친의 행복을 낳는 유력한 단서라는 것이라고 할 수 있다. 더욱이 강력히 말하건대 정거장 환영인의 단속에 관해서는 러시아 측에서는 표제도로 환영인을 제한 단속할 예정이었으나 카와카미(川上) 총영사의 요청으로 일본인의 자유입장을 허락한 것이다. 일본인과 한국인의 구별은 일본 측도 어려운 일이다. 러시아 측도 또한 그 구별을 하기 어려운 일로 유감천만이라고 하겠다."

더욱이 대장대신은 다음과 같이 말을 이어나 갔다. "그리고 여러분에게 한 마디 하겠다. 우리 러시아 황제폐하는 지금 알고 있는 바와 같이 이탈리아 방문의 길에 있다. 오늘의 사변에 대한 상세한 나의 전보를 폐하께서는 아마 그 귀로에 접할 것이다. 나는 믿건대 폐하는 나와 똑같이 깊은 통탄의 마음으로 본건에 관한 나의 전보를 슬퍼하실 것임을 또한 여러분에게 전한다. 여러분이 귀국하고 나서 귀국 정부당국자에게 이상에서 내가 한 말의 취지를 소상히 전하기를 마지막으로 바란다. 나는 우리 정부와 외무성을 대표하여 북경주재 러시아공사 「코로스토베츠」 씨로 하여금 우리 철도연선의 끝 지점까지 이토 공작의 유해를 배웅하도록 하겠다. 이해를 바란다."

이상의 조사에 응한 대신에게 이토공일행은 깊은 사의를 표하였다. 또한 당시 러시아 검사가 공작 유해의 검시를 요청하였으므로 이런 수속은 일행으로서는 필요 없다고 여기고 이를 생략하도록 대신의 지시를 바란다는 취지를 의뢰하였다. 이에 대해 대신은 "본건은 나의 소관사항이 아니지만 나는 그 말의 취지를 당국자에게 전달하여 희망대로 되기를 바란다"고 하였다.

이외에 대신은 그 당시까지 범인취조의 결과, 러시아 당국자가 확보한 보고내용을 전달하였다. 다만 대신은 "범인의 국적 한국임이 분명한 이상 범인은 물론 한국에 넘겨야 한다는 것, 즉 오늘 귀국을 경유하여 한국에 인도해야 할 것이므로 특히 여러 사람으로부터 부탁이 있기까지 하였다. 본건 범인취조로 얻은 보고재료 등은 모두 귀국 영사관에 그때마다 보고하고 제공할 것을 굳게 약속한다."라고 하였다.

문 이토공 조난 전후에 러시아 관헌의 감상에 대해 그밖에 견문한 것은 없는가.

답 있다. 진술하겠다. 지난 25일 밤 장춘에서 청국관헌의 만찬회에 출석한 후 동청철도 귀빈차에 편승하여 북행의 길에 오른 것은 오후 11시로 기억하고 있다. 그때 하얼빈으로부터 공작 마중을 온 그곳의 민정부장 소장「아파나시예프」씨와 동청철도 영업과장「긴츠에」씨를 비롯하여 그 외 10여명의 장교는 공작도 피로하겠지만 만찬 후 다화(茶話)도 또한 위로가 될 것이고 뵐 영광도 얻고자 하니 부디 식당으로 나와 줄 것을 청해달라고 하였다. 공작에게 말을 하였더니 기분 좋게 승낙하여 피차의 이야기도 있고 러시아인 측으로부터 인사도 있어 결국 정식은 아니지만 공작은 다음과 같은 의미의 인사말을 하였다. "한번 보려고 생각한 만주에 여가를 이용하여 황제폐하의 허가를 얻어 시찰의 길에 올라 우연히도 귀국 대장대신이 동양으로 나온다는 것이므로 길도 멀지 않고 뵙고 싶다고 생각하여 아무런 계획도 없이 단지 일러친화의 실마리가 될 것이라고 여겼다. 여러분을 만날 수 있게 된 것은 나는 진실로 만족스럽게 생각하는 바이다. 종래 나는 일러양국 간의 친밀한 관계를 맺을 필요가 있음을 너무나 간절히 느낀다. 부디 이 친화 관계를 믿어야 한다. 여러분과 동석을 한 이 기차 안에서 시작되어 더욱더 공고한 관계를 맺기를 기대하고자 하는 것이다. 지금 여러분의 건강을 바라며 잔을 들고자 한다"고 하였다. 이와 같은 공작의 인사말은 마중하기 위해 장춘까지 파견된 러시아인의 가슴 속 깊이 새겨진 것 같다. 공작 조난 후 귀로에 식당에 모여서 사변에 관한 여기저기서 이야기가 들끓는 가운데 빈번히 러시아인들은 "어제 밤 공작의 인사말 중에 일러 친화가 이 기차 안에서 시작되어 더욱더 공고하게 되기를 희망한다"고 하였을 때의 목소리가 아직도 귀에 울려 들린다. "거듭 유감스러운 일이 일어난 것이다"라는 따위 말을 하여 감격이 적지 않았다. 이토 공작의 유해와 함께 하얼빈을 출발한 열차에는 북경주재 러시아 공사·동청철도장관 호르바트 소장 이외에 대좌이하 11명 장교가 배웅하기 위해 승차하였다. 그런데 호르바트 소장은 도중에 나를 일실로 불러 초연하게 다음과 같은 말을 하였다. 생각하면 할수록 비참하게 끝이 난 최후의 대전쟁[3] 이전 이토 공작의 말을 만약 러시아가 들었다면 이런 비참한 전쟁도 러시아의 불명예도 없었을 것이다. 지금 또한 무지한 한인 한 사람 때문에 되돌릴 수 없는 일이 일어났다. 이토 공작이 이번에 하얼빈에 온 것은 대장대신과 보통 일반 외교상의 공허한 말이나 나누기 위한 것이 아니라는 것은 누구나 알고 있는 일이다. 또한 이토 공작은 러시아인에게 "당신들이 이제 만주를 떠나도 만주는 당신들을 받아들일 땅이 아니다"라는 하나의 주장을 하는 그런 사람이 아니라고 누구나 굳게 믿고 있는 것이다. 존경할 만한 노구의 대위인이 이번 이 곳에 와서 반드시 양국 모두 이익을 얻을 수 있는 교섭을 해야 할 문제를 가져올 것임에 틀림없다고 믿는 것이다. 그러나 아직 그 실마리를 꺼낼 틈도 없이 이렇게 된 것은 얼마나 불행한 운명인가. 일본의 손실은 말할 필요도 없이 많고 크다. 하지만 러시아가 입은 손실도 결코 적지 않다. 우리는 이토공의 오늘이 있음을 슬퍼함과 동시에 러시아를 위해 잃은 바를 애석하게 여긴다. 한국은 이번의 범인을 냈기 때문에 불명예스러운 큰 손해를 입은 것은 어쩔 수 없는 일이다. 단지 오늘 기뻐하는 자는 누구일까. 청국 하나뿐일 것이다. 그러나 이 기쁨도 영원한 것이 아니다. 곧 또한 눈이 번쩍 뜨일 일이 일어날 것이다. 이번 두 위인의 회견이 있다고 하므로 청국인의 소동은 한 방면만이 아닌 것 같다. 청국관헌이 이토공 승용차로 청국의 어떤 성(省)으로부터 차관이 2명 동승하여 하얼빈에 갔으면 한다고 요청하였으므로 그런 계획으로 준비를 해 두었다. 하지만 그런 자는 어디에서도 찾을 수 없었다. 단지 장춘에서 청국인 외교관이 1명이 탔을 뿐이다. 전에 말한 차관들에 대한 것은 잘 조사해보면 하루 내지 이틀 전에 이미 미행하여 하얼빈에 왔다고 하는 등 하여튼 여러 간자를

3 러일전쟁.

풀어 두 위인의 회합 상황을 열심히 탐지하고 있는 사실을 알 수 있을 것이다. 다만 세계의 호걸을 잃은 것은 비참한 일이다고 운운」라고 하였다.

이상 진술한 대로 러시아 관헌은 일반적으로 공의 죽음에 대해 동정을 하고 있다. 나의 필기는 참고로 제출하는 것이 좋을 것이다.

이때 필기철을 제출하였으나 전기 진술과 동일한 것으로 인정되어 이를 돌려주었다.

문 공작의 유해를 모시는 일은 무로다(室田) 씨가 주축이 되어 정해졌는가.
답 그렇다.

문 러시아측이 화환을 바치고 싶다는 말을 전해 온 적이 있는가.
답 러시아 대장대신에게 공작이 훙거하여 속히 남행하고자 하는데 지원을 하지 않겠느냐고 하였더니 화환을 시켜 놓았으므로 지금 갖고 갈 터이니 5분만 기다려주면 행복할 것이라고 하였다. 그 후 5분채 안되어 화환을 갖고 왔으므로 발차하였다.

문 유해에 의장병을 붙이는 것에 대해 이야기는 없었는가.
답 그때는 그런 이야기를 못 들었다. 그러나 하얼빈을 떠난 후 기차 안에서 러시아의 「호르바트」 소장이 의장병을 내주었다는 이야기가 있었다.
더욱이 그 소장은 관성자(寬城子)역에 왔을 때 열병을 해달라고 하였으므로 마츠키(松木) 소좌 옆에서 내가 열병을 하였다. 그 이유는 이 열병을 하는 것은 예의라는 마츠키(松木)소좌의 이야기를 들었기 때문이다. 그리고 나서 또한 「호르바트」 소장은 자국의 관할구는 이 관성자까지이지만 의장병 1중대를 붙여 장춘까지 배웅하여 일본 군대에 인도하고자 하므로 승낙하여 달라고 하였다. 결국 장춘까지 1중대의 병을 붙여 보내어 왔다. 그때 일본군대는 아직 출발하지 않았는데 청국군대는 이미 출발하였으므로 곧 일본 병도 와서 그 군대와 러시아 군대의 사이를 지나서 공작의 유해를 만철의 기차로 옮겼다.

증인 쇼지 쇼고로(庄司鐘五郎)

이상의 내용을 읽어 들려주었더니 승낙하고서 자서하다
그날 그 관아에서
서기 기시다 아이분(岸田愛文)
고등법원검찰관 미조부치 타카오(溝淵孝雄)

12 다나카 세이지로 증인 신문조서

증인 신문조서

증인 다나카 세이지로(田中清次郎)

위의 자를 안응칠(安應七)·우연준(禹連俊)·조도선(曺道先)·유강로(柳江露)·정대호(鄭大鎬)·김성옥(金成玉)·김형재(金衡在)·탁공규(卓公圭)·김려수(金麗水)·장수명(張首明)·김택신(金澤信)·홍시준(洪時濬)·이진옥(李珍玉)·방사첨(方士瞻)·김배근(金培根)에 대한 살인피고사건에 대해 1909년(명치 42) 11월 12일 남만주철도주식회사 대련 의원에서 관동도독부 고등법원 검찰관 미조부치 타카오(溝淵孝雄) 서기 기시다 아이분(岸田愛文)이 열석하여 검찰관은 다음과 같이 증인으로 신문을 하였다.

문 성명, 연령, 신분, 직업, 주소는 어떠한가.

답 성명은 다나카 세이지로(田中清次郎)
연령은 1872(명치5) 5월생
직업은 남만주철도주식회사 이사
신분은 사족(士族)
주소는 대련시(大連市) 아옥정(兒玉町) 5번지.

문 위 피고인과 친척, 후견인, 피후견인, 고용인, 동거인 등의 관계는 없는가.

답 관계는 없다.

문 증인은 어떠한 자격으로 이토 공작과 함께 하얼빈에 갔느냐.

답 남만주철도주식회의 명으로 장춘에서 하얼빈까지 이토 공작 수행원이 되어 수행하였다.

문 장춘 이북은 공작경위 일본 경찰관은 붙이지 않았는가.

답 그것은 모른다.

문 공작이 탄 특별차는 열차의 가장 끝 부분이지 않는가.

답 그렇다. 우리는 그 앞에 연결된 객차에 있었다.

문 공작이 탄 기차는 몇 시에 하얼빈에 도착하였는가.
답 오전 9시 정시에 도착하였다.

문 공작의 열차가 도착하였을 때 하얼빈정거장 환영인과 군대 등의 배열순은 어떠한가.
답 배열순서는 내가 본 바로는 공작의 기차에서 대합실을 향해 오른쪽(이하 좌우 모두 공작 객차로부터 대합실로 향해 있다는 의미이다) 플래이트폼의 거의 바깥쪽에 1열의 외교단이 있고 그 왼쪽에 청국군대, 그 다음에 러시아군대가 정렬하고 있고, 러시아 군대의 왼쪽에 1간 정도 떨어져 일단의 러시아 장교가 있고 그 왼쪽으로 접하여 동청철도 총재를 비롯하여 문관들이 한 무리를 이루고 있었다. 일본인단은 외교단이 있는 곳으로부터 왼쪽으로 러시아 군대가 정렬하고 있는 중간쯤의 뒤쪽에 늘어 서 있었다. 청국악대는 청국 병대가 있는 곳에 있을 것으로 생각한다. 하지만 나는 잘 모르겠다. 그리고 공작의 객차 승강구는 1등 대합실 출입구의 정면에 위치하여 있었다. 또한 대합실 출입구 옆에 일본부인 2명이 있는 것을 보았다.

문 공작의 열차가 도착하였을 때 러시아 대장대신은 공작을 방문하였는가.
답 공작의 객차가 도착하였을 때 러시아 대장대신은 플래이트폼에서 기다리고 있었고 열차가 도착하고 나서 곧바로 공의 객차로 들어가 카와카미(川上) 총영사의 통역으로 약 20분간 정도 공작과 대담하였다. 그때 나는 나의 방에 있었으므로 대화 상황은 자세히 모른다.

문 공작이 하차한 순서는 어떠한가.
답 대화가 끝나자 대장대신이 앞서서 하차하고 그 다음 공작에 이어서 카와카미(川上) 총영사가 내렸다. 그 다음으로 후루야(古谷)군인지 무로다(室田)군인지가 내렸다고 생각한다. 그러나 이것은 확실한 기억은 아니다.

문 공작은 하차할 때 외투를 입고 있었는가.

답 확실히 외투는 입고 있었던 것으로 기억한다. 그 날은 매우 추운 날이었다.

문 카와카미(川上) 총영사는 외투를 입고 있었는가.
답 그것은 모른다.

문 이토공은 하차하고 나서 러시아 장교와 악수를 하였는가.
답 공작이 하차하였을 때 대장대신이 그 내리는 입구가 있는 곳에 서서 2·3명을 소개하였다. 공작은 그 사람들과 악수를 하였다. 그리고 나서 공작은 왼쪽에 대장대신은 오른쪽에 서서 열의 앞을 오른쪽으로 지나갔다.

문 카와카미(川上) 총영사도 나란히 걸었는가.
답 그것은 모른다. 공작의 뒤쪽으로부터 무로다(室田)·후루야(古谷) 두 사람이 이어서 가는 것을 보았다. 나는 그리고 나서 또한 훨씬 뒤쪽에서 나츠아키(夏秋) 씨 등과 함께 걸었다.

문 공작의 뒤를 따라 간 사람들은 어떤 모양으로 나란히 걷고 있었는가.
답 옆으로 나란히 걸어가고 있었다. 공작은 외교단이 있는 곳까지 가서 자주 악수를 하였다.

문 공작은 외교단이 있는 곳에서 되돌아왔는가.
답 그렇다.

문 공작은 어느 방향으로 돌았는가.
답 그 즉 환영단 방향으로 돌았다. 그리고 공작이 러시아병의 열 전면으로 왔을 때 대장대신은 한 두 발 정도 걸어가고 있었다.
그리고 나서 공작이 러시아병 열과 러시아 장교의 중간 정도 되는 곳으로 갔을 때 그 사이로부터 한 사람이 나와서 탕탕 소리를 내므로 나는 그쪽을 보았더니 흉한이 내 쪽으로 권총을 쏜 것 같이 생각되었다. 그와 동시에 나는 발이 움직이지 않게 되어 레일 위에 쓰러졌다. 나는 쓰러지기 전 순간에 공작 쪽을 보았더니 공도 총을 맞은 모양이었다. 나는 레일 위에 쓰러졌을 때 그 4·5간 앞에 나츠아키(夏秋)군이 있었으므로 「당했다」고 한 즉, 그 사람이 안고서 나와 주었다.

문 공작이 총을 맞았을 때 뭔가 말을 하였는가.
답 아무 말도 듣지 못했는데 모두가 공작을 차 안으로 옮겼을 때 공작은 끙끙 신음하고 있었다.

문 증인은 흉한의 모습을 보았는가.
답 내가 있던 곳으로부터 4·5간 떨어져 있었으므로 그 모습을 보았다.

문 그 흉한은 어떠한 복장을 입고 모자를 썼는가.
답 복장은 잘 모른지만 외투는 입지 않은 것 같이 생각된다. 모자는 확실히 사냥모였다고 생각된다.

문 흉한은 「카라」를 하였는가.
답 그것은 잘 모른다. 흉한은 처음 공작을 겨누어 쏘고서 손을 움직여 다시 내 쪽으로 총구를 향하여 쏘았다. 그때 나는 발을 움직일 수 없었다.

문 증인은 카와카미(川上) 총영사의 모습을 보았는가.
답 그 사람의 모습은 보이지 않았다. 그 자리에 없었던 것 같이 생각된다.

문 정거장을 단속하는 러시아 헌병순사가 있는 것을 보았는가.
답 공작 객차의 내리는 입구가 있는 곳 좌우에 러시아병 2명이 서 있었다. 그 옆에 헌병이 1명이 있었다. 러시아인에게는 제한을 가한 것으로 보이고 「플래이트폼」에 보통 러시아인은 없었던 것 같이 생각된다.

문 공작이 저격당한 후 뭔가 들은 것이 없는가.
답 별로 들은 것이 없다. 채가구(蔡家溝)역에서 범인 2명이 체포되었는데 그 사람들은 친척이 온다는 전보를 쳤다 는 것을 대장대신이 말하였다고 들었다.
내게 명중된 탄환은 바지와 구두를 관통하여 양말 안에 있어 갖고 있었으므로 증거로써 제출한다. 또한 만철 쇼지(庄司) 씨가 이토 공작이 하차하였을 때의 모양을 개인적으로 촬영한 것이 있으므로 참고로 제출한다.

이에 따라 탄환 1개, 사진 2장을 영치한다.

증인 다나카 세이지로(田中淸次郞)

이상의 내용을 읽어 들려 주었더니 틀림없음을 승낙하고서 자서하다
그 날 앞에서 언급한 장소에서
출장 중이므로 소속관서의 도장을 사용하지 못하다.

관동도독부지방법원
서기 기시다 아이분(岸田愛文)
고등법원검찰관 미조부치 타카오(溝淵孝雄)

증인 신문조서

증인 나카무라 제코(中村是公)

위의 자를 안응칠(安應七)·우연준(禹連俊)·조도선(曺道先)·유강로(柳江露)·정대호(鄭大鎬)·김성옥(金成玉)·김형재(金衡在)·탁공규(卓公圭)·김려수(金麗水)·장수명(張首明)·김택신(金澤信)·홍시준(洪時濬)·이진옥(李珍玉)·방사첨(方士瞻)·정서우(鄭瑞雨)·김배근(金培根)에 대한 살인피고사건에 대해 1909년(명치 42) 11월 12일 남만주철도주식회사 대련의원에서 관동도독부 고등법원검찰관 미조부치 타카오(溝淵孝雄) 서기 기시다 아이분(岸田愛文)이 열석하여 검찰관은 다음과 같이 증인신문을 하였다.

문 성명, 연령, 신분, 직업, 주소는 어떠한가.
답 성명은 나카무라 제코(中村是公)
연령은 50세
신분은 사족(士族)
직업은 남만주철도주식회사 총재
주소는 대련시(大連市) 아옥정(兒玉町)

문 위 피고인과 친척 후견인 피후견인 동거 고용인 등의 관계는 없는가.
답 그런 관계는 없다.

문 이토 공작이 하얼빈에 갔을 때 증인은 모두 수행했는가.
답 그렇다.

문 이토 공작이 하얼빈역에 하차하였을 당시 그 플래이트폼에 있던 군대 환영인의 정렬순서는 어떠한가.
답 공작이 하차하였을 때 공의 객차 탑승구 왼쪽(객차로부터 대합실 쪽으로 향하여 이하 좌우라는 것은 모두 이를 따른다)에 일본인단이 한 무리가 있었고 승강구의 바로 오른쪽에 러시아 대장대신 수행원 5·6명이 서 있었다. 일본인단이 있는 곳에서 오른쪽으로 많은 군인이 정렬하고 있었다. 나는 그 미려(美麗)한 것을 보았으나 청국군대, 러시아군대가 어떠한 순서로 있었는지 또한 다른 환영단이 어디에 있었는지 모른다. 하지만 공작은 하차하여 군대 앞을 오른쪽으로 갔지만 어디에서 되돌아왔는지 모른다. 공작이 되돌아왔을 때 군대가 늘어서 있는 오른쪽 끝에서부터 흉한은 좀 앞으로 나오며 발사를 하였다.[1] 그때 땅땅 3발 정도의 소리가 들려왔다. 그때 나는 공작의 왼쪽 뒤쪽에 있었다. 나의 앞쪽에 무로다(室田)가 있고 다나카(田中)이사는 훨씬 뒤쪽에서 따라 오고 있었다.

문 공작은 저격당하였을 때 자세가 흐트러졌는가. 또는 그 밖에 특이한 모습은 없었는가.

답 내가 보았을 때는 그다지 자세가 흐트러지거나 특이한 일은 없었던 것 같이 생각된다. 하지만 몇 분간의 일이기 때문에 자세히는 모른다.

문 증인이 본 흉한의 모습은 어떠했는가.

답 체구가 작은 남자로 검은 색으로 보이는 옷을 입고 오른 손을 뻗어 발사한 것 같이 생각 된다.

문 흉한은 카라를 붙였는가.

답 그것은 모른다.

문 그때 공작은 외투를 입고 있었는가.

답 입고 있었다.

지금 공작이 입었던 털외투에는 탄환이 뚫고 들어온 흔적이 있다. 즉 외투의 팔 위쪽에 해당하는 곳 약간 뒤쪽의 바느질 한 자리의 옆으로부터 바느질 한 자리를 사이에 두고서 3개의 구멍이 나 있다. 또한 바지 아래에 해당하는 곳 앞쪽을 한쪽 방향에서 한쪽 방향으로 뚫고 들어와 구멍이 생겼다.

공작의 신체에는 탄환 2개가 박혀 있고 하나는 관통하였다고 들었다.

---

1 안중근은 이를 부인하였다(신운용 편역, 「안중근 제2회 신문기록」, 『안중근 신문기록』(안중근 자료집 3), (사)안중근평화연구원, 2014, 45쪽).

공작이 저격당했을 때 내 바지의 무릎 조금 아래를 탄환 1발이 뚫고 들어왔다. 그 탄환의 여력(餘力)일 것이라고 생각한다. 외투의 옷자락에도 구멍이 나 있다. 그러나 바지 아래에는 전혀 상한 데가 없다. 또한 그때 무로다(室田)군의 무릎 위 쪽 바지도 뚫고 들어왔다는 것이다. 그러나 나도 무로다(室田)군도 신체 부상을 입지 않았다.
나는 총격을 3발 정도 들은 것으로 생각된다. 흉한은 많이 발사한 것으로 여겨진다.

증인 나카무라 제코(中村是公)

이상의 내용을 읽어 들려주었더니 틀림없음을 승낙하고 자서하다
그 날 앞에서 언급한 장소에서
출장 중이므로 소속관서의 도장을 사용하지 못하다.

관동도독부지방법원
서기 기시다 아이분(岸田愛文)
고등법원검찰관 미조부치 타카오(溝淵孝雄)

14 쓰마키 야스에 증인 신문조서

증인 신문조서

증인 쓰마키 야스에(妻木ヤスエ)

관동도독부 고등법원 검찰관 미조부치 타카오(溝淵孝雄) 촉탁에 의해 당관에서 쓰마키 야스에(妻木ヤスエ)를 다음과 같이 소환하여 신문하였다.

문 성명은

답 쓰마키 야스에(妻木ヤスエ)

문 원적은

답 에히메현(愛媛縣) 아라이군(新井郡) 사이죠정자(西條町字) 아키야시키(秋屋敷)

문 현주소는

답 청국 안동현(安東縣) 5번통 4정목(丁目) 1번지

문 직업은

답 여관 국수(菊水)

문 올 10월 20일부터 26일까지 남자 2명, 노부인 중년부인 1명, 아이 5명 일행이 숙박한 적이 있는가.

답 있다. 다만 아이는 5명이 아니라 3명이다. 또한 부인은 60세 정도의 노인 1명, 45세 정도 1명, 26·27세 정도 1명으로 3명이다.

문 위의 사람들이 숙박한 것은 언제인가.

답 10월 24일 오전 2시에 도착하여 그 날 아침 안봉선(安奉線) 철도 1번 열차로 초하구(草河口)까지 가는 표를 사서 출발하였다. 행선지는 길림(吉林)이라고 하였다.

문 그날 숙박한 사람은 이 사진 속에 있지 않는가.

이때 미조부치(溝淵) 검찰관이 보낸 사진 2매를 보이다.

답 이 사진 속의 두 사람임에 틀림없다. 콧수염이 있는 쪽이 정대호이고 다른 쪽이 정서우(鄭瑞雨)이다. 연장인 정서우는 정대호의 수행인인 것 같고, 노부인 등이 신세를 지고 있다. 노부인은 정대호의 어머니이고 젊은 부인은 그 처와 아이 중 두 사람은 그의 아들이라는 것이다. 또한 지금 부인 1명은 아이 1명을 데리고 있으나 일행 중의 남자의 처라고 생각되지 않는다. 일행은 너무나 갈 길을 서두르고 있었다. 그들은 변복하여 양장하고 출발하였다. 노부인은 모자에 이르기까지 완전히 양장을 하였고 젊은 두 부인은 하의는 한복을 입었으나 상의는 예수교의 전도 부인이 입는 것과 같은 검은 옷을 입고 구두는 보통의 붉은 가죽신을 신었고 머리는 한국 풍으로 해달라고 여종업원에게 부탁하여 머리를 다시 묶었다.

문 그 이외 일행의 행동에 특이한 것은 없었는가.
답 별로 특이사항은 못 보았다. 너무나 갈 길을 서둘러 1일 동안 머물기를 권하였지만 꼭 오늘 아침 기차를 알아봐달라고 하여 그날 밤 전혀 자지 않았다. 그들은 길림 세관의 관리라고 하며 큰 가죽제품인 가죽구두 2개, 기타 2·3개의 하물을 갖고 있었다.

문 흉기 등은 소지하지 않았는가.
답 갖고 있다고 하나 그것은 알 수 없다.

이상의 내용을 읽어 들려주었더니
틀림없음을 진술하므로 서명날인하게 하였다.
안동현 5번통 4정목 1번지

국수관(菊水館) 스마키 야스에(妻木ヤスエ) 인
1909년(명치 42) 11월 9일

재안동
영사 키베 마루이치(木部守一)
외무서기생 쿠가 나루미(久我成美) 인

숙박인명부 사본

번호	149호	150호
객실번호	2번	동
씨명	정대호 외 한인부인 3명	정서우
연령	36세	30세
여적(旅籍) 직업	한인 청국세관	한인 상인
원적 주소	경성 남대문	경성 남대문
특징		
전 숙박지	평양	평양
행선지명	초하구	동
출발 월일시	10월 24일 오전 2시	10월 24일 오전 2시

이상 틀림없다.

안동현 5번통 4정목 1번지
국수(菊水) 여관
1909년(명치 42) 11월 9일 쓰마키 야스에(妻木春丸) 인(印)

15 카와카미 도시히코 증인 신문조서

증인 신문조서

증인 카와카미 도시히코(川上俊彦)

위의 자를 안응칠(安應七)·우연준(禹連俊)·조도선(曺道先)·유강로(柳江露)·정대호(鄭大鎬)·김성옥(金成玉)·김형재(金衡在)·탁공규(卓公圭)·김려수(金麗水)·장수명(張首明)·김택신(金澤信)·정서우(鄭瑞雨)·홍시준(洪時濬)·이진옥(李珍玉)·방사첨(方士瞻)·김배근(金培根)에 대한 살인피고사건에 대해 1909년(명치 42)11월 9일 하얼빈 일본제국 총영사관에서 검찰관 미조부치 타카오(溝淵孝雄) 서기 기시다 아이분(岸田愛文)이 열석하여 검찰관은 다음과 같이 증인으로 신문을 하였다.

문 성명, 연령, 신분, 직업, 주소는 어떠한가.

답 성명은 카와카미 도시히코(川上俊彦)
연령은 1863년(문구(文久) 3) 12월생
신분은 사족(士族)
직업은 일본 제국총영사
주소는 하얼빈 일본제국 총영사관

문 위 피고인과 친척, 후견인, 피후견인, 고용인, 동거인의 관계는 없는가.

답 그런 관계는 없다.

문 10월 26일 이토 공작이 이곳 하얼빈정거장에 도착한 시간은 어떠한가.

답 예정대로 오전 9시에 도착하였다.

문 공작의 열차가 도착한 후 러시아 대장대신은 공작이 있는 곳으로 인사하러 왔는가.

답 도착하고 나서 바로 대장대신은 공작이 있는 곳으로 인사하러 갔다. 내가 그 가운데 서서 통역을 하였다. 그 대화 상황은 다음과 같다. 대장대신은 공작에게 이번 여행지에서 서로 만난 것은 실로 너무나 기쁘다고 하자 공작은 각하가

극동순시의 기회를 얻은 것은 일러 양국을 위해 모든 면에서 좋은 일라고 믿는다. 이번의 순시를 계기로 일본에 오시기를 희망하였지만 급한 용무가 있어 못 오신다니 대단히 유감으로 여기고 있다고 하였다.

대장대신은 일본이 장족의 발전을 보이고 있다. 꼭 한번은 가고 싶다고 생각하였으나 다소간 나랏일이 너무나 많아 그 뜻을 이루지 못하였다. 그런 가운데 기회를 얻어 왔다. 미리 날을 정하여 회견할 것이라고 하므로 후의에 감사한다는 말을 계속하였다. 후에 각하를 맞으러 온 것은 이미 부총재를 통해 통지해 두었던 것 같이 나의 열차 내에서 작은 연회를 열고 싶었으므로 각하를 초대한다는 말씀을 올리고 또한 기차 내에서 하므로 참가자 수를 제한하여 각하 측근과 카와카미(川上) 총영사가 함께 오시기를 바란다.

공작은 각하와 흉금을 터놓고 친밀 교제를 하기에는 오히려 소수의 인원을 희망한다고 하여 이를 승낙하였다.

그리고 또한 대장대신은 자신은 계수병(界守兵)[1]의 명예지휘관이라 각하가 오시기에 플래이트폼에 정렬되어 있으므로 검열을 바란다고 하였다.

공작은 그것은 특히 쉬운 일이나 여장(旅裝)이 플록코트로 「유니폼」을 갖고 있지 않으므로 대단히 실례라고 하였더니 전혀 지장이 없다고 하므로 그 후 공작과 함께 하차하였다.

이상 대장대신과 공작의 대화는 약 25분 정도 이어졌다.

문 공작 및 대장대신이 하차한 순서는 어떠한가.

답 러시아 대장대신이 가장 먼저 하차하고 그 다음으로 공작이 다음으로 내가 하차하였다. 그 다음 내린 순서는 모른다.

공작은 하차하자 앞에 서서 「플래이트폼」에 정렬한 러시아병의 앞을 지나 외교단이 있는 곳으로 가서 악수를 하였다. 원래 공작은 군대를 보고서 일단 기차로 돌아왔다. 기차 안에서 주요 인사를 만나고 다시 인사하러 나올 예정이었으나 공작이 통행 중 외교단이 있는 곳에서 어느 쪽에서 악수를 시작했는지 모르지만 공작은 악수를 했던 것이다. 그 가운데 대장대신이 악수는 그만하고 호경

1 국경수비대.

군 쪽으로 가라고 하므로 되돌아 갈 찰라 땅땅 소리가 났다.

문 이토 공작이 하차하였을 때 플래이트폼의 군대, 환영인 등의 배열은 어떠한가.
답 플래이트폼에는 공의 객차를 향해 왼쪽 끝에 일본인단이 있고 그 오른쪽에는 청국군대가 있고 이어서 청국악대, 그 다음이 외교단이고 내가 보았을 때에는 장교단은 없었던 것 같이 생각된다.

문 청국의 관리는 없었는가.
답 청국관리는 외교단 중에 있었던 것과 같이 생각된다.

문 일본인단은 또 그 외에는 없었는가.
답 앞서 말한 이외에 일본인단은 없었다.

문 공작은 하차하여 러시아 군대 앞을 지났을 때 러시아 대장대신과 나란히 가고 있었는가.
답 군대의 앞을 지나 갈 때 대장대신은 이토 공작의 왼쪽에 공작보다는 조금 떨어져 있었다고 생각된다. 그리고 의장병이 있는 곳으로부터 되돌아왔을 때 이토 공작은 오른쪽에, 대장대신은 왼쪽에 있었다. 또한 공작은 조금 앞으로 나간 것과 같이 생각된다.
나는 공작이 처음 걸어가고 있을 때 공작의 오른쪽 뒤에서 한 발작 정도 떨어진 곳에서 따라가고 있었다. 또한 되돌아왔을 때 나는 공의 오른쪽에서 한 발작 정도 떨어져 걸었다. 다른 수행원은 측면 훨씬 뒤쪽에서 따라갔다.

문 공작이 되돌아오자마자 단총 소리가 들렸는가.
답 공작이 되돌아서 2·3간 왔다고 생각하였을 때 러시아 병대 속에서 땅땅 소리가 났다.
나는 이 소리를 듣기 전에 손이 마비된 듯이 하였으므로 나는 이미 그때 총에 맞았다고 생각하였다. 나의 손이 마비되고 나서 땅땅 소리를 3번 들었다. 바로 먼저 내가 맞았을 때의 소리는 들리지 않았다고 생각된다.
나는 총에 맞았으므로 되돌아보았더니 러시아군대 앞에 흉한 한 사람이 나와

서 한 쪽 발을 앞으로 내딛고서 허리를 굳혀 발사한 것 같이 생각된다.[2]

문 공작은 저격당했을 때 쓰러졌는가.

답 쓰러지는 것 같은 일은 없었다. 내가 저격된 곳으로 러시아 장교와 기타의 사람들이 많이 몰려 와서 러시아 장교가 나를 대합실을 지나 외부로 메고서 나왔다. 내가 실려 나가기 전에 공작의 모양을 보았더니 부당을 당한 것 같았으나 심각하게 여기지 않았다.

장교가 나를 메고서 정거장 밖으로 나갔더니 일본인 카와하라(河原)라는 사람이 영사관의 마차를 갖고 왔으므로 나는 그것은 공작이 사용하는 마차라고 하여 길거리에 있는 마차를 갖고 오라고 하여 그것을 타고서 병원으로 갔다.

문 흉한은 공작의 어느 쪽에서 발사를 했는가.

답 공작이 조금 더 지나갔을 무렵 약간 뒤쪽의 측면으로부터 저격당하였다. 그때 나는 공작과 흉한 사이에 있었으므로 공작을 저격하는데 나의 몸이 방해가 되었을 것으로 생각하였다.

문 증인은 부상을 입고서 쓰러졌는가.

답 나는 쓰러지지 않았다. 단지 손이 무거워져 움직일 수 없었고, 옆구리에 찰과상을 입어 조금 아픔을 느끼었다.

문 그때 선로로 누군가가 쓰러진 사람은 있는가.

답 그것은 모른다. 그것은 내가 나온 다음의 일일지도 모르겠다.

문 흉한은 사냥모를 쓰고 있었는가.

답 찰나의 순간이었으므로 그것은 모른다.

---

2 안중근은 이를 부인하였다(신운용 편역, 「안중근 제2회 신문기록」, 『안중근 신문기록』(안중근 자료집 3), (사)안중근평화연구원, 2014, 45쪽).

문 또한 흉한은 「카라」를 붙이고 있었는가.

답 그것도 모른다.

문 누가 증인을 쏘았다고 생각하는가.

답 나는 처음 러시아인이 쏘았다고 생각하였으므로 장교가 나를 돌보아주었던 것으로 누군가가 찾아왔는데 나는 러시아인에게 총을 맞았다고 하였다. 그러나 나중에 한국인임을 알았다.

문 증인의 부상 경과는 어떠한가.

답 처음 의사의 진단에 의하면 치유되기까지는 8주간이 걸린다는 것이었다. 하지만 오늘의 상황으로는 이제 2주가 지나면 나을 것이라고 생각된다.

문 부상으로 인해 기능장애를 앓지 않았는가.

답 그것은 모른다. 상처는 전혀 화농증도 없고 지극히 양호한 결과이다.

증인 카와카미 도시히코(川上俊彦)

이상의 내용을 읽어 들려주었더니
틀림없음을 승낙하였으나 부상으로 자서할 수 없어 입회서기 대신 쓰다.
그날 앞에서 언급한 장소에서
출장 중이므로 소속관서의 도장을 사용하지 못하다.

관동도독부지방법원
서기 기시다 아이분(岸田愛文)
고등법원검찰관 미조부치 타카오(溝淵孝雄)

16 카와하라 군헤이 증인 신문조서

증인 신문조서

증인 카와하라 군헤이(河原郡平)

위의 자를 안응칠(安應七)·김배근(金培根)·방사첨(方士瞻)·정서우(鄭瑞雨)·우연준(禹連俊)·조도선(曺道先)·유강로(柳江露)·정대호(鄭大鎬)·김성옥(金成玉)·김형재(金衡在)·탁공규(卓公圭)·김려수(金麗水)·장수명(張首明)·김택신(金澤信)·홍시준(洪時濬)·이진옥(李珍玉)에 대한 살인피고사건에 대해 1909년(명치 42) 11월 5일 하얼빈 일본제국 총영사관에서 검찰관 미조부치 타카오(溝淵孝雄) 서기 기시다 아이분(岸田愛文)이 열석하여 검찰관은 다음과 같이 증인신문을 하였다.

문 성명, 연령, 직업, 주소는 무엇인가.

답 성명은 카와하라 군헤이(河原郡平)(일본인 사가현(佐賀県))
연령은 43세
신분은 사족(士族)
직업은 요리점업
주소는 하얼빈 오에치치야가(街)

문 위 피고인과 친척, 후견인, 피후견인, 고용인, 동거인 등의 관계는 없는가.

답 없다.

문 10월 26일 아침 이토 공작이 이곳 정거장에 도착했는데 그때 환영 갔는가.

답 갔다. 나는 그날 세탁업 하시모토 아사타로(橋本淺太郎)와 함께 러청은행 앞에 갔을 때 9시 8분이므로 아주 서둘러 정거장에 갔더니 이토 씨가 탄 기차는 이미 도착하였으므로 플래이트폼으로 나가려고 하였다. 그러나 3등 대합실은 닫혀 있었으므로 1등 대합실 입구로부터 플래이트폼으로 나갔다. 그때 평소와 같이 입구에 상인은 있었으나 우리들은 일본인이므로 어떠한 단속도 받지 않고 플래이트폼으로 나가 일본인단이 있는 곳으로 갔다. 하지만 기차가 잘 보이지 않아 3등표 개찰구 쪽으로 가서 가장 오른쪽 끝의 러시아 장관들이 있는 곳 뒤

2·3보 되는 곳으로 가서 사람들 사이에서 기차를 보았더니 승강구는 내 바로 앞에 있었다. 그때 이토 씨의 모습은 보이지 않았지만 잠시 후 먼저 러시아 해군 장교로 보이는 키가 작은 러시아인이 나왔다. 다음으로 이토 씨가 내리고 그 다음으로 이곳 영사가 내렸다. 그 뒤에는 누구 내렸는지 보이지 않았다.

문 그대가 러시아 장관들이 있는 뒤로 갔을 때도 이토 씨가 열차에서 내리는 것을 보고 있던 중에 러시아 병대 뒤쪽에는 사람이 있었는가.
답 그곳에는 사람이 없었다.

문 이토 씨가 장관들 앞서 열차에서 내려 어떻게 하였는가.
답 카와카미(川上)영사 통역으로 장관과 악수를 하였다. 하지만 이토 씨가 하차하였을 때 러시아 장관과 그중에 청국 장교 2·3명이 있었다. 모두 기차 쪽으로 함께 갔다. 이토 씨는 러시아 장관과 악수를 하고서 나서 또 청국장교와 인사를 하였다.

문 청국장교와 사이의 통역은 누가 하였는가.
답 통역하지 않았다. 단지 서로 목례를 하였다.

문 그 후 어떠한 순서로 걸었는가.
답 이토 씨는 카와카미(川上) 영사보다 한 발 정도 앞서 걸어갔다. 하지만 사람들 때문에 결국 내가 서 있는 곳에서는 보이지 않게 되었다.

문 그때 3등 개찰구로부터 청국인, 기타의 사람들이 많이 플래이트폼으로 들어왔는가.
답 들어온 것은 못 보았다. 그곳에 러시아 상인이 있었다.

문 이토 씨가 지나가 모습이 보이지 않게 되어 그대는 어떻게 하였는가.
답 나는 그 후 서둘러 빠른 걸음으로 차양막 아래를 지나 1등 개찰구 쪽으로 갔다.

문 그곳에는 누가 있었는가.

답 정복을 입은 장관들이 많이 늘어서 있었다. 나는 그곳에 서 있는 사람들의 2·3보 뒤를 지나갔다.

문 그때 일본인들이 장관의 뒤쪽에 있는 것을 보았는가.
답 그것은 보지 못했다. 그때 쿠토(工藤)라고 하는 술과 간장을 파는 상점의 주인 한사람과 일본인으로 보이는 한 사람, 두 사람을 만났다. 그때 나는 그 쿠토(工藤)라는 사람에게 '안녕하세요'라고 인사를 하였다.

문 쿠토(工藤)와 그 외의 일본인으로 보이는 자의 복장은 어떠한가.
답 쿠토(工藤)는 외투를 입고 사냥모라고 생각되는 것 같은 것을 쓰고 있고 같은 일본인 남자는 어떠한 모자였는지 모른다. 하지만 중산모는 아니었다. 그리고 그 사람은 외투를 입고 있지 않았다.

문 두 사람은 지팽이를 갖고 있었는가.
답 그것은 갖고 있지 않았다.

문 그대는 어떠한 복장을 하였는가.
답 플룩코트를 입고 외투는 어깨에 걸쳤다.

문 그대는 지팡이를 갖고 있었는가.
답 갖고 있지 않았으나 모자는 중산모를 쓰고 있었다.

문 아사타로(淺太郞)의 복장은 어떠한가.
답 그 사람도 플룩코트를 입었으나 외투는 입지 않았다.

문 그대가 쿠토(工藤) 이외 한 사람을 만난 곳은 어디인가.
답 1등 개찰구 입구 앞이었다. 그곳에 쿠토(工藤)가 서 있었다.
그 후 우리들이 나가는 방면 가까운 곳에 그 남자가 있었다.

문 그곳에 플룩코트를 입은 사람이 있었는가.

답 모두 러시아인뿐으로 그곳에는 일본인은 없었다.

문 그 앞쪽에는 러시아병의 열이 있었는가.
답 러시아병 열 뒤에는 러시아인이 많이 있었다.

문 그 러시아병 뒤에는 사람이 없다고 하지 않았는가.
답 문관 옷을 입은 사람은 많이 있었다. 다만 보통 사람은 없었다고 했던 것이다.

문 그리고 나서 그대는 어디로 갔는가.
답 나는 러시아 문관 뒤를 지나서 갔는데 그 외에는 청국 병대와 악대가 있었다.

문 그곳에도 아무도 없었는가.
답 보통 복장을 한 사람은 없었다.

문 그대가 처음 갔을 때부터 지금 말한 청국악대가 있는 곳으로 오는 사이에 러시아 헌병과 순사는 못 보았는가.
답 청국악대가 있는 곳에 오기까지는 그러한 사람은 못 보았다.

문 청국악대가 있는 곳에 가서 어떻게 하였는가.
답 그곳에 갔더니 헌병 쪽으로 가서는 안 된다고 저지하였다.

문 그 헌병은 어디에 있었는가.
답 러시아 대장대신이 기다리고 있는 기차와 연결되어 있는 화물차 밖에 헌병이 있었다.

문 헌병은 왜 그 쪽으로 가서는 안 된다고 하였는가.
답 러시아어로 말했다. 나는 러시아어를 조금 안다.

문 헌병은 뭐라고 하였는가.
답 그곳으로 가서는 안 된다고 하며 손가락으로 되돌아가라고 하는 것처럼 보였다.

문 가서는 안 된다는 말은 러시아로는 어떻게 하는가.
답 뮤타네리쟈쿠무하지(ミユタネリジヤクムゴムハジ-)라고 한다.

문 그 후 어떻게 하였는가.
답 나는 4·5보 되돌아와 이토 씨를 보려고 그쪽을 보았더니 이토 씨가 쓰고 있던 중산모가 보였다. 그때 땅땅 하는 소리가 7·8번 이어서 났다.

문 그 소리는 뭐라고 생각했는가.
답 나는 청국의 폭죽 소리라고 생각하였다.

문 그대가 4·5보 뒤로 물러나서 어디로 가 있었는가.
답 청국 문관과 악대 옆에 있었다.

문 소리는 어디서 났는가.
답 이토 씨가 차 쪽으로 가까이 간 곳에 있던 사람들 속에서 소리가 났다.

문 그 소리가 난 곳에 어떤 사람들이 있었는가.
답 문관들이 셀 수 없을 정도로 있었다.

문 어째서 소리가 났는지 아는가.
답 그것은 모른다.

문 그 소리는 실제로 무엇이었는가.
답 나는 소리가 나는 쪽을 보았더니 이토 씨의 모자도 보이지 않았지만 그때 붉은 옷을 입고 있는 러시아 장교가 이토 씨 쪽으로 많이 가므로 나는 그 소리는 이토 씨를 저격한 것이라고 생각하였다.

문 그대가 헌병의 말을 듣고서 되돌아왔을 때 이토 씨의 모자가 보였는가.
답 모자는 많이 보였지만 가장 앞서 가고 있는 모자가 이토 씨라고 생각하였다.

문　소리가 났을 때 이토 씨는 어느 쪽으로 가고 있었는가.
답　그때 정거장 쪽으로 향해 누구인가와 인사를 하고 있었던 것 같이 생각된다.

문　그때 그대가 있었던 곳과 이토 씨가 있었던 곳까지는 거리가 어느 정도인가.
답　14·15보 정도였다.

문　소리가 난 곳과 이토 씨가 있던 곳의 거리는 어떠한가.
답　8보 정도였다.

문　이토 씨가 저격당했다고 생각하고서 그대는 이토 씨 쪽으로 갔는가.
답　나는 러시아인에게 저격당했다고 생각했다. 러시아 장교가 많이 이토 씨를 둘러싸고 있어 그냥 갈까 생각하였다.

문　그대가 갔을 때 다른 사람들도 모두 왔는가.
답　나는 뒤에서 갔으므로 다른 문관들도 모두 와서 볼 수 없게 되었다.

문　그 후 어떻게 하였는가.
답　나는 하시모토(橋本)와 함께 1등 대합실 입구로 갔을 때 대합실 안에 아무도 없었다. 그리고 나서 보고 있던 출구의 돌계단 위에 영사가 서 있었다. 영사는 옆으로 서서 개찰구 쪽을 보고 있었다.

문　그대가 보았을 때 카와카미(川上)영사가 있던 곳에 사람이 있었는가.
답　러시아 순사가 한 사람 있었다.

문　그대가 보았을 때 카와카미(川上) 씨의 모양은 어떠했는가.
답　오른손을 다쳐 피가 손목까지 흐르고 있는 것이 보였다.

문　그대는 영사의 얼굴을 아는가.
답　알고 있다. 영사는 나를 알고 있는지 어떤지 모르겠다.

문 그 후 어떻게 하였는가.

답 나는 영사의 피를 보고마자 달려가서 어떻게 된 것이냐고 하였더니 카와카미(川上) 씨는 러시아어로 러시아인에게 당했다고 하였다. 그때 하시모토(橋本)는 어디로 갔는지 모습이 보이지 않았다.

문 영사와 러시아 순사는 어떠한 문답을 나누었는가.

답 순사가 「쿠토미테레루리야라(クトミテレール,リヤラ)」라고 하였더니 카와카미(川上) 씨는 「오로스케(ヲロスケ)」[1]라고 한 것 같이 생각된다.

문 그대가 플래이트폼을 왔다 갔다 하고 있을 때 1등 대합실 입구가 있는 곳에 일본인 작부 두 사람이 있었는가.

답 그 전에 정거장 앞에서 그 부인의 모습을 보았지만 탕탕 소리가 났을 때 모습은 보이지 않았다.

문 그 여자는 어떠한 옷을 입고 있었는가.

답 옷은 붉은 것으로 모셴과 같은 슬리퍼를 신고 있었다.

문 그 여자를 어디에서 보았는가.

답 정거장 앞 둥근 담장이 있는 곳에서 보았다. 대합실 또는 플래이트폼에서는 왔다 갔다 하면서 그 모습을 보지 못했다.

문 카와카미(川上) 씨는 그로부터 어떻게 하였는가.

답 일장기가 붙어 있는 빌린 마차가 왔으므로 나는 카와카미(川上) 씨를 부축하여 앞에서 이야기를 나누고 있던 러시아 순사와 함께 병원으로 갔다.

문 그렇다면 그대는 이토 씨를 저격한 범인이 체포되었는지는 모르는가.

답 그것은 모른다. 또한 범인의 용모도 모른다.

---

1 나쁜 러시아놈.

문 이후 어떠한 평판을 들었는가.
답 병원에서 일본인에게 들었더니 한국인이 하수인으로 체포되었다고 들었다.

문 그 이야기를 한 일본인은 누구인가.
답 이번에 동행한 만철의 그 사람도 왔으므로 그 사람에게서 들었는지 확실히 기억나지 않는다.

문 그 날 그대는 몇시에 귀가했는가.
답 오후 3시경 돌아갔다.

문 그대가 플래이트폼을 왔다 갔다 하고 있을 때 풍채가 수상한 자를 못 보았는가.
답 그런 자는 못 보았다.

문 이자를 보았는가.

이때 피고 안응칠의 사진을 보이다.

답 본 적이 없다.

문 이 사람들 중에서 평소 아는 사람이거나 정거장에서 본 사람은 있는가.

이때 안응칠을 제외한 피고 일동의 사진을 보이다.

답 이 사람은 일본어를 조금 알고 있으므로 조선인 한 사람을 데리고 내 집으로 가겠다고 하였으나 나는 신원을 모르는 사람이므로 거절하였다.

이때 피고 김택신의 사진을 제시하다.

문 그 외의 사람들의 얼굴은 모르는가.
답 그 외의 사람들은 본 적이 없다.

증인 카와하라 군헤이(河原郡平)

이상의 내용을 읽어 들려주었더니 틀림없음을 승낙하고 자서하다.
그 날 앞에서 언급한 장소에서
출장 중이므로 소속관서의 도장을 사용하지 못하다.

관동도독부지방법원
서기 기시다 아이분(岸田愛文)
고등법원검찰관 미조부치 타카오(溝淵孝雄)

17 나츠아키 카메이치 증인 신문조서

증인 신문조서

증인 나츠아키 카메이치(夏秋龜一)

위의 자를 안응칠(安應七)·우연준(禹連俊)·조도선(曺道先)·유강로(柳江露)·정대호(鄭大鎬)·김성옥(金成玉)·김형재(金衡在)·탁공규(卓公圭)·김려수(金麗水)·장수명(張首明)·김택신(金澤信)·정서우(鄭瑞雨)·홍시준(洪時濬)·이진옥(李珍玉)·방사첨(方士瞻)·김배근(金培根)에 대한 살인피고사건에 대해 1909년(명치 42) 11월 9일 하얼빈 일본제국 총영사관에서 검찰관 미조부치 타카오(溝淵孝雄) 서기 기시다 아이분(岸田愛文)이 열석하여 검찰관은 다음과 같이 증인으로 신문을 하였다.

문 성명, 연령, 신분, 직업, 주소는 무엇인가.
답 성명은 나츠아키 카메이치(夏秋龜一)
연령은 1874년(명치7) 정월생
신분은 사족(士族)
직업은 만철출장소 주임
주소는 하얼빈 노우토루 보와야가(街) 3번.

문 위 피고인과 친척, 후견인, 피후견인, 고용인, 동거인 관계는 없는가.
답 그런 관계는 없다.

문 증인은 이곳에 몇년경부터 와 있었는가.
답 올 7월 하순에 왔다.

문 그 이전에는 러시아에 있었는가.
답 1900년(명치 33)부터 러시아에 있었다.

문 증인은 하얼빈 일본거류민회와 관계하고 있는가.
답 종래에는 관계가 없었지만 이토 공작이 이곳 하얼빈에 왔을 때 환영위원이 되었고 또한 이번 거류민회의 평의원으로 임명 받았다.

문 이곳에 있는 한국인은 평소 어떠한 취급을 받고 있는가.
답 나는 오래되지 않아 이곳의 모양은 자세히 모른다. 일본영사관은 한국인과 거의 아무런 관계도 없다는 것같이 보인다. 또한 블라디보스토크 영사관도 깊게 한국인과 관계하지 않는다고 들었다.
나의 의견으로서는 이들은 전혀 영사관의 책임이 아니다. 분명히 외무성이 방침을 그르치고 있다고 믿는다. 따라서 이번과 같은 조난을 야기시킨 것도 필경 외무성의 책임이라 고 생각한다.
그제 블라디보스토크에서 온 러시아인으로부터 들은 바에 의하면 그곳에 있는 한국인은 이토 공작의 훙거를 듣고 모두 일을 멈추고 가게를 닫고서 술을 마시며 기뻐하고 있다는 것이다.

문 거류민회 또한 이곳에 있는 일본인으로 권세 있는 한국인과 교제를 하거나 또는 출입을 하고 있는가.
답 한인 한 둘은 일본인과 교제하고 있는 것을 들었다.

문 방사첨 즉 속칭 이토빵(伊藤方)과 이진옥이라는 사람은 일본어를 알고 있으며 이토 공작 환영에 기부금을 낸 적이 있는가.
답 있다.

문 그 외 한인으로 환영 기부금을 내거나 또는 일본 적십자사에 가입한 사람이 있는가.
답 한인이 적십자사에 가입한 것은 듣지 못했다. 청국인 가입자는 많이 있다.

문 이곳에 있는 동흥학교의 내용에 대해 들은 적이 있는가.
답 그 학교는 한국인이 세웠다는 것은 들었지만 자세한 내용은 모른다.

문 이곳 한인 민회장 선임을 영사관에서 인가하는 것을 들었는가.
답 작년경 회장을 영사관에서 인가하였으나 그 회장이 사직한 이후 영사관은 방치하고 있는 것처럼 보인다.

문 현재 한국민회장은 김성백이라는 사람으로 그 사람은 러시아에 귀화한 러시아 신민이므로 한인민회장이 된 점에서 보건대 한인에 대한 실권은 러시아가 장악하고 있는가.

답 러시아는 한인을 능숙하게 이용하는 경향이 있는 것 같이 들었다. 하지만 자세한 것은 모른다. 이번 이토 공작의 조난에 대해서는 러시아는 대단히 유감으로 여기고 있는 모양이다.

한국인과 러시아 혁명당원은 서로 기맥을 통하고 있다고 생각된다. 즉 러시아 혁명당은 러시아와 대항하고 한국인은 일본에 적대한다고 말하는 경향이 있어 서로 의기투합 하여 이들이 비밀결사를 하나 만들고 있다고 믿고 있다. 이미 러시아 대장대신에게도 위해를 가하려고 한 것과 같이 이토 공작 조난 다음날 대신이 통과하는「레일」을 파괴한 것을 상인이 발견하여 당장 큰 일에 이르지 않았다. 이것은 러시아혁명당원의 소행으로 한인이 이토 공작에게 위해를 가한 것 처럼 우리들도 대장대신에게 위해를 가하려고 계획하고 있는 것 같이 늘 만주리아 방면의 철도를 파괴할 것이라는 말을 들었다.

문 이토 공작이 이곳 하얼빈에 온 것이 공표되었을 때 한인의 동정은 어떠했는가.

답 그것은 전혀 모른다.

그렇지만 나는 장춘까지 공작 마중을 갔다. 부재중에 내가 있는 출장소의 직원으로 나이토 준타로(內藤順太郎)이라는 자가 이곳 일본영사관에 공작의 내착에 관해 한국인의 단속에 대해 주의를 주었다는 것을 들었다.

또한 듣는 바에 의하면 러시아인 측이 공작환영에 대해 플래이트폼에 입장하는 데는 표제도를 두는 것이 어떠하느냐고 이곳 영사관에 교섭하였는데, 영사는 러시아인은 몰라도 일본인에게는 표제도를 시행하지 않도록 희망하였다는 것이다.

문 일본인과 한국인의 구분은 불가능한데 그 단속에 관한 것은 못 들었는가.

답 그것은 못 들었다.

문 공작환영에 대해 플래이트폼으로 나가는 일본인의 복장에 대해 뭔가 정해진 것은 없는가.

답 환영순서는 정해졌으나 복장에 대한 것은 아무런 결정도 없었다.

문 이토 공작이 도착하였을 때의 모양은 어떠했는가.

답 러시아 귀빈차는 사면이 유리창으로 열차의 마지막 부분에 붙어 있다. 이토 공작의 귀빈차도 그와 같이 마지막 부분에 붙어 있다. 바로 공작의 객차는 1등 대합실 출구 정면에 도착하였다.

일본인 단체는 왼쪽 러시아 대장대신의 객차 앞에 정렬하고 그 대신 하차통로를 확보하기 위해 정렬을 두 부분으로 나누어 중앙을 비웠다. 그 오른쪽에 외교단과 청국 악대 및 병대 순서로 오른쪽에 러시아군대가 정렬하고 있었다. 공작의 기차가 도착하자 러시아 대장대신이 공작의 객차로 방문하여 잠시 있다가 가장 먼저 대장대신, 다음으로 이토 공작이었는데, 다른 사람의 순서는 기억나지 않는다. 하지만 순서대로 하차하였다. 그 후 환영단의 앞을 왼쪽으로 지나 외교단 앞까지 왔을 때 왼쪽으로 돌아서 되돌아왔다. 그때 나는 공작 의 등 뒤에서 붙어서 갔다. 되돌아 왔을 때에는 분명히 대장대신은 이토공의 오른쪽(환영원에 가까운 쪽)으로 나란히 청국악대가 있는 데까지 왔을 때 탕탕 소리가 났으므로 나는 폭죽인가 라고 생각하였는데 좀 이상하게 생각하여 나는 공작이 있는 곳으로 갔을 찰나 흉한은 분명히 검은 옷을 입고 있었고 오른 발을 앞으로 내딛고 몸을 숙이고 허리를 굽혀 단총을 꺼내어 총구를 좀 아래로 향하 더욱 용의주도한 태도로 저격하였다. 이것은 실로 순식간으로 내가 바로 앞이었다. 나는 그 흉한을 잡으려고 생각하고 있는 중에 러시아 군인이 그를 체포하였다. 그때 나는 공작쪽을 보았더니 다른 사람의 부축을 받고 있었다. 그러나 전혀 얼굴색이 변하지 않고 건강한 것 같았다. 공작이 저격됨과 동시에 다나카(田中) 이사도 저격당했다. 그는 나의 얼굴을 보자 나츠아키(夏秋)가 당했다고 하였다. 이날은 꽤 추운 날로 영하였다.

문 그때 공작은 외투를 입고 있었는가.

답 공작도 카와카미(川上) 총영사도 외투는 입지 않았다. 이렇게 추운데도 노구로 외투도 입지 않았다. 만약 외투를 입었다면 탄환의 힘을 약화시킬 수도 있을 것이라는 소문이 날 정도였다.

문 공작을 저격한 범인은 어떠한 모자를 쓰고 또한 옷의 단추는 어떠한 것이었는가.
답 모자는 분명히 사냥모를 쓰고 있었던 것 같이 생각된다. 하지만 옷의 단추까지는 모른다.

문 증인이 본 흉한은 이 사람이 아닌가.

이때 피고 안응칠의 사진을 보이다.

답 이 남자이다. 그리고 흉한은 체포되었을 때 호주머니에서 해군 나이프를 꺼냈다고 들었다.[1]

문 공작은 저격을 당하고 쓰러졌는가.
답 쓰러지지는 않았다. 그때 동청철도 부총재 「벤트첼」이라는 사람이 아무크나 아무쿠나(アムナク アムナク)라고 하였으므로 곧바로 공작을 차내로 안고 들어갔던 것이다.

문 저격당하였을 때 공작을 가장 먼저 부축한 사람은 누구인가.
답 그것은 모른다.

문 공작은 저격당했을 때 뭐라고 하였는가.
답 누군가 또 당한 사람은 없는가라고 하였다.

문 그때 카와카미(川上) 총영사는 있었는가.
답 그 영사는 총을 맞고 쓰러졌으므로 모두가 돌봐주어 다른 데로 데리고 갔다는 것으로 모습은 보이지 않았다.

---

1 안중근은 이를 부정하였다(신운용 편역, 「안중근 제10회 신문기록」, 『안중근 신문기록』(안중근 자료집 3), (사)안중근평화연구원, 2014, 181쪽).

문 후루야(古谷)비서관은 어떠한가.

답 그것은 모르겠다.

문 흉한은 공작 등을 저격하였을 때 열 앞으로 나왔는가.

답 조금 열에서 나와 있었다. 실제로 오른 발을 내딛는 것이 보였을 정도이다.[2]

문 공작은 저격을 당하여 차 안으로 부축을 받아 들어가기 전에 플래이트폼에서 「브랜디」를 마셨는가.

답 그것은 모른다. 그러나 그럴 틈이 없었던 것 같이 생각된다.

문 이외에 이번 사건에 관해 뭔가 들은 것은 없는가.

답 별로 들은 것은 없다. 그러나 러시아국민은 공의 조난을 대단히 유감으로 생각하고 있는 것 모양이다. 아울러 이번 이토가 하얼빈에 와서 일본과 러시아 사이에 뭔가 좋은 결과를 얻을 것 같이 들었다. 이에 반해 한국인들은 대단히 기뻐하고 있는 모양이다.

문 흉행자의 경로에 대해 들은 사실이 없는가.

답 별로 들은 것은 없다. 다만 채가구(蔡家溝)에 의심스러운 한인 3인이 어슬렁거리고 있으므로 러시아 관헌은 대단히 의심스러워하였는데 그 가운데 1명은 어디론가 가고 나머지 2명은 이토공 조난 후 러시아 관헌에 체포되었다고 들었다.

증인 나츠아키 카메이치(夏秋龜一)

이상의 내용을 읽어 들려 주었더니 틀림이 없음을 승낙하고 자서하다
그 날 앞에서 언급한 총영사관에서
출장 중이므로 소속관서의 도장을 사용하지 못하다.

---

2 안중근은 이를 부정하였다(신운용 편역, 「안중근 제2회 신문기록」, 『안중근 신문기록』(안중근 자료집 3), (사)안중근평화연구원, 2014, 45쪽).

관동도독부지방법원
서기 기시다 아이분(岸田愛文)
고등법원검찰관 미조부치 타카오(溝淵孝雄)

참고인 신문조서

참고인 이나다 하루(稲田ハル)

위의 자를 안응칠(安應七) · 우연준(禹連俊) · 조도선(曺道先) · 유강로(柳江露) · 정대호(鄭大鎬) · 김성옥(金成玉) · 김형재(金衡在) · 탁공규(卓公圭) · 김려수(金麗水) · 장수명(張首明) · 김택신(金澤信) · 정서우(鄭瑞雨) · 홍시준(洪時濬) · 이진옥(李珍玉) · 방사첨(方士瞻) · 김배근(金培根)에 대한 살인피고사건에 대하여 1909년(명치 42) 11월 2일 하얼빈 일본제국 총영사관에서 검찰관 미조부치 타카오(溝淵孝雄) 서기 기시다 아이분(岸田愛文)이 열석하여 검찰관은 다음과 같이 참고인으로 신문을 하였다.

문 성명, 연령, 신분, 직업, 주소는 무엇인가.

답 성명은 이나다 하루(稲田ハル(일본인))
연령은 16세
신분은 평민
직업은 작부
주소는 하얼빈 전가전 북사도가(傳家甸北四道街) 51호
요리점 토옥방(土屋方).

문 위 피고인과 친척, 후견인, 피후견인, 고용인, 동거인 등의 관계는 없는가.

답 없다.

문 이토 공작이 하얼빈에 오므로 그대는 10월 26일 하얼빈 정거장에 환영 겸 보러 간 일이 있는가.

답 나와 같이 있는 아베 타카(阿部タカ)와 같이 갔다.

문 정거장에 가서 어디 있었는가. 이 도표에 의하여 지시하라.

(이때 러시아 관헌이 보낸 정거장약도의 번역을 보이고 지시케 하여 조서에 첨부하다)

답 대합실에서 나와 일본인이 많이 도열한 곳으로 갔더니 이곳에는 못 들어간다고 하였다. 그래서 나는 아베 타카(阿部タカ)와 함께 대합실 입구 남측(별지 도면 이(イ) 로(ロ)의 장소)에 서 있었다. 그 후 또 아베 타카(阿部タカ)와 함께 입구 북쪽(별지도면 하 (ハ) 니(ニ)의 장소)에 가서 서 있었다.

문 그곳에 그대들 밖에 다른 사람들도 있었는가.
답 우리의 약간 북쪽에 러시아 사관(士官)과 일본인 같은 사람이 있었다.

문 그때 대합실에서 나온 사람은 없었는가.
답 나온 사람이 있었다. 그것은 일본인으로 보이는 사람으로 양복에 검정외투를 입고 중절모를 쓴 사람이다. 그 사람은 나의 옆에 있던 러시아 사관과 뭔가 이야기하고 있었다.

문 대합실에서 나온 사람은 모자를 쓰고 있지 않았었는가.
답 그렇지 않다. 분명히 중절모를 쓰고 있었다.

문 그 사람과 러시아 사관과 악수를 하지 않았는가.
답 손을 잡고 인사했다.

문 그 러시아 사관의 얼굴은 아는가.
답 키가 크고 수염이 있는 사람 같이 생각된다.

문 일본인으로 보이는 사람이 모자를 쓰고 청국 악대 쪽으로는 가지 않았는가.
답 갔다. 그것은 확실히 보았다.

문 그것은 이토 씨가 탄 기차가 도착한 후인가.
답 그렇다. 이토 씨가 기차에서 내리기 조금 전이었다.

문 그대는 이토의 얼굴을 보았는가.
답 러시아병의 후방에서 조금 보았다.

문 이토 씨는 기차에서 내려서 걸어갔는가.

답 러시아병이 늘어 서 있는 조금 앞쪽으로 온 러시아병이 우리에게 저리 가라고 하여 나와 아베 타카(阿部タカ)는 곧 대합실로 들어와 동쪽 입구에서 이토공이 나오는 것을 보려고 생각하고서 우리들이 대합실로 들어감과 동시에 탕탕하고 세 번 정도 소리가 났다. 그리고 나는 정거장 동쪽 입구를 나왔다가 또 대합실로 들어갔을 때 영사가 들것에 실려 나왔다.

문 그대가 처음 대합실 입구 북쪽에 서 있을 때 그대의 가게주인이 잠시 왔다가 곧 또 일본인단체가 있는 곳으로 간 일이 있었는가.

답 있었다.

문 그대가 정거장에서 본 사람이 이 남자가 아닌가.

이때 피고 안응칠의 사진을 제시하다.

답 이 사람과 같은 사람을 보았다. 그러나 그때는 외투를 입고 있었던 것으로 생각된다.

문 모자를 쓴 사람이 악대 쪽으로 가는 것을 확실히 보았는가.

답 내가 대합실에 있을 때는 확실히 그 사람도 대합실에 있었던 것을 보았다. 악대의 뒷쪽으로 간 것은 확실히는 기억나지 않는다.

문 그 사람이 지금 제시한 사진의 남자였는가.

답 그렇게 생각된다.

문 그대는 이 사람을 정거장에서 본 일이 있는가.

이때 안응칠을 제외한 피고 일동의 사진을 제시하다

답 이 사진 중에 내가 정거장에 있을 때에 그곳에 있었던 사람이 있는지 없는지는 기억에 전혀 남아 있지 않다.

이나다 하루(稲田ハル)

위의 내용을 읽어 들려 준 바 승낙하고 나서 자서하다.
그날 앞서 언급한 총영사관에서
단 출장 중이므로 소속관서의 도장을 못 사용하다.

관동도독부 지방법원
서기 기시다 아이분(岸田愛文)
고등법원 검찰관 미조부치 타카오(溝淵孝雄)

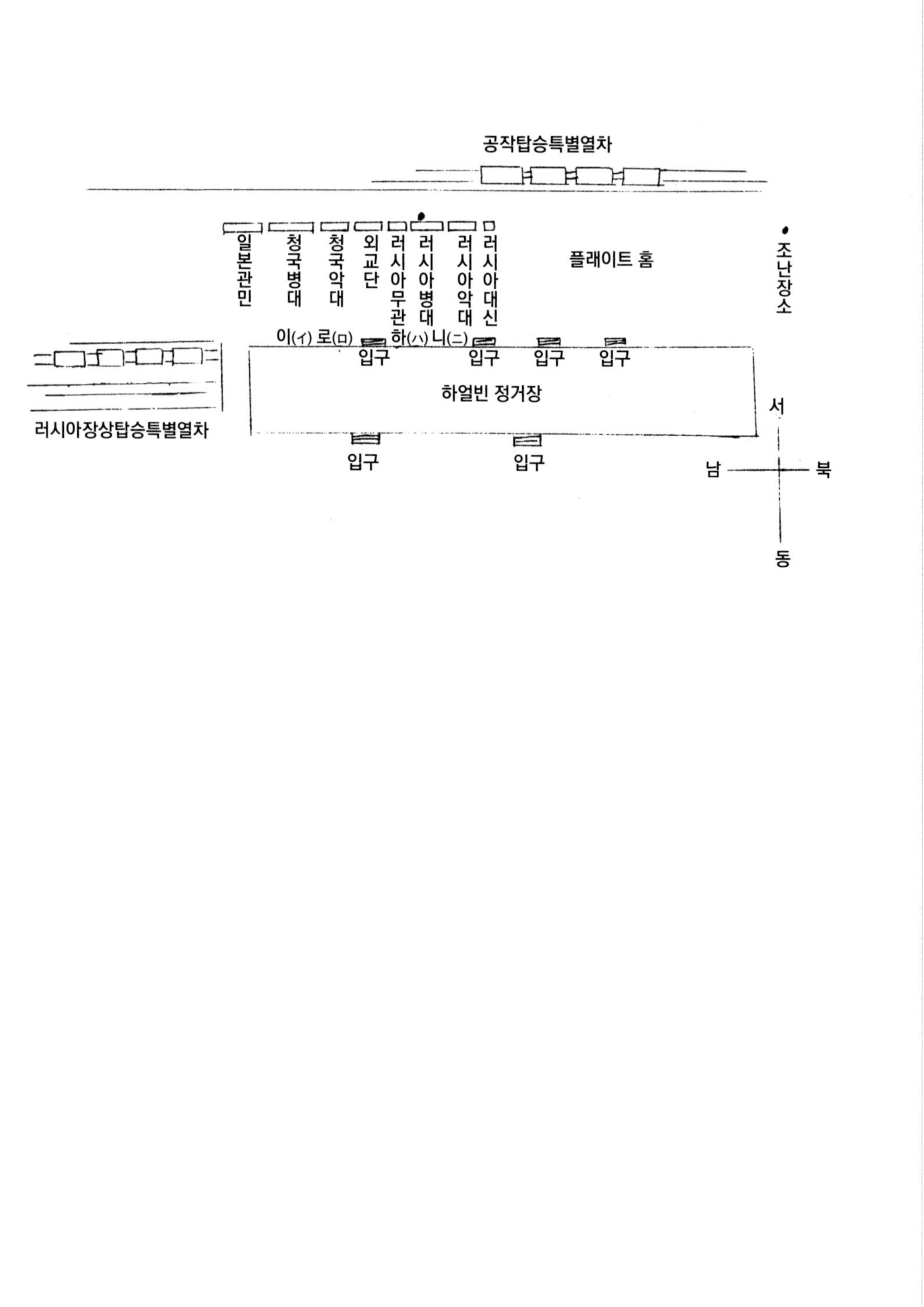
공작탑승특별열차
일본관민
청국병대
청국악대
외교단
러시아무관
러시아병대
러시아악대
러시아대신
플래이트 홈
조난장소
이(イ) 로(ロ) 하(ハ) 니(ニ)
입구
입구
입구
입구
하얼빈 정거장
러시아장상탑승특별열차
입구
입구
서
남
북
동

19 오미 카오루 감정인 신문조서

감정인 신문조서

감정인 오미 카오루(尾見薰)

위의 자를 안응칠(安應七)·우연준(禹連俊)·조도선(曺道先)·유강로(柳江露)·정대호(鄭大鎬)·김성옥(金成玉)·김형재(金衡在)·탁공규(卓公圭)·김려수(金麗水)·장수명(張首明)·김택신(金澤信)·홍시준(洪時濬)·이진옥(李珍玉)·방사첨(方士瞻)·정서우(鄭瑞雨)·김배근(金培根)에 대한 살인피고사건에 대해 1909년(명치 42) 11월 12일 남만주철도주식회사 대련의원에서 검찰관 미조부치 타카오(溝淵孝雄) 서기 기시다 아이분(岸田愛文)이가 열석하여 검찰관은 감정인에 대해 다음과 같이 신문하였다.

문 성명, 연령, 신분, 직업, 주소는 어떠한가.

답 성명은 오미 카오루(尾見薰)
연령은 36세
신분은 사족(士族)
직업은 의사
주소는 대련시(大連市) 아옥정(兒玉町).

문 위 피고인과 친척 후견인 피후견인 동거인 고용인의 관계는 없는가.

답 그런 관계는 없다.

검찰관은 감정인에게 본건에 관해 남만주철도주식회사 이사 다나카 세이지로(田中清次郎)의 부상에 대해 아래 사항의 감정을 명하였다.

감정사항

1. 창상부위, 형상(形狀), 개수.
2. 자타상(自他傷)의 구별.
3. 위 창상을 일으킨 흉기종류와 신체접촉방법.

4. 치료 일수.

5. 치유 후 기능장애 여부.

감정인 오미 카오루(尾見薫)

이상의 내용을 읽어 들려주었더니 틀림없음을 승낙하고 자서하다.
즉 그날 앞서 언급한 장소에서
단, 출장 중이므로 소속관서의 도장을 날인 못하다.

관동도독부지방법원
서기 기시다 아이분(岸田愛文)
고등법원검찰관 미조부치 타카오(溝淵孝雄)

20 토쿠오카 테루타카 감정인 신문조서

감정인 신문조서

감정인 토쿠오카 테루타카(德岡凞敬)

위의 자를 안응칠(安應七)·우연준(禹連俊)·조도선(曺道先)·유강로(柳江露)·정대호(鄭大鎬)·김성옥(金成玉)·김형재(金衡在)·탁공규(卓公圭)·김려수(金麗水)·장수명(張首明)·김택신(金澤信)·홍시준(洪時濬)·이진옥(李珍玉)·방사첨(方士瞻)·정서우(鄭瑞雨)·김배근(金培根)에 대한 살인피고사건에 대해 1909년(명치 42) 11월 9일 하얼빈일본제국총영사관에서 검찰관 미조부치 타카오(溝淵孝雄)·서기 타케우치 카츠모리(竹内靜衛)가 열석하여 검찰관은 감정[1]으로 다음과 같이 신문하였다.

문 씨명, 연령, 신분, 직업, 주소는 어떠한가.
답 씨명은 토쿠오카 테루타카(德岡凞敬)
연령은 1872(명치 5년) 6월 12일생
신분은 사족(士族)
직업은 관동도독부 의원 원장 일등군의
주소는 여순(旅順) 조일정(朝日町) B 26호 관사.

문 위 피고인과 친족, 동거인, 후견인, 피후견인 관계는 없는가.
답 그런 관계는 없다.

검찰관은 감정인에게 본건에 대해 하얼빈 주재 일본제국 총영사 카와카미(川上俊彦)의 상해에 대해 아래의 사항 감정을 명하였다.

감정사항

---

1 감정인(鑑定人).

1. 창상(創傷)의 부위, 형상, 개수.
2. 자타상(自他傷)의 구별.
3. 오른쪽 창상을 낳는데 사용된 흉기의 종류와 신체에 접촉한 방법.
4. 치료일수.
5. 치료 후 기능장애를 남길 여부.

감정인 토쿠오카 테루타카(德岡凞敬)

도장을 가져오지 않아서 엄지손가락으로 찍게 하였다.
이상의 내용을 읽어 들려주었더니 틀림없음을 승낙하고 자서하다.
그날 앞서 언급한 총영사관에서
단, 출장 중이므로 소속관서의 도장을 사용하지 못하다.

관동도독부지방법원
서기 기시다 아이분(岸田愛文)
고등법원검찰관 미조부치 타카오(溝淵孝雄)

21 고야마 젠 감정인 신문조서

감정인 신문조서

감정인 고야마 젠(小山善)

위의 자를 안응칠(安應七)·우연준(禹連俊)·조도선(曺道先)·유강로(柳江露)·정대호(鄭大鎬)·김성옥(金成玉)·김형재(金衡在)·탁공규(卓公圭)·김려수(金麗水)·장수명(張首明)·김택신(金澤信)·홍시준(洪時濬)·이진옥(李珍玉)·방사첨(方士瞻)·정서우(鄭瑞雨)·김배근(金培根)에 대한 살인피고사건에 대해 1909년(명치 42) 10월 27일 관동도독부 고등법원 검찰관 미조부치 타카오(溝淵孝雄)·서기 타케우치 카츠모리(竹內靜衛)가 열석하여 검찰관은 감정인으로 다음과 같이 신문하였다.

문 성명은.
답 고야마 젠(小山善).

문 연령은.
답 1860(만연(萬延) 원년) 8월생.

문 신분은.
답 평민.

문 직업은.
답 시위(侍衛).

문 주소는.
답 도쿄(東京)시 고지마(麴町區) 산반정(三番町) 11번지.

문 피고인과 친척 동거인 후견인 피후견인 관계는 없는가.
답 전혀 관계없다.

이에 검찰관은 본건 감정인으로 신문한다는 것을 알리고 본건살해 당시 감정인이 실견한 이토 공작·모리(森) 궁내대신 비서관·다나카(田中) 남만주철도회사 이사의 피해상태에 대해 아래 사항의 감정을 명하였다.

1. 각 피해자의 창상 부위 정도, 치사의 원인, 생존자의 예상회복기간.

1. 흉기의 종류감정인은 위 감정사항에 대해 다음과 같이 감정하였다.

1. 이토공 창상의 정도 등.

첫째, 오른쪽 상박(上膊) 중앙 밖으로부터 들어와 다섯 번째 갈비뼈 사이로부터 수평으로 양폐(兩肺)를 관통하여 왼쪽 폐에 박힌 흉내(胸內) 출혈이 많음.

둘째, 오른쪽 관절 뒤쪽 밖으로부터 들어와 오른쪽 흉협(胸脇) 아홉 번째 갈비뼈 사이로 부터 흉막을 관통하여 왼쪽 갈비뼈(季肋) 아래에 박힘.

셋째, 오른쪽 상박(上膊) 중앙의 바깥 부분을 스치고서 상복(上腹)중앙으로 들어와 복중(腹中)에 박힘.

치명상 제1, 제2 창상.

치사 원인, 내출혈로 인한 허탈.

흉기종류, 투사력이 대단한 즉 예리한 힘이 있는 피스톨의 탄환과 같은 것이다.

2. 모리(森)궁내대신 비서관의 창상부위 등.

왼쪽 상박(上膊) 중앙을 뒤쪽에서 관통하여 다시 왼쪽 등의 연부(軟部)를 관통한 총창. 측농증

예후, 속발증(續發症)을 일으키지 않으면 약 1개월로 완치됨.

기능장해를 초래할 우려가 있는지 없는지 혹은 일부분 장해를 초래할지도 헤아릴 수 없으나 큰 영향을 주지 않을 것임. 흉기의 종류, 이토공의 감정.

3. 다나카(田中)남만주철도회사이사의 창상부위 등.

왼쪽 발 관절을 안쪽으로부터 바깥쪽으로 관통한 창상

예후, 속발증을 일으킬 우려가 있음. 만약 일어나지 않으면 2개월로 완치될 것

임. 그리고 운동굴신(運動屈伸)의 기능장해를 일으킬 것임. 그렇다고 해도 보행을 할 수 없는 일은 없음.

흉기의 종류, 동상

그리고 감정인은 각피해자 창상 부위를 명료하게 하기 위해 별지 인체도를 제출하여 이를 본조서의 말미에 첨부한다.

감정인 고야마 젠(小山善)

이상의 내용을 읽어 들려주었더니 틀림없다고 하여 자서하고 날인하다.
1909년(명치 42) 10월 27일 대련 야모토 호텔 내에서
단, 출장 중이므로 소속관서의 도장을 날인 못하다.

서기 카케우치 카츠모리(竹內靜衛)
고등법원검찰관 미조부치 타카오(溝淵孝雄)

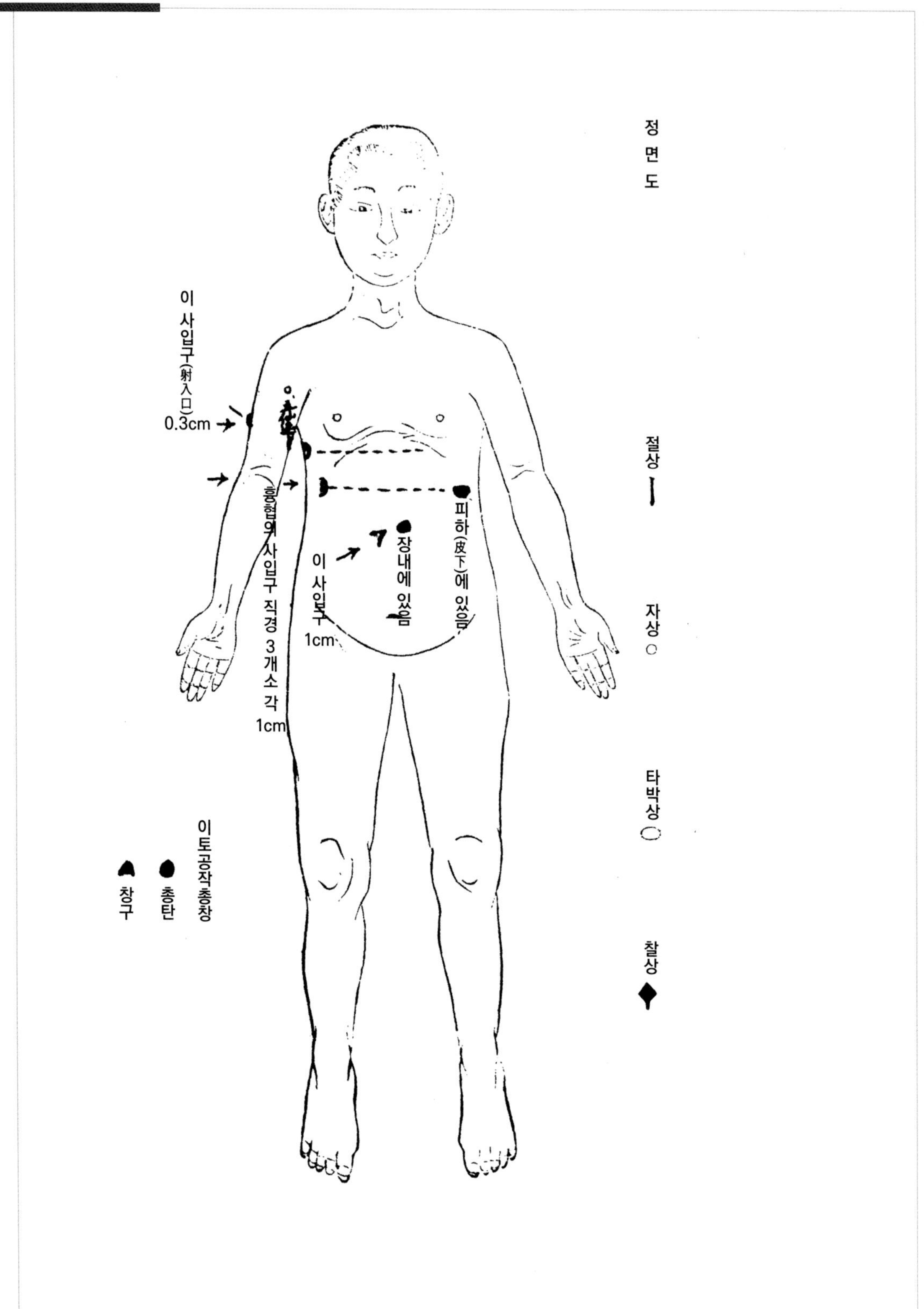
정 면 도
이 사입구(射入口) 0.3cm
흉협의 사입구 직경 3개소 각 1cm
이 사입구 1cm
장내에 있음
피하(皮下)에 있음
절상
자상
타박상
찰상
이토공작총창
총탄
창구

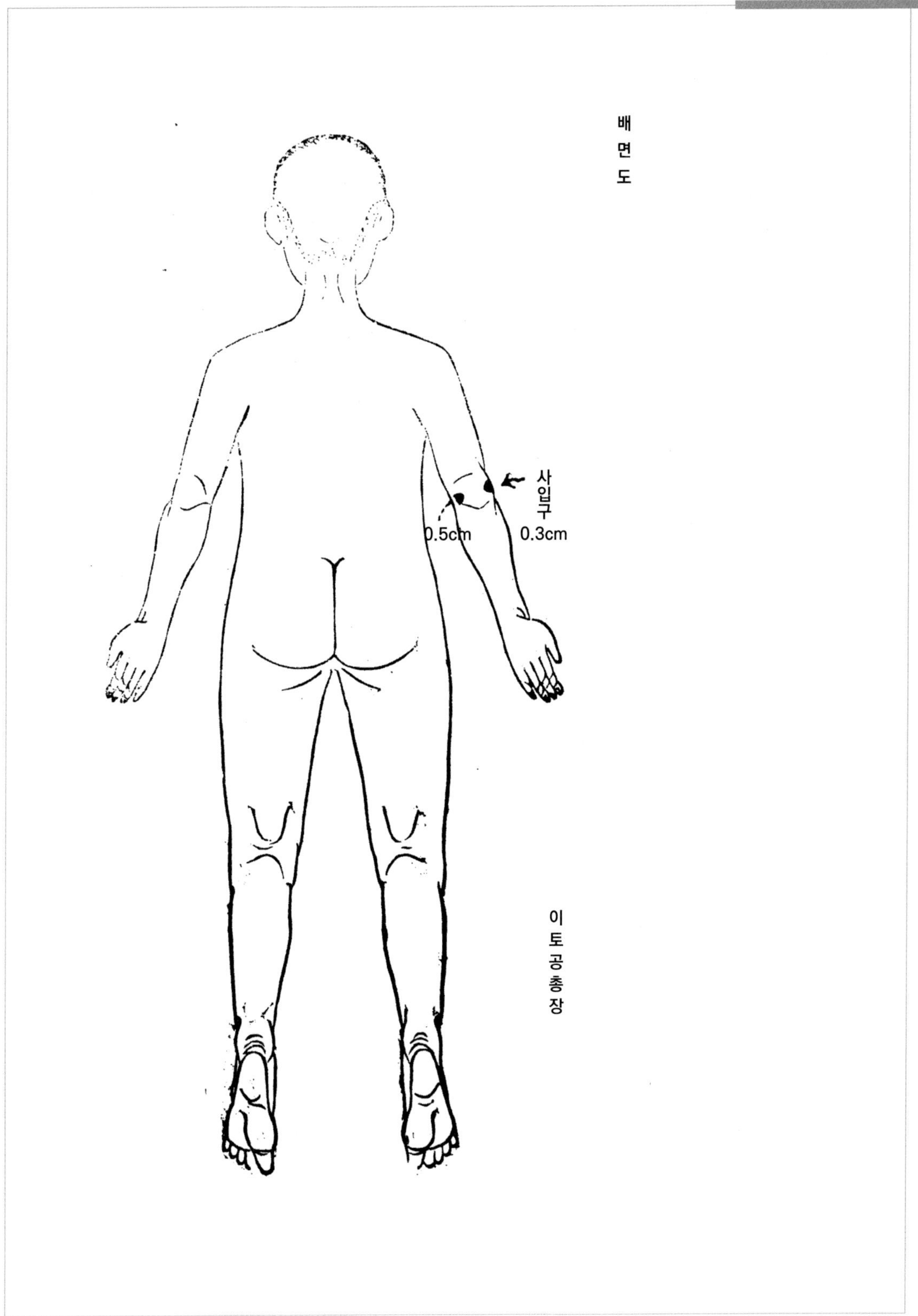
배면도
사입구
0.5cm
0.3cm
이토공총장

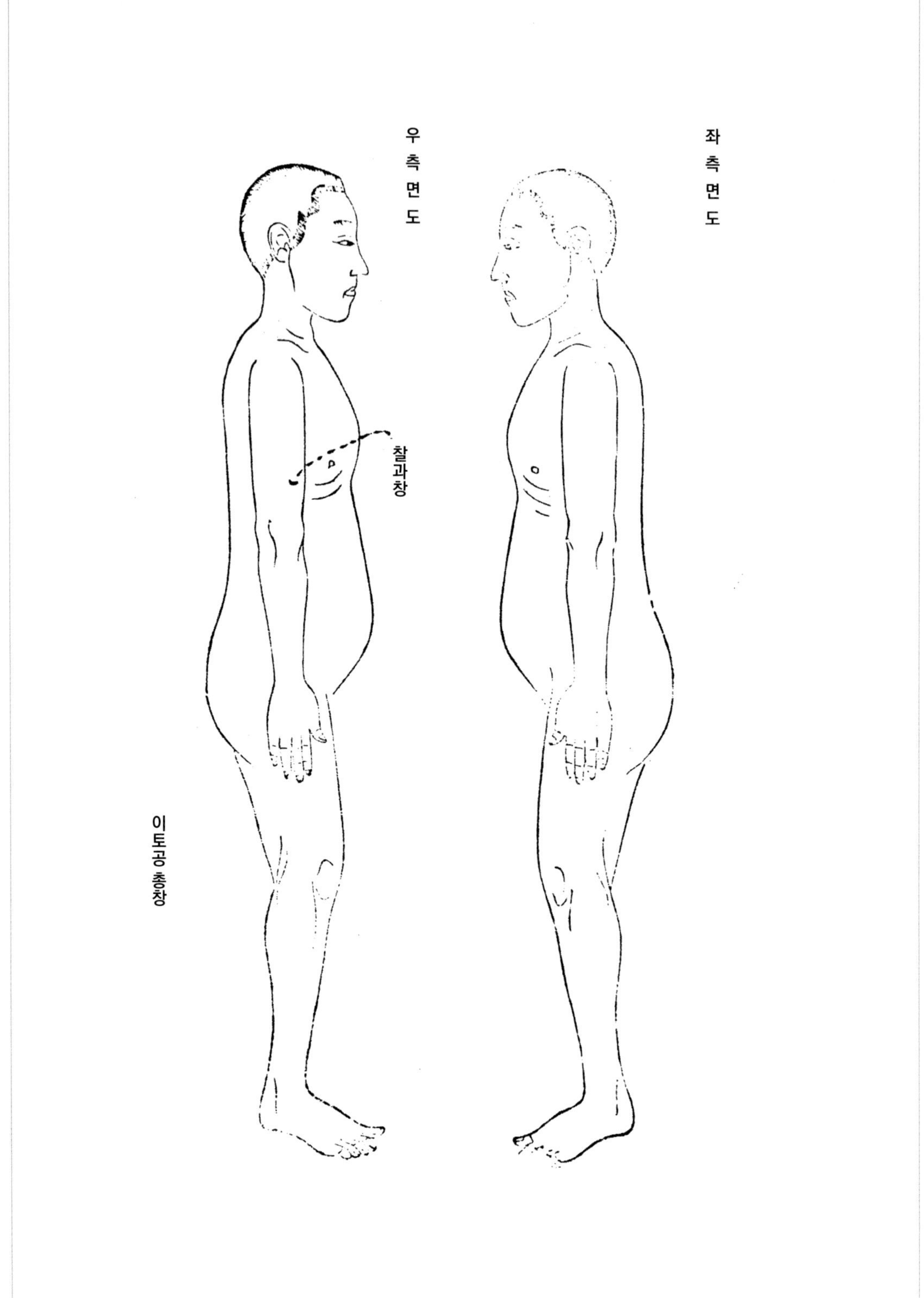
우측면도
좌측면도
찰과창
이토공 총창

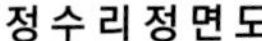

정수리정면도

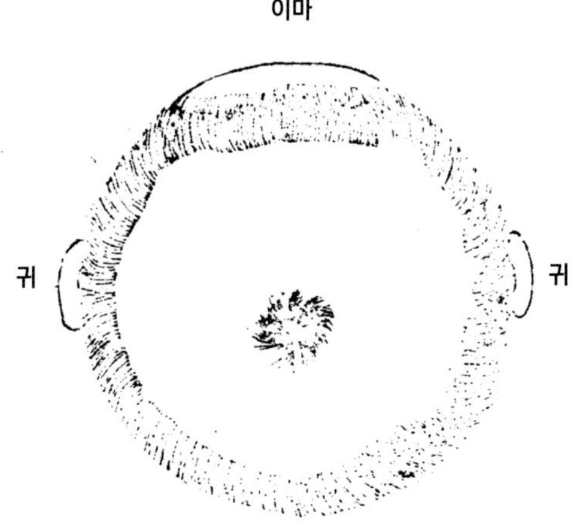

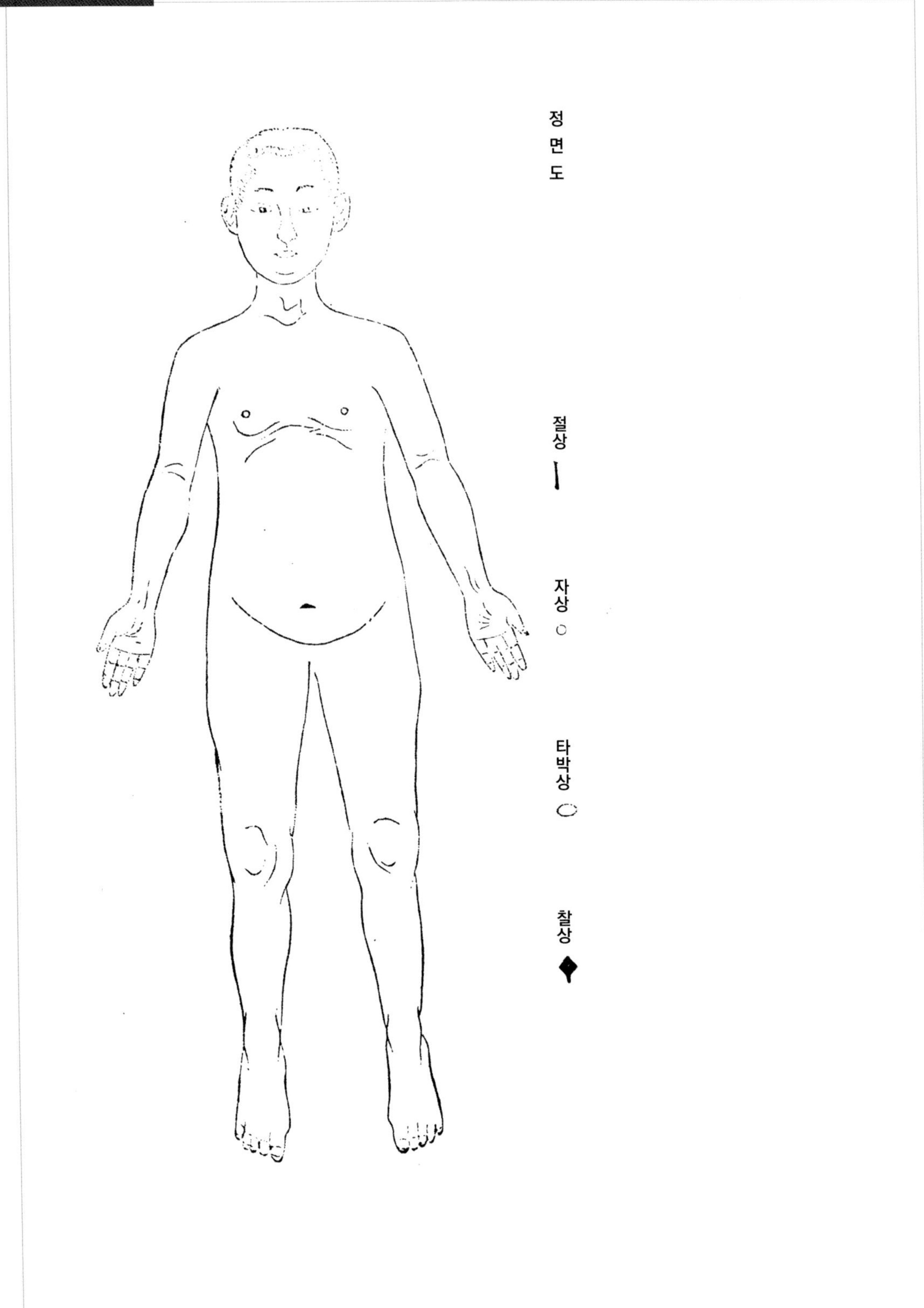
정면도
절상
자상
타박상
찰상

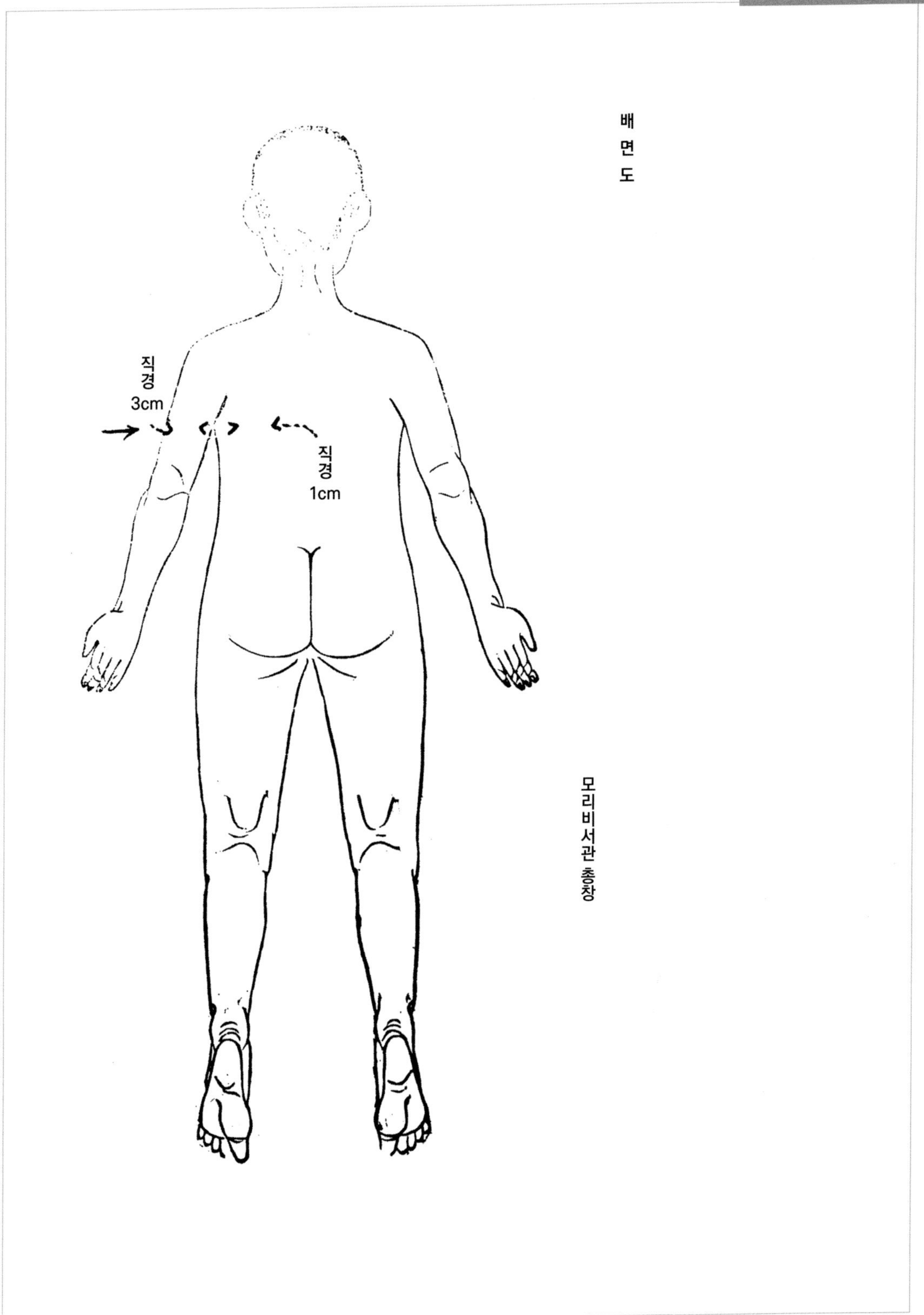
배면도
직경 3cm
직경 1cm
모리비서관 총창

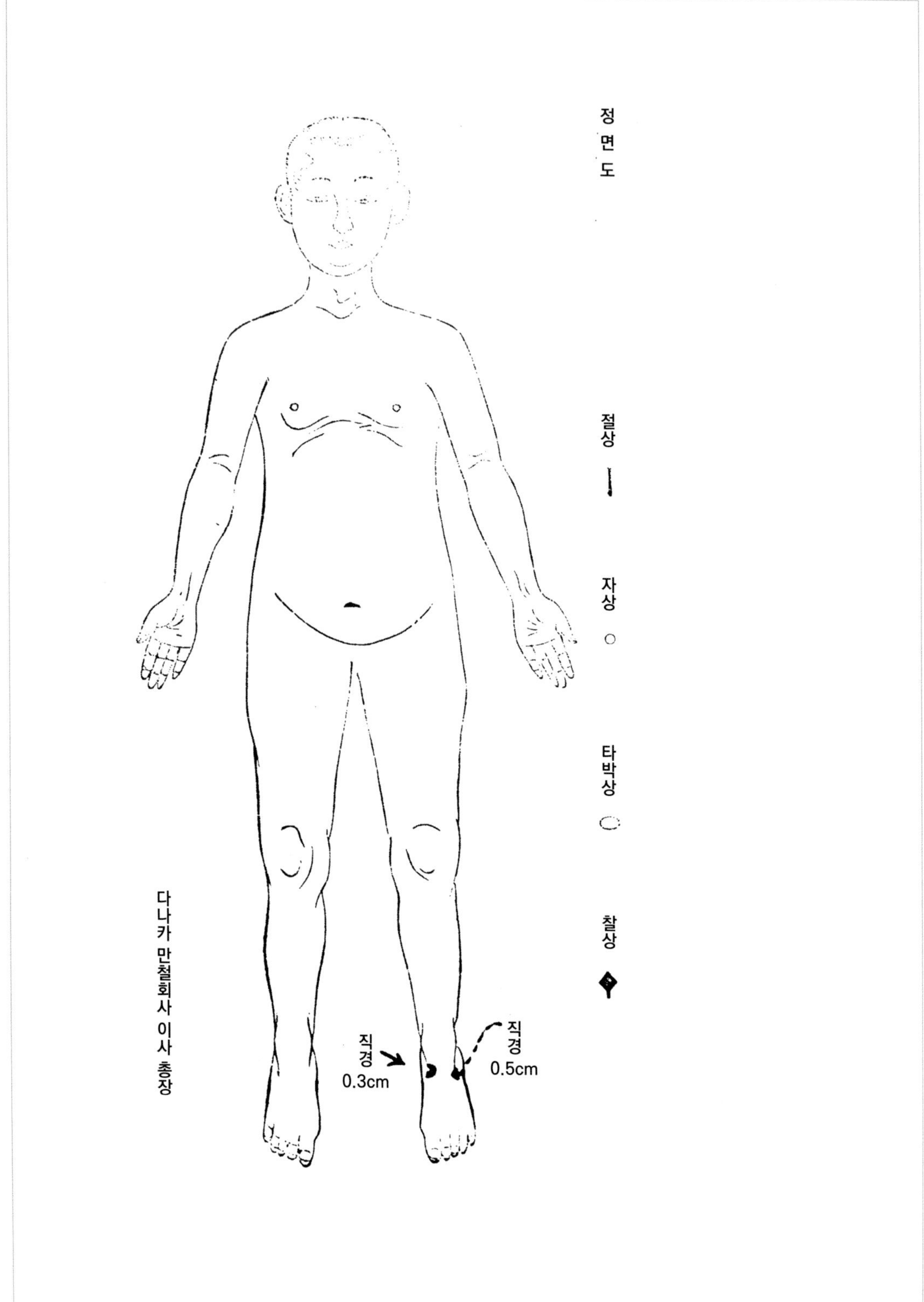
정면도
절상
자상
타박상
찰상
다나카 만철회사 이사 총장
직경
0.3cm
직경
0.5cm

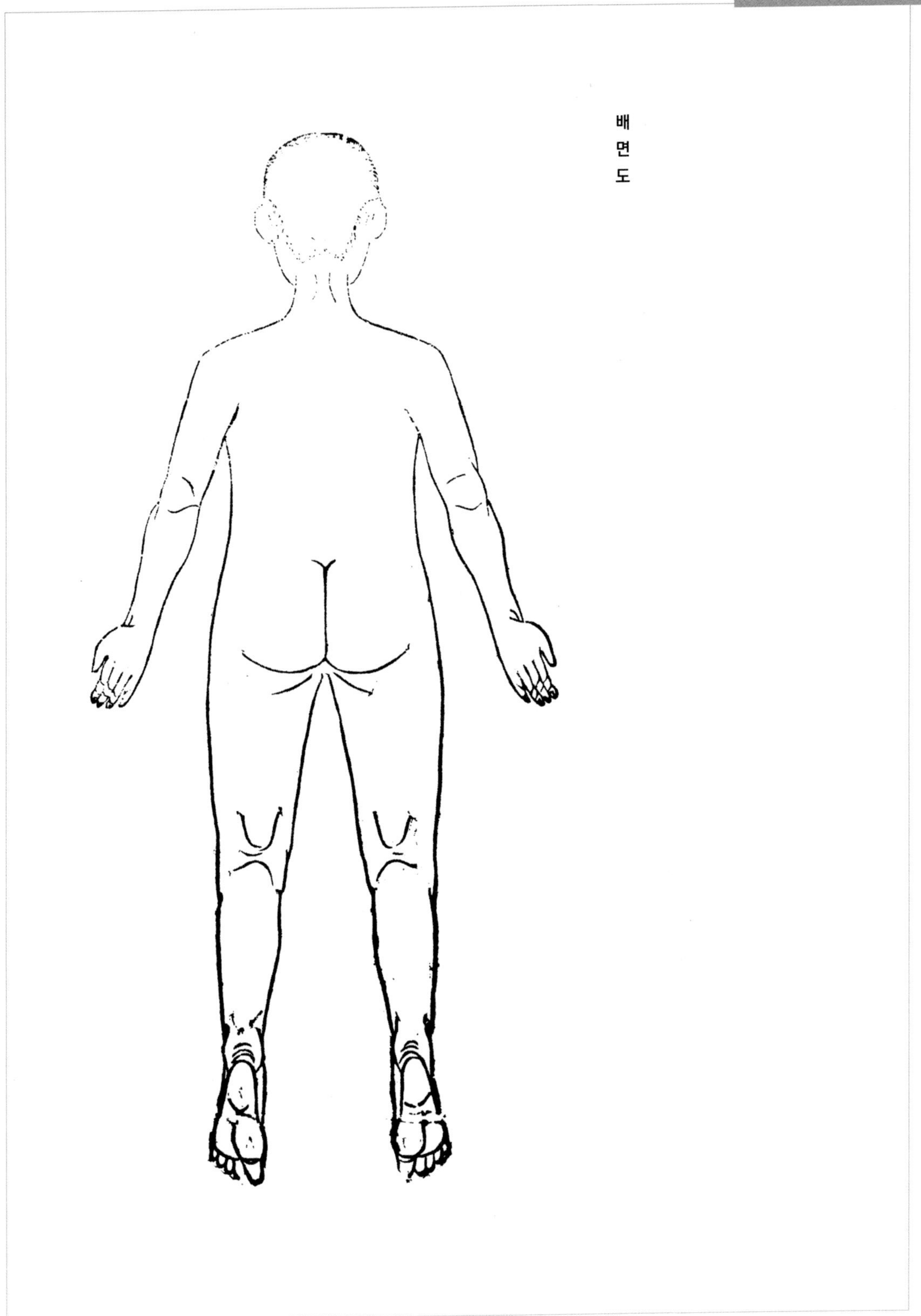
배
면
도

청취서

1 무로다 요시아야 청취서 (1)

안응칠 외 수명의 살인피고사건에 대해 무로다 요시아야(室田義文) 취조에 대해 도쿄(東京)지방재판소 검사정의 촉탁이 있었는 바, 본인이 당관내로 돌아왔으므로 동소(同所)의 이첩에 의해 취조를 한 후 별지와 같이 청취서를 작성하였으므로 회송한다.

1909년(명치 42)년 11월 20일
아카사카관구(赤間關區) 재판소
검사 타무라 코에이(田村光榮)
관동도독부 고등법원
검찰관 미조부치 타카오(溝淵孝雄) 앞

추신 사진 3매는 반환한다.

청 취 서

야마구치현(山口縣) 토요우라군(豊浦郡) 쵸후촌자(長府村字) 8번
귀족원 의원
무로다 요시아야(室田義文)
63세 10월 26일생.

위의 사람이 본직에게 다음과 같이 진술하다.

1. 나는 이토 공작의 만주를 시찰에 대해 단순한 동행자로 동행하였던 것이다. 그리고 내지로부터 공작을 수종한 사람과 동행한 사람은 후루야(古谷) 추밀원의장 비

서관·모리(森)[1] 궁내대신 비서관·테이(鄭)[2] 대사관 2등서기관·마츠키(松木)[3] 육군소좌·궁내성의무국 어용계 고야마 젠(小山善)·구로자와(黑澤)[4] 궁내속(屬)·남만철도주식회사 비서장 타츠이 라이조(龍居賴三)·이토 공작의 수종자 2명.

또 대련에서 동행한 사람은 남만철도회사 총재 나카무라 제코(中村是公)·관동도독부 참사관 오오우치 우시노스케(大內丑之助)·육군참모 야모토(山本)대위.

기타 수십 명이 있었으나 일일이 그 성명을 기억 못한다.

2. 장춘 도착은 10월 25일 오후 7시를 지나, 그곳에서 출발한 것은 같은 날 오후 11시였다. 마중 나온 사람들은 관동도독부 관리·수비대 제공(諸公)직원·재류일본인·청국관리와 병대·러시아 총령사 등 수백 명이며 그 성명은 기억나지 않는다.
3. 하얼빈에 도착은 10월 26일 오전 9시이다. 당시 하얼빈역 「플래이트폼」에는 러시아와 청국의 병대·악대 등이 정렬하였다. 악대는 주악을 울리고 병대는 봉총식을 하고 있는 것을 보았다. 역 밖의 상황은 자세히 모른다.
4. 공작이 하차할 때 환영 나와 있는 피아 관민의 위치는 이 도면에 기재한 바와 다소 다른 점이 있을 것이고 생각한다. 즉, 그림 중에 청국 군대라고 기입한 곳에서는 그 군대를 보지 못했고 청국 군대는 러시아 군대의 왼쪽에 있었다. 러시아 군대 옆에 오른쪽에 러시아 관헌과 외국 영사단이 있었던 것을 보았다.

   (외국영사에게 소개하였으므로 안다) 마중 나온 일본인들은 도면위치 외에 러시아병의 열 뒤에도 약 양측(側)의 위치에 다수 서 있었다고 기억한다.

   이때 본인은 회송한 도면을 보고 진술하였다.
5. 공작의 열차가 하얼빈에 도착하자 러시아 대장대신은 3·4명의 장교를 데리고서 이토공을 맞이하였다. 장교를 열차 밖에 두고 대신이 홀로 열차 내로 들어가 공작을 방문하고 수분 동안 대화를 하였다. 공작은 대신과 함께 하차하였다. 대신은 열차 밖에서 기다리고 있던 러시아 장교를 공작에게 소개하고 이 장교가 앞장섰다. 그 위치는 그 선도자의 뒤 왼쪽에 공작, 오른쪽에 대장대신이 나란히 조금 사이를 두고서 공작과 대신의 사이에 통역 카와카미(川上)총영사, 그 다음에 우리

---

1 모리 타이지로(森泰次郎).
2 테이 에이호(鄭永邦).
3 마츠키 나오스케(松木直亮).
4 구로자와 시게타로(黑澤滋太郎).

수종원 동행자와 러시아 관리 등이 따르고 러시아 관헌 외국대표자가 있는 방향으로 향하여 걸어갔다. 가는 도중에도 앞서 말한 같은 위치를 유지하였다. 그리고 당시 환영단 열에 소란이 일어났던 것은 알아차리지 못했다.

6. 행진 중의 공작과 대신의 위치는 앞서 진술한 대로 나란히 걸었던 것이다. 처음 대신은 공작에게 자기가 명예사령관인 수비대가 각하에게 경의를 표하기 위해 플래이트폼에 정렬하였다며 그 수비대의 열병을 청하였다. 공작은 이에 응하여 대신과 함께 하차하여 외국 영사단이 있는 곳에 이르러 대신의 소개로 각각 악수를 하고 되돌아오는 곳으로 갔던 것이다.

7. 공작이 가는 길은 앞서 진술한 대로 하차한 뒤 러시아 군대 앞을 지나 외국 영사단이 있는 곳에 이르러 되돌아서 러시아 군대가 있는 곳에 이르러 조난당했던 것이다.

   공작이 되돌아온 이유는 일부분의 열병을 끝내고 영사들과 악수를 나누고 또 다른 곳 있는 군대의 열병을 하려고 하였던 것이다. 공작이 북미합중국 영사와 악수를 한 것은 보았지만 그곳 시장 판사 및 시심재판소 검사 「밀레르」라는 사람과 악수하였는지 아닌지는 모른다. 공작이 되돌아와서 환영 열에 동요가 있었음을 보지 못했고 극히 조용하였다.

8. 공작은 앞서 진술한 외교단이 있는 곳에 이르러 악수를 끝마치고 되돌아와서 러시아 군대 앞에 이르렀을 때 홀연 몇 발의 폭죽과 같은 소리를 들었으나 저격자가 있었던 것은 몰랐는데 잠시 있다가 양복을 입은 한 사람의 사나이가 러시아 군대 사이로 몸을 내밀며 권총으로 본인 쪽을 향해 발사하는 것을 보고 비로소 저격자가 있음을 알고 곧 공작 곁으로 달려가 왼쪽 뒤에서 그의 몸을 감싸 안았으나 공작은 이미 부상을 당했다고 했다. 저격 당시의 양상은 이 이외에는 모른다.

9. 저격 당시 러시아 관헌의 동정 대장대신의 태도 등은 자세히 모르며 공작 신변 가까이에 있었던 카와카미(川上) 총영사의 부상조차 몰랐을 정도이다.

10. 공작이 부상을 입었다는 말을 듣자마자 곧 큰 소리로 고야마(小山)의사를 불렀고 그 사람이 달려왔다. 그 전후로 나카무라(中村)만철총재도 왔다. 그 총재는 본인과 반대로 오른쪽 앞쪽에서 공작을 함께 안고 맨 처음 하차한 객차로 갔다. 이때 러시아 관헌 장교·수행원과 일본인 등이 잇따라 달려왔다. 본인은 공작의 모자를 벗기고 손에 든 지팡이를 빼서 이를 수종자에게 주고 공작을 기차 안으로 안아서 옮겨 열차 안에 있는 탁상에 옆으로 눕혔다. 고야마(小山)의사가 혼자

서 치료를 하고 러시아 군대 배속 의사와 일본인으로 하얼빈에 살고 있는 의사 모 등이 이를 도왔다. 그러나 이들 조력자의 성명 연령 주소 등은 모른다.

11. 공작 부상 양상은 앞서 진술 대로이며 그 부상을 본인이 실제로 본 바를 도표로 만들어 제출하였다. 왼팔 두 군데를 관통하고 옷 한 군데를 관통하여 여력으로 폐복부에 명중하였는데 그 탄도는 모두 위쪽에서 아래쪽으로 기울어져 있었다.

이때 이토의 피격도표를 제출하였다.

12. 앞서 진술한 것과 같이 본인이 저격당하는 것을 발견하였을 때 저격자는 오른손에 권총을 쥐고 오른 발을 앞으로 내고 신체를 앞으로 기우리고 있는 것을 보았다. 본인의 외투 아래 부분에 3발의 관통 탄흔과 오른쪽 바지 무릎부위 1발의 관통탄흔과 왼손 새끼손가락에 1발의 탄흔을 입었으나 새끼손가락에 찰과상을 입은 외 다른 신체에 부상을 입지지 않았다. 이것도 도표를 제출하였다.

이때 무로다 요시아야(室田義文) 의복의 탄환 관통도표를 제출하였다.

나의 옆 뒤에 있었던 나카무라(中村) 만철총재는 외투 오른쪽 옷자락과 오른쪽 바지에 관통하여 탄흔을 입었으나 신체에는 부상이 없었다. 카와카미(川上) 총영사는 오른팔을 관통하여 등에 부상을 입고 모리(森) 비서관은 왼쪽 팔(手腕)을 관통하여 왼쪽 흉부에 부상을 입었다. 다나카(田中) 만철이사는 오른쪽 발목에 관통상을 입었으나 이것은 자기 또는 나카무라(中村)에 발사한 탄환이 흘러서 맞은 것이라 생각된다.

13. 앞서 진술한 이외의 사람에게 피해는 없다. 대장대신은 그 후 못 보았으나 귀로에 떠나기 앞서 열차로 와서 공작의 몸에 바짝 붙어 입속으로 무엇인가 외며 자꾸 눈물을 흘리고 또 화환을 증정하겠으니 30분만 발차를 늦추어 달라고 청하였다. 또한 자기는 부득이한 용무가 있어 배웅하지는 못하나 주청러시아 공사·하얼빈 수비대 사령관·동청철도 총재 등을 정부와 자신 대리로 배웅하게 하겠으므로 용무가 있으면 무엇이든 분부해 달라고 말했다.

14. 가해자 체포 때의 상황은 혼잡한 때라 모른다.

15. (사진에 있는 인물은 잘 기억나지 않으나 아마 나를 저격한 남자임에 틀림없다고 생각한다.)[5] 앞에서 진술한 것과 같이 본인이 입은 탄흔은 5발 나카무라(中村) 총재가 입은 탄흔은 2발인데 이 중에는 1발로 2군데를 뚫은 곳도 있을 것이므로 저격자는 적어도 5·6발 쏘았을 것이다. 나중에 들은 바에 의하면 저격자는 7연발의 총을 사용하여 발사하고 1발이 남아 있었다고 한다. 따라서 이 점으로 추찰을 해보면 공작을 저격한 자는 이 사진에 있는 저격자가 아니고 다른 자일 것이라고 생각된다.[6] 하긴 저격자가 공작을 쏘았을 때 다시 총을 바꾸어 쏘았다고 하면 별문제이다.

이때 송부한 사진 3매를 보고 진술하였다.

또 사진의 사나이는 자기를 저격하였을 때 처음으로 한번 본 사람이며 그 후 다시 본 일이 없다.
제시한 별지도면에 공작 하차 후 행진한 방향들을 기입하였으므로 제출한다.
이상의 내용을 읽어 들려주었더니 틀림없음을 승인하고 자서 날인하였다.

무로다 요시아야(室田義文)

1909년(명치42) 11월 20일 아카마카세키구(赤間關區) 재판소에서
검사 타무라 코에이(田村光榮)

---

5 외무성본: ( ).

6 그러나 모리 타이지로(森泰二郞)는 이러한 무로다의 주장을 부정하면서 안중근이 이토를 처단하였음은 분명한 사실이라고 밝혔다(신운용 편역, 「모리 타이지로 청취서」, 『일본인 신문·청취기록』(안중근 자료집 8), (사)안중근평화연구원, 2016, 140쪽). 이외 여러 사람이 이 사실을 증언하고 있다(신운용 편역, 「스기노 호타로 증인 신문조서」, 위의 책, 42쪽; 「다나카 세이지로 증인 신문조서」, 위의 책, 75쪽; 「카와카미 도시히코 증인 신문조서」, 위의 책, 85~87쪽; 「나츠아키 카메이치 증인 신문조서」, 위의 책, 101쪽). 특히 무로다는 자신을 쏜 사람이 안중근임을 확인해 주었다(「무로다 요시아야 청취서 (2)」, 위의 책, 136쪽). 이러한 점에서 이토의 자격자가 안중근이 아니라는 일부의 주장(大野 芳, 『伊藤博文 暗殺事件-闇に葬られた眞犯人』, 式會社新潮社, 2003)은 전혀 근거가 없다고 하겠다.

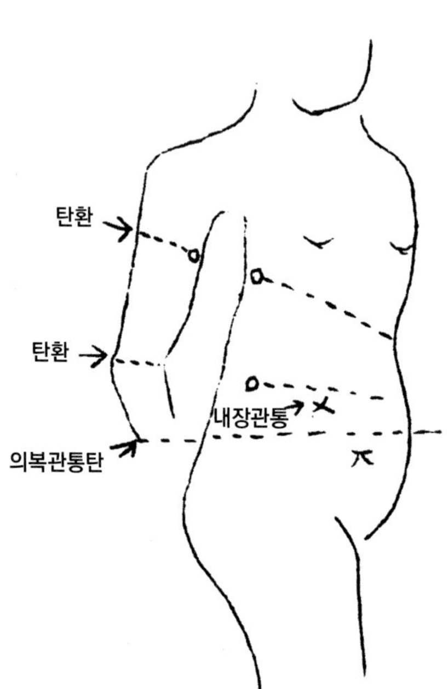

이토공작흔소(痕所) 겨냥도

무로다 요시아야 의복 탄환 관통 겨냥도

검은 점은 오른쪽 앞부분 관통한 곳

1909년 10월 13일(양력 26일) 이토 살해 당시의 하얼빈정거장
러시아군대 관헌대표자 및 제외국군대와 관헌대표자 겨냥도

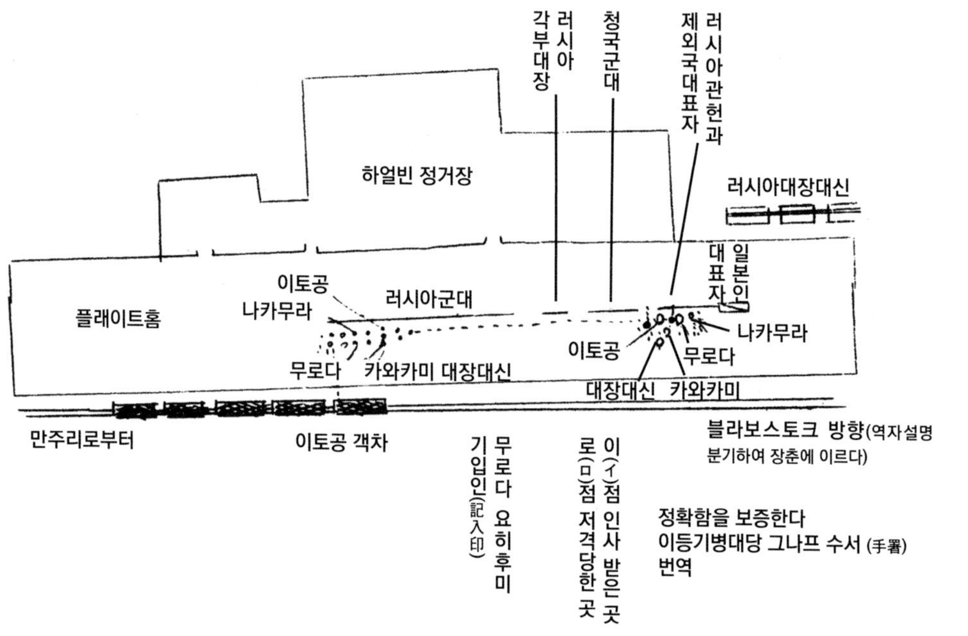

2 무로다 요시아야 청취서 (2)

청취서

도쿄 아카사카구(東京赤坂區) 레이난자카(靈南坂町) 31 쿠스노키(楠木方)

무로다 요시아야(室田義文)

1847년(홍화(弘化) 4년)생

위 사람은 1909년(명치 42년) 12월 16일 피고사건에 대하여 당직의 통지에 따라 임의로 도쿄(東京) 지방 재판소에 검찰국에 출두하여 다음과 같이 진술하였다.

1. 나는 지난번 이토 공작이 만주시찰을 하기 위해 출장하였을 때 수행원으로 갔던 한 사람이다. 장춘 이북으로 갈 때 일본의 경호는 없었다. 이 일에 대해 나는 비서관인 후루야 히사즈나(古谷久綱)에게 들은 바에 의하면 도독부의 관리 모(아마 오오우치(大內) 사무관이라고 생각한다)는 일본관헌의 경호를 신청했으므로 그 뜻을 이토 공작에게 전달하였더니 공작은 타국에 가는데 자국인의 호위는 불필요하다고 하였다. 이로써 경호를 거절하기로 결정하고 「하얼빈」으로 향했다는 것이다. 나는 그 당시는 모르고 있었으나 뒤에 후루야(古谷)로부터 그 이야기를 들었다. 공작이 경호를 거절하였다는 것이다. 하지만 경위를 붙이려고 한 사실이 있었는지 아닌지는 모른다. 그 이외에는 들은 것이 없다. 공작의 의견도 앞서 진술한 대로임은 틀림없다고 생각한 것뿐이고 직접으로는 듣지 못하였다. 하얼빈 제국 총영사가 경호에 관하여 러시아 관헌과 협의한데 실수가 없다고 말했는지 아닌지는 당시에는 전혀 알지 못했다. 카와카미(川上) 총영사는 이전부터 친한 사이였고 사전에 장춘까지 마중 나갔다는 통지를 접했으며 또 숙소 등에 대해 살펴보아 주겠다고 하였는데 접대건은 직접 본인으로부터 그렇게 들었고 또 장춘에서 마중하였다. 하지만 경위에 대한 것은 별로 듣지 못했다.
1. 공작이 조난당한 때에는 카와카미(川上) 총영사가 마침 통역 임무를 맡아 공작과 러시아 장상과 나란히 군대의 전면을 통과할 때에 그 중간 조금 뒤쪽에서 따라가면서 통역하였다. 그런데 돌연 권총 사격을 받고 공작이 당했다고 하였으므로 나

는 놀라 공작이 있는 곳으로 달려갔고 이어서 나카무라(中村) 만철총재도 달려와 나와 두 사람이 먼저 공작을 부축하고 보호하였는데 극히 순간적으로 일어난 일이라 그때 카와카미(川上) 총영사는 어떻게 하고 있었는지도 몰랐다. 기차 안으로 공작을 옮겼을 때 비로소 카와카미(川上) 총영사가 없는 것을 알게 되었다. 그래서 마침 그곳에 있는 사람들에게 물었더니 총상을 입고 곧 현장에서 러시아인의 도움을 받아 러시아 병원으로 실려갔다는 것이었다. 달리 방법도 없는 실정으로 나는 그 총령사의 태도로 보아 추호도 비난할 점은 없다고 생각한다.

1. 이토 공작이 조난을 당하였을 때 처음으로 한 말은 위에서 말한 대로 「당했다」는 한 마디뿐이었다. 나는 달려가 그를 부축하고 "권총이니 염려 없습니다. 정신을 차리십시오"(경험에 의하면 권총 탄환은 쉽사리 상대의 목적대로 맞는 일이 드물다고 한 데 의함)라고 말하고 격려하였던 바 공작은 "상당히 들어갔다 틀렸다"고 하였으므로 곧 기차로 되돌아가자고 나카무라(中村)와도 이야기하고 부축하여 기차로 데리고 가는 도중이었다고 생각된다. 하지만 공작은 어떤 놈이냐고 물었으나 그 순간 나는 흉한이 어떤 사람인지 알지 못하므로 잠자코 대답하지 않았다. 열차 내로 들어가자 공작은 수종자에게 명해 오른쪽 발의 구두를 벗기게 하고 그때까지는 발을 들어 올렸으나 왼발을 벗길 때는 벌써 기력도 없었다. 그리고 의사가 상의 등의 단추를 벗기고 창상을 살펴보았을 때 이미 치명상이라는 것을 한번 보고서 명료하게 되었다. 깨어나게 하는 약이라고 하여 먼저 「브랜디」를 권하기로 되어 첫 번째로 한잔을 권하였던 바 아무렇지 않은 듯이 다 마셨다. 마침 그때였다고 생각되지만 통역이 와서 범인은 한인이며 곧 포박하였다고 고하였더니 공작은 이것을 알아듣고 「바보 같은 놈이다」라고 했다. 이때 한편으로는 주사를 맞히고 5분간 뒤 또 「브랜디」 한 잔을 권하였을 즈음 공작은 벌써 그의 머리를 들지도 못 하였다. 그래서 그대로 마시게 하였으나 1·2분 사이에 그냥 절명하였던 실정이었다.

이상의 진술을 녹취하다.
코쿄(東京)지방재판소 검사 코가 유키노리(古賀行倫)

3 모리 타이지로 청취서

청취서

도쿄시(東京市) 아카사카구(赤坂區) 아오야마미나미정(青山南町)

6정목(丁目) 102번지.

모리 타이지로(森泰二郎)

47세

위의 사람은 안응칠 외 수명의 살인피고사건에 대하여 1909년(명치 42) 11월 15일 아래의 자택에서 임의로 다음의 진술을 하였다.

1. 나는 이토 공작이 만주를 시찰하므로 수행원으로 출장 가라는 명을 궁내성으로부터 받고 공작을 따라 도쿄(東京)에서 함께 온 사람이었다. 내지로부터 온 수행원은 후루야 히사즈나(古谷久綱)·테이 에이호(鄭永邦)·마츠키 나오스케(松木直亮)·무로다 요시아야(室田義文)·고야마 젠(小山善)·구로자와 시게타로타로(黑澤滋太郎) 등이며 그 외에 공작의 종행자(從行者) 오쿠무라 긴지로(奧村金次郎)·고바야시(小林) 모(某)[1]도 있었다. 동행자로서는 남만철도회사 비서역 타츠이 라이조(龍居賴三)가 그 당시 도쿄(東京)에 나와 있어 동행하였던 것이다. 대련 이북의 동행자로서는 나카무라 제코(中村是公)·다나카 세이지로(田中淸次郎) 외에 성명 미상 3명의 남만철도회사의 임원이 있었고 그 외에 관동도독부 민정장관대리 오오우치 우시노스케(大內丑之助)가 동행했다.
1. 위 일행이 장춘에 도착한 것은 올 10월 15일 오후 7시이며 그곳에 마중 나온 주요 인물은 청국 장춘현 도대(道臺) 안세청(顏世淸)이었다. 그 외에 다수의 청국인과 우리 거류인 등이 있었으나 성명은 알 수 없다. 그 날 밤에는 그 도대(道臺)가 우리들의 출발시각으로 정한 오후 11시까지 공작에게 만찬을 제공하겠다는 뜻으로

1 고바야시 세이자부로(小林淸三郎).

청해 왔으므로 일행은 그 연석에 참석하고 그 지정된 시각에 장춘을 출발한 것으로 환송인도 앞서와 같았다고 기억하고 있다.

1. 그로부터 하얼빈에 도착한 것은 다음날 26일 오전 9시 15분경이었다. 그 당시 그 역에는 일행이 탄 객차 전면 「플래이트폼」 안에 러시아 군대가 정렬하고 객차 방면에서 보면 오른쪽에 있는 군대의 오른쪽에 각국 영사등 대표자 한 무리가 서 있고 또 그 오른쪽에 일본 거류민 단체가 서 있어 모두 조용하게 환영의 뜻을 표하고 있었던 것이다. 위 러시아 군대와 외국대표자의 중간에 청국 군대가 나와 있었는지 아닌지 모른다. 그 역 부근에는 별반 밀집된 인가는 없었고 멀리 정거장을 떨어져 인가를 바라본 듯이 기억하고 있다. 그리고 역 부근 장소에는 각 반정(半丁)가량의 거리 간격으로 러시아병사가 1명 가량씩 배치되어 경계 임무를 맡고 있었다. 그 밖에는 이렇다고 할 만한 것이 없다.

1. 제시한 도표는 이토 공작이 하차할 때의 피아 관민이 그 정거장에서 환영한 위치를 명시하여 틀린 데는 없다. 다만 나는 청국군대가 개재하였는지 아닌지 알지 못했던 것은 앞에 진술한 대로이다.

(이때 촉탁서에 첨부된 앞서 제시한 도표를 보였다).

1. 공작이 하차하였을 때 선도했던 사람은 러시아 장상과 카와카미(川上) 총영사이다. 통역은 카와카미(川上)총영사가 담당하였다. 배종자는 나카무라 제코(中村是公)·무로다 요시아야(室田義文)·다나카 세이지로(田中淸次郎)·타츠이 라이조(龍居頼三)·후루야 히사즈나(古谷久綱)·테이 에이호(鄭永邦)·모리 타이지로(森泰二郎) 즉 나의 순서이며 먼저 귀빈차 안으로 들어와서 환영한 러시아 장상과 같이 이토 공작은 하차하여 장상은 왼쪽에 공작은 그 오른쪽에 나란히 줄지어 하차하여 걷기 시작하였다. 그 중간 약간 뒤쪽에 카와카미(川上)총영사가 따라가면서 통역을 하였다. 그리고 앞서 진술한 것과 우리 수종 동행자가 걷기 시작하였던 것이다. 마츠키(松木)·오오우치(大內)·고야마(小山) 등은 나의 뒤쪽에서 따라 왔다고 생각한다. 하지만 혹 다나카(田中) 이하의 순서는 다소 틀린 데가 있는지도 모르며 확실히 기억이 없다. 그리고 그 당시 따로 경호하는 사람은 없었고 러시아 군대 외에 혹은 그 나라 경찰관이 있었는지는 모르나 나로서는 알 수 없었다. 하여간 일본으로부터는 이때 헌병 경찰관 등이 따라가지 않았다. 그리고 하차는 총체적으로 지극히

조용하였고 환영 나온 군중 중에도 아직 그 위치를 흩트리는 따위의 일은 보이지 않았다. 다만 객차가 도착한 순간에 정거장을 향해 왼쪽에서 만세 소리를 들었다고 생각되며 따로 전혀 이상한 점을 알아차리지 못했던 것이다.

1. 앞서 진술한 대로 공작과 러시아 장상은 서로 나란히(공작은 오른쪽에서 걸었다) 장상의 청에 의해 군대의 전면을 통과하여 열병하기로 되어 먼저 정렬한 군대의 왼쪽 끝(단 객차를 기준으로 정거장을 향해 왼쪽이라는 의미이다)으로 나와서 그 부대를 일직선으로 전면을 통과하여 오른쪽 끝에 이르러 열병식을 끝내고 이어 각국 대표자의 단체 전면에 이르러 그곳에 잠시 멈추어 각국 대표자들과 악수를 나누었다. 하지만 일본 거류민 단체 앞으로는 가지 않은 모양이 있었기 때문에 그 단체의 대표자가 앞으로 나와서 공작에게 환영의 인사를 하고 공작도 또한 그 후의에 대해 고마음을 표한 뒤, 서서히 정거장의 출구 쪽으로 향하려고 거류민단 방면에 대해서는 뒤쪽을 보이는 위치가 되자 거류민의 군집이 조금 전보다 동요하기 시작하고 그 일단의 위치는 전환되어 각국 대표자 단체의 전면으로 나와서 그곳에 정지하였는데 그 순간 오로지 그 쪽만 동요가 있었던 것이다.

1. 이토 공작은 앞서 진술한 바와 같이 하차 후 장상과 같이 줄곧 나란히 걸었으며 각국 대표자의 정면에서 우리 거류민 대표자와 응대를 끝내고 정거장 출구로 향해 두 번 러시아 군대의 전면 즉 정거장으로 향해 오른쪽 끝에서 몇 발작을 전진하여 그 군대의 왼쪽 끝으로 향해 걷고 있었다. 그때까지도 거류민단체 쪽은 그 순간 더 동요하고 있었던 것 같이 기억하고 있다. 단 큰 소리를 지르고 시끄럽게 하는 따위는 별로 보지 못 했다. 그리고 환영자의 다른 부분에는 아무런 동요도 없이 시종 조용했던 것이다.

1. 이와 같이 이토 공작은 러시아 군대의 오른쪽 끝에서 왼쪽 끝으로 향해 그 전면을 몇 발작 움직인 순간 돌연 양복을 입고 사냥모를 쓴 사나이 한 사람이 우리 거류민의 전후가 동요한 군집 속에서 나타나서 홀연 공작의 뒤쪽으로 뛰쳐나가 카와카미(川上) 총영사의 오른쪽으로 조금 나가, 나카무라(中村) 남만철도회사 총재의 앞으로 나서 급히 갖고 있던 권총으로 공작의 오른쪽에서 몇 발을 쏘았다. 흰 연기가 나고 공작은 약간 그 체구를 지탱할 수 없는 것 같은 양상이 보였던 순간 수행원 동행자들은 겨우 급변을 알아차리고 공작에게로 달려갔다. 그중에 무로다 요시아야(室田義文)가 맨 먼저 공작의 신변에 닿았고 그 손을 받치고(좌우의 누군가가 한쪽에 있었지만 분명히 기억나지 않음)나카무라(中村)총재도 거의 동시에 공작의

몸을 지지하고 이어 러시아 군인 2·3명이 그 다리와 허리 부근을 잡고 함께 곧 앞서 탑승한 귀빈차 안으로 옮겼다. 공작은 이 저격을 받고 무로다(室田)가 버티어 줄 때 「당했다. 몸속에 상당히 탄환이 들어간 것 같다」고 말했다. 그리고 그대로 눈을 감고 입을 다물고 별 다른 말도 없이 열차 내로 옮겼던 것이다.

1. 공작이 저격당했던 순간에 수행 동행자 중 카와카미(川上)총영사·다나카(田中)만철이사와 나 3명이 함께 탄환에 맞아 카와카미(川上)·다나카(田中) 두 사람은 어느새인지 러시아 군인의 도움을 받아 그곳 병원으로 옮겨져 치료를 받았다고 한다. 또 나카무라 (中村) 총재 무로다 요시아야(室田義文)는 그가 입은 바지에 탄환이 관통한 손상을 입었다고 하여 모두 나중에 그렇게 들었다. 그리고 나는 그 당시 좌견동부(左肩胴部)로부터 우완액하(右腕腋下)로 관통총창을 입었다. 게다가 그 여세로 우완상박부(右腕上膊部)도 관통상을 입었는데 탄환은 「샤쓰」의 바깥 상의 소매 근처에 막혀 있었던 것을 뒤에 발견하였다. 그 탄환은 나중에 치료를 받았을 때 어디에선가 분실한 것으로 보인다.

   이상 흉행자는 단 한 사람의 사나이였음은 틀림없다고 생각한다. 그 탄환이 어찌하여 앞서 진술한 것과 같이 수종 동행자에게도 명중하였는지는 순간적인 일이기 대문에 전혀 모르겠다. 무로다(室田)는 나중에 그는 명중한 수가 많기 때문에 혹은 동요한 거류민단 속에 또 달리 권총을 난사한 자가 있을 것이라고 하였다. 하지만 현장에서는 그러한 자를 볼 수 없었던 것이다. 실제 공작을 저격한 탄환은 그 당시 공작 신변에 모인 우리들 수종 동행자의 신체 또는 의복에 맞았던 것이라 생각한다.

1. 이 흉행자는 즉시 현장에서 러시아 군인에게 붙잡혀 2·3의 군인은 그 흉행자를 땅 위에 누르고 주먹으로 마구 때리는 것을 보았지만 우리들은 공작의 보호 치료 등이 급했기 때문에 계속 귀빈차 안에 들어갔으므로 그 뒤의 상황은 보지 못했다. 또 나중에 들었지만 흉기인 권총은 곧 빼앗았으며 또 그 사람의 바지 주머니에 들어 있던 예리한 단도 한 자루도 빼앗았다고 한다. 내가 객차로 들어가기까지 그 흉행자는 한 마디도 하지 않았고 기타 환영 군중 중에서도 소요하는 양상은 별로 보지 못했고 도리어 그 급변에 놀란 일동은 아무런 말도 나오지 않은 모양이었으며 또 그 순간 대다수의 사람은 무슨 진기한 일이 생겼는지 알아차린 사람은 거의 없었던 것 같이 생각하고 있다. 나는 한국어 또는 러시아어를 몰라도 어떻든 그 순간에는 군중 속에 별다른 소요가 있었다고는 보지 않고 있다.

또한 그 순간에 러시아 대장대신은 어떠한 태도였느냐는 분명히 기억하지 못한다. 혹은 공작이 객차 안으로 옮겨진 후 곧바로 열차 밖에서 열차 내의 상황을 엿보았을 것으로 생각되지만 이 또한 분명히 말하기 어렵다.

1. 우리들은 앞서 진술한 대로 급히 공작의 신변을 따라 객차 안으로 들어가 혼잡을 막기 위해 다른 사람이 들어오는 것을 금지하고 오로지 공작의 간호와 치료에 유의하였으므로 그 뒤 정거장 내의 양상은 보지 못했다. 그런데 우리 거류민단 중에는 의사가 있었다고 보이며 그중에서 나리타 쥬로(成田十郞)·모리(森) 모(某)(연령은 40세 가량으로 보였다) 그 외에 30세 전후의 의사(성명미상)가 곧 문안을 왔다.
하기야 공작은 열차차 내로 들어가자마자 곧바로 고야마(小山)의사가 주가 되어 공작을 옆으로 누이고 외투 조끼 등을 벗기고 상처를 살펴보고서 주사를 놓고 수종자에 명하여 작은 술잔으로 「브랜디」 한 잔을 공작에게 권하였던 바, 공작은 일시 흥분하여 누가 쏘았느냐 누가 상처를 입었느냐고 물었으므로 후루야(古谷) 무로다(室田) 두 사람 중 한 사람이 흉행자는 한인이며 곧 붙잡았고 또 카와카미(川上)·다나카(田中)·모리(森) 3명이 부상하였다고 대답했더니 그 말을 알아들은 것 같이 보였으며 그 사이에 다시 같은 양의 「브랜디」를 권하여 마시게 하고 이어서 세잔째 권하였을 때는 이미 절명하였다. 따라서 조난 후 15분 후 인사불성에 빠지고 또 15분 후에는 완전히 절명한 것이 사실이다.
이와 같이 공작은 고야마(小山)가 주가 되어 치료하고 있었으므로 거류민 가운데 의사들은 고야마(小山)의 조수가 되어 응급조치를 하였던 것이다. 또 한편으로는 곧 나의 상처에도 응급치료를 해서 임시로 붕대를 매주었다. 마침 공작이 절명한 후 곧 러시아 측에서 하얼빈 병원장 모 동청철도회사의 러시아인 의사 1명(성명미상)이 문안을 왔으나 공작이 죽은 뒤이므로 하는 수 없이 나의 상처를 보고 병원에 입원할 것을 권하였다. 하지만 그때는 이미 객차를 장춘으로 되돌릴 절차가 끝나고 있어 20분 내로 발차하게 되었다. 그러므로 나는 사절하였더니 동청철도의 러시아인 의사가 열차의 문에서 곧 제대로 붕대를 메어 치료를 해 주었다.
러시아 장상은 객차 출발 전에 열차 내에 보였는데 정중한 위로의 말을 하고 또 화환을 바치고 싶은데 30분 내면 될 것이니 그 사이 발차를 연기해 달라고 간청하였기 때문에 이를 승낙하고 정중한 화환을 받자마자 곧바로 발차하여 장춘으로 향하였던 것이다.

1. 이토 공작의 부상은 고야마(小山)가 열차 내에서 의복을 벗겼을 때 나는 다만 그

일부인 배꼽 밑을 관통하여 내장으로 들어간 것으로 보이는 상처를 보았을 뿐이다. 그곳에서 출혈하는 것을 보았으나 다른 것은 보지 못했다. 다른 데 두 곳의 총창이 있었다고 나중에 들었다. 하나는 오른쪽 어깨로부터 폐를 관통하고 또 하나는 오른쪽 팔꿈치 관절을 꺾고 오른쪽 폐로부터 복부로 들어갔다는 것이다.

1. 동행자 중 카와카미(川上) 총영사와 다나카 세이지로(田中清次郎)는 현장에서 러시아군인이 돌보아주고 병원으로 데리고 가서 치료하였으므로 나는 그들의 상처는 보지 못했다. 나카무라 제코(中村是公)은 바지(오른 발의 흑절(黑節)이라고 속칭하는 부근)에 관통한 손괴를 남기고 무로다 요시아야(室田義文)는 그의 좌우 어느 한 쪽은 무릎관절 앞 부분 바지를 관통한 한 군데 훼손에 그쳤다고 했다.

   나의 부상은 앞서 진술한 바와 같이 왼쪽 어깨 가슴 부분으로부터 오른쪽 겨드랑이 아래로 관통하여 동시에 오른쪽 팔 윗부분(上膊)을 관통한 창상이다. 동시에 그들 부위에 해당하는 양복을 관통하여 「샤쓰」「흰 샤쓰」「조끼」 상의에 이르기까지 그 국부에는 어느 것이고 핏자국이 남은 것을 지금도 그대로 자택에 소장하고 있다. 그런데 위와 같이 응급치료를 받고 동청철도의 러시아 의사에게 간호를 받으며 장춘에 도착하여 그곳에서 거류민 의사 모(某)의 간호부 1명의 보호를 받고 대련으로 나왔다. 하기야 도중 대석교(大石橋)에서 대련 병원장이 마중하였다. 그의 치료를 받고 다음날 27일 오전 10시 반 대련에 도착하여 곧 대련병원에 입원하여 치료를 받고 다음날 28일에 아키츠시마함(秋津洲艦)에 올라 함내에서 고야마(小山)의 진료를 받고 이번 달 1일 도쿄에 도착함과 동시에 일본 적십자사병원에 입원하여 부원장 츠루다(鶴田)박사의 치료를 받고 지난 11일 퇴원하였다. 그러나 왼쪽 어깨에서 오른쪽 겨드랑이 아래로 관통한 상처가 아직 치유되지 않아 자댁에서 정양가료(靜養加療) 중이다. 의사가 옥외운동을 하지 말라고 하는 실정이므로 오늘은 검사국의 소환에도 응하지 못하였던 것이다.

   단지 나의 창상은 의사는 기능장해를 남길 우려는 없다고 하며 지금부터 1주간만 경과하면 외출할 수 있을 것이라고 하였다.

1. 이상으로 조난 당시의 상태로서는 별로 이렇다고 할 생각나는 사항은 없다. 흉행자는 곧 러시아 군인에게 잡히고 다른 연루자라고 인정되는 자도 그 당시에는 없었으므로 그 이상의 위해를 받은 사람이 없고 러시아 장상은 현장 조난 때 무사하였음에는 틀림없다. 하지만 그 난을 어떻게 면했는지를 모르겠다. 그가 공작 절명 후 열차 내에 들어와서 정중한 조의를 표하고 또 화환을 바친 것만은 알고 있

으며 그 밖에는 보거나 들은 바가 없다.

1. 흉행자를 체포한 당시의 상황은 앞서 진술한 이외 나는 모릅니다. 그리고 그 범인은 제시된 사진의 인물과 조금도 틀림없음을 증언한다. 당시 그 사람은 양복을 입고 그 위에 외투를 입고 사냥모를 썼으며 얼굴색은 창백하고 신장은 보통 일본인과 같다고 할 것으로 격별히 큰 편은 아니고 엷은 수염이 있다. 한번 보면 일본의 장사(壯士)와 배우(俳優)처럼 보이는 체격이며 연령은 34·35세로 보였다. 현장에서 그가 공작을 사격하였을 때 그의 얼굴을 돌아보는 순간 그도 또한 나를 본 일이 있다. 그때 그의 얼굴을 보고 무서운 얼굴을 하고 있었던 것을 지금도 기억하고 있다. 그 사진은 그 당시의 눈보다는 좀 큰 것 같이 생각되지만 코와 입의 언저리는 그 당시의 상태 그대로이다.

(이때 촉탁서와 첨부한 사진을 보였다)

1. 먼저 보인 도표는 당시의 배렬상태와 조금도 차이가 없다. 나는 며칠 전에 자택에서 당시의 정거장 내에 있던 환영자의 배치, 공작일행, 흉행자가 들어와서 저격한 순간의 위치 등 약도를 작성해 두었으므로 참고로 제출하겠다.

(그때 도면 2매를 제출하였으므로 이를 본서에 첨철(添綴)한다는 뜻을 알렸던 바, 본인도 승낙하고 돌려주지 않아도 된다고 하였다)

이상의 내용의 진술을 그곳에서 기록하여 이를 읽어 들려준 바 그 진술에 틀림없음을 승낙하고 아래에 서명 날인하다.
그날 현장에서
출장 중에 본서를 작성하다. 따라서 소속관서의 도장을 날인하지 못한다.

도쿄지방법원 재판소 검사 코가 유키노리(古賀行倫) 인(印)
진술인 모리 타이지로(森泰二郎) 인(印)

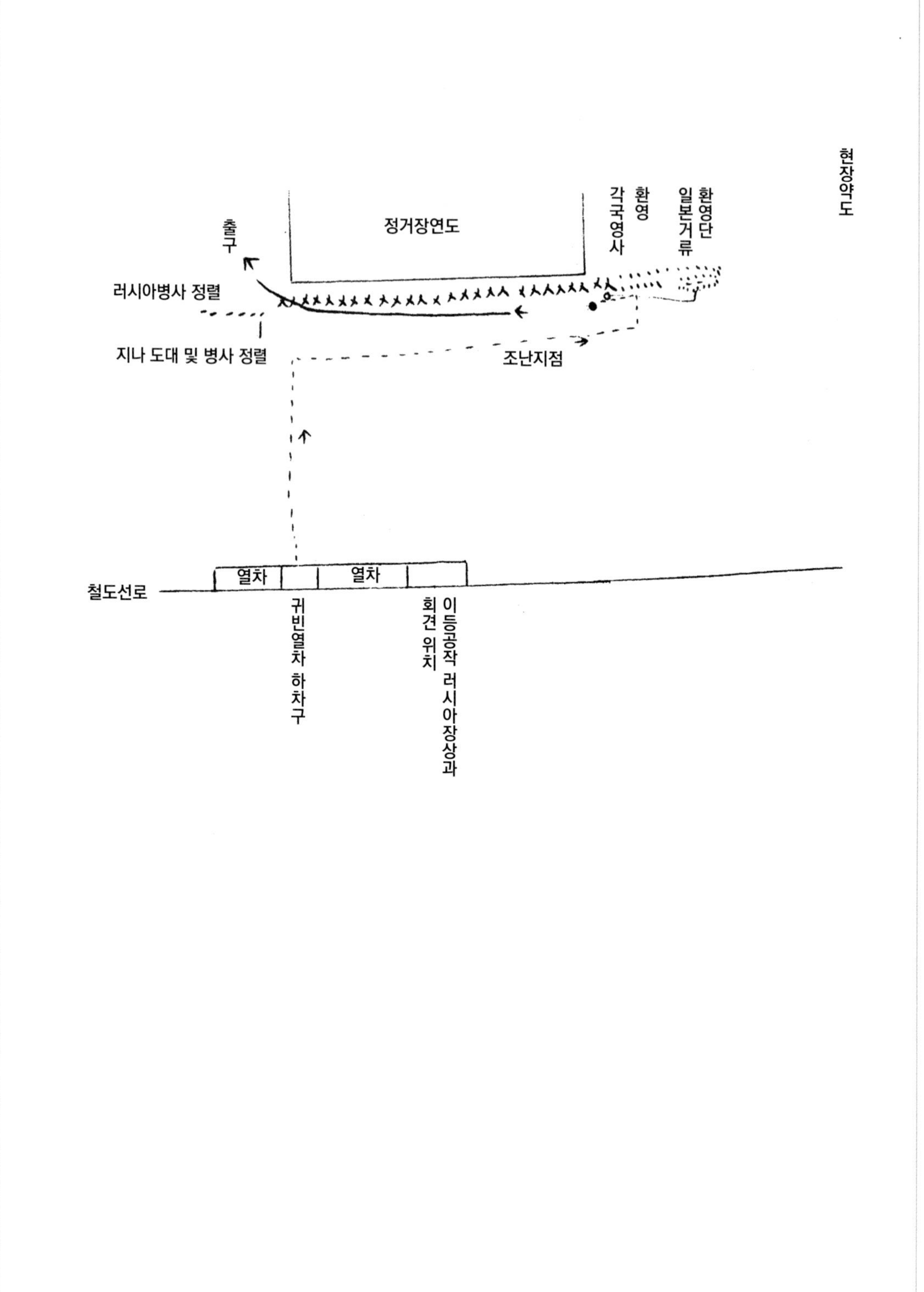
현장약도
환영단
일본거류
환영
각국영사
정거장연도
출구
러시아병사 정렬
지나 도대 및 병사 정렬
조난지점
철도선로
열차
열차
귀빈열차 하차구
이등공작 러시아장상과
회견 위치

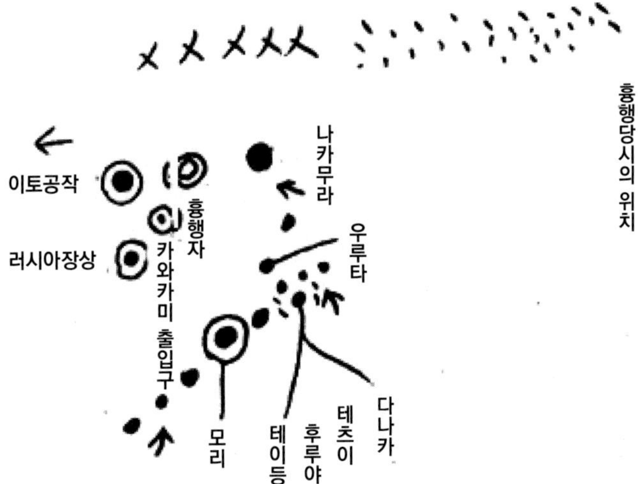

흉행당시의 위치

4 오니시 하츠 청취서 (1)

청취서

동(東)제2구 제25호

초음(初音)여관 오니시(大西はつ) 하츠

위의 사람은 자신의 집에 지난달 26일 투숙한 한국인 정대호 혐의사건에 대해 아래와 같이 공술하였다.

1. 지난 달 26일 오후 6시 정대호·그의 형 정서우·실모 정(鄭) 2명, 처 정량(鄭良) 씨·누이 정호(鄭鎬) 씨 5명이 투숙하여 다음날 오전 5시 30분발 기차로 하얼빈으로 향해 출발하였다.
1. 본인 등의 거동
   본인 등은 하물이 많고 전혀 수상한 점이 없었으며 보통여객 취급을 하여 러시아 돈 25루블 지폐를 잔돈으로 교환하였을 뿐이다. 일본어는 잘 하였다. 26일 밤 내가 이토 공작이 장춘에 온다는 이야기 따위를 하였지만 본인 등은 아무 말도 하지 않았다. 이토공이 하얼빈으로 향해 출발하고 다음날 아침 정대호 일행도 하얼빈으로 향해 떠났으므로 전후의 상황에서 보아도 수상하게는 생각되지 않는다.
1. 본인 등이 출발하였을 때는 정거장까지 배웅을 하였으므로 우리들은 조금도 수상하게 여기지 않았다.

이상의 내용을 녹취하여 읽어 들려주었더니 그 공술에 틀림이 없음을 승인하지만 필(筆)로 도장(印)도 없으므로 대신 서명하여 날인하도록 하다.
1909년(명치 42) 11월

장춘경무서에서
경부 타니야마 쓰네시(谷山常志)
공술인 오니시 하츠(大西はつ)

5 오니시 하츠 청취서 (2)

청취서

원적 오오사카부(大阪府) 미시마군(三島郡) 후쿠이대촌 후쿠이(福井村大字福井) 번지 미상, 평민.

당시 장춘시(長春市) 동이구(東二區) 호지(号地)[1] 여관업 초음관(初音館)

오니시 하츠(大西ハツ)

1876년 (명치 9년) 12월생

위의 자는 당관에 출두하여 본직에게 아래와 같이 공술을 하였다.

1. 한국인 정대호(鄭大鎬) 정서우(鄭瑞雨) 2명과 그 가족으로 노부인 1명과 처로 보이는 젊은 부인이 2명과 어린아이 4명의 일행이 10월 26일 오후 6시 기차의 도착과 동시에 우리 여관에 와서 묶었다.
1. 그 숙박장의 사본은 별지와 같다.

문 이 사진 2매의 사람들이 26일 묵었음이 틀림없는가.

(이때 사진을 보이다.)

답 틀림없다. 콧수염을 한 사람은 일본어를 잘 하여 처음에는 일본인으로 생각하였다.

1. 노부인은 정대호 이 사람의 어머니로 그와 부인 두 사람은 처들이라고 한다.

---

1 5호.

이상의 내용을 녹취하여 들려주었더니 그 공술이 틀림없다는 뜻을 진술하였으나 자서할 수 없어 대서하여 날인시켰다.

명치 42년 11월 6월

장춘영사관에서
검찰사무취급 후지요시 조요부(藤吉常與武) 인(印)
오니시 하츠 인(印)

초음여관 숙박인명부

객실	3	동	7	동	동
투숙월일	26일 오후 6시	동	동	동	동
출발월일	27일오전 5시 30분	동	동	동	동
전야숙박장소	봉천(奉天)	동	동	동	동
행선지	수분하(綏芬河)	동	동	동	동
용건	물건을 사기 위해	동	동	동	동
본적및현주소	한국경성남대문 길림 수분하	동	동	동	동
직업	청국 세관서기	형	가속	동	동
씨명	정대호	정서우	정우씨	정양씨	정호씨
생년월일	26세	30세	61세	24세	25세

6 고니시 오토야 청취서

청취서

고니시 오토야(小西音哉)

위의 사람은 자신의 호텔에 지난달 13일 오후 6시 하얼빈에서 장춘으로 와 투숙한 한국인 정대호의 거동에 관해 당서(當署)에 출장하여 다음과 같이 공술하였다.

장춘(長春)동(東)제7구 1호지(號地)
야마토옥(屋) 호텔

1. 지난달 13일 오후 6시 정차장에서 도보로 와서 단신 투숙하고 다음날 오전 8시 30분발 기차로 봉천(奉天)으로 향해 출발하였다.
1. 거동
   그 사람은 투숙 후 외출도 하지 않았는데 전혀 수상한 점이 없었다. 다만 귀국할 것이라는 말을 하였다.
1. 그 사람은 14일 아침 한국 진남포 세관 앞으로 타전하였다. 그 문의(文意)는 「지금 출발한다」는 것이다. 다른 의심할 만할 점은 전혀 발견되지 않았다.

이상 녹취하여 읽어서 들려 주었는 바 틀림 없다는 점을 인정하여 서명날인하도록 하였다.

1909년(명치 42) 11월
장춘(長春)경무서에서
경부 타니야마 조시(谷山常志)

공술인 고니시 오토야(小西音哉)

청취서

구마모토현(熊本縣) 호타쿠군(飽託郡) 시라츠보촌자(白坪井村字) 신토가와라(新土河原) 494번지
당시 하얼빈 프리스카니 프레와야가 12호지(号地) 세탁업 에자키 카츠타로(江崎勝太郎) 내연처 평민
후루바 와키(古場ワキ)
34세

위의 자는 안응칠(安應七)·우연준(禹連俊)·조도선(曺道先)·유강로(柳江露)·정대호(鄭大鎬)·김성옥(金成玉)·김형재(金衡在)·탁공규(卓公圭)·김려수(金麗水)·장수명(張首明)·김택신(金澤信)·홍시준(洪時濬)·이진옥(李珍玉)·방사첨(方士瞻)·정서우(鄭瑞雨)·김배근(金培根)에 대한 살인피고사건에 대해 하얼빈 일본제국 총영사관에서 본직의 앞에 출두하여 아래와 같이 진술을 하였다.

1. 지난 10월 26일 이토 공작이 이곳 하얼빈에 왔으므로 나는 그날 아침 정거장에 환영하러 갔다. 아직 기차가 도착하지 않았으므로 1등 대합실에 갔더니 그곳의 음식점 러시아인 지배인이 쉬면서 몸을 녹이라고 하여 의자를 달라고 하였다. 그때 러시아 중위 또는 소위로 생각되는 코가 크고 얼굴이 긴 34·35세 정도의 장교가 부인을 데리고 와 있었다. 그 부인이 나에게 준 의자에 앉았으므로 나는 불쾌한 사람이라고 생각하고 있는 가운데 기차가 도착하였다. 그래서 늦지 않도록 「플래이트폼」으로 나갔는데 그때 출구에 하늘색 옷을 입은 일본 부인이 둘이서 나란히 서 있었다. 그 외에 부근에는 아무도 없었다.
   나는 「플래이트폼」으로 나가 왼쪽에 있는 일본인단 쪽으로 갔다. 그때 양복에 행으로 단추가 얇고 더러운 양복을 입고서 「카라」도 분명히 달지 않았던 것 같이 생각되는 사냥모를 쓴 연령이 12·13세 정도의 일본인으로 보이는 남자가 이토 공작이 하차한 쪽으로 곧바로 갔다. 그 남자는 길고 넓적한 얼굴을 하고서 뒤쪽에서 보았더니 뒷머리가 눌린 것 같이 넓적하였고 수염도 나지 않았다. 그리고 두 손은 「주머니」에 넣고서 달려갔다.
2. 내가 있었던 곳에서는 이토 공작이 하차하는 것은 보이지 않았지만 앞에서 말한

남자가 러시아 장교 등이 줄지어 있는 쪽으로 갔다. 그와 동시에 그쪽에서 폭죽과 같은 소리가 났으므로 점차 사람들이 소란을 피우기 시작하였으므로 나는 지금 난 소리가 총 소리라고 생각하였다. 그래서 빨리 돌아가려고 생각하고 대합실을 지나 정거장 밖으로 나왔더니 총영사 카와카미(川上) 씨가 러시아 장교가 뒤에서 손을 잡고서 잘 돌봐주고 있었다.

피고 안응칠의 사진을 보고서

3. 이 사람이 입고 있는 옷은 두터운 것 같은데 내가 정거장에서 본 이토 씨가 하차하였을 때 달려간 사람은 접은 깃이 나부끼는 얇은 옷을 입고 있었다. 분명히 이 사진 속의 사람은 아니다.

안응칠을 제외한 피고 일동의 사진 중에서 이진옥의 사진을 꺼내

4. 이 사람은 시카타(志方)이라는 의사의 집에서 본 것 같이 생각된다. 이외의 사람은 정거장 또는 그 외의 곳에서 본적이 없다.

후루바 와키(古場ワキ)

이상의 내용을 녹취하여 읽어 들려주었더니 틀림없음을 승낙하고서 자서하였다.
1909년(명치 42) 11월 7일
앞서 언급한 총영사관에서
단, 출장 중이므로 소속관서의 도장을 못 사용하다.

관동도독부지방법원
서기 기시다 아이분(岸田愛文)
고등법원검찰관 미조부치 타카오(溝淵孝雄)

8 요시미 호시치 청취서

청취서

봉천(奉天)철도부속지 서탑대가 1정목 6호(西塔大街一丁目六号) 여인숙영업 카하 여관

요시미 호시치(吉見保七)

28세

위 한인 정대호(鄭大鎬)외 1명 살인피고사건에 대해 본직 앞에서 다음과 같이 진술하였다.

1. 정대호는 올 8월 26일 장춘(長春)으로부터 봉천(奉天)으로 와서 투숙하였다. 다음날인 27일 오전 7시 안동현(安東縣)으로 출발하였다. 그리고 이번 달 14일 오후 5시 장춘으로부터 봉천에 왔다.
   투숙 다음날인 15일 오전 7시 안동현으로 출발하였다. 그리고 8월 26일 투숙하였을 때 하얼빈 청국세관 정대호라고 스스로 써주었던 것이다.
1. 지난달 25일 오후 7시 앞서 진술한 정대호는 원적 길림성 수분하인(吉林省綏芬河人) 현재 하얼빈세관서기 26세라고 하였다. 투숙하였을 그때에는 원적은 위와 같고, 정서우(鄭瑞雨) 30세 이외 50여세의 노부인 1명, 30세전후의 부인 2명 8세, 6세, 4세, 2세의 아이들 4명 일행 7명이 숙박하였다. 이들은 다음날 26일 오전 8시 길림으로 출발하였다.
1. 지금 보인 정대호와 정서우의 사진은 바로 나의 여관에 투숙한 사람들임에 틀림없다.

이상의 내용을 필록(筆錄)하여 읽어 들려준 바, 틀림없다는 진술을 하여 아래에 본직과 함께 서명날인하려고 하였으나 그 사람은 도장을 지참하지 않아 엄지손가락으로 찍게 하였다.

요시미 호시치(吉見保七) 무인(拇印)

1909년(명치 42) 11월 7일

봉천 경무서에서

경부 오오히토 타시치타(大仁田市太) 인(印)

시말서

1 요시미 호시치 시말서

시말서

올 10월 25일 오후 7시 초하구(草河口)에서 숙박하여 다음날 오전 8시 길림성으로 출발한 한국인 원적 길림성 수분하세관 서기 정대호(26세)·정서우(30세)이외, 여자 3명 중 연령 58·9세의 사람은 두 사람의 모친이고 그와 2명은 처로 보였다. 그 외에 나이 8세·6세·4세 정도의 남자 아이와 2세 정도의 여자아이 4명은 성명을 알 수 없어 누락될 염려가 있으므로 명령에 받고서 시말서를 제출한다.

1909년(명치 42) 11월 7일
봉천 서탑대가 1정목 6호(奉天西塔大街一丁目第六号)
카하 여관 요시미 호시치(吉見保七) 인(印)

봉천경무서장
경시 사사키 사다치(佐々木貞七) 전(殿)

日本人 訊問·聽取記錄

日本語本

訊問調書

一　江崎勝太郎 證人 訊問調書

証人 訊問調書

証人 江崎勝太郎

右安應七、禹連俊、曹道先[1]、柳江露、鄭大鎬、金成玉、金衡在、卓公圭、金麗水、張首明、金澤信、洪時濬、李珍玉、方士瞻、鄭瑞雨、金培根ニ對スル殺人被告事件ニ付明治四十二年十一月五日哈爾賓日本帝國總領事館ニ於テ檢察官溝淵孝雄書記岸田愛文列席
檢察官ハ証人ニ對シ訊問スルコト左ノ如シ

問　氏名年齡身分職業住所ハ如何
答　氏名ハ 江崎勝太郎
　　年齡ハ 三十一歲
　　身分ハ 平民
　　職業ハ 洗濯業
　　住所ハ 哈爾賓ポレワヤ街十三号

問　被告人ト親屬後見人被后見人雇人同居人抔ノ關係ハナキヤ
答　アリマセヌ

問　十月廿六日停車場ヘ伊藤公來着ニ付キ歡迎ニ行キタカ
答　妻ヲ連レテ午前九時頃參リマシタ

問　停車場ヘ行キテ何處ニ居タカ
答　停車場ニ行キテ一抔改札口カラブラットホーム[2]ヘ出マシタ

1　曺道先。
2　プラットホーム。

問　其時其方ノ服裝ハ如何

答　私ハフロクコ-トニ山高帽ヲ被テ行キマシタ其時花田半三郎モ一所ニ行キマシタ

問　花田ハ如何ナル服裝デアツタカ

答　同人モフロクコ-トニ憲兵ノ被ル樣ナ帽ヲ被テ居リマシタ

問　ブラツトホームヘハ右ニ申シタ三人一所ニ出タカ

答　三人一所ニホームヘ出マシテ一端露國ノ大藏大臣ノ汽車ノ前ニ居ル日本人團ノ居ル所ヘ行キマシタカ私ハ停車場ノ右ノ方ニアル便所ヘ用足シニ行キ出マシタ時伊藤サンハ早下車シテ居リマシタカラ馳セテ支那人ノ兵ノ居タ所迠行キマシタ

問　其支那兵ノ后ノ辺ニハ人カ居タカ

答　露國ノ普通人民ガ五六名居リマシタ

問　支那ノ樂隊ノ后ロカ

答　樂隊ハ日本人團ノ方ヘ寄ツテ居リマシタ

問　其方ガ便所ヘ行キタルブラツトホームノ道筋ニ日本人カ朝鮮人ハ居ラナンタカ

答　私カ便所ヘ行ク時一等改札口ノ入口ノ所ニ韓國人カ一人居リマシタ外ニ五六間離レテ日本ノ女カ紅色紋付ノ衣類ヲ着テ居リマシタ私ノ便所カラ歸リニハ其人ガ居タカドウカ氣ガ付キマセナンダ

問　其韓國人ハ如何ナル服裝デアツタカ

答　普通ノ洋服デ外套ヲ着テ鳥打帽子ヲ着テ居リマシタ

問　露國兵ハ何處ニ居タカ

答　各國領事ノ居ル所カラ少シ離レタ所ニ居リマシタ又各國領事ノ居ル所ニ露國ノ士官ガ五六人居リマシタ

問　其所ニ風体ノ怪シキ者ハ居ラナンダカ

答　夫レハ氣ガ付キマセヌ私ガ便所カラ歸ル時ポンポント音カシマシタ

問　其音ヲ聞イタノハ何處カ

答　露國ノ士官ノ居ル所ノ后ヘ來タ時デシタ其時伊藤サンノ通行シテ居ラレタ所ニ當ツテ人ガ倒レル様子ガ帽子ノ模様ニ依ツテ考ヘラレマシタ

問　伊藤サンハ夫レカラ如何ニシタカ

答　露國ノ士官ガ澤山集マツテ來マシタカラ私ハ短銃デ撃ツタノデアロウト思ヒ聲ヲ立テテ日本人團ノ方ヘ走ツテ行キマシタ

問　伊藤サンノ撃タレタ時外ニモ怪俄[3]ヲシタ人ガアツタカ

答　日本人デ背ノ余リ高クナイ人モ撃タレタトノ事デアリマシタ然シ私ガ見タ時其人ハ立ツテ居リマシタ

問　如何ナル者ガ短銃ヲ撃ツタカ知ラヌカ

答　夫レヲ知リマセヌ

問　當館ノ領事ハ如何ニシテ居タカ

答　領事サンノ姿ハ私ハ見マセナンダ

問　伊藤サンヲ撃ツタ下手人ヲ捕ヘル所ヲ見サリシヤ

答　見マセヌ

問　プラットホームヘ出ル前待合室ニ風体ノ怪シイ者ハ見サリシカ

答　私ハ見マセヌモ私ノ妻ノ申ス處ニ依レハ伊藤サンノ汽車ガ着クト間モナク一等待合室ノ中ニ在ル飲食店ノ中カラ廿二三歳ノ男デ顔ノ平タイ背ノ高クナイ者ガ

3　怪我。

ブラットホームノ方ヘ走ツテ出タノヲ見タト申シマシタ

問　其者ハ如何ナル風体ヲシテ居タト聞イタカ
答　折襟ノ兩釦ヲ付ケタ人デ日本人見タ様ナ人デアルト申シマシタ

問　其者ハ飲食店デ食事ヲシテ居タカ
答　夫レハ知リマセヌガ露國ノ士官デ妻ヲ連レテ來テ居ル人ト話ヲシテ居タト申シテ居リマシタ其露國ノ士官ハ背ノ餘リ大キクナイ人デアルト申シマシタ

問　此者ハ見覺ヘハナキカ

此時被告安重根ノ寫眞ヲ示ス

答　知リマセヌ

証人 江崎勝太郎

右讀聞セタルニ相違ナキ事ヲ承諾シ自署セリ
卽日前記場所ニ於テ
但出張先ニ係ルヲ以テ所屬官署ノ印ヲ用フル能ハス

關東都督府地方法院
書記　岸田愛文
高等法院檢察官　溝淵孝雄

古谷久綱 證人 訊問調書

証人 訊問調書

証人 古谷久綱

右安應七、禹連俊、曹道先、[1]柳江露、鄭大鎬、金成玉、金衡在、卓公圭、金麗水、張首明、金澤信、洪時濬、李珍玉、方士瞻、鄭瑞雨、金培根ニ對スル殺人被告事件ニ付キ明治四十二年十月廿七日關東都督府高等法院検察官溝淵孝雄書記竹内靜衛列席
検察官ハ證人ニ對シ訊問ヲ為スルコト左ノ如シ

問　氏名年齡身分職業住所如何
答　氏名ハ 古谷久綱
　　年齡ハ 三十六歲
　　身分ハ 平民
　　職業ハ 官吏
　　住所ハ 東京市赤坂區 檜町二番地

問　被告人ト親族同居人後見人被後見人ノ關係ナキヤ
答　何ノ關係モアリマセヌ

問　今回伊藤公爵ノ滿洲巡視ニ付テ証人ハ隨行セラレシヤ
答　私ハ式武官トシテ滿洲ヘ出張仰付ケラレマシタカ大臣ヨリ御話ニテ伊藤公爵ノ御付ヲセヨトノ命令デアリマシタ

問　隨行員ハ誰々ナリシヤ
答　森宮內大臣秘書官、小山侍醫療御用掛、黑澤宮內屬ハ宮內省ヨリ鄭大使館二

1　曺道先。

等書記官ハ外務省ヨリ參謀本部員松木陸軍少佐ハ陸軍ヨリ出張ヲ命セラレマシタ是等ガ皆伊藤公爵ニ随行ヲ命セラレタノデス而シテ馬關ヨリ室田貴族院議長カ仝行シ他ニ公爵ノ從者小林淸三郎ト奥村金之助委細者ノ二名デス尙ホ此一行接待ノ爲メ南滿鐵道會社秘書官長龍居頼三ガ大連ヨリ始終同行シテ居マシタ

問　大連ヨリノ同行者如何

答　長春ヨリノ者ハ判然シテ居リマス夫レハ中村總裁田中理事露語通譯庄司鐘五郎 滿鐵會社秘書等都督府ノ大内事務官等デス尙ホ哈爾賓ヨリ川上總領事ガ長春迠出迎ヘ居リ仝行致シマシタ

問　何時哈爾賓ニ到着セラレシヤ

答　本月廿六日午前九時デス(露國標準時ニテ)

問　哈爾賓ニ於テ公爵ハ負傷セラレシヤ

答　其通リデス

問　其時ノ模様ハ如何

答　午前九時汽車ガ哈爾賓ニ着車スルヤ偶ニ同地ニ出張セシ露國大藏大臣ココツチエフ氏ハ公爵出迎ノ爲ニ停車場ニ來リ公爵ノ列車室内ニ入リ歡迎ノ辭ヲ述ヘラレマシタ其處ニ居タ者ハ中村、室田、私、鄭、川上總領事デシタ通譯ハ川上總領事ガ致シマシタ公爵ト大臣ハ懇談セラレタ末大臣ハ公爵ヲ其日ノ夕餐ヲ列車内ニ於ケ極小人數ニテ饗應シタシト云ハレ公爵ハ之ヲ快諾セラレマシタ話終リ下車セラレントスルニ先チ大臣ハ公爵ニ向テ自分ハ鐵道守備等ニ充テ居ル護境軍團ノ名譽軍團長ナルヨリ公爵ニ敬意ヲ表スル爲メ部下ノ軍隊ヲ停車場内ニ整列セシメタレハ之ヲ檢閲セシコトヲ求メラレタル處公爵ハ非常ナル光榮トシテ快諾セラレ大臣ト相前後シテプラツトホ1ームニ出ラレ其處ニ待テ居タル露國官憲ニ挨拶セラレ向シテ多數ノ露國文武官及随行員等一同ヲ從ヘラレ大臣ト相並テ立ツ先ニ立テ軍隊ニ檢閲セラレ夫レヨリ日本人外國人ノ一團ノ前ヲ通過セラレ最端ナル外國領事ニ挨拶セラレ夫レヨリ引返シテ四五歩進マレマシタ其處ハ恰モ日本人外國人團ト露國軍隊トノ間ノ少ク空隙ノアル處テシタ公爵ガ其處迠來ラレマスト其空隙ノ處ヘ一人ノ散髮ニテ洋服ヲ着シタル男ガヒヨロヒヨロ顯ハレ手ニピストルヲ持チ公爵ヲ目懸ケテ慥カ三發ヲ續ケ擊チ次テ三發許リ隨行ノ一團ニ向ケ發射シマシタ其時公爵ト兇行者トノ距離ハ僅カ一間[2]カ一間以內位デ在タト思ヒマス

此時負傷セラシハ[3]公爵ヲ始メトシテ田中、川上總領事デス其外中ニ村室田ハ外套及ズボンヲ彈丸貫通シテ居タノヲ後ニ發見シマシタガ負傷ハアリマセヌデシタ

問　兇行者ハ整列團ヨリ前ニ進ンテ出タカ

答　兇行者ハ腕ヲ延ハシテ公爵ヲ擊チマシタ公爵ハ擊タレナガラ尙幾步カヲ進マレマシタ夫レテ兇行者ハ續ヒテ擊ツタノデ其時ハ列ヨリ少ク前ニ出テ居タト思ヒマス

問　兇行者ノ人相ハ如何

答　年齡三十歲デ鬚ガ在ツタト思ヒマス背廣ノ洋服デ一見職人風ノ男デシタ

問　負傷後公爵ハ如何セラレシヤ

答　公爵ハ直ク擊タレタト云ハレマシタカラ私ハ其側ニ進ミ左樣ノ事ハアリマスマイト云ヒマスト公爵ハナニ擊タレタ彈丸ガ大分入タ樣ダト云ハレマシタカラ外套ヲ調ヘマスト銃丸ノ痕跡ヲ發見シマシタカラ驚ヒテ中村總裁室田等ト共ニ抱キナカラ汽車內ノ元ノ室ニ入レ小山醫師ハ直チニ手当ヲ致シマシタガ漸ニ御弱リニナリマシタ公爵ハ誰カ擊ツタカト御尋ネニナリマシタガ其時ハ未ダ何人ナルカ分ラヌ時デシタカラ未ダ捕マヘラレタト申上ゲマシタ其中公爵ハウンウント聲ヲ出サレ且ツモウイカヌト云ハレマシタ而シテ小山醫師モ此上見込ガナヒト云ヒマスカラ私ハ直チニ領事館ニ行キ總理大臣及公爵夫人ニ公爵負傷生命覺束ナシトノ電報ヲ發シ歸テ見マスト公爵ハ既ニ絶命サレテ居ラレマシタ側ニ居タ者

2　約 1.97m。
3　セラレシハ。

ニ聞キマスレハ十時ニ薨去サレタトノ事デ負傷後三十分間許リデアリマシタ

問　犯人ノ員數共謀者氏名等ニ付テ他ヨリ聞入マレタル等ノ事ナキヤ

答　公爵薨去後遺骸ヲ一通リ始末シ室内ヲ清メテ仝時ニ一方ニハ中村總裁ト隨行員ト協議ノ結果一刻モ早ク哈爾賓ヲ出立センカ爲メ列車ヲ引返スヘク總裁ヨリ東清鐵道會社ニ交渉シテ其承諾ヲ得マシタ依テ隨行員ヨリ大藏大臣ニ再ビ列車ニ來リ公爵ニ對シ最後ノ別カレヲ致サレンコトヲ希望セシニ大臣ハ快諾シテ直チニ來ラレ誠意熱心ニ續々弔詞ヲ述ヘラレタル後ニ犯人ノ事ニ關シ左ノ通リ陳述サレマシタ同大臣ノ云ハルルニハ露國警察ニ於テ只今迠審問シタル結果ニヨレハ右犯人ハ韓國人ニシテ浦潮ヨリ昨夜當地ニ來リ一夜ヲ停車場附ニ過コシタル者ニテ兇行ノ目的ハ伊藤公爵ノ爲メニ韓國ハ政治上ノ名譽ヲ汚カサレタルカ故ニ公ヲ害シテ幾分カ其名譽ヲ回復セント欲シタルナリ一個人トシテハ公爵ニ對シ何等ノ恨ミナシ但自分ノ朋友ハ公爵ノ爲メニ重刑ニ處セラレタル者數名アリ自分ハ何レノ政黨ニモ關係無シ其兇行ハ全ク獨斷ニシテ何人トモ共謀セスト称シ居レ其言ノ信スルニ足ラサルハ昨夜遅ク當地ヨリ數里南方ノ停車場ニ於テ偶ニ怪シキ三人ノ韓人ヲ捕ヘタルニ何レモピストルヲ所持シ居タリトノ報ニ接シタル事アリ(中略)尚ホ同犯人ハカトリツク教徒ニシテ身ニ十字架ヲ付ケ檢事ノ前ニ引出サレタル際活キテ其目的ヲ達シタルヲ上帝ニ感謝セリ兇行者ノ姓名ハ既ニ明瞭シ居レトモ自分ハ記憶セスト

右大藏大臣ノ談話ノ他ニハ自分ハ何モ聞入ンタ事ハアリマセヌ
證人ハ現場略圖ヲ自書シ提出セルヲ以テ之ヲ本調書ノ末尾ニ添附ス

證人 古谷久綱 印

右讀聞ケタル處無相違旨申立自署捺印ス
明治四十二年十月廿七日御大連ヤマトホテル内
但出張先ナルヲ以テ所屬官署ノ印ヲ押捺スル能ハス

書記　　　竹内靜衛
高等法院検察官　　溝淵孝雄

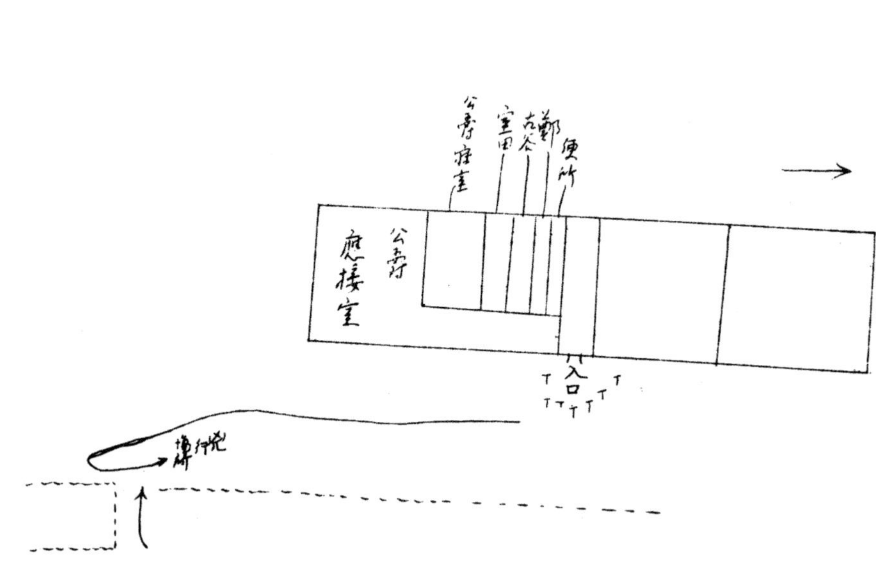
公爵寝室
室田
古谷
鄭
便所
公爵
応接室
入口

三 古澤幸吉 證人 訊問調書

証人 訊問調書

証人 古澤幸吉

右安應七、禹連俊、曹道先[1]、柳江露、鄭大鎬、金成玉、洪時濬、李珍玉、方士瞻、金衡在、卓公圭、金麗水、張首明、金澤信 鄭瑞雨、金培根ニ對スル殺人被告事件ニ付キ明治四十二年十一月九日哈爾賓日本帝國總領事館ニ於テ檢察官溝淵孝雄書記岸田愛文列席
檢察官ハ證人ニ對シ訊問スルコト左ノ如シ

問　氏名年齡身分職業住所ハ如何
答　氏名ハ 古澤幸吉
　　年齡ハ 三十六歲
　　身分ハ 士族
　　職業ハ 領事館通譯生
　　住所ハ 哈爾賓日本總領事館

問　右被告人ト親屬、後見人、被后見人、雇人、同居人等ノ關係ナキヤ
答　其關係ハアリマセヌ

問　証人ハ何年頃カラ當地ニ居ラルルヤ
答　明治四十年四月當總領事館開館ト同時ニ露語通譯生トシテ當地ニ來リテ在勤シテ居リマス

問　領事館ニ於テ韓國民ヲ日本人同様ニ取扱フ事ニ付本省ヨリ訓令アリシヤ
答　私ガ當館ヘ來ル前浦潮領事館ニ在勤中其訓令ガアリマシタ當領事館ニモ韓

1　曺道先。

國人取扱ニ關シ韓語ノ通譯任用方ヲ本省申送リタルモ其地ニテ便宜ニ雇入ルヘシトノ事デ豫算モ回附ニナツテ居リマスニモ適任者ナキ爲メ未タ雇入レノ運ヒニ爲ツテ居リマセヌ

問　韓人取扱ノ本省ノ訓令ニ基キ當總領事館ニ於テ特別ニ韓國人ニ對シ取扱ヲ爲シタルコトアリシヤ

答　曾テ當館ニ於テ韓國民會ノ組織ヲ爲サシメ會長ヲ選ミ凡テ在留韓人ニ對スル身分ノ取調ヲ爲シ得ル權利ヲ与ヘ一面其異動等ハ領事館ヘ屆出ヲ爲サシムル事ニシテアリマシタガ由來當地ハ露國派ノ韓人ト日本派ノ韓人トアリ其間互ニ面白カラズ中頃黃道河子ニ居ル朴ト云フ者ガ民會長ニ爲ラン事ヲ欲シ其當時ノ會長排斥運動ニ着手シタル終ニ其競爭ハ成立セサリシモ其當時ノ會長ハ就職シ其後露國派ノ韓人勢力ヲ占メ浦潮ヨリモ同派ニ屬スル韓人入込ミ日本派ニ反對シタル爲メ右ノ民会ハ終ニメチヤメチヤニ爲ツタト聞キマシタ私ハ韓國人ニ關スル取扱ニハ余リ關係ガアリマセヌノデ委敷事ハ判リマセヌ

問　民會長ノ候補ヲ運動シタル朴ト云フ者ハ露派ノ者ナリシカ

答　同人ハ日本派ノ者デ只會長タランコトヲ欲シテ競爭シタルニ過キサリシ樣聞イテ居リマス

問　當領事館ヘ韓國民會ヨリ韓人ノ居留人員其氏名職業等ヲ記シタル名簿ヲ差出シアルヤ

答　初メ領事館ガ關係シテ民會ヲ設立シタル時ニ其會長カラ名簿ヲ差出シタル事ハアリマシタガ其後韓人ノ異動又ハ名簿ノ樣ナ者デ差出シタル事ハナイ樣子デス

問　當地ニ居ル韓人中親露派親日派等ノ區別ハ判明シ居ルヤ

答　前ニ領事館カラ選ンダ會長ノ下ニ居ル者ハ皆親日派デアリマシタガ隨分親露派モ澤山アルノテ[2]私ハ其區別ハ充分判リマセヌ

2　アルノテ。

問　其中尤モ注意的ノ人物ガアルカ
答　當地ノ學校ニ關係シテ居ル金衡在、金成玉、金成白杯ハ尤モ注意人物デアリマス

問　親日派ノ韓民會長時代ニ韓人ニ對シ特ニ日本人同樣ニ取扱ヲナシタル事アリシカ
答　其時ノ會長ハ領事館ヘモ來タ事ガアリマシタルモ取扱上ノ事ハ充分知リマセヌ

問　當地ノ日本居留民會ト韓國人トノ間ニ於テ互ニ反目シテ居ル樣ナ模樣ハアラサルヤ
答　目立ツテ仲ノ悪イ樣ナ模樣ハアリマセヌ

問　日韓人ノ間ニ平素出入ヲ爲シ居ルヤ
答　韓國人ハ多クハ煙草卷ノ樣ナ職人デスカラ日本人ガ深ク交際又ハ出入シテ居ル樣ナ事モ聞キマセヌ

問　金成白ハ露國ヘ歸化シテ居ルト申立ツルガ果シテ然ルヤ
答　其事ハ知リマセヌ

問　現在韓國民會ノ者ハ親露派ノ者ナルヤ
答　浦潮方面ハ概シテ親露派デ當地ノ韓民モ其系統デスカラ皆親露派デアリマス

問　當地韓民會ハ露國ニ於テ保護シテ居ルヤ又宗敎ニ入レハ特別ノ待遇ヲスルトノ事ナルガ夫レハ何宗カ
答　浦潮方面デハ其事ヲ耳ニシマシタガ當地デハ其樣ナ事ハ聞キマセヌ

問　概シテ當地ノ親日派ノ韓國人ハ勢力ノナキ方ナルヤ
答　左樣デアリマス

問　伊藤公爵來着ノ事ガ判明シタル時領事館ニ於テ韓國人ノ如何ナル黨派ニ屬シ

テ居ルヤハ取調ブレハ判明スル筈ナルガ其辺ノ事ニ付キ何ガ考ヘガアリシカ

答　以前小村外務大臣ノ來哈セラレタル時モ何事モアリマセナンダカラ今回モ領事館トシテハ 別ニ何ノ考モナカリシ事ト思ヒマス

問　公爵歡迎ニ付露國側ノ計劃ハ聞キタルヤ

答　露國側カラハ歡迎ニ關スル順序ヲ記シタル書面類ヲ送リ來リテ公爵ノ承諾ヲ得テ具レトノ事デアリマシタカラ其由ヲ旅順ニ居ラレタ伊藤公ノ方ヘ電報ニテ申送リ承諾ヲ得マシタ

問　日本人ノ歡迎順序ハ定メアリシヤ

答　夫レモ取極メテ豫メ公爵ノ承諾ヲ得マシタ

問　韓人ノ歡迎ニ付テハ如何

答　別ニ韓人ニ付テハ聞込シタル事ハアリマセヌ只二三ノ韓人ガ加入シテ居ツタ位デス

問　伊藤方事方士瞻及ヒ李珍玉ハ何派ノ者ナルヤ

答　何派ニ屬シテ居ルカ知リマセヌガ平素日本人ト交際ヲシテ居ル様デス

問　伊藤公來哈ニ付テハ固ヨリ變災ノ事ハ豫知セサリシヲ以テ警護ノ方法ハ講セサリシヤ

答　警察ノ方テハ多少其辺ノ準備ハ出來テ居ツタデアロウト思ヒマス
又是迠貴族ノ來哈ニ付テハ露國官憲ニ於テ警衛シテ具ルルノガ例ニ爲ツテ居リマス

問　停車場ノ出入ニ付韓國人ノ取締法ハ定メアラサリシヤ

答　夫レハ定メテアリマセナンダ

問　露國側カラ停車場ノ取締ニ干シ[3]切符制度ヲ設クル事ノ交涉アリシヤ
答　其交涉ガアリマシタ然シ當總領事ニ於テハ露國人側ハ兎モ角日本人ニ對シテハ切符ヲ出ス事ハ止メテ貰ヒタイト申込ンダ趣ヲ聞キマシタ

問　韓國人ト日本人トハ見分ガ出來兼ヌルガ其辺ノ事ハ如何ニスル様聞キタルヤ
答　當時其辺ノ事マテハ思ヒ及バサリシモノト見ヘ何等ノ考案モナカツタ様ニ思ヒマス

問　露國側ニ於テハ自國民ニ對シ停車場ニ入ルニハ切符ヲ出ス事ニ定メタ通知アリシヤ
答　其通知ガアリマシタ而シテ露國人ハ切符ガナケレバ停車場ニ入レヌ事ニシテ居リマシタ

問　韓國人ト日本人トヲ區別スル事ニ付キ總領事ヨリ何カ話ガアリシヤ
答　其事ハ聞キマセナンダ

問　公爵來着ノ時間迫リタル時プラトツホーム[4]又ハ待合室ノ內外ニ何カ様子ノ変ツタ事ハナカリシヤ
答　日本人ハ着車ヨリ三十分前ニ停車[5]ニ行ク事ニ爲ツテ居リマシタノデ私モ三十分前位ニ停車場ヘ行キマシタガ平素ヨリ多ク露國ノ憲兵杯ヲ配置シテアリマシタ又露國人ノブラトツホーム[6]ヘ這入レヌ者ハ露國大藏大臣ノ特別車ノ後ノ方ニ當ル柵外ニ澤山立ツテ居リマシタ其外別ニ変ツタ模様ハ見受ケマセナンダ

問　其時待合室ノ中ニ人ガ澤山集合シ居リタルヤ
答　平素ヨリハ澤山ニ人ガ居リマシタ前ニ露國大藏大臣ノ來着セラレタル時ハ待

3　關シ。
4　プラトツホーム。
5　停車場。
6　プラトツホーム。

合室ノ外部デ入場者ノ切符ヲ改メテ居リマシタガ伊藤公來着ノ節露國側デハ何處デ切符ヲ調ヘテ居タカ知リマセナンダ

問　三等ノ待合室カラプラトツホーム[7]ヘ出ル口ハ締メテアリシカ
答　其出口ハ締メテ出入ガ出來ヌ様ニ爲ツテ居リマシタ

問　日本人歡迎團ノ居ル處ハ豫メ定メアリシヤ
答　豫メ定メテハアリマセヌ臨機大藏大臣ノ客車前ニ定メタノテアリマス

問　日本人團ノ中央ニ大藏大臣ガ客車カラ出テ來ル道ヲ開ケテ居リタルヤ
答　通行路ハ開ケテハ居リマセナンダ別ニ通路ヲ開ケル必要ナク日本人團ノ後ハ廣ロウ御座リマシタカラ大藏大臣ハ後ロヲ自由ニ通シマス現ニ大藏大臣ハ日本人團ノ前ヲ通ツタ事ハアリマセナンダカラ後ロノ方ヲ通行セラレタ事ト思フテ居リマス日本人團ノ前ヲ伊藤公ノ列車ノ方ヘ向ツテ東淸鐵道ノ副總裁「ウエン、チエル」ト云フ人ガ一人通行シタ丈ケデアリマス

問　伊藤公爵ハ日本人歡迎團ノ所ヘモ挨拶ニ來ル打合ハセニ爲リ居リシヤ
答　來ル事ニ爲ツテ居リマシタ其時ハ日本人團カラ公ノ萬歲ヲ唱ヘル筈デアリマシタ

問　伊藤公來着ノ朝停車場及其內外ニ護衛兵ハ平素ヨリ多ク配置セラレテ居リタルヤ
答　目立ツ程澤山ニハ居リマセナンダ然シ驛ノ外部ニハ澤山ノ護衛兵ガ居ツタ様ニ思ヒマス

問　プラトツホーム[8]ニ整列シテ居ツタ歡迎團ノ順序ハ如何

7　プラトツホーム。
8　プラトツホーム。

答　ブラトツホーム[9]ノ左ノ端ニ右ニ申シマシタ通リ日本團ガ居リマシテ其右手ニ清國軍隊ガ整列シテ其ノ右ニ各國ノ代表者ガ一塊ニ爲ツテ居リテ少シ前方ニ突キ出テ居リマシタカラ私ノ居ツタ所カラ露國軍隊ノ居ル所ハ見ヘマセナンダ然シ公爵ノ客車ハ見ヘテ居リマシタ公ノ客車ハ昇降口ハ一等待合室ノ出入口ト相對シタ所ニ着シテ居リマシタ

問　証人ハ公爵ガ下車セラルル所ヲ見タカ

答　見マシタ下車シテ公爵ハ我等ノ居ル方ヘ向ツテ進マレマシタガ間モナク各國代表者ノ一團ニ姿ガ隱レテ見ヘヌ様ニ爲リマシタ

問　公爵ガ降車セラレタ順序ハ如何

答　第一番ニ露國大藏大臣續イテ「ウエンチエル」其次ニ伊藤公爵ガ下車セラレタ様ニ思ヒマス

問　伊藤公爵ハ外套ヲ着テ居ラレタルヤ

答　下車ノ時ハ外套ヲ着テ居ツタカドウカ氣ガ付キマセナンダガ狙撃セラレテ車中ニ運ビ入レラルル時ハ確カ外套ハ着テ居ラサリシ様思ヒマス

問　公爵ガ下車シテ其後ノ模様ハ如何

答　公爵ガ下車スル同時ニ樂隊ガ奏樂ヲ初メマシタガ公爵ハ外交團ノ所マデ來ラレテ轉回シテ引返サレタ様ニ見ヘマシタガ其時バチバチト音ガ致シマシタ私ハ爆竹カト思ヒマシタガ其時ブラトツホームデ倒レ懸ケテ手ヲ突イタ人ガ一人アリマシタ尙ホ夫レト殆ント同時ニ線路ノ中ヘ倒レタ人ガアツタノヲ見マシタ後デ聞キマスレハ線路ヘ倒レタ人ハ露國ノ民政長官「アサナシーブ」ト云フ人デ又ホームヘ手ヲ突イタ人ハ當時私ハ「ヲヲミーン」ト云フ外國人カト思フテ居リマシタガ全ク田中理事デアツタトノ事デス

夫レカラ私ハ日本人ガ騷グノヲ制止シテ置イテ公爵ノ所ヘ行カント致シマシタ

9　プラトツホーム。

ガ澤山ノ人デ寄リ付ク事ガ出來マセナンダカラ人ノ後ヲ廻ハツテ一等待合室ノ出入口ノ所ヘ來マシタ時公爵ヲ客車中ヘ抱キ入ルルノヲ見マシタ
其時公爵ハ顔色ガ惡ウ御座リマシタ而シテ左ノ手ニ金ノ頭ノ付イタ黑イ長イ「ステツキ」ヲ持ツテ居リマシタガ目ハ据ツテ居ツタト思ヒマス

問　其時森ト云フ人モ負傷シタ事ヲ知ツテ居ルヤ
答　私ハ森ノ事ハ知リマセヌ然シ其時川上總領事モ居リマセナンダカラ搜シテ居リマシタレハ川上サンモ負傷シテ病院ヘ行キテ居ルト聞キマシタカラ直ク病院ヘ行キマシタレハ田中ト云フ人モ負傷シテ病院デ傷ヲ洗ツテ居ルノヲ見マシタ

問　川上總領事ニ會ツタカ
答　會ヒマシタ總領事ニハ伊藤公爵モ狙撃セラレタ事及犯人ハ韓國人デアルコトヲ逐一話ヲシテ事ノ始末ヲ領事館ヘ報告スル爲メ引返シマシタガ私ガ領事館ヘ歸ツタ時ニ古谷氏ガ來テ居ツテ東京ノ方ヘ電報ヲ打ツテ居リマシタノヲ見マシタ

問　尙ホ其外當時ノ模樣ニ付キ証人ガ見聞シタ事ハアラサリシヤ
答　右ノ外別ニ之ト云フテ聞キ込ンダ事ハアリマセヌ

証人 古澤幸吉

右讀聞カセタルニ相違ナキコトヲ承諾ノ上自署セリ
即日前記領事館ニ於テ
但出張先ニ係ルヲ以テ所屬官署ノ印ヲ用フル能ハス

關東都督府地方法院
書記　岸田愛文
高等法院檢察官　溝淵孝雄

四 工藤清三郎 證人 訊問調書

証人 訊問調書

証人 工藤清三郎

右安應七、禹連俊、曺道先[1]、柳江露、鄭大鎬、金成玉、金衡在、卓公圭、金麗水、張首明、金澤信、洪時濬、李珍玉、方士瞻、鄭瑞雨、金培根ニ對スル殺人被告事件ニ付明治四十二年 十一月六日哈爾賓日本帝國總領事館ニ於テ検察官溝淵孝雄書記岸田愛文列席検察官ハ證人ニ對シ訊問スルコト左ノ如シ

問　氏名年齢職業住所ハ如何

答　氏名ハ 工藤清三郎(熊本縣人日本人)

　　年齢ハ 四十一歳

　　身分ハ 平民

　　職業ハ 雑貨商

　　住所ハ 哈爾賓プリスタン、モストワヤ(日本會[2]前)

問　右被告人ト親類后見人被後見人雇人同居人等ノ關係ハナキヤ

答　アリマセヌ

問　十月廿六日伊藤公カ[3]當地ヘ來着シタル時停車場ヘ迎ヒニ行キタルヤ

答　行キマシタ

問　如何ナル服装テ行キタカ

答　フロクコートニ外套ヲ着テ中折帽子ヲ被ツテ行キマシタ

1　曺道先。
2　日本人會。
3　伊藤公カ。

問　ステツキハ持ツテ行キタカ
答　持ツテ行キマシタ

問　何時頃ニ停車場ヘ行キタルヤ
答　私カ行キタル時ハ伊藤サンノ列車ハ着シテ居リマシタ

問　停車場ヘ何處カラ這入ツタカ
答　三等ノ待合室ノ入口カラ這入ツテ待合室テ外套ヲ脫イテ預ケテ置イテ一等ノ出入口カラプラツトホームヘ出マシタ

問　其時其出口ニ女ハ居ラサリシヤ
答　待合ノ出入口ノ所ニ青イ衣物ヲ着タ酌婦ラシイ女ガ二人立ツテ居リマシタ

問　其方ハブラツトツホーム[4]ヘ出テ何レヘ行キタルヤ
答　待合室ヲ出テ右ノ方ヘ行キ伊藤サンノ乘ツテ居ル汽車ノ見ヘル所迠行キマシタ

問　伊藤サンガ汽車カラ降ルノヲ見タカ
答　見マシタ

問　伊藤サンノ先キニ誰カ降リタカ
答　伊藤サンカ中ニ爲ツテ二三人一所ニ降リタ樣ニ思ヒマス

問　伊藤サンハ誰レカニ挨拶ヲセラレタヤ
答　夫レハ見ヘマセナンダ前ニ人カ居リマシタカラ私ノ所カラハ委敷分リマセナンタ

問　夫レカラ其方ハ何レノ方ヘ行キタカ
答　伊藤サンノ帽子丈ケカ見ヘマシタカラ其帽子ノ行ク方ヘ付イテ行キマシタ

4　プラツトツホーム。

問　其方ガブラットツホーム[5]ヲ右へ行ク時日本人ハ澤山居リタカ
答　日本人カ露國ノ軍人ノ居ル后ノ所ニ七八名居リマシタ又私ガ左ノ方へ引返ス時ニモ日本人ニ會ヒマシタ

問　其方ハブラットツホーム[6]河原郡平ニ会ツタカ
答　ブラットツホーム[7]デハ同人ニ会ヒマセヌ

問　其方ハ銃ノ音ヲ聞イタカ
答　樂隊ト淸國兵ノ后ノ所へ來タ時パンパント云フ音ヲ聞キマシタ

問　其音ハ何處デシタカ
答　私ノ前ノ右ノ方テ五六發聞コヘマシタ

問　何人カ擊ツタカ知ラサリシカ
答　夫レハ知リマセヌ

問　其音ハ露國兵ノ中カラ出タカ又如何ナル處カラ出タカ
答　十分夫レハ判リマセヌ音カシタノデ私ハ怪シンデ居リマシタレハ私ノ右ニ居タ人ガ日本語デ伊藤サンモ川上サンモ擊タレタト申シマシタ

問　其話ヲシタ男ハ如何ナル風体デアツタカ
答　夫レハ氣ガツキマセナンダ

問　夫レカラ其方ハ如何ニシタルカ
答　誰レ云フトナク伊藤サンハ一等出入口カラ外部へ出ラレタト聞キマシタカラ私ハ一等ノ待合ヲ通リ拔ケテ出口ノ所へ行キマシタル時川上サンガ其出口ノ石段ノ

5　プラットツホーム。
6　プラットツホーム。
7　プラットツホーム。

下ニ右ノ手ヲブラ下ゲテ左ノ手ヲ右ノ上膊ニ當テテ居リマシタカラ私ハドウナサツタト云ヒマシタレハ川上サンガヤラレタト申シマシタカラ私ハ醫師ニ來テ貰フ積リデブラツトツホーム[8]へ出マシタルモ醫師ハ居リマセナンタカラ引返シテ來マシタレハ其時川上サンノ所へ河原郡平ガ行キテ抱イテ居リマシタ

問　其方ガ初メ川上サンノ所へ行キタル時其傍ラニ人ガ居タカ
答　人ハ誰レモ居リマセナンダ私カ二度目引返シテ來タ時澤山人ガ來テ露國ノ憲兵モ來テ居リマシテ川上サンヲ車ニ乘セテ行キマシタ

問　其方ガ初メブラツトツホーム[9]へ出ル時待合室ノ中ノ飲食店ニ誰レカ人ハ居ラナンダカ
答　飲食店ニハ露國ノ婦人ト同男ガ二三人ト居リマシタ

問　其所ニ日本人又ハ韓國人ハ居ラサリシヤ
答　其様ナ人ハ見受ケマセナンタ

問　此者ハ其方ハ知ツテ居ツカ

此時被告安應七ヲ除ク外被告一同ノ寫眞ヲ示ス
證人方士瞻ノ寫眞ヲ指示シテ

答　此者ハ醫師デアリマス私ハ時々見マシタ其外ノ者ハ知リマセヌ

問　此者ハ知ツテ居タカ

此時被告安應七ノ寫眞ヲ示ス

8　プラットツホーム。
9　プラットツホーム。

答　昨年頃二道街ニ居ツタ様ニモ思ヒマスルモ委敷ハ判リマセヌ又前ニ申シタル男(方士瞻)ハ伊藤ト云フ日本ノ歯醫師ニ付イテ來テ居リマシタノデ露國人ノ妻ヲ持ツテ居リマスル者デス

問　其方ニ於テ何カ韓國人中ニ怪シキ風說アリシヲ聞キ又ハ風体ノ怪シキ者ハ心當ナキヤ

答　昨年頃露國ノ役所ニ雇ハレテ居タ者デ支那人ノ中間ガ賭博ヲスルト直ク行キテ金ヲ取ルトテ支那人ニ惡ク評判ヲシテ居ル韓國人ガアリマス

問　其者ノ人想ハ知ツテ居ルカ

答　顔ノ長イ目ノ小サイ男デアリマス

證人 工藤淸三郎

右讀聞セタルニ相違ナキ事ヲ承諾シ自署セリ
即日前記場所ニ於テ
但出張先ニ係ルヲ以テ所屬官署ノ印ヲ用フル能ハス

關東都督府地方法院
書記 岸田愛文
高等法院検察官 溝淵孝雄

五 宮崎新造 證人 訊問調書

証人 訊問調書

証人 宮崎新造

右安應七、禹連俊、曹道先[1]、柳江露、鄭大鎬、金成玉、金衡在、卓公圭、金麗水、張首明、金澤信、洪時濬、李珍玉、方士瞻、鄭瑞雨、金培根ニ對スル殺人被告事件ニ付明治四十二年十一月一日哈爾賓日本帝國總領事館ニ於ケ檢察官溝淵孝雄書記岸田愛文列席

檢察官ハ證人ニ對シ訊問ヲ為スコト左ノ如シ

問　氏名年齡職業住所ハ如何

答　氏名ハ 宮崎新造

　　年齡ハ 三十九歲

　　職業ハ 料理店營業

　　住所ハ 哈爾賓プリタンプテワヤ街

問　右被告人ト親屬後見人被後見人雇人同居人等ノ關係ハナキヤ

答　其關係ハ更ニアリマスセヌ

問　其方ハ韓國人ノ金澤信ト云フ者ヲ知ツテ居ルカ

答　顔ヲ見レバ知ツテ居リマスガ名前ハ充分知リマセヌ

問　伊藤公爵ガ當停車場ニテ遭難ニ會ハレタ日其方ハ韓國人ニ煙草ヲ巻カセタ事ガアルカ

答　煙草ヲ巻カセテ居ツタノハ廿四日マデニ切リ上ケテ皆巻賃ヲ渡シテ其以後ハ巻カセタ事ハアリマセヌ

1　曺道先。

問　卄四日ニ賃金ヲ渡シタ時仕事ノ有無ヲ聞キニ來イテモヨイト申シテアツタカ
答　其樣ナ事ハ申シテアリマセナンダ

問　其方宅ニ韓國人ノ李𡥧「クワ」ト云フ番頭ガ在ルカ
答　韓國人ノ番頭ハ居リマス

問　其方宅ノ煙草ヲ卷イテ居タ金澤信ノ居所ハ知ラヌカ
答　居所ハ一向知リマセヌ

問　其方ガ煙草ヲ卷カセタ韓人ハ此者カ

此時被告金澤信ヲ證人ニ示ス

答　左樣此者デアリマス

問　此者ハ其方宅ヘ行クニ何レノ方面カラ行クカ
答　何レカラ來ルカ充分判リマセヌ

問　其方宅ノ近傍ニ支那人ノ料理屋ガアルカ
答　支那人ノ料理店ノ在ル所迠ハ私ノ宅カラ十町餘モアリマス
元來只今ノ韓國人ガ私方ノ煙草ヲ卷ク事ニ爲ツタノハ内田ト云フ家ノ番頭ノ周旋デ僅ニ二ケ月程前カラ卷カセテ居ルノデ今迠ニ三回位シカ卷カセタ事ハアリマセヌ

證人 宮崎新造

右讀聞ケタルニ承諾ノ上自署セリ
卽日前記總領事館ニ於テ
但出張先ニ係ルヲ以テ所屬官署ノ印ヲ用フル能ハズ

關東都督府地方法院

書記　　　　　岸田愛文

高等法院檢察官　溝淵孝雄

六 森良一 證人 訊問調書

証人 訊問調書

証人 森良一

右安應七、禹連俊、曹道先[1]、柳江露、鄭大鎬、金成玉、金衡在、卓公圭、金麗水、張首明、金澤信 鄭瑞雨、洪時濬、李珍玉、方士瞻、金培根ニ對スル殺人被告事件ニ付キ明治四十二年 十一月二日哈爾賓日本帝國總領事館ニ於テ檢察官溝淵孝雄書記岸田愛文列席
檢察官ハ證人ニ對シ訊問スルコト左ノ如シ

問　氏名年齡職業住所ハ如何
答　氏名ハ 森良一(日本人)
　　年齡ハ 三十二歲
　　職業ハ 料理店業
　　住所ハ 哈爾賓傳家甸北四道街五百一號

問　右被告人ト親屬、後見人、被後見人、雇人、同居人等ノ關係ハナキヤ
答　アリマセヌ

問　伊藤公爵ガ來着セラルニ付キ其方ハ十月二十六日朝當哈爾賓停車場ヘ歡迎ニ行キタカ
答　参リマシタ

問　其時其方宅ニ居ル酌婦ノ阿部タカ稻田ハルノ兩人ヲ同行シタカ
答　左樣デアリマス

1　曺道先。

問　其方ハ停車場ヘ行キテ何處ニ居ツタカ此圖ニ依リ指示セヨ

此時露國官憲ヨリ送リ來リアル停車[2]見取圖ノ反譯ヲ示シ指示セシメ調書ニ添付ス

答　初メニ待合所ヘ行キマシタレハ澤山ナ人カ[3]居リマシタガ暫クシテ私ハ二名ノ女子ヲ連レテ「ブラットホーム」ヘ出テ日本人團ノ居ル処ヘ参リマシタレハ領事館ノ人カ[4]婦人カ此處ヘ來テハナラヌト申シマシタカラ女等ヲ後ロノ方ヘ去ラシメマシタガ女二人ハ待合室ノ入口ノ方ヘ向ツテ行キマシタガ其后右ノ酌婦カラ聞キマスト停車場ノ入口ノ南ノ方(別紙圖面(イ)(ロ)ノ所)ニ行キテ暫時立ツテ居ツテ再ヒ入口ノ北側ノ方(別紙圖面(ハ)(ニ)ノ所)ニ行キテ二人デ立ツテ居ツタト申シマシタ

私ハ女等ノ去ツタ后日本人團ノ所ニ居リマシタガ汽車ガ着イタノテ女等ニ伊藤公爵ヲ教ヘテ遣ロウト思フテ待合室ノ入口ノ方ヘ行キマシタレハ女等ハ入口ノ北ノ側(圖面(ハ)(ニ)ノ所)ニ居リマシタカラ伊藤公爵ヲ教ヘテヤリマシタ其時公爵ハ汽車ノ中デ立ツテ居ラレマシタ私カ見タ時ニ私宅ノ酌婦ノ居ル直ク北ノ方ニ露國ノ士官ヤ洋服ヲ着タ日本人ノ様ナ人ガ四五名立ツテ居リマシタ

私ハ女ニ伊藤公爵ヲ教ヘテ置イテ引返シ日本人團ト清國兵隊ノ整列シテ居ル間ノ処ニ立ツテ居リマシタレハ何カバチバチト音ガシマシタガ其時露國ノ士官ガ一名ブラットホームカラ西手ヘ倒レルノヲ見マシタ然シ此人ハ別ニ怪我ハシテ居ラヌ事ガ後テ判リマシタ

其時巡杯ガ駈ケ付ケマシタノデ何カ變ガアツタト思フテ日本人ノ人々ト一所ニ清兵ガ整列シテ居ル前ヲ通ツテ汽車ノ方ヘ行キマシタレハ一人怪我シテ居ル人ヲ人カ抱ヘテ汽車ノ中ニ入リ其后カラ又伊藤公爵ヲ汽車ノ中ヘ抱キ入レルノヲ見マシタ其先キヘ汽車ノ中ヘ抱キ込マレタ人ハ田中サント云フ人デ足ヲ怪我シタトノ事ヲ后デ聞キマシタ

夫レカラ私ハ酌婦ノ姿ガ見ヘマセナンダカラ待合ニ入ツテ尋ネマシタレハ先キ

2　停車場。
3　行キマシタレバ澤山ナ人ガ。
4　人ガ。

へ歸ツタト聞キマシタカラ私ハ其儘宅へ帰ツテ來マシタ

問　其方ガ日本人團ノ所ニ居タ時伊藤公爵ノ下車スル所ヲ見タカ
答　夫レハ見ヘマセナンダ

問　其方ハ此寫眞ノ者ヲ停車場へ行キタル時見サリシヤ

此時 被告安應七ノ寫眞ヲ示ス

答　停車場へ行キタ時ニ見タ様ニ思ヒマスルモ何分朝鮮人ノ顔ハ皆能ク似テ居リマスカラ必ズ此男デアツタカドウカ判リマセヌ

問　此者ハ知ツテ居ルカ

此時 被告人一同(安應七ヲ除ク)ノ寫眞ヲ示ス

答　此人ハ折々私ノ宅へ来マシタ

此時 被告金衡在ノ寫眞ヲ指示セリ

森良一

右讀聞ケタルニ承諾ノ上自署セリ
即日前記總領事館ニ於テ
但出張先ニ係ルヲ以テ所屬官署ノ印ヲ用フル能ハズ

關東都督府地方法院
書記　　　　　　岸田愛文
高等法院檢察官　溝淵孝雄

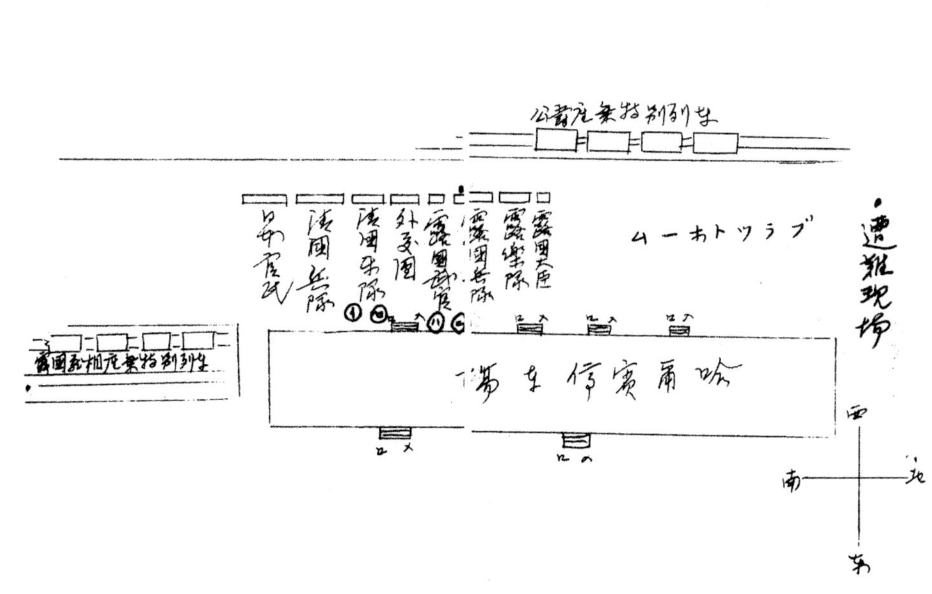
公爵座乘特別列車
日本官民
清國兵隊
清國樂隊
外交團
露國武官
露國兵隊
露國樂隊
露國大臣
遭難現場
露國藏相座乘特別列車
哈爾賓停車場
西
南
北
東

七 杉野鋒太郎 證人 訊問調書

証人 訊問調書

証人 杉野鋒太郎

右安應七、禹連俊、曹道先[1]、柳江露、鄭大鎬、金成玉、金衡在、卓公圭、金麗水、張首明、金澤信 鄭瑞雨、洪時濬、李珍玉、方士瞻、金培根ニ對スル殺人被告事件ニ付キ明治四十二年十一月九日哈爾賓日本帝國總領事館ニ於テ檢察官溝淵孝雄書記岸田愛文列席
檢察官ハ證人ニ對シ訊問スルコト左ノ如シ

問　氏名年齡身分職業住所ハ如何
答　氏名ハ 杉野鋒太郎
　　年齡ハ 明治六年四月廿三日生
　　身分ハ 士族
　　職業ハ 外務省書記生
　　住所ハ 哈爾賓日本帝國總領事館

問　右被告人ト親屬、後見人、被後見人、雇人、同居人ノ關係ハナキヤ
答　アリマセヌ

問　去ル十月二十六日伊藤公爵ハ何時頃長春ヨリ當哈爾賓停車場ニ着セラレタルヤ
答　午前九時ノ豫定デアリマシタガ十分許リ遲レテ着シマシタ

問　當領事館ヨリ長春迄誰カ迎ヒニ行キタルヤ
答　川上總領事ガ出迎ヒノ爲メ十月二十四日夜長春ニ行キマシタ

1　曺道先。

問　伊藤公來哈ニ付韓國人ノ動靜ニ關シ何カ調査ヲセラレタルヤ
答　其樣ナ事ハ耳ニセズ然シ警察ノ方ニテハ調ヘタカ否カハ知リマセヌ

問　伊藤公ト同行ノ人々ハ前以テ判明シ居リタルヤ
答　日本カラ來ル人々ノ名ハ判ツテ居リマシタ夫レハ電報デ知ラセガアリマシタ

問　其同行者ハ誰々ナリシヤ
答　村田、義文、古谷、森、小山ノ各氏松木少佐其外二三名ノ従者ガアルトノ事デアリマシタ

問　長春又ハ本國政府ヨリ伊藤公ノ護衛ニ關スル通知ハナカリシヤ
答　其事ハアリマセヌ

問　當停車場ニ於ケル公爵歡迎ノ次第ハ領事ト露國官憲ト協議ノ上定メラレタルヤ
答　歡迎ノ次第ハ協定シマセヌ只タ公カ來着ノ上ハ何日ハ露國官憲、何日ハ支那官憲ニ招カルルト云フ事丈ケハ判ツテ居リマシタ
尤モ露國官憲ノ方ヨリ伊藤公爵護衛ノ爲メ軍隊ヲ整列サセルト申來リタルヲ以テ軍隊ノ整列ハ皇族ニ對スル禮ナルガ如何ト申シタルニ露國ニテハ其点ハ差別ナシト申シタル事アリ其業ハ何事モ申シテ來マセナンダ

問　露國官憲ヨリ公爵來着ニ付キ特ニ警護ヲ擔ス事ノ通知ハナカリシヤ
答　其通知ハアリマセヌ尤モ十月二十三日カ廿四日ニ川上總領事ガ露國ノ攝待係[2]ノ所ヘ行キタル節公爵ニ對スル停車場取締ノ爲メ入場券ヲ發シテハ如何トノ話アリタルモ日本人ハ何レモ歡迎シタキヲ以テ日本人ニ對スル入場券ノ事ハ止メテ貰ヒタイト話シタトノ事ヲ其晩ニ川上領事ガ歸ツテ話ヲ聞キマシタ

問　日韓官民ニ於テ公爵ノ歡迎ニ干シ[3]何カ企テガアリシヤ

2　接待係。
3　關シ。

答　日本人ガ歡迎ノ企テアル事ハ聞キマシタガ韓國人ノ事ハ何モ聞込シタ事ハアリマセヌ

問　當地ノ韓國民ニシテ日本人ノ公爵ニ對スル歡迎ノ企ニ加入セシメタル者アリシヤ
答　其事ハ聞キマセヌ

問　日本人ト韓國人トハ區別ガ出來ヌガ其取締ヲ爲スヘキ方法ヲ定メタル事ハ聞カサリシヤ
答　當領事館ニ於テハ其邊ノ事ニ迠思ヒ及ホシテハ居リマセナンダ

問　韓國人ハ特ニ注意ヲ要スル事ニ付キ露國ノ方トハ何等ノ交涉ハナカリシヤ
答　私ハ局ニ當リマセヌカラ委敷ハ知リマセヌモ其樣ナ事ハナカリシ方ト思ヒマス

問　伊藤公着前停車場ノ前及ヒ附近殊ニ待合室、プラトツホーム[4]等ノ露國ノ取締方ハ如何ナリシヤ
答　別ニ平日ト異ナリタル狀ハ見受ケセナンダガ憲兵巡査ハ小々多ク出テ居ツタ樣ニ思ヒマス

問　公爵ノ來着ニ對シ三等待合室ノ出入口閉塞シ特ニ憲兵ヲ付シアリシカ
答　私ハ一等待合室ノ入口カラ這入ツテプラトホームヘ出テ私ハ領事館員トシテ日本人團ノ配列ニ主トシテ關係シテ居リマシタカラ三等待合室出入口ノ事ハ氣付キマセナンダ

問　日本人團ハ指定ノ位置ニ整列シタルヤ
答　位置ハ前以テ指定シテアツタ譯デハアリマセヌカラ待合室出入口ノ左方露國大藏大臣ノ乘ラレテ居ル客車ノ前方ノ廣キ場所ニ列ヒマシタ

4　プラトツホーム。

問　日本人配列ノ時露國大藏大臣ハ何レニ居ラレタルヤ
答　其時未ダ同大臣ノ客車內ニ居ラレマシタ

問　日本人團ノ位置ハ露國大藏大臣ノ客車昇降口ノ前ヲ塞ケテ居リシヤ
答　昇降口ノ正面ハ出入ニ防ケトナリマスカラ私ハ通路ヲ空ケサセマシタ隨テ日本人團ハ中ニ通路ヲ明ケテ其兩方ニ列シテ居リマシタ

問　露國大藏大臣客車ノ昇降口ニハ裝飾ヲ施サレテ居リタルヤ
答　客車ノ昇降口ノ所ヘ赤イ布ニテ巻イタ様子ヲ架シテ

問　露國大藏大臣ノ客車ニハ幾個聯結シテアリシヤ
答　客車、食堂、隨員車ト三個聯結シテアリマシテ然シテ大臣ハ列車止ノ一兩端ノ客車ニ乘ツテ居リマシタ

問　日本人團ヨリ右ヘノ歡迎團整列ノ順序如何
答　私ガ「プラトホーム」ヘ行キタ時日本人團ノ右手ニ支那ノ樂隊其次ニ淸國兵隊其右ニ外交團ガ居リマシテ斜メニ前方ヘ突キ出テ居リマシタカラ其ヨリ先ノ列順ハ判リマセナンダ

問　今申シタ配列各團ノ距離如何
答　各團共ニ間隔ナク殆ント相接觸シテ居ツタ様思ヒマス

問　露國官憲ヨリ送リ來リタル其當時ノ歡迎員ノ順序ハ實際此圖面ノ通リナリシヤ

此時 露國官憲ヨリ送致ニ係ル圖面ノ寫ヲ示ス

答　少々違ツテ居リマス日本人團ノ次ニハ淸國ノ樂隊及ヒ兵隊デ其次ガ外交團デ圖面トハ反對デアリマス

問　一等待合室ノ出口ト伊藤公爵ノ客車トノ位置ハ差向ヒニ爲ツテ居ラザリシヤ

答　客車ハ遥ニ右ノ方ヘ寄ツテ居ツタ様思ヒマス亦ハ公爵ガ遭難後露國官憲カラ花環ヲ送ラレタル時一等待合室出口ヲ出テ右ノ方ヘ向イテ持ツテ來ルノヲ私ハ見マシタ夫レカラ考ヘレハ確カニ客車ハ右ノ方デアツタト思ヒマス

問　一般歡迎者ヲブラトツホーム[5]ヘ入ラシムル時間ノ制限ヲ設ケアリシヤ

答　別ニ時間ニ制限ヲ設ケテアリマセナンダ依テ公爵ノ着後モ入レル事ニ爲ツテ居リマシタ

問　ブラトツホーム[6]ノ待合室ノ軒ノ内外附近ノ警戒ハ如何ナリシヤ

答　憲兵杯ハ平素ヨリ増員シテアリマシタ

問　公爵ノ客車ガ着セラレタブラトツホーム[7]ノ位置ハ何レノ邊ナリシヤ

答　日本人團ヨリ十四五間許右ノ方ヘ着イタト思ヒマス

問　公爵ノ乘ツテ居ツタ客車ハ列車ノ何番目ニ在リシヤ

答　列車ノ最後ノ分デアリマス

露國ノ貴賓者ハ四方皆硝子窓デ何レノ方ニテ眺メラルル様ニ爲ツテ居リマス然シテ後方ヲ眺ムル爲メニ列車ノ最後ニ付ケルノカ例テアリマス卽チ公爵ノ客車モ其通リニ爲ツテ居リマシタ

問　然ラハ客車ノ着イタ時証人ハ車內ニ居ラルル公爵ノ姿ヲ見タルヤ

答　見マシタ私ガ歡迎團ノ所ヘ行キマシタ時公爵ハ帽子ヲ脫イテ車內ニ立ツテ私等ノ居ル方ヲ見テ居ラレマシタノヲ硝子越ニ見マシタ

問　汽車ガ着シテ公爵ガ下車セラレタル迠ノ時間ハ如何

答　其日ハ非常ニ寒イ日デ皆歡迎員モ遲イ遲イト云フテ居マシタ時間ハ正確ニハ判

5　プラトツホーム。
6　プラトツホーム。
7　プラトツホーム。

リマセヌガ着後下車マテニハ十分以上ノ時間ヲ經マシタ

問　着後下車迠ノ間ニ於ケル模様ハ如何

答　汽車ノ來マシタ時露國ノ大藏大臣ガ日本人團ノ間ノ通路ヲ通ラレタ事ハ知ツテ居リマシタガ其從員ハ見マセナンダ又大臣ト公爵ガ如何ナル風ニ對話セラレタカ夫ハ判リマセヌ

問　公爵ハ下車後日本人團ヘモ挨拶セラルルコトニ爲ツテ居リシヤ

答　夫レハ川上總領事ガ打合セヲ致シマシテ日本人團ニモ挨拶ヲセラレ同團体ハ公爵ノ萬歳ヲ唱フル手筈ニ爲ツテ居リマシタ

問　ブラトツホーム[8]テ挨拶ガ終ハレハ公爵ハ當領事館ヘ來ラルル筈ナリシヤ

答　左様デス

問　公爵ノ降車時ニ於ケル模様ハ如何

答　降車ノ所ハ外交團ニ遮ラレテ私ノ居ツタ所カラハ見ヘマセナンダ

問　證人ハ兇行ノアリシ事ヲ何時知リシヤ

答　領事團ノ前方ト思フ所ニパチパチト三度位音ヲ聞キマシタ
私ハ爆竹カト思ツテ居リマシタガ露國ノ民政長官ガ線路ノ方ヘ飛ヒ込ンテ膝ヲ突キ又人ヲ抱ヘテ行ク様ナ模様デアリマシタカラ何事カ起ツタカト思フ內歡迎員ガ續ギ出シマシタカラ私ハ之ヲ制シテ其音ノシタ方面ニ行キマシタレハ伊藤公爵ハ人ニ抱カレテ居リマシタカラ此時始メテ兇行ヲ加ヘラレタ事ヲ知リマシタ

問　公爵ハ何人ニ抱ヘラレテ居リシヤ

答　日本人ト露國人トガ抱ヘテ居リマシタ其人ハ知リマセヌ夫レカラ日本人ガ公爵ヲ車內ヘ運ビ入レマシタ

8　ブラトツホーム。

問　証人ハ中村滿鐵總裁及ビ室田氏ヲ知ルヤ
答　知リマセヌ

問　公爵ヲ車內へ抱キ入ルル前ブラトツホーム[9]ニテ「ブランデ-」ヲ差上タ事ハアラサリシヤ
答　其事ハ知リマセヌ然シ暇ハナカツタ樣ニ思ヒマス

問　公爵ハ下車セラレタル時毛皮ノ外套ヲ着セラレテ居リシヤ
答　下車ノ時ハ知リマセヌガ負傷シテ車內へ抱キ入ルル時ニハ外套モ帽子モ被テ居リマセナンダ

問　証人ハ車內へ抱キ入ルル公爵ノ姿ヲ見タルヤ
答　見マシタ車內へ入ルル時顔ガ斜メニ爲リマシタカラ私ノ所カラ能ク見ヘマシタ其時公爵ハ顔色蒼白デロヲ締メテ上目ヲ扱フテ言語ハ發シマセナンダ

問　其時川上總領事ハ如何ニシタルヤ
答　公爵ヲ車內へ入ラレタル後總領事ノ姿ガ見ヘマセヌノデ探シマシタガ約十分間程經テ總領[10]モ負傷シテ病院へ行キタ事ヲ聞キマシタ

問　伊藤公爵ヲ車內へ抱入ルル時川上總領事ノ姿ヲ見タルヤ
答　姿ハ見受ケマセナンダ

問　公爵ハ狙撃セラレタル時倒レタヤ
答　其事ハ知リマセヌ

問　其時公爵ト同時怪俄[11]シタ人ノアリシヲ見タルヤ

9　プラトツホーム。
10　總領事。
11　怪我。

答　其當時ハ見マセヌ後トデ田中理事ガ病院カラ繃帯シテ歸ツタノト森ト云フ人ガ負傷シテ列車内ニ移テ居ルノヲ見受ケマシタ
夫レカラ私ハ露國ノ總領事カラ兇行者ハ韓國人ナルガ國籍ヲ有スル者ナルヤ否ヤヲ取調フル故立會シテ呉レト云ハレテ取調ヘニ立會ヒ調書ニ記名ヲ致シマシタ

問　森ガ負傷シテ移テ居タ汽車ハ公爵ノ客車ナリシカ
答　左様テス公爵ノ應接室ヲ出タ所ノ室デアリマシタ

問　下手人ガ公爵等ヲ狙擊スル現場ヲ見タルヤ
答　現場ハ見マセヌ私ハ露國ノ取調ニ立會フタ時始メテ犯人ノ顔ヲ見マシタ

問　其犯人ハ此者ナリシヤ

此時被告安應七ノ寫眞ヲ示ス

答　此者ニ相違アリマセヌ

問　露國官憲ノ取調ノ時犯人ハ外套ヲ着テ居リシヤ
答　外套モ帽子モ被テ居リマセヌ
服ハ此寫眞ノ通リノ服裝デアリマシタカラモ付ケテハ居リマセナンダ

問　証人カ立會フタル時犯人ハ何ト申シタルヤ
答　韓國人ガ通譯シテ其云フ所ニ依レハ伊藤公爵ヲ狙擊シタル事及韓國ハ統監政治ニ爲リテ友人中殺サレタル者アリ又苦シメラレタル者モアリタル故其仇讎ニ公爵ヲ擊ツタト申シテ居リマシタ

問　犯人ハ公爵ニ彈丸ノ命中シタル事ヲ申立テタルヤ又公爵ヲ殺ス事ノ出來タルヲ殊ニ語シタル事アリシヤ
答　其様ナ事ハ私ハ見聞シマセナンダ

問　犯人ハ名前ヲ何ト申シタルヤ
答　其時ハ「ウンチ安(アン)」ト申シ朝鮮文字デ自署シマシタ

問　犯人ハ共謀者ノアル事ヲ云ハサリシヤ
答　自分ガ單獨デ決行シタト申シ共謀者ノ事ハ申シマセナンダ
其他種々ナル申立テガアリマシタガ大要ハ右ニ申ス通リデアリマシタ通譯ノ言語ノ判リ兼ヌル樣ナ所モアリマシタ

證人 杉野鋒太郎

右讀聞カセタルニ相違ナキ事ヲ承諾シ自署セリ
卽日前記總領事館場ニ於テ
但出張先ニ係ルヲ以テ所屬官署ノ印ヲ用フル能ハス

關東都督府地方法院
書記　岸田愛文
高等法院檢察官　溝淵孝雄

八 小山善 證人 訊問調書

証人 訊問調書

証人 小山善

右安應七、禹連俊、曺道先[1]、柳江露、鄭大鎬、金成玉、金衡在、卓公圭、金麗水、張首明、金澤信、洪時濬、李珍玉、方士瞻、鄭瑞雨、金培根ニ對スル殺人被告事件ニ付キ明治四十二年十月二十七日關東都督府高等法院檢察官溝淵孝雄書記竹内靜衛列席

檢察官ハ證人ニ對シ訊問ヲ為スコト左ノ如シ

問　氏名年齡身分職業住所如何

答　氏名ハ 小山 善

　　年齡ハ 萬延元年八月生

　　身分ハ 平民

　　職業ハ 侍衛

　　住所ハ 東京市麹町区三番町十一番地

問　被告人ト親族同居人後見人被後見人ノ關係ナキヤ

答　何ノ關係モアリマセ

問　今回伊藤公爵滿洲巡遊セラルルニ付テ證人モ其一行中ナリシヤ

答　其通リデス

問　隨行員ハ誰レカ

答　森宮内大臣秘書官鄭外務書記官古谷秘書官松木陸軍小佐室田貴族院議員私其外屬官二三名デアリマス

1　曺道先。

問　其一行ハ何時哈爾賓ニ到着セシヤ
答　本月二十六日午前九時十分ニ着シマシタ

問　伊藤公爵ガ哈爾賓停車場ニ於テ兇行ニ遭遇セラレタル現場ヲ證人ハ實見セラレタルルヤ
答　實見致シマシタ

問　其時ノ模様詳細申立ヨ
答　汽車カ哈爾賓ニ着スルト直クニ露國大藏大臣カ公爵ノ車室ニ入ラレ約二十分間モ御話カアリマシテ夫レカラ大藏大臣ガ先頭デ公爵ハプラットツホーム[2]ニ下車セラレマシタ直ク其處ニハ露國將校等十五六名モ立ツテ居タノデ夫レニ挨拶セラレ夫レカラ汽車ト相對シ整列シ居ル露國軍隊約一中隊ノ前ヲ通過セラレ軍隊ニ次テ整列セル日本人ノ一團隊ヲモ通過シ最端ニ居リタル外國領事團ノ處ニ行カレ挨拶ヲ済マサレ再ヒ引返シテ日本人團ノ邊迠來ラレマスト恰モ爆竹ノ様ナ音ヲ聞キマシタ
公爵ガ下車セラレテ軍隊ノ前ヲ通過セラルル時ハ川上總領事ガ公爵ノ右側ニ立テ嚮導ヲ致サレ私等随行員ハ後方ヨリ附随シテ進行シツツアツタノデス
右爆竹ノ如キ音ヲ耳ニスルト殆ント仝時ニ公爵ガ「ヤラレタヤラレタ」ト二聲出サレ而シテ室田サンガ小山小山ト呼ハレタノデ側ヘ驅付ケマシタガ此處デハ如何トモナリマセヌカラ汽車中カ停車場内ヘ御連レ申シタ方ガ宜カロウト申シマシタラ室田サンガ中村總裁等ト共ニ公爵ヲ抱カヘテ汽車ノ元ノ室内ヘ運ハレマシタ

問　公爵ノ負傷ノ模様ハ如何ナリシヤ
答　汽車中ニ御連レ申シタ頃ニハ顔色蒼白デ頗ル御苦悶ニ見受ケラレマシタ外套ヲ着テ居ラレタノデ外見上血液等ヲ見ル事ガ出來マセヌデシタ衣ヲ解イテ見マシタ處オワイト襯衣ヲ通シテ多量ノ出血ヲ認メマシタ身體ヲ檢シマシタ処左ノ

2　プラットツホーム。

三個ノ創傷ヲ認メマシタ

其一右上膊中央外面ヨリ射入シ右胸脇キノ第五肋間ヨリ水平ノ方ニ向ニ兩肺ヲ穿通シ左肺ニ留マル胸內出血多シ

其二右肘關關[3]後面ノ外側ヨリ射入シ右胸脇キノ第九肋間ヨリ胸肺ヲ穿通シ左季肋下ニ留マル

其三右上膊中央ノ外面ヲ擦過シテ上腹中央ニ射入シ腹中ニ留マル

公爵ハ夫レヨリ十五分間許リニシテ顏色愈蒼白ヲ加ヘ顔ニ冷汗ヲ流シ應答不明トナリ遂ニ虛脫ニヨリ今日午前十時薨去セラレマシタ

問　公爵ノ負傷ト仝時ニ他ノ隨行員モ負傷セレモノアリシヤ

答　森秘書官ト同行員田中滿鐵會社理事及川上總領事ガ負傷シマシタ室田サント中村總裁トガ外套ズホン等ヲ銃丸穿通セラレタルモ負傷ハアリマセヌデシタ

問　其三名ノ負傷モ証人ニ檢セリヤ

答　森田中ノ兩名ハ檢シマシタ

問　如何ナル創傷ナリシヤ

答　森ハ其上膊中央ヲ後方ニ穿通シ更ニ左側ノ背部ノ軟部ヲ穿通シマシタ
田中ノ方ハ左足關節ヲ內方ヨリ外方ニ穿通シマシタ

問　證人ハ兇行者ノ姿ヲ見シヤ

答　姿ハ見マセヌガ兇行者ト思ハルルモノ揚ケタル聲ヲ聞キマシタ兇行者ノ人數兇器等モ見マセヌカラ分カリマセヌ

問　兇行者ハ現場ニテ捕ヘラレシヤ

答　私ハ直クニ公爵手當ノ爲メ汽車中ニ入リマシタカラ其事ハ存シマセヌ

3　關節。

問　兇行者ハ歡迎ノ日本人團領事團或ハ露國將校團ノ中ヨリ出テ來タ樣ナ模樣ハナカツタカ

答　夫レハ存シマセヌ尙ホ兇行者ガ整列セル人員中ニ入ツテ居タ者カ或ハ其後方カラ出テ來タモノカモ分リマセヌ

問　隨行員以外ノ仝行者及ビ大連ヨリ仝行者ハ誰々ナリシヤ

答　中村總裁田中理事大內民政長官代理龍居滿鐵秘書等ガ主モナル方デ其他數名アリマシタガ私ハ名前ハ存シマセヌ

問　川上總領事ハ長春迄出迎ヘテ居タカ

答　長春ノ管內沾迄來テ居ラレマシタ

問　兇行者ノ居タ所ト公爵ノ負傷セラレタ處トノ距離ハ如何

答　約二間位ト思ヒマス尙ホ其位置ハ別紙ノ通リデス

此時 證人ハ別紙圖面ヲ自書シタルヲ以テ其說明ヲ聞キ書記之ヲ記入シ本調書ノ末尾ニ添附ス

問　銃丸ハ如何ナリシヤ

答　公爵ノハ其ママ身體ニ三個殘留シテ居リマス田中理事ノハ穿通シテ靴ノ中ニ落チ居リ森秘書官ノ分ハ行衛不明デス尙ホ彈丸ノ一ヲ檢シタルニ丸頭ニ傷ガ付ケテアリマスノデ爲メニ透射力ガ鈍クナリ從テ公爵ノ創傷ノ如キ銃貫通[4]セスシテ體內ニ留マツタノデス

證人 小山善

右讀聞ケタル處無相違旨申立自書捺印セリ

4　銃彈ガ貫通。

明治四十二年十月廿七日於大連ヤマトホテル內
但出張先ナルヲ以テ所屬官署ノ印ヲ押捺スル能ハス

書記　　　　　　竹內靜衛
高等法院檢察官　溝淵孝雄

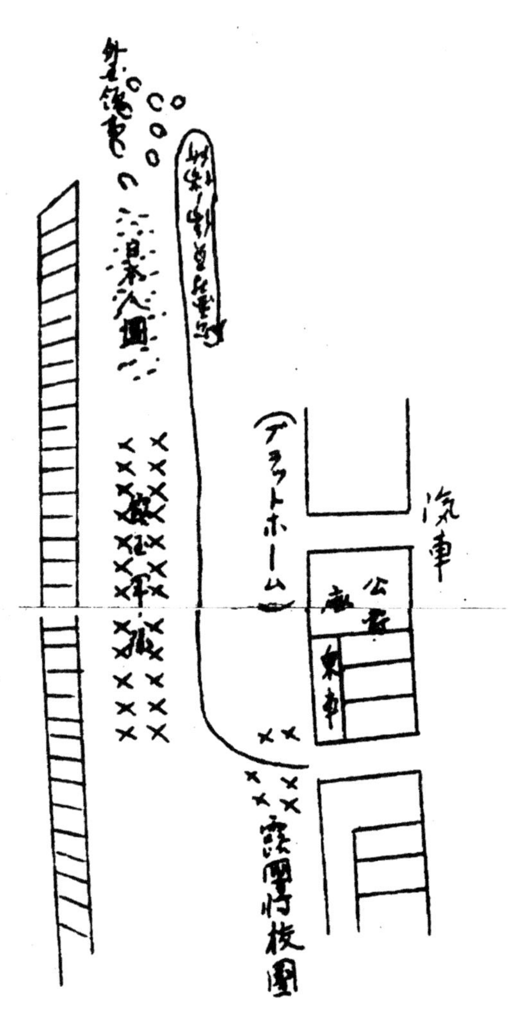
日本人團
プラットホーム
汽車
列車
露國将校團

九 兒島信治 證人 訊問調書

兒島信治 訊問調書

關東都督府高等法院檢察官溝淵孝雄ノ囑託ニ依リ明治四十二年十一月十二日午前九時三十分當館ノ召喚ニ應シ出頭シタル川田藤一代理人兒島信次[1]ヲ訊問スルコト左ノ如シ

問　氏名ハ
答　兒島信次[2]

問　原籍ハ
答　神戸市荒田町一丁目十五番地

問　現住所ハ
答　草河口旅館中國方

問　職業ハ
答　旅館中國屋送迎人

問　中國屋ニ宿泊シタル旅客ニ付テ其方ニ於テ充分辨へ居ルヤ
答　自分ハ十月一日中國屋ニ雇ハレタルニ依リ其以後ノ事ハ大抵辨へ居リマス

問　本年十月二十日後仝月二十六日前ニ於テ男子二人老婦人壹人中年婦人一人小兒五人ノ一行宿泊シタルコトアリヤ
答　十月二十四日男子二人老婦人一名中年婦人二人小兒四人ノ一行宿泊シタルコト

1　兒島信治。
2　兒島信治。

アリ髯ノアル男子ハ三十恰好他方ノ男子ハ二十四五老婦人ハ六十近キモノト思ハレ他ノ二人ハ二十四五ト三十近キモノト思ハレタレトモ朝鮮人ノコト故判然ト判斷致シ兼ネタリ

問　當日宿泊シタル男子二人ハ此寫眞ノモノニアラサルヤ

此時 溝淵檢察官ヨリ送越ノ寫眞二葉ヲ示ス

答　此二人ノ者ニ相違アリマセン

問　投宿並ニ出發ノ日時如何
答　十月二十四日午後七時頃投宿シ翌日午前六時十五分發ノ列車ニテ奉天ニ向テ出發シタリ

問　行先ヲ急クトカ又其外異リタル様子ナカリシヤ
答　別般行先ヲ急ク様子ハ見ヘサリシモ長春哈爾賓等ノ汽車時間等ヲ巧ナル日本語ニテ尋ネタリソレハ鄭大鎬ト申ス有髯ノ男子ニシテ同人ハ十月十五日ニ奉天カハ館ヨリ差向ケニテ自分方ニ泊リ十六日朝安東縣ニ向テ出發シタルモノニテ同人ハ丸山義市ト云フ吳服商ト申ス日本人ト同行同宿セリ

問　今回一行ノ服裝如何
答　男子二人ハ背廣服ヲ着シ婦人及小兒何レモ韓國風ナリシト思フ

問　荷物ハ如何
答　風呂敷包様ノモノ二三個ヅックノ鞄一個手提鞄様ノモノ一個等ナリシト思フ判然セス

問　兇器様ノモノヲ携帶セサリシヤ
答　氣カ附キマセヌ

右閲讀セシメタル處相違ナキ旨申立ツルニ依リ署名捺印セシム
草河口中國屋旅館雇人

兒島信治 印

明治四十二年十一月十二日
在安東日本領事館

外務書記生 久我成美 印
領事 木部守一 印

宿泊人名簿寫[3]

投宿月日時 / 出發月日時	十月廿四日午時						十月廿四日
前夜投宿地名	安東縣菊水屋	仝	仝	仝	仝	仝	仝
行先地名	韓國平壤	仝	仝	仝	仝	仝	仝
族籍又ハ國籍	朝人	母	妻	子供二人	妹氏	子供二人	韓人
住所	淸國吉林省綏芬河						
職業	支那稅關書記						商
氏名	鄭大鎬						鄭瑞雨
生年月又年齡	二十六才	六十二才	二十四才		三十四才[3]		三十才

---

3 十四才。

右寫相違無之候也

明治四十二年十一月十二日

草河口中國屋旅館

雇人 兒島信治 (拇印)

阿部タカ 證人 訊問調書

証人 訊問調書

証人 阿部タカ

右安應七、禹連俊、曹道先[1]、柳江露、鄭大鎬、金成玉、金衡在、卓公圭、金麗水、張首明、金澤信 鄭瑞雨、洪時濬、李珍玉、方士瞻、金培根ニ對スル殺人被告事件ニ付キ明治四十二年 十一月二日哈爾賓日本帝國總領事館ニ於テ検察官溝淵孝雄書記岸田愛文列席
検察官ハ證人ニ對シ訊問スルコト左ノ如シ

問　氏名、年齡、身分、職業、住所ハ如何
答　氏名ハ 阿部タカ(日本人)
　　年齡ハ 二十歲
　　身分ハ 平民
　　職業ハ 酌婦
　　住所ハ 哈爾賓傳家甸北四道街五百一號
　　料理店土屋方

問　右被告人ト親屬、後見人、被後見人、雇人、同居人等ノ關係ハナキヤ
答　關係ハアリマセヌ

問　其方ハ十月廿六日稲田ハルト共ニ伊藤公爵ガ来ラルルノデ當停車場ヘ歡迎旁々見ニ行キタカ
答　行キマシタ

問　其方等ハ停車場ノ何レノ辺ニ居ツタカ此圖ニ依リ指示セヨ

1　曺道先。

此時 露國官憲ヨリ送リ來リアル停車場取取圖[2]ノ反譯ヲ示シ指示セシメ調書ニ添付ス

答　初メ日本人團ノ所ヘ行キマシタルモアチラヘ行ケト云ハレマシタカラ稲田ハルト一所ニ待合室ノ入口ノ所ヘ來マシタ

問　入口ノ何レノ辺ニ居ツタノカ
答　初メハ入口ノ南手

(別紙圖面(イ)(ロ)ノ所)ニ居リマシタルモ暫クシテ又入口ノ北手
(別紙圖面(ハ)(ニ)ノ所)ノ方ヘ行キテ「ハル」ト一所ニ立ツテ居リマシタ

問　其所ニ其方等ノ外ニ人ガ居タカ
答　我等ノ居ル北手ノ少シ前ノ方ニ露國ノ士官ガ一人ト日本人ノ様ナ男ノ人ガ三人居リマシタ待合室ノ入口ノ所ヘ後カラ日本ノ婦人ガ二三人又参リマシタ

問　其日本人ノ様ナ男ハ鳥打帽ヲ着テ居ラナンダカ
答　鳥打帽子ヲ被タ人ガ一人居リマシタ其人ハ茶ノ薄イ縞ノ入ツタ外套ヲ着テ露國ノ士官ト話ヲシテ居リマシタ

問　其者ハ露國ノ士官ト初メニ手ヲ握ツテ挨拶ヲシタ事ハナカツタカ
答　初メニ手ヲ握ツテ挨拶ヲシテ夫レカラ話ヲシテ居リマシタ

問　其露國ノ士官ハドノ様ナ人デアツタカ
答　顔ノ細長イ脊ノ高イ人デアリマシタ

問　如何ナル服ヲ着テ居タカ
答　士官ノ服ヲ着テ帽子ニ眞赤ナ廣イ筋ガ付イテ肩カラ白イ色ノ劍ノ紐ヲ懸ケテ後

2　見取圖。

ロノ腰ノ所ニ丸イ徽章ノ様ナ物ヲ付ケテ居リマシタ

問　其方等ハ其所ニ終リ迠居タカ
答　伊藤サンガ汽車カラ降リラレテ後私ハ待合室ノ方ニ行キマシタ

問　其方ハ伊藤サンヲ見タカ
答　露國兵ノ后ノ間カラ見マシタ尚ホ伊藤サンカ[3]降ル少シ前ニ朝鮮人見タ様ナ人ガ二人汽車ノ北手カラ西ノ方ヘ廻リマシタ

此時 其通路ヲ別紙圖面(ホ)(ヘ)(ト)ノ線ヲ指シタリ

問　夫カラ伊藤サンハ歩ンテ居タカ
答　伊藤サンカ汽車カラ降ルト今申シマシタ露國ノ士官ガ伊藤サンノ所ヘ行キテ伊藤サンノ肩ニ手ヲ掛ケテ居ツタ様ニ思ヒマス私ハ夫レヲ見ルト待合ノ方ヘ行キ東口ヘ出テ伊藤サンノ出ル所ヲ見ント思ヒ待合室ヘ入ツタ時何ポンポント二ツ三ツ音ガ致シマシタガ間モナク領事サンカ担ガレテ來マシタ

問　伊藤サンガ汽車カラ降ル所ヲ其方ハ見タカ
答　見マシタ伊藤サンノ先キニ脊ノ低イ服ヲ着タ日本人ガ一人汽車カラ降リテ來マシタ

問　露國ノ士官ト話ヲシテ居タ日本人ノ様ナ男ハ鳥打帽子ヲ着テ居タニ相違ナイカ
答　相違アリマセヌ其人ハ私ガ待合室ニ居ツタ時カラ見テ能ク知ツテ居リマシタ

問　其鳥打帽ヲ被タ男ガプラットホームヘ出ル所ヲ見タカ
答　夫レハ見マセヌ私ガ待合室ノ入口ノ所ヘ行キタ時早[4]其人ハ先キヘ行キテ居リマシタ

3　伊藤サンカ。
4　早ク。

問　其鳥打帽ヲ被タ男ト露國ノ士官ト手ヲ握ツタト言フガ誰レガ先キヘ手ヲ握ツタカ
答　露國ノ士官ガ先キヘ其人ノ手ヲ握リニ行キマシタ

問　其者ハ其士官ト懇意ナ模樣デアツタカ
答　懇意ナ樣子テアリマシタ其二人デ私ノ方ヲ指シテ笑イツツ何カ話ヲシテ居リマシタ

問　露國ノ士官ト話ヲシテ居タ鳥打帽ヲ被テ居タ男ハ此者デハナイカ

此時被告安應七ノ寫眞ヲ示ス

答　此人デアリマシタ

問　此者ハ停車場デ見タ事ハナイカ

此時安應七ヲ除ク外被告一同ノ寫眞ヲ示ス

答　此人ハ停車場テ見タ樣ニ思ヒマスガ然シ充分ニハ判リマセヌ

證人 安部[5]タカ

右讀聞ケタルニ承諾ノ上自署セリ
卽日前記總領事館ニ於テ
但出張先ニ係ルヲ以テ所屬官署ノ印ヲ用フル能ハス

關東都督府地方法院
書記　　岸田愛文
高等法院檢察官　　溝淵孝雄

5　阿部。

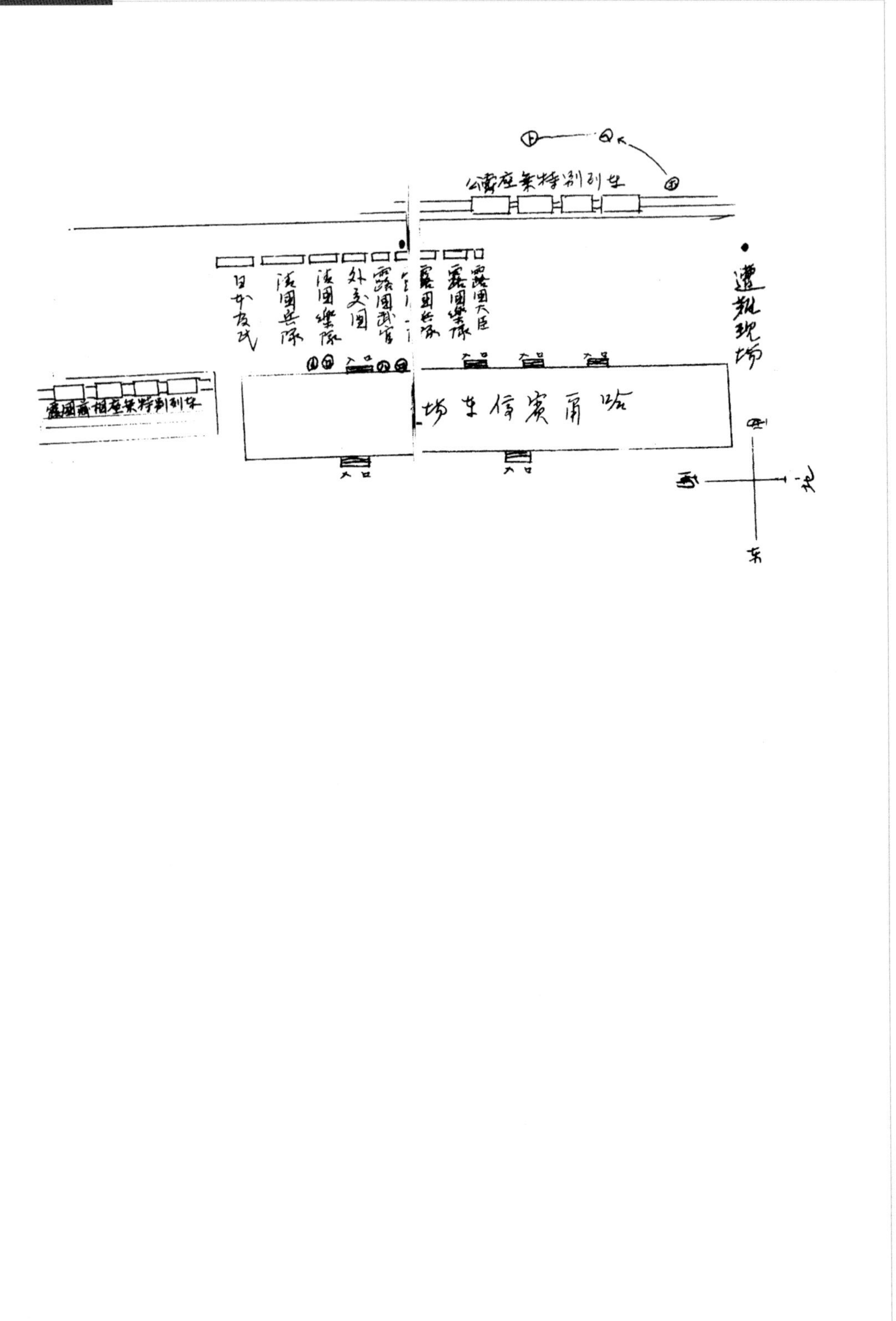

十一　庄司鐘五郎 證人 訊問調書

証人 訊問調書

証人 庄司鐘五郎

右ハ安應七、禹連俊、曹道先[1]、金衡在、金麗水、劉江露、卓公圭、鄭大鎬、金成玉、張首明、金澤信、洪時濬、李珍玉、方士瞻、鄭瑞雨、金培根ニ對スル殺人被告事件ニ付明治四十二年十二月十日關東都督府地方法院ニ於テ検察官溝淵孝雄書記岸田愛文列席檢察官ハ證人ニ對シ訊問ヲ爲スコト左ノ如シ

問　氏名、年齢、身分、職業、住所如何
答　氏名ハ 庄司鐘五郎
　　年齢ハ 四十歳
　　身分ハ 平民
　　職業ハ 南滿洲鐵道株式會社職員
　　住所ハ 大連市兒玉町九

問　被告人ト親族同居人後見被後見ノ關係ナキヤ
答　アリマセヌ

問　先日伊藤公爵ガ哈爾賓ヘ赴カレタル時證人ハ公爵ノ汽車往來ニ便宜ヲ與フル爲メ南滿鐵道株式會社總裁付トシテ行キタル譯ナルヤ
答　私ハ門司デ公爵一行ト一所ニ爲リ東京ヨリ來リタル本社ノ秘書役龍井頼三カラ北行シテ貰ヒタイトノ話アリ北行スル事ニ爲リマシタノデ別ニ總裁付ト云フノデハアリマセヌ自分デモ其用務ノ範圍ハ判リマセヌ

1　曺道先。

問　證人ハ公爵一行ト大連ヨリ同行シタルヤ
答　私ハ後カラ大連ヲ立テ公爵ガ長春ニ着カルル朝長春へ行キ公爵ガ哈爾賓へ出發セラルル夜長春カラ其ノ一行ニ加ハリマシタ

問　長春ニ於テハ同所以北ノ公爵護衛ノ方法ハ聞カサリシカ
答　長春デハ其事ハ聞キマセヌガ哈爾賓カラ歸ルトキ何人カガ其語ヲシテ居タノヲ聞キマシタ卽チ其話ハ公爵ガ哈爾賓行ニ付テハ長春ノ憲兵隊カラ護衛トシテ憲兵ヲ差出シマス若シ正服デ都合ガ悪ルクバ角袖ニシテ出シマスト古谷秘書官ニ申込ミタルニ同秘書官ハ經費ノ都合モアル故其事ハ不必要デアルト申シテ斷ハツタトノ事デアリマシタ尤モ古谷秘書官ハ憲兵カラ申出テタ事柄ヲ公爵ニ話シタカ否カハ私ニハ判リマセヌ

問　尙ホ長春カラ新聞記者ノ同行モ斷ハツタトノ事ハ聞カサリシヤ
答　其様ナ事ハ聞キマセナンダ

問　公爵思顧ノ老壯士龜田易平ト云フ者モ同行スル事モ斷ハツタトノ事ナルガ[2]其事ハ聞カザリシヤ
答　其事ハ新聞ノ記事デ見マシタルモ話ハ聞キマセヌ

問　哈爾賓ノ日本人歡迎團カラ藝妓ヲ五名同地へ連レテ行キタトノ事ハ聞カサリシヤ
答　川上總領事ガ八千代田ト云フ料理店デ飮ンデ居ルト聞キシモ逢ヒマセヌデシタ公爵ノ到着ガ夜ニ入ツテ私共ハ食事ヲシテ居ラヌノデ停車場デ出會フタチチハルノ領事、三井物産會社ノ川井、長春ノ長谷川、哈爾賓領事館ノ警部及ビ夏秋等ト一所ニ長春ノ或ル料理店へ行キテ晩飯ヲ食ヒマシタ時ニ誰レカガ歡迎ノ爲メ藝妓ヲ連レテ行クカ誰ヲ選ンタトカ申シテ居リマシタガ私ハ之ヲ冗談ト聞イテ居リマシタ然シ實際連レテ行キタカ否カハ知リマセヌ

2　신운용 편역, 「伊藤と老壯士」, 『재만 일본 신문 중 안중근 기사 Ⅰ-만주일일신문』(안중근 자료집 15), (사)안중근평화연구원, 2014, 333~334쪽.

問　其時露國側ノ警衛其他取締ニ關スル話ヲ聞カサリシヤ
答　其事ハ聞イタ様ニモ思ヒマスガ充分記憶シマセヌ其事ニ付テハ私ハ後ニ露國ノ大藏大臣カラ聞イタ事ガアリマス

問　伊藤サンノ特別車ハ何時長春ヲ出發スル筈ナリシヤ
答　夜十一時ニ出發シ翌二十六日午前九時着哈ノ豫定デアリマシタ

問　哈爾賓ヘハ豫定通リ到着セシヤ
答　到着シマシタ

問　少々時刻ガ遅レタト云フ者モアルガ如何
答　其様ナ事ハアリマセヌ豫定ヨリ早ク汽車ガ着ク事ニ爲ルニデ途中汽車ノ速力ヲ緩メタ位デアリマスカラ遲着ノ事ハ更ニアリマセヌ

問　蔡家溝ノ停車場デ汽車ノ乘換ヲスル様ニ爲ツテ居ルヤ
答　其様ナ事ハナイト思ヒマス同所ニハ別ニ支線ハナイ筈デス

問　伊藤公ノ乘ツテ居タ客車ト證人等ノ乘ツテ居ツタ客車トノ順序ハ如何
答　伊藤サンノ乘ツテ居タ特別車ハ一番最後ニ聯結シテアリマシテ同車ニハ公ノ居間モアリ應接室モアリマシタ又公ノ隨員ノ居間モアリマシタ其前方ニ日本人ガ乘ツテ居ル客車ガ二台聯結セラレ其又前方ハ食堂車デ其前ニハ露國ノ出迎人ノ乘ツテ居ル客車ガ一台聯結セラレテ居タト思ヒマス
私ノ乘ツテ居ツタ客車ハ公爵特別車ノ直ク前ノ分ト思ヒマスガ或ハ今一ツ前方ノ箱デアツタカモ知レマセヌ

問　哈爾賓停車場デ汽車ハ如何ナル位置ニ停車シタルヤ
答　伊藤サンノ乘ツテ居ツタ貴賓車ノ前方ノ昇降口ガ一等待合室ノ出口ト相對シテ居ツタノデ之レハ正確ノ記憶デ間違ヒハナイト思ヒマス

問　着車後ノ模様ハ如何

答　着車ト同時ニ露國ノ大藏大臣ガ伊藤サンノ客車ヘ來マシタ然シ私ハ其時ノ會談ノ模様ハ知リマセヌ會談ノ時間ハ隨分永クカカツタノデ皆永イ永イト云フテ待遠ク思ツテ居リマシタ私ト田中理事ハ隨分寒ウアリマシタナレトモ汽車カラ降リテ運動ヲ致シテ居リマシタ露國側ノ人モ手ヲ摺ツテ待遠イ様ナ様子デ運動ヲシテ居リマシタ私ハ其時携帶シテ居リマシタ寫眞器デ停車場ノ模様ヲ撮影シマシタガ其中ニ公爵ガ下車セラルル模様デアリマシタカラ其下車ヲ待ツテ又寫眞ヲ撮ツテ直ク寫眞器ヲ汽車ノ中ニ入レテ公爵ノ後カラ付イテ行キマシタ

問　其時撮影シタル寫眞ハ之ナルヤ

此時四十二年領特第一号ノ三十ノ寫眞二葉ヲ示ス

答　左様デアリマス

問　其寫眞ノ人々ハ記憶シテ居ルヤ

答　後カラ撮ツタ分ノ寫眞(特第一号ノ三十ノ二)ノ向ツテ右ノ端ノ後姿ハ田中理事デ露國ノ兵隊ヲ挾ンデ其次ガ夏秋君デ其次ニ帽ノ庇ニ手ヲ掛ケテ居ルノハ川上總領事デ其次ガ露國大藏大臣デ其前方ニ此方ヘ向ツテ外套ヲ着シテ居ル老人ハ卽チ伊藤公爵デ其前デ公爵ト相對シテ居ル分氏名ハ知リマセヌ露國人デ正ニ大藏大臣ガ公爵ニ紹介ヲシテ居ル所デアリマス一番左方ニ大キナ後影ノ人ハ露國人デ寫眞ノ器械ヲ持ツテ居ル男デシタ

又最初ニ撮ツタ寫眞(特第一号三十ノ一)ノ向ツテ一番左方ノ後姿ノ人ハ東淸鐵道會社ノ副總裁「ウエンッエリ」同人ニ相對シテ肩章ノミガ見ヘテ居ル人ハ公爵ノ遺骸ヲ見送ツテ來タ北京駐在ノ露國公使「コロスト、ウエツ」其次ニ居ル人ハ東淸鐵道會社ノ調査役「ルゲウヰツテ」ト云フ人デアリマス

問　伊藤サンハ如何ナル順序デ歡迎者ニ對シ挨拶ヲセラルルト聞キシヤ

答　私ハ其順序ノ委敷事ハ聞キマセナンダガ伊藤サンガ下車セラルルト露國ノ重ナル歡迎團ノ人々ガ出テ來テ公爵ト握手ヲ致シテ居リマシタカラ私ハ公爵ハ閱兵ヲシテ直ニ停車場ヲ出テ馬車デ行カルル事ト思ツテ居リマシタ

問　川上總領事ノ云フ所ニ依ルト伊藤サンハ閲兵ヲシテ一端汽車ニ歸ツテ後重ナル歡迎者ヲ引見シ挨拶ヲセラルル筈デアツタトノ事ナルガ如何

答　川上ハ始終公ニ附イテ居リマシタカラ當人ガ左様申セハ夫レカモ知レマセヌガ私ノ考デハ大藏大臣ハ伊藤公ニ紹介ヲシテ置ク必要アル人ハ既ニ紹介ヲシマシタカラ再ビ汽車へ歸ツテ來ル必要ハナイ様思ツテ居リマシタ

問　伊藤公ハ閲兵ヲセラレタルヤ

答　閲兵ヲセラレマシタ重ナル露國ノ歡迎團ト挨拶ガ終ルト大藏大臣ハ伊藤公ノ左手兵隊列ニ近キ方ニ爲ツテ公爵ト共ニ進行セラレマシタ公爵ハ山高帽ヲ着テ居リマシタルモ右ノ手ヲ擧ケテ禮ヲシナガラ向フへ進ミマシタ其時露兵ハ捧銃ヲシタデアロウト思ヒマスガ私ハ氣ガ付キマセナンダ

公爵ノ後カラハ公爵一行ノ人々及ビ露國ノ重ナル歡迎團ガ不順序ニ爲ツテ附イテ行キマシタ

其時ノ進行ハ實ニ徐々デアリマシテ寒イ日デハアリマシタガ皆偉イ人ノ後ニ附イテ行クト云フ心持デ心中誠ニ陽氣ニ感シマシタ夫レハ私一人ノ考ヘデハアリマシタガ他ノ人ニモ皆同一ノ感ガアツタデアロウト思ヒマス

問　證人ガ初メニ撮ツタ寫眞ニ依レバ兵隊ノ列ノ先ノ人ガ前方へ突出テ居ル様見エルガ閲兵ノ時モ此様ニ出テ居リシヤ

答　閲兵ノ時ニハ出テ居リマセナンダ私ノ思ヒマスニハ余リ公爵ノ會談ガ永カツタノデ日本人歡迎團ガ待テ勞シテ突出テ來タモノト見ヘマス然シ公爵ノ閲兵セラルル時ハ制セラレタルモノト見へ皆整然ト列ンテ居リマシタ

問　汽車ガ哈爾賓驛へ這入ツテ行ク時證人ハ歡迎者ノ整列順序ヲ見タルヤ

答　見マシタ汽車ガ進ンデ行ク時「ブラツトホーム[3]」ニ第一番ニ清國ノ儀仗兵ガ小數列ンデ居リマシタ其次ニ停車場ノ模様ヲ寫ス爲メノ活動寫眞ノ高イ台ガ立ツテ其所カラ少シ後方ニ日本人團ガ二列ニ爲ツテ居リマシタ其次ニ日本人團ヨリ少

3　プラットホーム。

々前方ニ出タ處ニ露國ノ儀仗兵ガ整列シテ其次ニ露國ノ歡迎團ガ居リマシタ尙ホ其時一等待合室ノ出口左手ノ所ニ日本ノ婦人ガ二人紫ノ樣ナ衣類ヲ着テ立ツテ居ツタノヲ見受ケマシタ

問　各國領事團ハ何處ノ辺ニ居リシヤ
答　夫レハ氣ガ付キマセナンダ

問　伊藤サンガ閱兵ヲセラレタル時兵ノ列ンデ居ル右手ノ方デ握手ヲセラレタ事ハナカリシヤ
答　握手ヲセラレタ樣ニ思ヒマス夫レガ各國領事團カモ知レマセン丁度其時活動寫眞ノ器械ガ運轉ヲ初メタ音ガ聞コヘマシタノデ私ハ始メテ之ヲ見ルノデ珍ラシク其方ヲ見テ居リマシタカラ充分氣ガ付キマセナンダ

問　伊藤サンハ閱兵ヲ終ハリシヤ
答　兵隊ノ前ヲ通ラレタカラ全ク閱兵ハ終ツタ事ト思ツテ居リマシタ殊ニ兵ノ前ヲ通ル時伊藤サンハ擧手ノ禮ヲセラレテ居リマシタカラ之レガ卽チ閱兵デアルト思ヒマス
ソレデ再ヒ引キ返シ更ニ閱兵セラルルコトハ無カラウト思ヒマス

問　證人ハ爆竹ノ樣ナ音ヲ聞キタルヤ
答　聞キマシタ

問　何レノ辺ニテ聞キタルヤ
答　伊藤サンガ兵隊ノ前ヲ通ツテ行キ其後カラ附イテ行キマシタ者モ伊藤サンニ續イテ引返シタ間モナク音ヲ聞キマシタ

問　伊藤サンハ引返ス時右ニ回轉シタルヤ左ニ回轉セラレタルヤ
答　引返ス時又左手ノ方デ活動寫眞ノ器械ガ盛ニ運轉ヲ初メタノデ私ハ如何ニモ早イモノダト其方ヲ見テ居リマシタカラ充分記憶シマセヌガ私ハ右ヘ回轉シタノデハナカツタカト思ヒマス

問　活動寫眞器ハ初メ證人ガ見タル所ヨリ位置ヲ変ヘテ左方ヘ据ヘテ居リシヤ

答　左様デス何時ノ間ニ位置ヲ変ヘタカト思ツテ驚イタ程デアリマシタ

問　証人ハ兇漢ノ姿ヲ見タルヤ

答　差シ伸ヘテ拳銃ヲ握テ居ル手ノ先丈ケ見マシタ

問　兇漢ハ立ツテ居リシヤ又中腰ノ様ニ爲ツテ居リシヤ其辺ハ見サリシヤ

答　兇漢ノ手ハ余リ高クモナイ様ニ思ヒマシタガ又シヤガンデ居ル様ナ模様ニモ見受ケマセナンダ其時私ハ伊藤サンヨリ六七尺左ノ後方ニ居リマシタガ其中間ニハ澤山人ガ居リマシタカラ委敷事ハ判リマセナンダ確カ其時大藏大臣ハ伊藤サンノ右手ニ爲ツテ居ツタ様ニ思ヒマス

依テ右ニ申シマスル如ク伊藤サンハ引返ス時右ニ回轉シタノデハアルマイカト思ツテ居リマス

問　兇漢ハ如事カ聲ヲ發シタルヤ

答　拳銃ヲ六七發發射シタ後デ何カ悲鳴ヲ掲クル様ナ聲ガ聞コヘマシタ彼ヲ取押ヘタ露國大佐某ノ語ル所ニ依レバ兇漢ハ取押ヘラレルル時彼ノ隱カラ「ナイフ」ヲ取出サムトシタルニ地ニ顔ヲ摺リ付ケラレタトノ事デアリマスカラ其時ニ痛クテ悲鳴ヲ擧ゲタノデアロウト私ハ考ヘマシタ一体其ノ瞬間ノ模様ハ露語デ「日本人ガ日本人ヲ」ト云フ聲又「公爵カ川上ガ、田中ガ」ト云フ聲ヲ聞キ向フヲ見レバ兇漢ノ手先ガ見ヘル又一方デハ露國ノ小將ガ線路ノ所ヘ倒レテ片手ヲ突イテ起キ上ラントシテ居ルノヲ見又彈丸ヲ避クル爲メ人波ニ爲ツテ私ノ方ヘ押シテ來ル等色々ノ光景デ頭ガ混亂シテ其時ノ記憶ハ正確デアリマセヌ

問　兇漢ハ初メ公爵ノ方ヘ銃口ヲ向ケテ發射シ後又横ノ方ヘ向ケテ發射シタル事ヲ見サリシヤ

答　夫レハ見マセヌ

然シ初メ兇漢ハ伊藤サンノ方ヘ向ケテ二三發發射シタル時其ノ手首ヲ押ヘラレタガ其儘又發射シタト露國ノ大佐カラ聞キマシタ依テ手首ヲ押ヘラレタル時自然ニ方向ガ轉シテ發射シタノデハアルマイカト思ハレマス又私ガ爆竹ノ様ナ音

ヲ聞イテ其方ヲ見タル時拔劍シテ振リ上ゲテ居ルノヲ見マシタ其劍ハ打下シハセヌカト思フテ居ル中鞘ニ收メマシタ其拔劍シタノハ露國ノ大佐デアツテ同人ハ兇漢ヲ斬ラントシタルモ間ニ人ガ居ツテ妨ケニ爲ツテ斬ル事ガ出來ナンダト後ニ其大佐カラ直接私ハ話ヲ聞キマシタ

問　其時伊藤サンノ外ニモ尙ホ負傷シタ人ガアリシヤ
答　川上、田中、森ノ三名ガ負傷シマシタ

問　伊藤サンガ狙擊セラレテ客車ノ中ヘ入レラルルマテノ間ニ於ケル狀態ヲ證人ハ目擊シタルヤ
答　公爵ガ狙擊セラレタ事ガ判リマシタカラ私ハ公爵ト田中理事トノ所ヘ行キテ如何デ御座リマスト申シマシタガ其ノ時澤山ナ人ガ集マツテ來テ病院ヘ送ルトカ汽車ノ中ヘ入ルルトカ申シテ居リマシタガ終ニ汽車ノ中ニ入ルル事ニ爲ツテ

問　運ビ入ルル前公爵ニ「ブランデー」ヲ勸メタル事アリシヤ[4]
答　其事モ見マセヌ

問　公爵ガ狙擊セラレタル時誰レカガ狙擊シタ者ハ韓國人デアルト公爵ニ申上ケタ事ヲ聞カサリシヤ
答　其事ハ聞キマセヌ然シ後デ室田君カラ聞ク所ニ依レバ公爵ハ彈丸ハ大分這入ツテ居ルゾト云ハレタトノ事デス
公爵ヲ汽車中ヘ運ヒ入レタル後室田アルヤ古谷君ガ川上領事ヲ呼ンデ居ルノテ居ラヌトノ事故私モ同人ヲ搜シマシタガ見當リマセナンダカラ私ハ川上總領事ハ自己ノ責任上自殺ヲセサリシカト心配シマシタガ後ニ病院ニ居ルヲ聞キ安心シマシタ
私ハ公爵ノ車室ニ行キマシタレバ露國人ガ澤山見舞ニ行キテ居リマシタ其露國人ノ間カラ公爵ヲ見マシタレバ誰カガ左ノ方ノ腹部ヘ注射ヲ一本刺シマシタ

4　外務省本においては「運ビ入ルル前公爵ニ「ブランデー」ヲ勸メタル事アリシヤ」と言うのが前方に繫がってある。しかし文脈上ここから〈問〉が始まる樣に見える。

其時迠公爵ハ腹ニ波ヲ打タセテ足ヲ縮メタリ伸シタリシテ非常ニ苦ンデ居リマシタカ注射ノ爲メ稍々靜マリタル樣子デ眼ヲ開ケマシタ其時古谷君ガ私ニ露國ノ人ハ皆車外ニ出テ貰フテ吳レト云ヒマシタカラ私ハ露國人ニ對シ此ノ樣ナ場合デスカラ皆サン車外ヘ御出下サレト申シマシタレド容易ニ下車シマセヌ故私ハ怒氣ヲ帶ヒ今ノ瞬間ガ大切ノ場合故下車シ吳レト申シ露國人ヲ押出シマシタ私ノ背ガ車ノ扉デ押サルルヲ感シテ出タ時古谷君ノ聲デ公爵何カ御申置キハアリマセヌカト申シテ居ルノガ聞ヘマシタ夫レカラ私ハ車外ニ出マシタ時古谷君モ下リテ來マシタカラ同人ニ公爵ノ模樣ハ如何テスト尋ネマシタレバ何トモ云ワズ手ヲ振リマシタ其時公爵ハ薨去セラレタノデアロウト思ヒマシタ

問　公爵ガ薨去セラレタル後露國ノ大藏大臣ガ來テ非常ニ悲シマレタトノ事ナルガ其程ナ事アリシカ

答　アリマス

問　大藏大臣トノ問答ニ付テハ證人カ[5]通譯シタルヤ

答　川上領事ガ居リマセナンダカラ私ガ其場ニ居リマシタカラ自然私ガ通譯ヲスル事ニ爲リマシタ

問　大藏大臣ハ如何ニ言ハレタカ其時ノ模樣詳細ニ述ヘラレヨ

答　承知シマシタ私ハ其時ノ問答竝ニ長春發車時及公ノ遺骸ヲ運ブ途中ニ於テ露國人ノ感想ヲ知ラント思フテ自分ノ見聞ハ後日ニ於テ何カ參考ニ爲ルコトト豫期シテ筆記シ取ツテアリマスカラ其筆記ニ基キテ申立ヲ致シマス

伊藤公薨去後大藏大臣ヲ始メ重立タル露國官民等ハ公ノ遺骸ニ對スル最後ノ敬禮ヲ表スヘク遺骸ヲ安置セル貴賓車內ニ入ルノ許可ヲ求メ來マシタガ我一行ハ右ニ對シテ誠ニ御氣ノ毒ナレトモ今回ノ事變ニ罹レル公ヲシテ多クノ人々ニ接セシムルハ我々ノ情ニ忍ヒサルヲ了セラレタシ願クハ大藏大臣閣下御一名ニテ他ヲ代表セラレ御入來アルニ同意セラレタレトノ旨ヲ告ケマシタ所ガヤガテ

5　證人ガ。

入來レル大藏大臣ハ情然トシテ申サルルニハ悲慘ナル最後ヲ遂ケシ世界ノ偉人伊藤公爵ノ遺骸ノ前ニ立テル余ハ今何等語ル所ヲ知ラサルヲ覺ヱ御遭難際余ハ誰ヨリモ近ク公爵ニ接近シ居タリ其當時余ハ余自身ノ危險範圍ニ在ルヲ忘レ居タリ余ハ第一ニ公爵ノ身体ヲ抱キ支ヘタリ余ノ心ハ痛ク動搖セリ余ハ今尚ホ等シク余ガ心ノ動搖ヲ感シ居ルナリ右ハ諸君ガ(私ハ此時居ツタ人々ハ私ノ外ニ室田、古谷二氏デアツタト記憶ヲシマス)又今日居合セタル凡テノ人々ガ等シク認メラレタル所ナルヘク又余ガ如何ニ悲ニ堪ヘスアルヤハ諸君ノ御賢察ヲ乞フ次第ナリ公ノ來哈ハ空シキ旅行ニテアラサリシヤヲ確信セリ日露兩國ノ親和ハ公ト余トノ親シキ會見ニ依リテ溫メラレ且成育セラルヘキモノナルヲ信シテ樂ト爲セリ然ルニ未ダ意思ノ詳カナル交換ヲ爲スニ先チテ[6]公ハ逝ケリ兩國ノ爲メ深ク遺憾ト爲ササルヲ得ズ左レト余ハ確信ス人ハ死シ得但シ其主義ト爲セル所ハ死シ能ハサルナリ伊藤公ノ來哈ハ斯クノ如キ悲シキ出來事ニシテ終リヌ然レトモ余ハ確信熱望ス公ノ薨去ハ日露將來ノ親和ニ對シ單ニ其障碍ト爲ラサルノミナラズ寧ロ今回ノ不幸ハ將來ニ於ケル兩國和親ノ幸福ヲ生ムノ有力ナル端緒タランコトヲト云ハレマシタ尚ホ力アル確ナル句調ヲ以テ云ハレタ所ハ停車場歡迎人ノ取締ニ關シテハ露國側デハ切符制度ニ依ツテ歡迎人ヲ制限取締ル筈テアリシヲ川上總領事ノ求メニ依リ日本人ノ自由立場ヲ許シタ事デアル日本人ト韓國人トノ區別ハ日本側ニ於テモ困難デアル露國側ニ於テハ尚更其區別ハ出來難イ事デアツテ遺憾ノ至リデアルト云ハレマシタ尚大藏大臣ハ續ケテ云ハルルニハ「尚ホ諸君ニ一言ス我露國皇帝陛下ハ目下御承知ノ通リ伊國訪問ノ途ニ在リ今日ノ事變ニ關スル詳細ナル余ノ電報ハ陛下ニ於テ多分其ノ歸途之ニ接セラルヘシ余ハ信ス陛下ハ余ト等シキ深キ痛歎ノ心ヲ以テ本件ニ關スル余ノ電報ヲ悲シマルヘキヲ又諸君ニ云フ諸君ガ御歸國ノ上貴國政府當局者ニ對シ以上余ノ申述ヘタル趣ヲ具サニ御傳言アランコトヲ終ニ臨ミ余ハ我政府及外務省ヲ代表セシメ北京駐在露國公使「コロストウェツ」氏ヲシテ我鐵道沿線ノ終点迠伊藤公爵御遺骸ノ御見送リヲ爲サシメント欲ス御承諾ヲ乞フ」ト申サレマシタ

右大臣ノ弔詞ニ對シテ伊藤公一行ヨリ厚ク謝意ヲ述べ且當時露國檢事ヨリ公

6 先立チテ。

爵御遺骸ノ檢視ヲ要求シ來リ居リマシタカラ右ノ手續ハ一行ニ取リテ要ナシト認メ之ヲ省略シ得ル樣大臣ヨリ御指令ヲ乞フ旨依賴シタル所之ニ對シテ大臣ハ申サルルニ「本件ハ余ノ所管事項ニアラサレトモ余ハ御申出ノ趣ヲ當局者ニ傳達シ御希望ニ添フヘキヲ期スベシ」ト申サレマシタ

右ノ外大臣ハ其當時マデニ犯人取調ノ結果露國當局者ニ於テ得タル報告ヲ傳達セラレマシタ旦申サルルニハ「犯人ノ國籍果シテ韓國ナル事ノ分明ノ上ハ犯人ハ無論韓國ニ引渡スヘキモノ卽チ今日ニ於テハ貴國ヲ經由シテ韓國ニ引渡スヘキモノナルガ故ニ特ニ諸君ヨリ御依賴アルマテモナリ本件犯人取調上得ル所ノ報告材料等ハ悉ク貴國領事館ニ其都度報告提供スル事ヲ固ク御約束致スヘシ」ト云フ事デアリマシタ

問　伊藤公遭難前後ニ於ケル露國官憲ノ感想上ニ付キテ外ニ見聞シタル事ナキヤ

答　アリマスカラ申述ヘマス去ル二十五日夜長春ニテ淸國官憲ノ晩餐會ニ出席セラレタル後東淸鐵道貴賓車ニ便乘北行ノ途ニ就カレタルハ午后十一時ト記憶致シテ居リマス其節哈爾賓ヨリ公爵ヲ出迎トシテ來レル彼ノ地民政部長小將「アフアナシエフ」氏竝ニ東淸鐵道營業課長ギンツエ氏ヲ始メ外十數名ノ將校ハ公爵モ御疲勞デハアラセラレヨウガ晩餐後ノ茶話モ又一場ノ御慰ミニモナロウシ御見知リノ榮モ得タイカラドウカ食堂ニ御出席ヲ願ツテ吳レヨトノ事デ公爵ニ申上ケルト心地能ク御承諾ニ爲ツテ彼此ノ御話シモアリ露國人側ヨリ挨拶モアツタ末正式デハナカツタケレトモ公爵ハ次ノ意味ノ挨拶ヲセラレマシタ「一度見テ置キ度イト思フタ滿洲ニ余暇ヲ利用シ皇帝陛下ノ御許可ヲ得テ視察ノ途ニ上ルト偶ニ貴國大藏大臣カ東洋ニ御出テニ爲ルト云フ事デ道モ遠クナシ御目ニカカリタイト思ヒ付イテ何ノ計劃スル所モナク只タ日露親和ノ緖ニモナランカト思フテ罷出テテ玆ニ諸君ト御目ニカカル事ノ出來ルノハ自分ノ誠ニ滿足ニ思フ所デアル從來自分ハ日露兩國間ノ親密ナル關係ヲ見ルノ必要ヲ感スル至テ切ナル者デアルドウカ此親和ノ關係ガ信スヘキ諸君ト同席スルヲ得タル此汽車中ニ始マツテ益々鞏固ナル關係ヲ養成シ得ル事ヲ期シタイノデアル今諸君ノ健康ヲ祝シ杯ヲ擧ケタイト」云ハレマシタ公爵ノ右挨拶ハ出迎トシテ長春迠派遣セラレタル露國人ノ胸中ニ深ク銘セラレタ樣デアリマシタ公爵御遭難後歸途食堂ニ集マツテ事變ニ關スル四方山ノ話湧クガ如キ中ニ度度露國人カラ「昨夜公爵ノ御挨拶

ノ中ニ日露ノ親和ガ此汽車中ニ始マリ益益鞏固ナランコトヲ望ム云云ト語ラレタ時ノ聲ガ未ダ此耳ニ鳴ツテ聞コヘル返ス返スモ殘念ナ事ヲ出來シタモノダ」杯ト申シテ感激ガ少ナクアリマセンデシタ伊藤公爵ノ遺骸ト共ニ哈爾賓發車南行セル列車ニハ北京駐露公使、東清鐵道長官ホルハト小將ノ外大佐以下十一名將校見送リノ爲メ乘車シテ居リマシタガホルハト小將ハ途中私ヲ一室ニ招イテ悄然トシテ左ノ事ヲ云ハレマシタ「思ヘハ思フ程情ナキ限リテアル最後ノ大戰爭ノ以前伊藤公爵ノ云ハレタ事ヲ若シ露國ガ聞イタナラアノ悲慘ナ戰爭モアノ露國ノ不名譽モ無カツタノデアル今ハ又無智ナル一韓人ノ爲ニ取返シノナラヌ事ヲ仕出來カシタ伊藤公爵ガ今回ノ來哈ハ大藏大臣ニ對シ普通一般外交上ノ空敷御世辭文換ノ爲テナイ事ハ誰モ判ツテ居ツタ事デアル又伊藤公爵トシタナラバ露國人ニ對シテ「汝等最早滿洲ヲ去レ滿洲ハ汝等ヲ容ルル地ニアラズ」杯ト云フ一点張ノ主張ヲ語ル樣ナ人テナイト誰モ深ク信シテ居ツタノデアル尊敬スヘキ老大偉人ノ今回此地ニ來ルヤ必ラズ兩國共ニ利益ヲ得ル事ノ出來ル話合ノ付クヘキ問題ヲ齎ラサレタノニハ相違ナイト信スルノテアル然ルニ未ダ其緒ヲ語リ出ス暇モナク此有樣トハ如何ナル不幸ナル運命デアロウカ日本ノ損失ハ云フ迠モナイ多大デアル然シ露西亞ノ蒙ツタ損失モ決シテ少ナクナイノデアル我々ハ伊藤公ノ今日アリシヲ悲ムト同時ニ露國ノ爲ニ失フタル所ノモノヲモ惜ムノデアル韓國ハ今回ノ犯人ヲ出シタルガ爲ニ不名譽ナル大損害ヲ蒙ル事ハ致シ方ナシ只今日歡フモノハ誰レテアロウカ清國一ツアルノミデアロウ然シ此歡ヒハ永久ノモノテナイ直ニ又目ノ覺メル樣ナ事ガ出來ルデアロウ今度兩偉人ノ會見ガアルト云フノデ清國人ノ騷ギハ一方デナカツタラシイ支那官憲カラ伊藤公爵乘用車デ清國ノ何省カラ次官ガ二人同乘來哈シタイカラト申込ミガアツタカラ其積リテ手配ヲシテ置イタラソンナ者ハ何處ヲ搜シテモ居ラナクテ長春カラ只タ何トカ外交官ト云フ清人ガ一名乘ツタ許リデアル前ニ云フタ次官連ノ事ヲ能ク能ク取調ヘサセルト一日トカ二日トカ前ニ已ニ微行シテ哈爾賓ニ來テ居ルトカノ事兎ニ角種々ノ間者ヲ放ツテ兩偉人會合ノ模樣探知ニ努メテ居ツタノハ事實デアル只ダ情ナキハ世界ノ一 傢傑[7]ヲ失フタノデアル云云」ト申シタノデアリマス

---

7 豪傑。

以上申シ述フル通リ露國官憲ハ一般ニ公ノ死ニ對シテハ同情ヲ寄セテ居ルノデアリマス自分ノ筆記ハ御參考ノ爲ニ提出シテ置テモ宜シウアリマス

此時筆記ノ綴ヲ提出シタルモ前記陳述ト同一ト認メタルヲ以テ之ヲ還付シタリ

問　公爵ノ遺骸ヲ持歸ル事ハ室田氏ガ主トシテ定メラレタル
答　左樣テアリマス

問　露國カラ花環ヲ獻シタイト申シ來リタル事アリシヤ
答　露國大藏大臣ニ公爵ハ薨去セラレタルニ付キ一分間モ南行シタキガ差支ヘハナキヤト申シタレバ花環ヲ命シ置キマシタカラ今ニ持テ來ル筈デアルカラ五分間丈ケ猶豫ヲ與ヘテ吳ルレバ幸福デアルト申シマシタガ其後五分間ヲ經ヌ中ニ花環ヲ持ツテ來ラレマシタカラ發車シマシタ

問　遺骸ニ對シ儀仗兵ヲ付スル事ニ付キ話ハナカリシヤ
答　其時ニハ其樣ナ話ハ聞キマセナンダ然シ哈爾賓發車後汽車中デ露國ノ「ホルツト」小將ガ儀仗兵ヲ出シタト話シガアリマシタ
尙ホ同小將ハ寬城子驛ニ來タ時閱兵ヲシテ吳レト申出テマシタカラ松木少佐ニ私ガ付イテ閱兵ヲ致シマシタ其故ハ松木少佐ノ談ニ此閱兵ヲスル事ハ禮デアルト云フ事ヲ聞キマシタカラデス夫カラ尙ホ「ホルツト」小將ハ自國ノ管區ハ此寬城子迠ナルモ一中隊丈ケ儀仗兵ヲ附シテ長春マデ御送リシテ日本ノ軍隊ヘ御渡シ致シタイカラ承諾シテ吳レト申シ終ニ長春マデ一中隊ノ兵ヲ附シテ送ツテ來マシタガ其時日本ノ軍隊ハ未ダ出テ居リマセナンダガ支那ノ軍隊ハ已ニ出テ居リマシタカラ程ナク日本兵モ來リ同軍隊ト露國軍隊トノ間ヲ通リテ公爵ノ遺骸ヲ滿鐵ノ汽車ニ移シマシタ

證人 庄司鐘五郎

右讀聞カセタルニ承諾ノ上自署セリ
卽日同廳ニ於テ

書記	岸田愛文
高等法院檢察官	溝淵孝雄

田中清次郎 證人 訊問調書

証人 訊問調書

証人 田中清次郎

右安應七、禹連俊、曹道先[1]、柳江露、鄭大鎬、金成玉、金衡在、卓公圭、金麗水、張首明、金澤信、洪時濬、李珍玉、方士瞻、鄭瑞雨、金培根ニ對スル殺人被告事件ニ付キ明治四十二年十一月十二日南滿洲鐵道株式會社大連醫院ニ於テ關東都督府高等法院檢察官溝淵孝雄書記岸田愛文列席
檢察官ハ證人ニ對シ訊問スルコト左ノ如シ

問　氏名年齡身分職業住所ハ如何
答　氏名ハ　田中清次郎
　　年齡ハ　明治五年五月生
　　身分ハ　士族
　　職業ハ　南滿洲鐵道株式會社理事
　　住所ハ　大連市兒玉町五番地

問　右被告人ト親屬後見人被后見人雇人同居ノ關係ハナキカ
答　關係ハアリマセヌ

問　証人ハ如何ナル資格ニテ伊藤公爵ト共ニ哈爾賓ニ行キタルヤ
答　南滿洲鐵道株式會ヨリトシテ長春ヨリ哈爾賓迠ノ間伊藤公爵ノ隨行員中ニ加ハル事ト爲リテ隨行シマシタ

問　長春以北ハ公爵警衛ノ日本ノ警察官ハ付セヌ事ト爲リシヤ
答　其事ハ知リマセヌ

1　曺道先。

問　公爵ノ乘ツテ居ラレタ特別車ハ列車ノ最后ノ分ナリシヤ
答　左樣テアリマス私等ハ其前ニ聯結シテアル客車ニ居リマシタ

問　公爵ノ乘ツテ居ツタ汽車ハ何時ニ哈爾賓ニ着シタルヤ
答　定時ノ午前九時ニ着シマシタ

問　公爵着車ノ際ニ於ケル哈爾賓停車場ノ歡迎員及軍隊等ノ配列順ハ如何
答　配列ノ順序ハ私ノ見タル處デハ公爵ノ汽車カラ待合室ニ向ツテ右(以下左右ハ凡テ公爵客車ヨリ待合室ニ向ツテヲ云フ)ノ方ブラツトホーム[2]ノ殆ンド外レノ所ニ外交團ノ一列アリ其左ニ支那軍隊次ニ露國軍隊ノ整列アリ露軍隊ノ左ノ方一間許ヲ隔テテ露國將校ノ一團アリ其左方ニ接シテ東淸鐵道總裁初メ文官連ガ一塊ニ爲ツテ居リマシタ日本人團ハ外交團ノ所カラ左ヘ露國軍隊ノ整列シテ居ル半ハ位迠ノ所ノ後手ニ並ンテ居リマシタ支那ノ樂隊ハ淸國兵隊ノ所ニ居ツタデアロウトハ思ヒマスルモ私ハ氣ガ付キマセナンダ而シテ公爵ノ客車ノ昇降口ハ一等待合室ノ出入口ノ正面位ノ處ニ止ツテ居リマシタ尙ホ待合室ノ出入口ノ傍ラニ日本婦人ガ二人居ルノヲ見受ケマシタ

問　公爵着車ノ時露國大藏大臣ハ公爵ヲ訪問セラレタルヤ
答　公爵ノ客車ガ着シタ時露國大藏大臣ハブラツトホーム[3]デ待ツテ居リマシテ着車后直クニ公ノ客車ニ入ツテ川上總領事ノ通弁デ約廿分間程公爵ト對談セラレマシタ其時私ハ自分等ノ室ニ居リマシタカラ對話ノ模樣ハ詳細ニ知リマセヌ

問　公爵ノ下車セラレタル順序ハ如何
答　對話ガ終ルト大藏大臣ガ先キニ下車シ其次ニ公爵續イテ川上總領事ガ降リラレマシタ夫レニ續イテ古谷君カ室田君カガ降リマシタト思ヒマスガ之レハ確カナ記憶ガアリマセヌ

2　プラットホーム。
3　プラットホーム。

問　公爵ハ下車ノ時外套ヲ着セラレテ居リシヤ
答　確カ外套ハ着テ居ツタカノ様ニ記憶シマス
　　其日ハ非常ニ寒イ日デアリマシタ

問　川上總領事ハ外套ヲ着テ居リシヤ
答　夫レハ氣ガ付キマセナンタ

問　伊藤公ハ下車后露國將校ト握手セラレタルヤ
答　公爵ガ下車シタ時大藏大臣カ其下リ口ノ所ニ立ツテ居ツテ貳參人紹介シマシタ
　　公爵ハ其人々ト握手セラレテ夫レカラ公爵ハ左大藏大臣ハ右ノ方ニ並ンテ列ノ前ヲ右ノ方ニ進ミマシタ

問　川上總領事モ竝列シテ行キシヤ
答　夫レハ氣カ付キマセナンダ[4]公爵ノ後ノ方ヨリ室田、古谷ノ兩氏カ付イテ行クノハ見マシタ私ハ夫カラ又遙カニ後ノ方カラ夏秋氏杯ト一所ニ付イテ行キマシタ

問　公爵ノ後カラ付テ行ク人々ハ如何様ニ並ンデ居シヤ
答　横ニ長ク並ンテ歩イテ居リマシタ
　　公爵ハ外交團所迠行キテ頻リニ握手ヲセラレテ居リマシタ

問　公爵ハ外交團ノ所カラ引返サレタルヤ
答　左様デス

問　公爵ハ何レノ方向ヘ回轉セラレタルヤ
答　左卽チ歡迎團ノ方ヘ向イテ轉回シマシタ
　　然シテ公爵ガ露兵列ノ前面ヘ來タ時大藏大臣ハ一二歩許リ進ンテ居リマシタ
　　夫レカラ公爵ガ露兵列ト露國將校トノ中間位ノ所ヘ來タ時其間カラ一人出テ來

4　氣ガ付キマセナンダ。

テトントント音ヲサセマシタカラ私ハ其方ヲ見マシタレハ兇漢ハ私ノ方ヘ拳銃ノ先ヲ向ケテ打ツタ様ニ思ヒマス夫レト同時ニ私ハ足ガ利カヌ様ニ爲ツテレールノ上ヘ倒レマシタ私ハ倒レル前瞬間ニ公爵ノ方ヲ見マシタレハ公モ撃タレタ模様テアリマシタ私ハレールノ上ヘ倒レタル時其四五間先キニ夏秋君ガ居リマシタカラ「ヤラレタ」ト申シマシタレハ同人ガ抱ヘ出シテ呉レマシタ

問　公爵カ撃タレタル時何事カ云ハレタルヤ

答　何事モ聞キマセヌガ皆ガ公爵ヲ車内ヘ運ヒ入ルル時公爵ハウンウントウナツテ居リマシタ

問　証人ハ兇漢ノ姿ヲ見タルヤ

答　私ノ居ツタ所カラ四五間所デアリマシタカラ其姿ヲ見マシタ

問　其兇漢ハ如何ナル服装テ如何ナル帽子ヲ被テ居リシヤ

答　服ハ氣ガ付キマセナンダカ外套ハ着テ居ラナンダ様思ヒマス帽ハ確カ鳥打帽デアツタト思ヒマス

問　兇漢ハ「カラ」ヲ付ケテ居リシヤ

答　夫レハ氣カ付キマセナンタ[5]兇漢ハ初メ公爵ヲ狙フテ撃チマシテ手ヲ動カセテ更ニ私ノ方ヘ銃口ヲ向ケテ撃チマシタ其時私ハ足ガ利カヌ様ニ爲リマシタ

問　証人ハ川上總領事ノ姿ヲ見タルヤ

答　同人ノ姿ハ見マセナンタ全ク居リマセナンタ様ニ思ヒマス

問　停車場取締ニ付露國ノ憲兵巡査ノ居ツタノヲ見受ケシヤ

答　公爵ノ客車ノ下リ口ノ所ニ露兵ガ劍ヲ付ケテ左右二人立ツテ居リマシタ其横手ニ憲兵ガ一人居リマシタ露國人ニ對シテハ制限ヲ加ヘテアツタト見ヘ「ブラツト

5　氣ガ付キマセナンダ。

ホーム[6]」ニ普通ノ露人ハ居ラナンダ様ニ思ヒマス

問　公爵ガ狙撃セラレタル后何カ聞キ込ミタル事ハナキヤ
答　別ニ聞キ込ミタ事ハアリマセヌ
蔡家溝譯デ犯人ガ二人捕ヘラレタガ同人ハ親類ガ來ルト云フ電報ヲ打ツタト云フ事ヲ大藏大臣ガ話ヲシタト聞キマシタ
私ニ命中シタ彈丸ハズボン[7]ト靴トヲ撃チ貫キ靴下ノ中ニアリマシタカラ取ツテ置キマシタカラ証據トシテ差出シマス又滿鐵ノ庄司氏ガ伊藤公爵下車ノ時ノ模様ヲ個人テ撮影シタモノガアリマスカラ御參考迠ニ提出シマス

依テ彈丸一個、寫眞二葉ヲ領置ス

証人 田中淸次郎

右讀聞セタルニ相違ナキ事ヲ承諾ノ上自署セリ
卽日前記場所ニ於テ
但出張先ニ係ルヲ以テ所屬官署ノ印ヲ用フル能ハス

關東都督府地方法院
書記　岸田愛文
高等法院檢察官　溝淵孝雄

6　プラットホーム。
7　ズボント。

十三 中村是公 證人 訊問調書

証人 訊問調書

証人 中村是公

右安應七、禹連俊、曹道先[1]、柳江露、鄭大鎬、金成玉、金衡在、卓公圭、金麗水、張首明、金澤信、洪時濬、李珍玉、方士瞻、鄭瑞雨、金培根ニ對スル殺人被告事件ニ付キ明治四十二年十一月十二日南滿洲鐵道株式會社大連醫[2]ニ於テ關東都督府高等法院檢察官溝淵孝雄書記岸田愛文列席
檢察官ハ證人ニ對シ訊問スルコト左ノ如シ

問　氏名年齡身分職業住所ハ如何
答　氏名ハ 中村是公
　　年齡ハ 五十歲
　　身分ハ 士族
　　職業ハ 南滿洲鐵道株式會社總裁
　　住所ハ 大連市兒玉町

問　右被告人ト親屬後見人被後見人同居雇人等ノ關係ナキヤ
答　其關係ハアリマセヌ

問　伊藤公爵カ哈爾賓ニ行カレタル時証人ハ全線隨行セラレタルヤ
答　左樣デス

問　伊藤公爵カ哈爾賓譯下車ノ當時同ブラットホーム[3]ノ軍隊歡迎員ノ整列順序ハ如何

---

1 曺道先。
2 大連醫院。
3 プラットホーム。

答　公爵下車ノ時公ノ客車ノ降リ口ノ左方(客車ヨリ待合室ニ向ツテ以下左右ト云フハ皆之ニ倣フ)ニ日本人團ガ一塊ニ爲ツテ居リ降リ口ノ直ク右手ニ露國大藏大臣隨員ガ五六名立ツテ居リマシタ日本人團ノ居ル所カラ右ノ方ヘ澤山軍人ガ整列シテ居リマシタ私ハ其美麗ナ事ハ目ニ付キマシタルモ支那軍隊、露國軍隊ガ如何ナル順序ニ爲ツテ居ツタカ又其他ノ歡迎團ガ何處ニ居ツタカ氣ガ付キマセナンダ公爵ハ下車シテ軍隊ノ前ヲ右ノ方ヘ行キマシタガ何レノ辺カラ引返シタカ判リマセヌ公爵ガ引返シテ來ル時軍隊ノ並ンデ居ル右ノ端ノ所カラ兇漢ハ少シ前ヘ出テ發射ヲシマシタ其時ポンポント三發位音ガ聞コヘマシタ其時私ハ公爵ノ左横ノ後ロノ方ニ居リマシタ私ノ前ノ方ニ室田ガ居ツテ田中理事ハ遙カニ後ノ方カラ付イテ來テ居リマシタ

問　公爵ハ狙撃セラレタル時姿勢ガ崩ルルトカ又其外ニ変ツタ様子ガアリシヤ
答　私ノ見タ時ハ別ニ姿勢モ崩レス変ツタ事ハナイ様ニ思ヒマシタガ何分瞬間ノ事デスカラ委敷事ハ判リマセヌ

問　証人ノ見タル兇漢ノ姿ハ如何ナル者ニテアリシヤ
答　体ノ小サナ男デ黑イ様ナ服ヲ着テ右ノ手ヲ突キ出シテ發射シタ様ニ思ヒマス

問　兇漢ハカラヲ付ケテ居リシヤ
答　夫レハ氣ガ付キマセナンダ

問　其時公爵ハ外套ヲ着テ居リシヤ
答　着テ居リマシタ
現ニ公爵ノ着テ居ラレタ毛裏ノ外套ニハ彈ガ射抜イタ痕ガアリマシタ卽チ外套ノ手ノ上膊ニ當ル處少シ後方ノ縫目ノ横ノ方カラ縫目ヲ隔テテ三ツ穴ガ明イテ居リマシタ又ズボンノ下腹部ニ當ル所前ノ方ヲ一方カラ一方ヘ射抜イテ穴ガ明イテ居リマシタ
公爵ノ身体ニハ彈丸ガ二ツ止マリ一ツハ貫通シテ居ルト聞キマシタ
公爵ガ狙撃セラレタル時私ノ服ノズボンノ膝ノ少シ下手ノ處ヲ彈丸ガ一發射抜

イテ居リマシタ其彈ノ余力デアロウト思ヒマス外套ノ裾ニモ穴カ[4]明イテ居リマシタ然シズボン下ニハ少シモ傷ハ付イテ居リマセナンダ又其時室田君モ膝ノ上ノ方ニ當ル處ノズボンヲ射抜カレテ居ツタトノ事デアリマス然シ私モ室田君モ身体ニハ負傷ヲ致シマセナンダ

私ハ銃撃ヲ三ツ許聞イタ様ニ思ヒマスモ兇漢ハ澤山發射シタモノト思ヒマス

証人 中村是公

右讀聞カセタルニ相違ナキコトヲ承諾シ自署セリ

卽日前記場所ニ於テ

但出張先ニ係ルヲ以テ所屬官署ノ印ヲ用フル能ハス

關東都督府地方法院

書記　　　岸田愛文

高等法院檢察官　　　溝淵孝雄

4　穴ガ。

十四　妻木ヤスエ 證人 訊問調書

証人 訊問調書

證人 妻木ヤスエ

關東都督府高等法院檢察官溝淵孝雄ノ囑託ニ依リ當官ニ於テ妻木ヤスエヲ召喚訊問スルコト左ノ如シ

問　氏名ハ
答　妻木ヤスヱ

問　原籍ハ
答　愛媛縣新井郡西條町字秋屋敷

問　現住所ハ
答　淸國安東縣五番通四丁目一番地

問　職業ハ
答　旅館菊水

問　本年十月二十日ヨリ廿六日迠ノ間ニ於テ男子二人老婦人中年婦人一人小兒五人ノ一行宿泊シタルコトアリヤ
答　有リ但シ小兒ハ五人[1]ニアラスシテ三人ナリ又婦人ハ六十才位ノ老人一名、二十四五才位ノモノ一名、二十六七才位ノモノ一名ノ三人ナリ

問　右ノ者等ノ宿泊シタルハ何日ナリシヤ

1　吾人。

答　十月二十四日ノ午前二時ニ着シ其朝安奉線鐵道ノ一番列車ニテ草河口沾ノ切符ヲ買ヒ求メ出發シタリ行先ハ吉林ト申居リ

問　當日宿泊シタル者ハ此寫眞ノモニアラサルカ

此時溝淵檢察官ヨリ送越ノ寫眞二枚ヲ示ス

答　此寫眞ノ二名ニ相違ナシ口髯ノアル方カ鄭大鎬ニテ他ノ分カ鄭瑞雨ナリ年長ノ鄭瑞雨ハ鄭大鎬ノ隨行ラシク老婦人等ノ世話ヲ爲シ居レリ老婦人ハ鄭大鎬ノ母ニシテ若年ノ婦人ハ其妻小兒ノ內二人ハ其子ナリトノコトナリ又今一人ノ婦人ハ一人ノ小兒ヲ連レ居リシモ一行ノ男子ノ妻トモ思ハレサリキ一行ハ非常ニ前途ヲ急キ居リ自分方ニテ服裝ヲ変テ洋裝トナリ出發セリ老婦人ハ帽子ニ至ルマテ全然洋裝ヲナシ若キ兩婦人ハ下衣ハ韓國服ナルモ上ニハ耶蘇敎ノ傳道婦人ノ着スル樣ナ黑キ上着ヲ着テ靴ハ普通ノ赤皮ノモノヲ穿チ頭髮モ韓國風ナリシヲ女中ニ賴ミテ束髮ニ結ヒ直シタリ

問　其外一行ノ行動ニ就テ別ニ変リタルコトハナカリシヤ

答　別ニ異狀ハ認メサリシモ非常ニ前途ヲ急キ居リ一日滯在ヲ勸メタレトモ是非今朝ノ汽車ニ問ヒ合セ吳レトテ其夜ハ少シモ眠ラズ同人等ハ吉林ノ稅關吏ナリト称シ居リ荷物ニ大キナ革靴ノ革裝二個其他二三個ヲ所持シ居リ

問　兇器等ハ携ヘ居ラサリシヤ

答　携ヘ居リシトスルモ其辺ハ知ルコト能ハサリキ

右讀聞セタル處相違ナキ旨ヲ申立テタルニ依リ署名捺印セシム
安東縣五番通四丁目一番地

菊水館 妻木ヤスエ 印
明治四十二年 十一月九日
在安東

領事 木部守一
外務書記生 久我成美 印

宿泊人名簿寫

番號	百四十九号	百五十号
客室番號	貳番	仝
氏名	鄭大鎬外 韓婦人 三名	鄭瑞雨
年齢	三十六才	三十才
旅籍 職業	韓人支那稅關	韓人商
原籍 住所	京城南大門	京城南大門
特徵		
前先 宿泊地	平壤	平壤
行先地名	草河口	仝
投宿 月日時	十月廿四日 午前二時	十月二十四日 午前二時
出發月日時	仝 午前六時	仝

右相違無之候也

安東縣五番通四丁目一番地
菊水旅館 事
明治四十二年十一月九日　　妻木春ゑ 印

十五　川上俊彦 證人 訊問調書

証人 訊問調書

證人 川上俊彦

右安應七、禹連俊、曹道先[1]、柳江露、鄭大鎬、金成玉、金衡在、卓公圭、金麗水、張首明、金澤信、鄭瑞雨、洪時濬、李珍玉、方士瞻、金培根ニ對スル殺人被告事件ニ付キ明治四十二年十一月九日哈爾賓日本帝國總領事館ニ於テ檢察官溝淵孝雄書記岸田愛文列席
檢察官ハ証人ニ對シ訊問スルコト左ノ如シ

問　氏名年齡身分職業住所ハ如何
答　氏名ハ 川上俊彦
　　年齡ハ 文久三年十二月生
　　身分ハ 士族
　　職業ハ 日本帝國總領事
　　住所ハ 哈爾賓日本帝國總領事館

問　右被告人ト親屬後見人被後見人雇人同居人ノ關係ハナキヤ
答　其關係ハアリマセヌ

問　十月二十六日伊藤公爵ガ當哈爾賓停車場ヘ來着セラレタル時間ハ如何
答　豫定通リ午前九時ニ着シマシタ

問　公爵ノ着車後露國大藏大臣ハ公爵ノ所ヘ挨拶ニ來ラレタルヤ
答　着車後直ク大藏大臣ハ公爵ノ處ヘ挨拶ニ來マシタ私ガ其中ニ立チテ通譯ヲ致シマシタ其對話ノ模樣ハ

1　禹道先。

大藏大臣ハ公爵ニ對シ今回旅行先ニ於テ互ニ相会シタルコトハ實ニ快憾ニ堪ヘズト云ヒ

公爵ハ閣下ガ極東巡視ノ機會ヲ得タノハ日露兩國ノ爲メ総ヘテノ点ニ於テ好都合ト存シマス就テハ今回ノ御巡視ノ序ヲ以テ日本ニ御來遊ノ事ヲ希望シタルモ要務ノ都合上御來遊ノ運ビニ到ラズトノ事デ頗ル遺憾ニ存シテ居リマスト述べマシタレバ

大藏大臣ハ日本ガ長足ノ進行ヲ示サレツツアル今日是非一度ハ參リタキ考ヘナルモ何分國務多端ノ爲メ其意ヲ果サス其中時機ヲ得テ參上シ豫メ日ヲ期シ會見スヘシトテ厚意ヲ謝スル旨ヲ繰返シ繰返シ申シマシテ後閣下ヲ御迎ヒニ出タノハ豫テ副總裁ヲ以テ通シ置キタル如ク自分ノ列車内ニテ小宴ヲ催シタキニ付キ閣下ヲ御招待申シ上ケ尚汽車内ノ事故數ニ限リアルヲ以テ閣下ノ固有ノ從員ト川上總領事ト共ニ御出テヲ願ヒタシトノ事デアリタリ

公爵ハ閣下ト胸襟ヲ開キ親密ナル御交際ヲスルニハ反テ人員ノ小數ナル方ヲ希望スヘシトテ之ヲ承諾セラレマシタ

而シテ又大藏大臣ハ自分ハ界守ノ兵ノ名譽指揮官ナルヲ以テ閣下ノ御來着ニ付キブラットホーム[2]ヘ整列サセテアリマスカラ御檢閲ヲ乞フト云ヒ

公爵ハ夫レハ殊ニ安キ事デアリマスルガ旅裝ノフロクコートデ「ユニホーム」ヲ持チマセヌカラ甚ダ失禮デアルト申シマシタレハ一向差支ハアリマセヌト云ハレタノデ夫レカラ公爵ト一所ニ下車セラレマシタ

右大藏大臣ト公爵トノ對話ハ約二十五分間許要シタト思ヒマス

問　公爵及ヒ大藏大臣ガ下車セラアレタル順序ハ如何

答　露國大藏大臣ガ第一番ニ下車シ其次ニ公爵次ニ私ガ下車シマシタ其後カラ降リタ人ノ順序ハ判リマセヌ

公爵ハ下車スルト先キニ立タレ「ブラットホーム[3]」ニ整列セル露兵ノ前ヲ通リ外交團ノ所ヘ行キ握手ヲ致シマシタ元來公爵ハ軍隊ヲ一端見テ一先ツ汽車ニ引返シ汽車中デ主ナル人ニ引見シ再ヒ挨拶ニ出ル筈デアリマシタルモ公爵ガ通

2　プラットホーム。
3　プラットホーム。

行中外交團ノ所ニ於テ何レヨリ握手ヲ始メタカ知レサルモ公爵ハ握手ヲセラレタノデアリマス其中ニ大藏大臣ガ握手ハ止メテ護境軍ノ方へ御出テ下サレト云フタノデ引返サレタ刹那ポンポント音ガ致シマシタ

問　伊藤公爵ガ下車セラレタル時ブラツトホーム[4]ニ於ケル軍隊歡迎員等ノ配列ハ如何

答　ブラツトホーム[5]ニハ公ノ客車ニ向ツテ左方ノ端ニ日本人團ガ居リマシテ其右手ハ支那ノ軍隊續イテ支那樂隊其次ガ外交團デ私ノ見タ時ニハ將校團ハナカツタ樣ニ思ヒマス

問　支那ノ官吏ハ居ラサリシヤ

答　支那ノ官吏ハ外交團ノ中ニ居ツタ樣思ヒマス

問　日本人團ハ尙ホ其他ニモアリタルヤ

答　右ニ申シタ外ニ日本人團ハアリマセナンダ

問　公爵ハ下車シテ露國ノ軍隊ノ前ヲ通過スル時露國大藏大臣ト並行シテ居リタルヤ

答　軍隊ノ前ヲ通シテ行ク時大藏大臣ハ伊藤公爵ノ右側ニ爲ツテ公爵ヨリハ少シ遲レテ居ツタカトモ思ヒマス而シテ儀仗兵ノ所カラ引返シタ時ニハ伊藤公爵ハ右側ニ大藏大臣ハ左側ニ爲ツテ尙ホ公爵ハ少々先キニ進ンデ居ツタ樣思ヒマス私ハ公爵ガ始メ進ンテ行ク時ニハ公爵ノ右側ノ後一步位ノ所ニ付テ行キマシタ又引返シテ歸ル時ハ私ハ公ノ右側ニ爲ツテ尙ホ一步位遲レテ進ンテ居リマシタ他ノ隨員ハ側面ニ爲ツテ遙カニ後ノ方ヨリ付イテ進ンテ居リマシタ

問　公爵ガ引返シテ間モナク短銃ノ音ヲ聞キタルヤ

答　公爵ガ引返サレテ二三間來タト思フ時露國ノ兵隊ノ中カラポンポント音ガ致シ

4　ブラツトホーム。
5　ブラツトホーム。

マシタ

私ハ此音ヲ聞クヨリ前ニ手ガ痺レル様ニ思ヒマシタカラ私ハ早其時ニ撃タレテ居ツタモノト思ヒマス私ノ手ノ痺レタ後デポンポント音ヲ三ツ聞キマシタ全ク先キニ私ガ撃タレタ時ノ音ハ耳ニ入ラナンダモノト思ヒマス

私ハ撃タレタノデ振返ツテ見マシタレハ露國軍隊ノ前ニ一人ノ兇漢ガ出テ片足ヲ先キニ踏出シ屈ミ腰ニ爲ツテ發射シテ居ツタ様思ヒマス

問　公爵ハ狙撃セラレタル時倒レタルヤ

答　倒レル様ナル事ハアリマセヌ私ガ撃タレテ居ル處ヘ露國ノ將校其他ノ人々ガ澤山集マツテ來テ私ハ露國將校ニ擔カレテ待合室ノ中ヲ通ツテ外部ニ出マシタ私ガ擔キ行カルル前公爵ノ様子ヲ見マシタルニ負傷ハセラシテ居ル様子デアリマシタルモ重イ事ハナイト思ツテ居リマシタ

私ハ將校ニ擔ガレテ停車場ノ外部ヘ出マシタレハ日本人ノ河原ト云フ者ガ領事館ノ馬車ヲ連レテ來マシタカラ私ハ其レハ公爵ガ召ス為メノ馬車デアルト申シテ辻馬車ヲ連レテ來サセテ夫レニ乗ツテ病院ヘ行キマシタ

問　兇漢ハ公爵ノ何レノ辺カラ發射シタルヤ

答　公爵ガ少シ行過キタル頃稍々後方ノ横手カラ撃チマシタ其時私ハ公爵ト兇漢トノ間ニ居リマシタカラ公爵ヲ狙撃スルニハ私ノ身体ガ妨害ニ爲ツタト思ヒマス

問　証人ハ負シタル時倒レタルヤ

答　私ハ倒レマセヌ只手ガ重クナツテ利カヌ様ニ爲リ横腹ノ擦過傷ガ少々痛ミヲ感シマシタ

問　其時線路ヘ誰レカ倒レタ人ガアリシヤ

答　其事ハ知リマセヌ夫レハ私ガ出タ後カモ知レマセヌ

問　兇漢ハ鳥打帽子ヲ被テ居リシヤ

答　刹那ノ間デスカラ其事ハ氣ガ付キマセナンダ

問　尙ホ兇漢ハ「カラ」ヲ付ケテ居リタルヤ
答　夫レモ氣ガ付キマセナンダ

問　証人ハ何人ニ擊タレタリト思ヒシヤ
答　私ハ初メ露國人ガ擊ツタモノト思ヒマシタカラ私ガ將校ニ介抱セラレテ居ツタ處ヘ何人ガ尋ネニ來テ呉レマシタカラ私ハ露國人カラ擊タレタト申シマシタ然シ後デ韓國人デアツタ事ヲ知リマシタ

問　証人ノ負傷ノ經過ハ如何
答　始メ醫師ノ診斷ニ依レハ治癒マテハ八週間ヲ要ストノ事デアリマシタ然シ今日ノ模樣デハ今二週間ヲ經ハ療癒スルコトト思フテ居リマス

問　負傷ノ爲メ機能障碍ヲ止メサルヤ[6]
答　夫レハ判リマセヌ傷所ハ幸ヒ化膿症モ來サズ至極好結果デアリマス

證人 川上俊彦

右讀聞カセタルニ相違ナキコトヲ承諾シタルモ負傷ノ爲メ自署不能立会書記代書ス
卽日前記ノ場所ニ於テ
但出張先ニ係ルヲ以テ所屬官署ノ印ヲ用フル能ハス

關東都督府地方法院
書記　岸田愛文
高等法院檢察官　溝淵孝雄

6　病メサルヤ。

十六 河原郡平 證人 訊問調書

証人 訊問調書

證人 河原郡平

右安應七、金培根、方士瞻、鄭瑞雨、禹連俊、曹道先[1]、柳江露、鄭大鎬、金成玉、金衡在、卓公圭、金麗水、張首明、金澤信、洪時濬、李珍玉ニ對スル殺人被告事件ニ付キ明治四十二年十一月五日哈爾賓日本帝國總領事館ニ於テ檢察官溝淵孝雄書記岸田愛文列席
檢察官ハ証人ニ對シ訊問スルコト左ノ如シ

問　氏名年齡職業住所ハ如何
答　氏名ハ 河原郡平(日本人佐賀県)
　　年齡ハ 四十三歲
　　身分ハ 士族
　　職業ハ 料理店業
　　住所ハ 哈爾賓ヲエチナヤ街

問　右被告人ト親屬後見人被后見人雇人同居人等ノ關係ハナキヤ
答　アリマセヌ

問　十月廿六日朝伊藤公爵カ當停車場へ着セラレタルカ其時迎ヒニ出タカ
答　行キマシタ私ハ其日洗濯業橋本淺太郎ト共ニ露淸銀行ノ前へ來タ時時計ガ九時八分デアリマシタカラ大急キテ停車場へ行キマシタレハ伊藤サンノ乘ツテ居リマス汽車ハ早着イテ居リマシタカラブラットホーム[2]へ出ント致シマシタルモ三等待合ハ締ツテ居リマシタカラ一等待合ノ入口カラブラットホーム[3]へ出マシタ

1　曺道先。
2　プラットホーム。
3　プラットホーム。

其時平素ノ通リ入口ニ番人ハ居リマシタルモ私等ハ日本人デアリマスカラ何ノ取締モナクプラットホームヘ出テ日本人團ノ居ル處ヘ行キマシタルモ汽車ノ方ガ能ク見ヘマセヌカラ三等ノ切符開札口[4]ノ方へ行キ一番右ノ端ノ露國將官連ガ居ル處ノ後二三歩ノ處ヘ行キマシテ人ト人トノ間カラ汽車ヲ見マシタレバ昇降口ハ私ノ正前ニ當ツテ居リマシタ其時伊藤サンノ姿ハ見エマセナンタカ暫クスルト先ヘ露國海軍ノ將校ノ樣ナ露國人トシテハ背ノ低イ人ガ出テ來テ其次ニ伊藤サンカ[5]降リ其次ニ當地ノ領事カ降リマシタガ其后ハ誰レカ降リタカ見ヘマセナンタ

問　其方カ露國ノ將官連ノ居ル後へ行ク時又ハ伊藤サンノ降車ヲ見テ居タ間露國ノ兵隊ノ后ノ方ニハ人デモ居ツタカ

答　其所ニハ人ハ居リマセナンタ

問　伊藤サンカ將官連中ノ前ヘ降車シテ如何ニシタカ

答　川上領事ノ通譯テ將官ノ人ト握手ヲ致シマシタ尤モ伊藤サンカ下車シタ時露國將官ト其中ニ支那ノ將校カ二三人居リマシタ皆汽車ノ方へ一所ニ進ンテ行キマシタ伊藤サンハ露國ノ將官ニ握手シテ後テ又支那ノ將校ト挨拶ヲ致シテ居リマシタ

問　支那將校トノ間ノ通譯ハ誰レカシテ居ツタカ

答　通弁ハアリマセヌ只互ニ目禮ヲシテ居リマシタ

問　夫レカラ如何ナル順序デ歩イタカ

答　伊藤サンハ川上領事ヨリ一歩位先キヘ歩ンテ行キマシタガ人ノ爲メニ終ニ私ノ所カラハ見ヘヌ樣ニナリマシタ

4　改札口。
5　伊藤サンガ。

問　其時三等ノ改札口カラ支那人其他ノ人ガ澤山ブラットホーム[6]ヘ這入ツテ來タカ
答　這入テ來タノハ見受ケマセヌ同所ニ露國ノ商人ガ居リマシタ

問　伊藤サンカ進マレテ姿ガ見エヌ樣ニ爲ツテ其方ハ如何ニシタカ
答　私ハ夫カラ急キ足テ庇ノ下ヲ通ツテ一等改札口ノ方ヘ行キマシタ

問　其所ニハ如何ナル人カ居タカ
答　正服ヲ着タ將官連カ澤山幷ンテ居リマシタ私ハ其列ンテ居ル人ノ二三步后ヲ通リマシタ

問　其時日本人杯ガ將官ノ后ノ辺ニ居ルノヲ見タカ
答　夫レハ見マセヌ其時工藤ト云フ酒醬油ヲ賣ル商店ノ主人ト今一人日本人ノ樣ナ人ト二人ニ會ヒマシタ其時私ハ其工藤ト云フ人ニ今日ハト申シテ挨拶ヲ致シマシタ

問　工藤及外ノ日本人ノ樣ノ者ノ服裝ハ如何
答　工藤ハ外套ヲ着テ鳥打帽カト思フ樣ハ物ヲ被テ今一人ノ男ハ如何ナル帽子デアツタカ氣カ付キマセヌモ山高帽子デハアリマセナンタ而シテ其人ハ外套ハ着テ居リマセナンタ

問　兩名ハステツキヲ持ツテ居タカ
答　夫レハ持ツテ居リマセナンダ

問　其方ハ如何ナル服裝ヲシテ居タカ
答　フロクコートヲ着テ外套ハ肩ニ引掛ケテ居リマシタ

問　其方ハステツキヲ持ツテ居タカ

6　ブラットホーム。

答　持ツテ居リマセヌ帽子ハ山高帽ヲ着テ居リマシタ

問　淺太郎ノ服装ハ如何
答　同人モフロクコートヲ着テ居リマシタカ外套ハ被テ居リマセナンタ

問　其方カ工藤外一人ニ會フタ處ハ何處ノ辺カ
答　一等開札口[7]ノ入口ノ前ノ所テアリマシタ其所ニ工藤ハ立ツテ居リマシタ
　　夫レカラ私等ノ進ム方面ニ寄ツタ所ニ今一人ノ男ガ居リマシタ

問　其辺ニフロクコートヲ着タ人カ居タカ
答　皆露國人許リテ其處ニ日本人ハ居リマセナンタ

問　其前ノ方ハ露兵ノ列カアツタカ
答　露兵列ノ後ニ露國人ガ澤山居リマシタ

問　今露兵后ニハ人ハ居ラヌト申タデハナイカ
答　文官ノ服ヲ着タ人ハ澤山居リマシタ只普通ノ人カ居ラナカツタト申シタノテアリマス

問　夫カラ其方ハ何處ヘ行キタカ
答　私ハ露國文官ノ后ヲ通ツテ行キマシタガ其外ニハ支那ノ兵隊ト樂隊カ居リマシタ

問　其處ニモ誰モ人ハ居ラナンダカ
答　普通ノ服装ヲシタ人ハ居リマセナンタ

問　其方カ初メ行キタ時カラ今申シタ支那樂隊ノ辺ヘ來ル間ニ露國ノ憲兵ヤ巡査ハ見受サリシヤ

7　一等改札口。

答　支那樂隊ノ處ヘ來ル迠ハ其様ナ人ハ見マセナンタ

問　支那樂隊ノ處ヘ行キテ如何ニシタカ
答　其所ヘ行キマシタレハ憲兵ニ向フノ方ヘ行キテハナラヌト申シテ止メラレマシタ

問　其憲兵ハ何處ニ居タカ
答　露國大藏大臣ノ待合ハシテ居ル汽車ニ繋イデアル貨車ノ外レニ憲兵ガ居リマシタ

問　憲兵ハ何譯デ向フノ方ヘ行キテハナラヌト申シタカ
答　露語デ申シマシタ私ハ露語ハ少々判リマス

問　憲兵何ト云フタカ
答　此處ヘ來テハ行カヌト申シテ指デ后戻リヲセヨト云フ風ニ示シマシタ

問　來テハ行カヌト云フ事ハ露語テハ如何ニ云フカ
答　シユタネリジヤ、クムゴムハジ-ト申シマシタ

問　夫レカラ如何ニシタルヤ
答　私ハ四五歩后戻リシテ伊藤サンヲ見ント思フテ向フヲ見マシタレハ伊藤サンノ被テ居ル山高帽子ガ見エマシタ其時ボンボン云フ音ガ七八ツ續イテ致シマシタ

問　其音ハ何ト思フタカ
答　私ハ支那ノ撥キ玉カト思ヒマシタ

問　其方ガ四五歩后戻リシタ時何處ノ辺ニ來テ居タカ
答　支那ノ文官ヤ樂隊ノ傍デアリマシタ

問　音ハ何レノ處デシタカ
答　伊藤サンノ車ノ方ヘ寄ツタ處ノ人中デ音ガ致シマシタ

問　其音ノシタ處ニ如何ナル人ガ居タカ
答　文官連ガ數ヘ盡セヌ程居リマシタ

問　何故音ガシタカ知ラサリシヤ
答　夫レハ判リマセナンタ

問　其音ハ實際何デアツタカ
答　私ハ音ノスル方ヲ見テ居リマシタレハ伊藤サンノ帽子モ見エヌ様ニナリマシタカ其時露國ノ紅色ノ服ヲ着テ居ル將校ガ澤山伊藤サンノ方ヘ進ミマシタカラ私ハ今ノ音ハ伊藤サンヲ狙撃シタノデアロウト思ヒマシタ

問　其方ガ憲兵ニ云ハレテ引返シタ時伊藤サンノ帽子ガ見ヘテ居タカ
答　帽子ハ澤山見ヘマシタカ一番先キヘ進ンテ居ル帽子ガ伊藤サント思ヒマシタ

問　音ガシタ時伊藤サンハ何レノ方ヘ進ンデ居タカ
答　其時停車場ノ方ヘ向イテ誰レカト挨拶ヲシテ居タ様思ヒマシタ

問　其時其方ノ居タ處ト伊藤サンノ處迠ハ何程ノ距離ガアツタカ
答　十四五步位デアリマシタ

問　音ノシタ處ト伊藤サンノ居タ處トノ距離ハ如何
答　八步位テアリマシタ

問　伊藤サンヲ狙擊シタト思フテ其方ハ伊藤サンノ方ヘ行キタカ
答　私ハ露國人ニ狙擊セラレタカト思ヒマシタ露國ノ將校ガ澤山伊藤サンヲ取卷イテ居リマシテ搔サラヘテ行クノカト思ヒマシタ

問　其方ガ行キタ時他ノ人々モ皆來タカ
答　私ハ后カラ行キタノデ他ノ文官連モ皆來マシテ見ル事ガ出來ヌ様ニ爲リマシタ

問　夫カラ如何ニシタカ

答　私ハ橋本ト一所ニ一等待合ノ入口ノ處ヘ來マシタル時待合室ノ中ニハ誰レモ居ラズ夫カラ見通シタ出口ノ所石段ノ上ニ領事サンカ立ツテ居リマシタ領事サンハ横ニ向イテ立ツテ改札口ノ方面ヲ見テ居リマシタ

問　其方カ見タ時川上領事ノ所ニハ人ガ居タカ

答　露國ノ巡査カ一人居リマシタ

問　其方カ見タ時川上サンノ様子ハ如何

答　右ノ手カブラリト爲ツテ血カ手首迠流レテ居ルノガ見ヘマシタ

問　其方ハ領事ノ顔ヲ知ルヤ

答　知ツテ居マス領事サンハ私ヲ知ツテ居ルカトウカ判リマセヌ

問　夫カラ如何ニシタルヤ

答　私ハ領事サンノ血ヲ見テ直ク馳ツテ行キテドウナサレマシタト云ヒマシタレハ川上サンハ露語デ露國人カラヤレタト申シマシタ其時橋本ハ何處ヘ行キタカ姿ハ見ヘマセナンダ

問　領事ハ露國ノ巡査トハ如何ナリ問答ヲシテ居タカ

答　巡査カ「クトシテレール、リヤウ」ト申シマシタレハ川上サンハ「ヲロスケ」ト申シタ様ニ思ヒマス

問　其方カプラツトホームヲ往返シテ居ル時一等待合室ノ入口ノ所ニ二人ノ日本人ノ酌婦ガ居タカ

答　其前ニ停車場前デ其婦人ノ姿ヲ見受ケマシタルモパンパント音ノシタ時姿ハ見ヘマセナンダ

問　女ハ如何ナル衣類ヲ着テ居タカ

答　衣類ハ紅色デモーセンノ様ナ「スリツパ」ヲ覆イテ[8]居リマシタ

問　其女ヲ何處デ見タカ
答　停車場ノ前ノ丸イ墻ノ所デ姿ヲ見マシタ待合又ハブラットホームデハ往返其姿ハ見ヘマセナンダ

問　川上サンハ夫カラ如何ニシタカ
答　雇切リノ日ノ丸ノ旗ノ付イタ馬車ガ來マシタカラ私ハ川上サンヲ抱イテ前ニ話ヲシテ居タ露國ノ巡査ト一所ニ病院ヘ行キマシタ

問　然ラハ其方ハ伊藤サンヲ狙撃シタ犯人ガ捕ヘラレタカハ知ラヌカ
答　夫レハ知リマセヌ又犯人ノ容貌モ知リマセヌ

問　後テ如何ナル評判ヲ聞イタカ
答　病院デ日本人カラ聞イタレハ韓國人ガ下手人デ捕ヘラレタト聞キマシタ

問　其話ヲ聞イタ日本人ハ誰レカ
答　今度同行シテ居ル滿鐵ノ彼人モ來キマシタノデ其人カラデモ聞キマシタカ確ニ覺ヘテ居リマセヌ

問　其日其方ハ何時歸宅シタカ
答　午后三時頃歸リマシタ

問　其方ガブラットホーム[9]ヲ往返シテ居タ時風体ノ怪シキ者ハ見ヘサリシカ
答　其様ナ者ニハ氣ガ付キマセヌ

問　此者ヲ見受ケサリシヤ

8　履イテ。
9　プラットホーム。

此時被告安應七ノ寫眞ヲ示ス

答　見タ事ハアリマセヌ

問　此者ノ中デ平素知合又ハ停車場デ見タ者ガアルカ

此時 安應七ヲ除ク外被告一同ノ寫眞ヲ示ス

答　此者ハ少々日本語ガ判ルノデ朝鮮人一人ヲ連レテ私ノ宅ヘ來テ貰フテ呉レト申シマシタルモ私ハ身元ノ判ラヌ者故斷リシマシタ

此時被告金澤信ノ寫眞ヲ指示ス

問　其外ノ者ノ顔ハ知ラヌカ
答　外ノ者ハ見タ事ノナイ人デアリマス

証人 川原軍平[10]

右讀聞カセタルニ相違ナキ事ヲ承諾シ自署セリ
卽日前記場所ニ於テ
但出張先ニ係ルヲ以テ所屬官署ノ印ヲ用フル能ハス

關東都督府地方法院
書記　　岸田愛文
高等法院檢察官　　溝淵孝雄

---

10 河原郡平。

十七　夏秋龜一 證人 訊問調書

証人 訊問調書

證人 夏秋龜一

右安應七、禹連俊、曹道先[1]、柳江露、鄭大鎬、金成玉、金衡在、卓公圭、金麗水、張首明、金澤信 鄭瑞雨、洪時濬、李珍玉、方士瞻、金培根ニ對スル殺人被告事件ニ付明治四十二年十一月九日哈爾賓日本帝國總領事館ニ於テ検察官溝淵孝雄書記岸田愛文列席
検察官ハ証人ニ對シ訊問スルコト左ノ如シ

問　氏名年齢身分職業住所ハ如何
答　氏名ハ　夏秋龜一
　　年齢ハ　明治七年正月生
　　身分ハ　士族
　　職業ハ　滿鐵出張所主任
　　住所ハ　哈爾賓ノウトル、ボ-ワヤ街三番

問　右被告人ト親屬後見人被後見人雇人同居人ノ關係ハナキヤ
答　其關係ハアリマセヌ

問　証人ハ當地ヘ何年頃カラ來リ居ルヤ
答　本年七月下旬ニ來マシタ

問　其以前ニ露國ニ居ラレタルヤ
答　明治三十三年カラ露國ニ居リマシタ

1　曺道先。

問　証人ハ哈爾賓日本居留民會ニ關係シ居ルヤ

答　從來ハ關係ハアリマセナンダガ伊藤公爵ノ當哈爾賓ヘ來着セラル時歡迎委員ト爲リ又今回居留民會ノ評議員ヲ命セラレテ居リマス

問　當地ニ在住セル韓國人ハ平素如何ナル風ノ取扱ニ爲リ居ルヤ

答　私ハ日淺クシテ當地ノ模樣ハ委敷ハ判リマセヌガ日本領事館ハ韓國人ニ對シテハ殆ント何事モ關係シテ居ラヌ樣見受ケマス又浦潮ノ領事館モ深ク韓國人ニハ關係セヌ事ヲ聞キマシタ

私ノ意見トシテハ此等ハ全ク領事館ノ責ニアラズシテ慥ニ外務省カ方針ヲ誤リ居ルモノト信シマス隨テ今回ノ如キ遭難ヲ惹起シタノモ畢竟外務省ノ責任ニ歸スル事ト思ヒマス

一昨日浦潮カラ來タ露國人ヨリ聞ク所ニ依レハ同所ニ居ル韓國人ハ伊藤公爵ノ薨去セラレタル事ヲ聞キ何レモ業ヲ休ミ店ヲ閉チ酒ヲ飮ミ歡喜シテ居ルトノ事デアリマス

問　居留民會又ハ當地ニ居ル日本人ニシテ威權ノ韓國人ト交際ヲ爲シ又ハ出入ヲシテ居ルヤ

答　一二人ノ韓人ハ日本人ト交際シテ居ル事ヲ聞キマシタ

問　方士瞻事裕稱[2]伊藤方及ヒ李珍玉ナル者ハ日本語ヲ解シ居リ伊藤公爵歡迎ニ付キ寄附金ヲ出シタル事アリヤ

答　アリマス

問　其外韓人ニシテ歡迎寄附金ヲ出シ又ハ日本赤十字社ヘ加入シ居ル者アルヤ

答　韓人ガ赤十字社ヘ加シテ居ル事ハ聞キマセヌ支那人ノ加入者ハ澤山アリマス

問　當地ニ在ル東興學校ノ內容ニ付キ聞キ込ミタル事ナキヤ

2　俗稱。

答　其學校ハ韓國人ガ起シ居ル由ハ聞キマシタガ內容ノ委敷事ハ知リマセヌ

問　當地韓人ノ民會長ノ選任ヲ領事館ニ於テ認可スル事ヲ聞カサリシヤ

答　昨年頃ハ會長ヲ領事館ニ於テ認可シタルモ其會長カ辭職シテ已來領事館ハ放任シテ居ル模様ニ見受ケマス

問　自今韓國民會長ハ金成白ナル者デ同人ハ露國ヘ歸化シ居ルノデ露國ノ臣民デアリナガラ韓人民會長ト爲リ居ル点ヨリ見レハ韓人ニ對スル實權ハ露國ガ握ツテ居ルヤ

答　露國ハ韓人ヲ手馴レサセテ之ヲ利用スル風ノアル様聞込ミマシタガ委敷事ハ知リマセヌ

今回伊藤公爵ノ遭難ニ付テハ露國ハ非常ニ遺憾トシテ居ル模様デアリマス

韓國人ト露國ノ革命黨員ハ互ニ氣脈ヲ通シテ居ルト思ヒマス卽チ露國ノ革命黨ハ露國ニ當リ韓國人ハ日本ニ敵對スルト云フ風デ互ニ意氣投合シテ之等ノ間ニ一ノ秘密結社ヲ造リ居ルモノト信シマス

既ニ露國大藏大臣ニ對シテモ害ヲ加ヘントシタルモノノ如ク伊藤公爵遭難ノ翌日大臣ノ通過スル「レール」ヲ破壞シアル事ヲ商人ガ見付ケ漸ク大事ニ至ラサリシトノ事ニテ此等ハ露國革命黨員ノ所爲ニシテ韓人ガ伊藤公爵ニ害ヲ加ヘタルヲ以テ我レモ大藏大臣ニ對シ危害ヲ加ヘント企テタルモノノ如ク尙滿州里亞方面ノ鐵道ヲモ破壞シアリタリトノ事ヲ聞キマシタ

問　伊藤公爵ガ當哈爾賓ヘ來ラルル事ガ公ト爲リタル時ノ韓人ノ動靜ハ如何

答　其事ハ一向知リマセヌ

尤モ私ハ長春迠公爵ヲ迎ヘニ行キマシタ不在中私ノ居ル出張所ノ役員デ內藤順太郎ト云フ者ガ當日本領事館ヘ公爵來着ニ關シ韓國人ノ取締ノ事ヲ主意シタトノ事ヲ聞キマシタ

又聞ク所ニ依レハ露國人側カラハ公爵歡迎ニ付キプラットホーム[3]ヘ入場スルニ

3　プラットホーム。

ハ切符制度ヲ取リテハ如何ト當領事館ヘ交渉カアリマシタニ領事ハ露國人ハ兎モ角日本人ニハ切符制度ヲ設ケヌ様ニテ貰ヒタイト希望シタトノ事デアリマス

問　日本人ト韓國人ノ見分ケハ出來ヌガ其辺ノ取締ニ關スル事ハ聞カサリシヤ
答　其事ハ聞キマセヌ

問　公爵歡迎ニ付キブラットホームヘ出ル日本人ノ服裝ニ付キ何カ定メハアリシヤ
答　歡迎ノ順序ハ定メテアリマシタルモ服裝ノ事ハ何ノ定メモアリマセナンダ

問　伊藤公爵來着ノ時ノ模様ハ如何
答　露國ノ貴賓車ハ四面硝子窓ニシテ列車ノ最後ニ付スルノデ伊藤公爵ノモ其通リ最後ニ付イテ居リマシタノ島渡[4]公爵ノ客車ハ一等待合室ノ出口ノ正面ノ所ニ着キマシタ

日本人ノ團体ハ左方露國大藏大臣ノ客車ノ前ノ所ニ整列シ同大臣ノ下車通路ニ充ツル爲メ整列ヲ二ツニ分ケ中央ヲ空ケテアリマシタ其右手ニ外交團及ヒ淸國ノ樂隊幷ニ兵隊順次ニ右ニ露國ノ軍隊ガ整列シテ居リマシタ

公爵ノ汽車ガ着クト露國大藏大臣ガ公爵ノ客車ニ訪問シ暫時ニシテ第一番ニ大藏大臣次ニ伊藤公爵其他ノ順序ハ覺ヘマセヌガ順次ニ下車シ夫レヨリ歡迎團ノ前ヲ左ニ進行シ外交團ノ前迠來タ時ニ左ヘ轉回シテ引返シマシタ其時私ハ公爵等ノ後カラ付イテ行キマシタ引返シタ時ニハ確カ大藏大臣ハ伊藤公ノ右手(歡迎員ニ近キ方)ニ並ンテ淸國樂隊ノ所マデ歸ツタ時パチパチト音ガシマシタノデ私ハ線香花火カト思ヒマシタガ何トナク怪シイ様ニ思フテ私ハ公爵ノ所ヘ行キマシタ殺那[5]兇漢ハ確カ黑イ様ナ服ヲ着テ右ノ足ヲ前ニ出シ体ヲ窲ツテ中腰ニ爲リ短銃ヲ差出シ筒先ヲ稍々下方ニ向ケ尤モ用意周到ノ体度デ狙擊シマシタ夫レハ實ニ瞬間デ私ノ直ク前デアリマシタ私ハ其兇漢ヲ捕ヘント思フ內露國ノ軍人ガ之ヲ取押ヘマシタ

其時私ハ公爵ノ方ヲ見マシタレハ人ニ支ヘラレテ居リマシタ然シ毫モ顏色變ゼ

4　丁度。
5　刹那。

ズ中々元氣ノ様デアリマシタ公爵ガ狙撃セラルルト同時ニ田中理事モ射撃セラレ同人ハ私ノ顔ヲ見ルト夏秋ヤラレタト申シマシタ此日ハ非常ニ寒イ日デ零度以下デアリマシタ

問　其時公爵ハ外套ヲ着シ居リタルヤ
答　公爵モ川上總領事モ外套ハ着テ居リマセナンダ氏寒イノニ老体デ外套モ着シ居ラレヌ若シ外套ヲ着サレテ居タラバ彈丸ノ力ヲ殺ク事モ出來タルナラムト噂ヲシタ程デアリマシタ

問　公爵ヲ狙撃シタル犯人ハ如何ナル帽ヲ被リ且服ノ釦ハ如何ナルモノナリシヤ
答　帽ハ確カニ鳥打帽子ヲ被テ居タ様思ヒマスガ服ノ釦迠ハ氣ガ付キマセナンダ

問　証人ノ見タル兇漢ハ此者ナリシヤ

此時 被告安應七ノ寫眞ヲ示ス

答　此様ナ男デアリマシタ而シテ兇漢ハ捕ヘラレタ時ポケツトカラ海軍ナイフヲ取出シタトノ事ヲ聞キマシタ

問　公爵ハ狙撃セラレテ倒レタルヤ
答　倒レハ致シマセヌ其時東淸鐵道ノ副總裁「ウエンチ-」ト云ウ人カアムナイアムナイト申シマシタカラ直ク公爵ヲ車内ニ抱キ入レタ次第デアリマス

問　狙撃セラレタル時公爵ヲ第一番ニ抱ヘタル人ハ誰レナルヤ
答　夫レハ知リマセヌ

問　公爵ハ狙撃セラレタル時何カ云ハレタカ
答　誰カ外ニヤレタ者ハナイカト申シマシタ

問　其時川上總領事ハ居リタルヤ

答　同領事ハ撃タレテ倒レタノデ皆ガ介抱シテ他ヘ連レテ行キタトノ事デ姿ハ見マセナンダ

問　古谷秘書官ハ如何

答　其辺ノ事ハ氣ガ付キマセナンダ

問　兇漢ハ公爵等ヲ狙撃シタル時列ノ前ヘ出テ居リシヤ

答　少シ列ヨリ出テ居リマシタ現ニ右足ヲ踏ミ出シタノガ見ヘタ程デアリマス

問　公爵ハ狙撃セラレテ車内ヘ抱キ入ルル前プラットホーム[6]デ「ブランデー」ヲ飲マレタルヤ

答　其事ハ知リマセヌ然シ其様ナ暇ハナカツタ様ニ思ヒマス

問　其外今回ノ事件ニ關シ何カ聞キ込ミタル事ハナカリシヤ

答　別ニ聞キ込ミタル事ハアリマセヌ然シ露國民ハ公ノ遭難ヲ非常ニ遺憾ニ思ヒ居ル様子デアリマス亦ハ今回伊藤ノ來哈ハ日本ト露國ノ間ニ何事ガ好結果ヲ得ヘカリシ筈ナリシ様聞込ミマシタ

之ニ反シ韓國人等ハ非常ニ喜ンデ居ル様子デアリマス

問　兇行者ノ經路ニ付キ聞キ込ミタル事實ナキヤ

答　別ニ聞キ込ミタル事ハアリマセヌ只タ蔡家溝ニ怪シキ韓人ガ三人ブラブラシテ居タノテ露國官憲ハ非常ニ不審ヲ抱キ居リタルガ其内一人ハ何レカヘ行キ残リ二人ハ伊藤公遭難ノ後露國官憲ニ捕ヘラレタト聞キマシタ

証人 夏秋龜一

右讀聞カセタルニ相違ナキコトヲ承諾シ自署セリ

6　プラットホーム。

卽日前記總領事館ニ於テ

但出張先ニ係ルヲ以テ所屬官署ノ印ヲ用フル能ハス

關東都督府地方法院

書記　　　　　岸田愛文

高等法院檢察官　　溝淵孝雄

十八　稲田ハル 参考人 訊問調書

参考人 訊問調書

参考人 稲田ハル

右安應七、禹連俊、曺道先[1]、柳江露、鄭大鎬、金成玉、金衡在、卓公圭、金麗水、張首明、金澤信 鄭瑞雨、洪時濬、李珍玉、方士瞻、金培根ニ對スル殺人被告事件ニ付キ明治四十二年十一月二日哈爾賓日本帝國總領事館ニ於テ檢察官溝淵孝雄書記岸田愛文列席
檢察官ハ參考人ニ對シ訊問スルコト左ノ如シ

問　氏名、年齡、身分、職業、住所ハ如何
答　氏名ハ 稲田ハル(日本人)
　　年齡ハ 十六歲
　　身分ハ 平民
　　職業ハ 酌婦
　　住所ハ 哈爾賓傳家甸北四道街五百一號地料理店土屋方

問　右被告人ト親屬后見人被后見人雇人同居人等ノ關係ハナキヤ
答　關係ハアリマセヌ

問　伊藤公爵ガ哈爾賓ニ来ラルニ付其方ハ十月二十六日哈爾賓停車場へ歡迎旁タ見ニ行キタルコトアリヤ
答　私ト一所ニ居リマス阿部タカト共ニ行キマシタ

問　停車場へ行キテ何處ニ居タカ
　　此圖ニヨリ指示セヨ

1　曺道先。

此時露國官憲ヨリ送リ來リアル停車場見取圖ノ反譯ヲ示シ指示セシメ調書ニ添付ス

答　待合室カラ出テ日本人ガ澤山列シデ居ル所ヘ行キマシタレバ此処ヘハ來ラレヌト申シマシタカラ私ハ阿部タカト一所ニ待合室ノ入口ノ南手(別紙圖面(イ)(ロ)ノケ所)ニ暫く立ツテ居リマシタ夫カラ又阿部タカト一所ニ入口ノ北手(別紙圖面 (ハ)(ニ)ノケ所)ニ行キテ立ツテ居リマシタ

問　其処ニ其方等ノ外ニ誰カ人ガ居ツタカ
答　我等ノ少シ北手ノ方ニ露國ノ士官ト日本人ノ様ナ人ガ居リマシタ

問　其時待合室カラ出テ來タ人ハナカツタカ
答　出テ來タ人カアリマシタ[2]夫レハ日本人ノ様ナ人デ詰襟ノ洋服ニ眞黑ナ外套ヲ着テ中折ノ帽子ヲ被ツテ居ツタ人デス其人ハ私ノ横手ニ居ツタ露國ノ士官ト何カ話ヲシテ居リマシタ

問　待合室カラ出テ來タ人ハ鳥打帽子ヲ被テ居ラナンダカ
答　鳥打帽子ヲ被タ人テハアリマセヌ[3]確カ中折帽子ヲ被テ居リマシタ

問　其者ト露國ノ士官ト手ヲ握ラナンダカ
答　手ヲ握ツテ挨拶ヲシマシタ

問　其露國ノ士官ノ顔ハ知ツテ居ルカ
答　丈ケノ高イ口髭ノアツタ人ノ様ニ思ヒマス

問　日本人ノ様ナ者ガ鳥打帽ヲ被テ淸國樂隊ノ方ヘハ行カサリシカ
答　行キマシタ夫レハ確ニ見マシタ

2　人ガアリマシタ。
3　人デハアリマセヌ。

問　夫レハ伊藤サンノ乘ツテ居ル汽車ガ着イテ後カ

答　其様テス[4]伊藤サンガ汽車カラ降ル少シ前デアリマシタ

問　其方ハ伊藤サンノ顔ヲ見タカ

答　露國兵ノ后ノ方「カラ一寸見マシタ

問　伊藤サンハ汽車カラ降リテ歩行シタカ

答　露兵ノ列ンテ[5]居ル少シ前ノ方へ來タ露兵ガ[6]我等ニアチラニ行ケト云ヒマシタカラ私ト阿部タカトハ直クニ待合室へ入ツテ東口デ伊藤サンノ出テ来ル所ヲ見ントト思ヒ我等カ合室[7]ニ這入ルト同時ニパンパント三ツ許リ音ガ致シマシタ夫レカラ私ハ停車場ノ東口へ出テ又待合ノ室へ這入ツタ時領事サンガ舁カレテ来マシタ

問　其方ハ始メ待合ノ入口ノ北手ニ立ツテ居ツタ時其方宅ノ主人ガ一寸來テ直ク又日本人團體ノ居ル方へ行キタ事ガアツタカ

答　アリマシタ

問　其方ハ停車場デ見タ者ハ此男デハナイカ

此時被告安應七ノ寫眞ヲ示ス

答　此人ノ様ナノヲ見マシタ然シ其時ハ外套ヲ着テ居ツタ様ニ思ヒマス

問　鳥打帽子ヲ被テ居ル人ハ樂隊ノ方へ行ク処ヲ確カニ見タカ

答　私カ待合室ニ居リマシタ時ハ確カニ其人モ待合室ニ居ツタ事ハ見マシタガ樂隊ノ后ノ方へ行キタル事ハ確カニハ記憶シテハ居リマセヌ

4　其様デス。
5　露兵ノ列ンデ。
6　露兵カ。
7　待合室。

問　其者ガ今示シタ寫眞ノ男デアツタカ
答　其様ニ思ヒマス

問　其方ハ此者等ヲ停車場デ見タ事ガアルカ

此時安應七ヲ除外被告一同ノ寫眞ヲ示ス

答　此寫眞中ニ私ガ停車場ヘ行キテ居ツタ時ニ同所ニ居ツタ人ガアツタカドウカ充分ニ記憶ニ止マツテ居リマセヌ

稻田ハル

右讀聞セタルニ承諾ノ上自署セリ
卽日前記總領事館ニ於テ
但出張先ニ係ルヲ以テ所屬官署ノ印ヲ用フル能ハズ

關東都督府地方法院
書記　岸田愛文
高等法院檢察官　溝淵孝雄

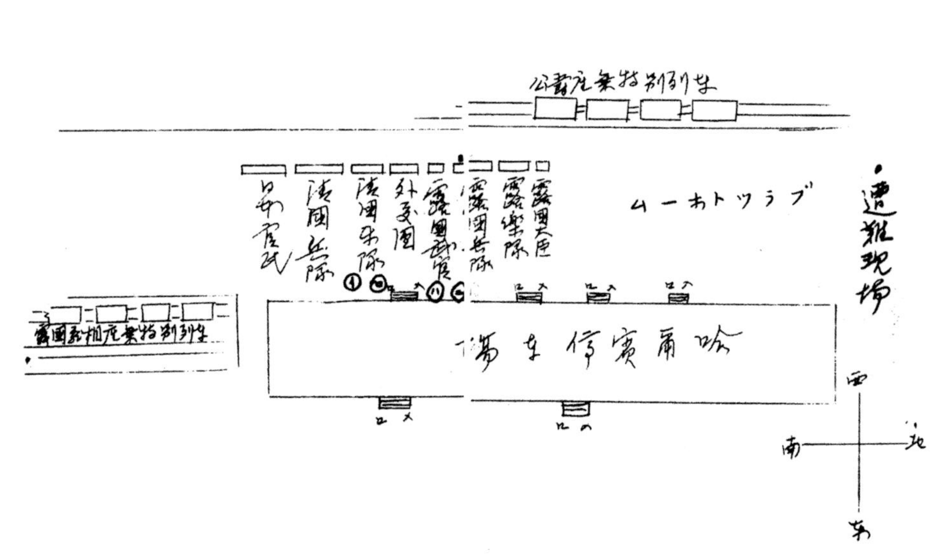
遭難現場
ムーホトツラブ
日本官民
清国兵隊
清国楽隊
外交団
露国兵隊
露楽隊
露国大臣
西
南
北
東

鑑定人 訊問調書

鑑定人 尾見薫

右安應七、禹連俊、曹道先[1]、柳江露、鄭大鎬、金成玉、金衡在、卓公圭、金麗水、張首明、金澤信、洪時濬、李珍玉、方士瞻、鄭瑞雨、金培根ニ對スル殺人被告事件ニ付キ明治四十二年十一月十二日南滿洲鐵道株式會社大連醫院ニ於テ檢察官溝淵孝雄書記岸田愛文列席
檢察官ハ鑑定人ニ對シ訊問ヲスルコト左ノ如シ

問　氏名、年齡、身分、職業、住所ハ如何
答　氏名ハ尾見薫
　　年齡ハ三十六歲
　　身分ハ士族
　　職業ハ醫師
　　住所ハ大連市兒玉町

問　右被告人ト親族後見人被後見人同居人雇人ノ關係ナキヤ
答　其關係カアリマセヌ

檢察官ハ鑑定人ニ対シ本件ニ付キ南滿洲鐵道株式會社理事田中清太郎ノ傷害ニ付キ左記事項ノ鑑定ヲ命シタリ

鑑定事項
一、創傷部位、形狀、個數
二、自他傷ノ區別

1　曺道先。

三、右創傷ヲ生スルニ使用セラレタル兇器ノ種類及身體ニ接觸シタル方法

四、治療日數

五、治癒後機能障碍ド礙ヲ残ササルヤ否

鑑定人 尾見薫

右讀聞カセタルニ相違ナキコトヲ承諾シ自署セリ

卽日前記ノ場所ニ於テ

但出張先ニ係ルヲ以テ所屬官署ノ印ヲ用フル能ハス

關東都督府地方法院

書記　　岸田愛文

高等法院檢察官　　溝淵孝雄

二十 徳岡凞敬 鑑定人 訊問調書

鑑定人 訊問調書

鑑定人 徳岡凞敬

右安應七、禹連俊、曹道先[1]、柳江露、鄭大鎬、金成玉、金衡在、卓公圭、金麗水、張首明、金澤信、洪時濬、李珍玉、方士瞻、鄭瑞雨、金培根ニ對スル殺人被告事件ニ付明治四十二年十一月九日哈爾賓日本帝國總領事館ニ於テ檢察官溝淵孝雄書記岸田愛文列席
檢察官ハ鑑定[2]ニ對シ訊問為スルコト左ノ如シ

問　氏名、年齡、身分、職業、住所ハ如何
答　氏名ハ　徳岡凞敬
　　年齡ハ　明治五年六月十二日生
　　身分ハ　士族
　　職業ハ　關東都督府醫院醫長一等軍醫
　　住所ハ　旅順朝日町ビ-二十六号官舍

問　右被告人ト親族、後見人、被後見人、同居人、雇人ノ關係ナキヤ
答　其關係ハアリマセヌ

檢察官ハ鑑定人ニ對シ本件ニ付キ哈爾賓駐在日本帝國總領事川上俊彦傷害ニ付キ左記事項ノ鑑定ヲ命シタリ

　　鑑定事項
一、　創傷ノ部位、形狀、個數
二、　自他傷ノ區別

1　曺道先。
2　鑑定人。

三、 右創傷ヲ生スルニ使用セラレタル兇器ノ種類及身体ニ接觸シタル方法

四、 治療日數

五、 治療後機能障碍ヲ殘サヽルヤ否

鑑定人 德岡凞敬

實印ヲ持參セサル故拇印

右讀聞カセタルニ相違ナキコトヲ承諾シ自署セリ

卽日前記總領事館ニ於テ

但出張先ニ係ルヲ以テ所屬官署ノ印ヲ用フル能ハス

關東都督府地方法院

書記 岸田愛文

高等法院檢察官 溝淵孝雄

二十一 小山善 鑑定人 訊問調書

鑑定人 訊問調書

鑑定人 小山善

右安應七、禹連俊、曹道先[1]、柳江露、鄭大鎬、金成玉、金衡在、卓公圭、金麗水、張首明、金澤信、洪時濬、李珍玉、方士瞻、鄭瑞雨、金培根ニ對スル殺人被告事件ニ付明治四十二年十月廿七日關東都督府高等法院檢察官溝淵孝雄書記竹內靜衛列席
檢察官ハ鑑定人ニ對シ訊問ヲ為スコト左ノ如シ

問　氏名ハ
答　小山善

問　年齡ハ
答　萬延元年八月生

問　身分ハ
答　平民

問　職業ハ
答　侍衛

問　住所ハ
答　東京市麴町區三番町十一番地

問　被告人ト親族同居人後見人被後見ノ關係ナキヤ

1　曺道先。

答　何ノ關係モアリマセヌ

於玆檢察官ハ本件鑑定人トシテ訊問スヘキ旨ヲ告ケ本件被害ノ當時鑑定人カ實見セル伊藤公爵森宮內大臣秘書官田中南滿洲鐵道會社理事ノ被害狀態ニ付テ左記事項ノ鑑定ヲ爲スヘキコトヲ命シタリ

一 各被害者ノ創傷ノ部位程度、致死ノ原因、生存者ニ付テ豫後

一 兇器ノ種類
鑑定人ハ右鑑定事項ニ付左ノ如ク鑑定シタリ

一 伊藤公爵創傷ノ程度等

第一、右上膊中央外面ヨリ射入シ第五肋間ヨリ水平方面兩肺ヲ穿通シ左肺ニ留マル胸內出血多シ

第二、右關節後面ノ外側ヨリ射入レ右胸脇第九肋間ヨリ胸膜ヲ穿通シテ左季肋下ニ留マル

第三、右上膊中央ノ外面ヲ擦過シテ上腹中央ニ射入シ腹筋中ニ留マル

致命傷 第一、二ノ創
致死原因、內出血ニ因ル虛脫
兇器種類、透射力ノ甚シカラサルモノ卽チ鋭力ナルピストルノ銃丸ノ如キモノナリ

二 森宮內大臣秘書官ノ創傷部位等
左上膊中央ヲ後方ニ貫通シ更ニ左側ノ背部ノ軟部ヲ貫通セル銃創
豫後、 續發症ヲ生セサレハ約一ケ月ニテ全癒ス
機能ヲ障害スル恐レナキヤ否ヤハ或ハ幾分ヲ障害スルヤモ計ラレサルモ而モ大ナル影響ヲ与ヘス兇器ノ種類、 伊藤公ノ鑑定ト

三 田中南滿洲鐵道會社理事ノ創傷部位等

左足關節ヲ內方ヨリ外方ニ貫通セル創傷
豫後、續發症ヲ生スル恐レアリ若シ發セサレハ二ケ月ニテ全癒スヘシ而シテ運動屈伸ノ機能ヲ[2]障碍ヲ生スヘシ然レトモ步行シ得サル如キ事ナカラン
兇器ノ種類、前仝上
尙ホ鑑定人ハ各被害者創傷ノ部位ヲ明瞭ナラシムル爲メ別紙人體圖ヲ提出セルヲ以テ之ヲ本調書ノ末尾ニ添附ス

鑑定人 小山善

右讀聞ケタル處相違ナキ旨申立自書捺印ス
明治四十二年十月廿七日於大連ヤマトホテル內
但出張先ニ係ルヲ以テ所屬官署ノ印ヲ押捺スル能ハス

書記　竹內靜衛
高等法院檢察官　溝淵孝雄

---

2 ノ。

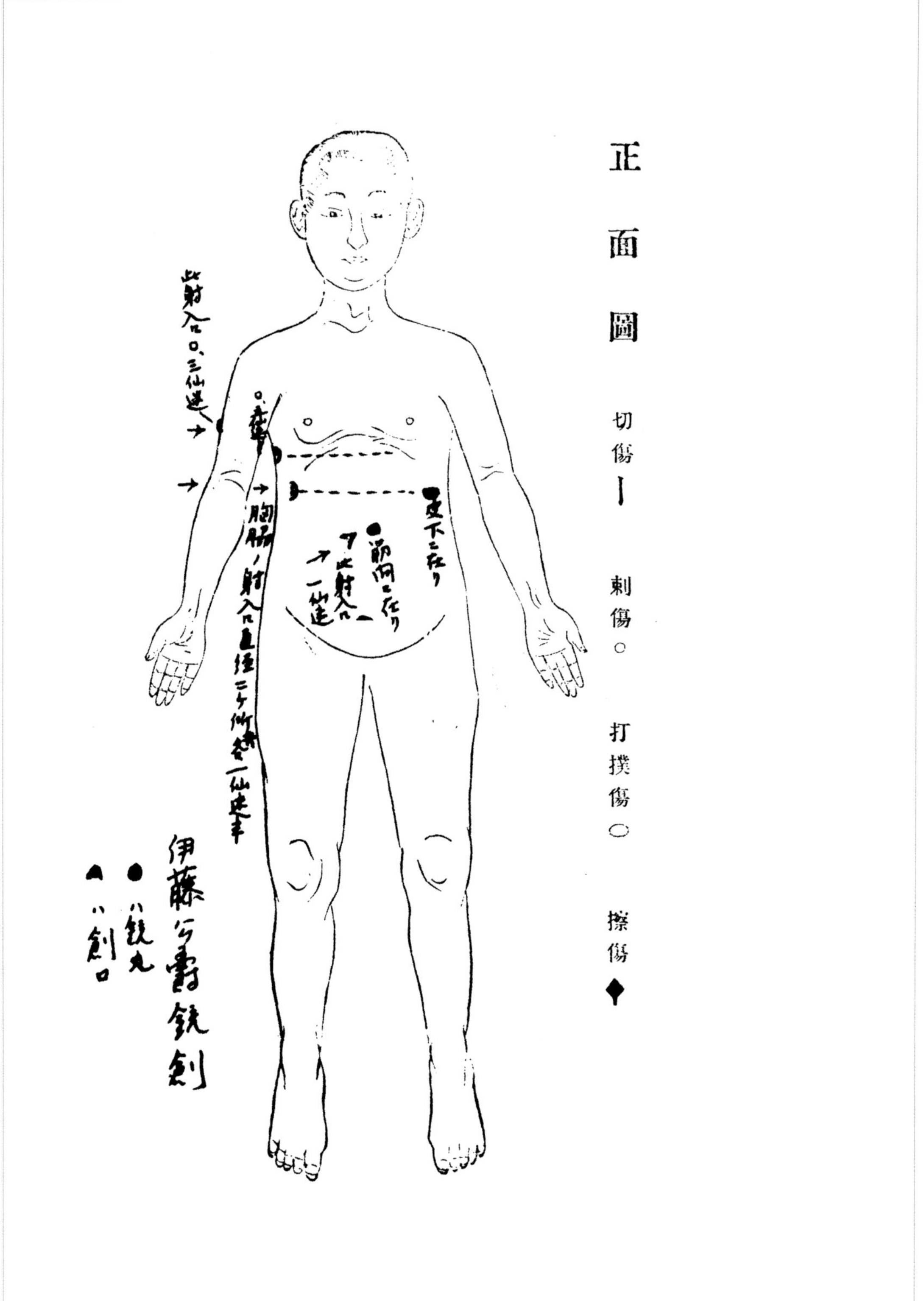

正面圖
切傷
刺傷
打撲傷
擦傷
伊藤公書銃創
●ハ銃丸
▲ハ創口

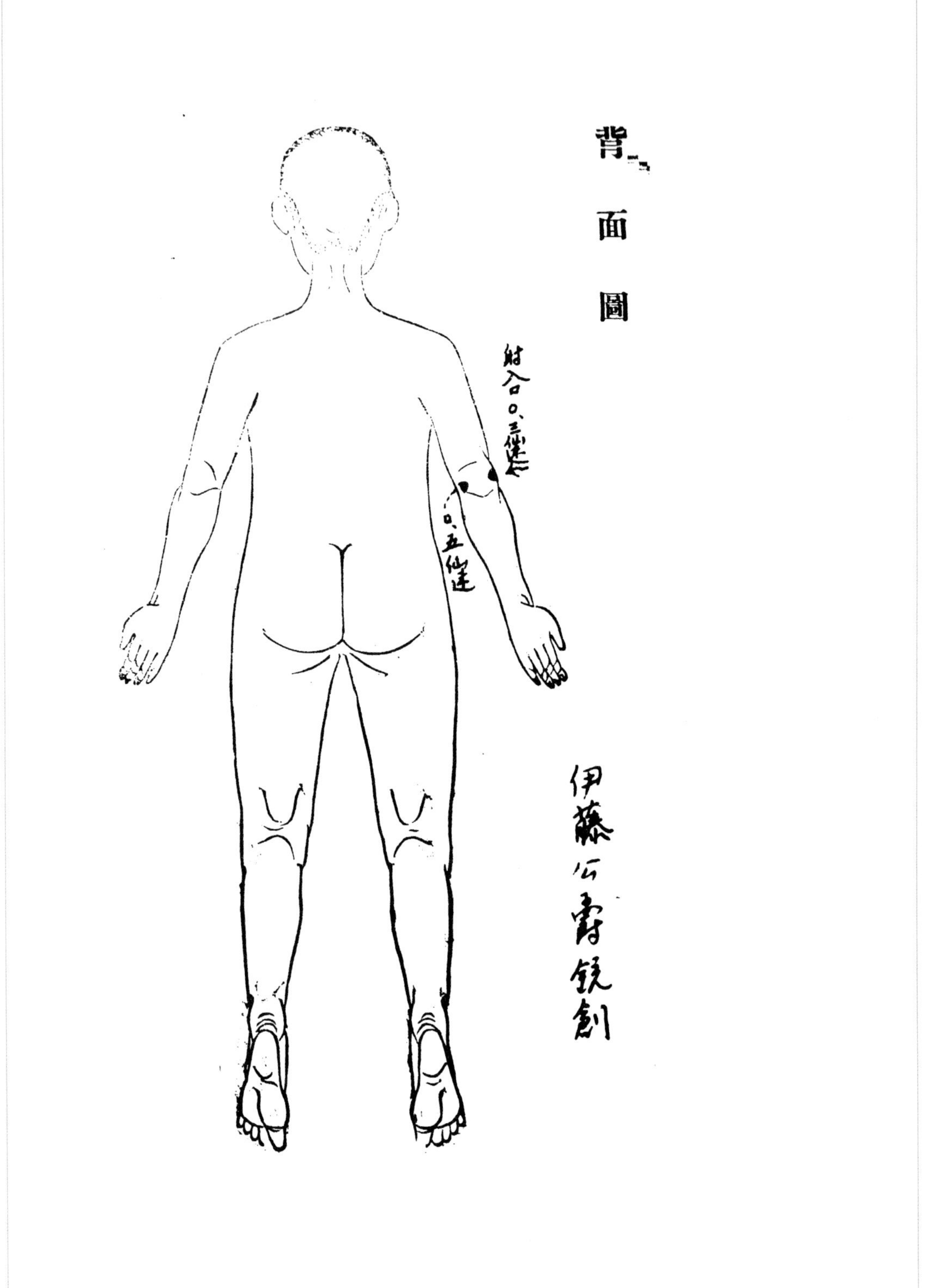
背面圖
射入口〇、三仙迷
〇、五仙迷
伊藤公負銃創

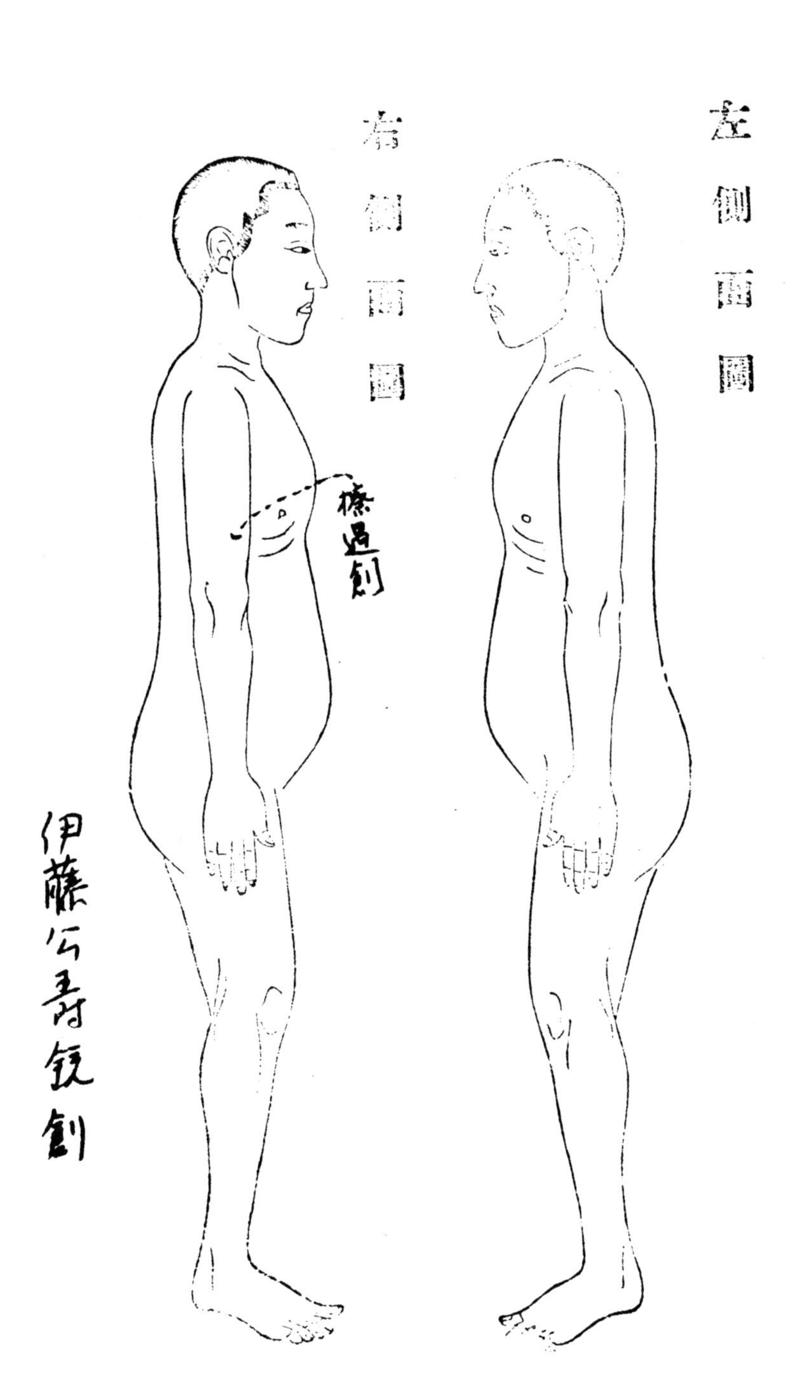
左側面圖
右側面圖
擦過創
伊藤公壽銃創

頭頂正面圖

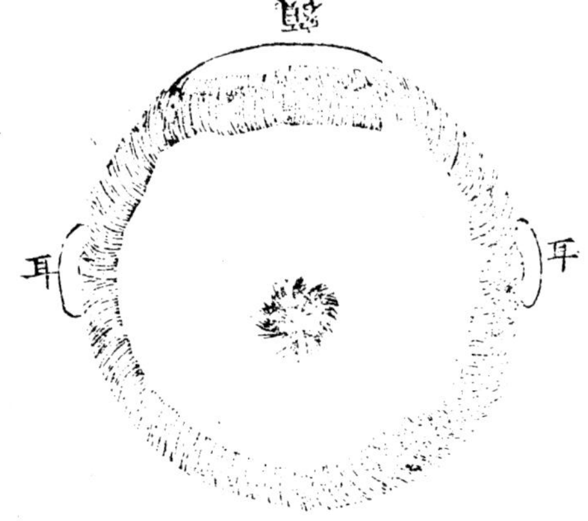

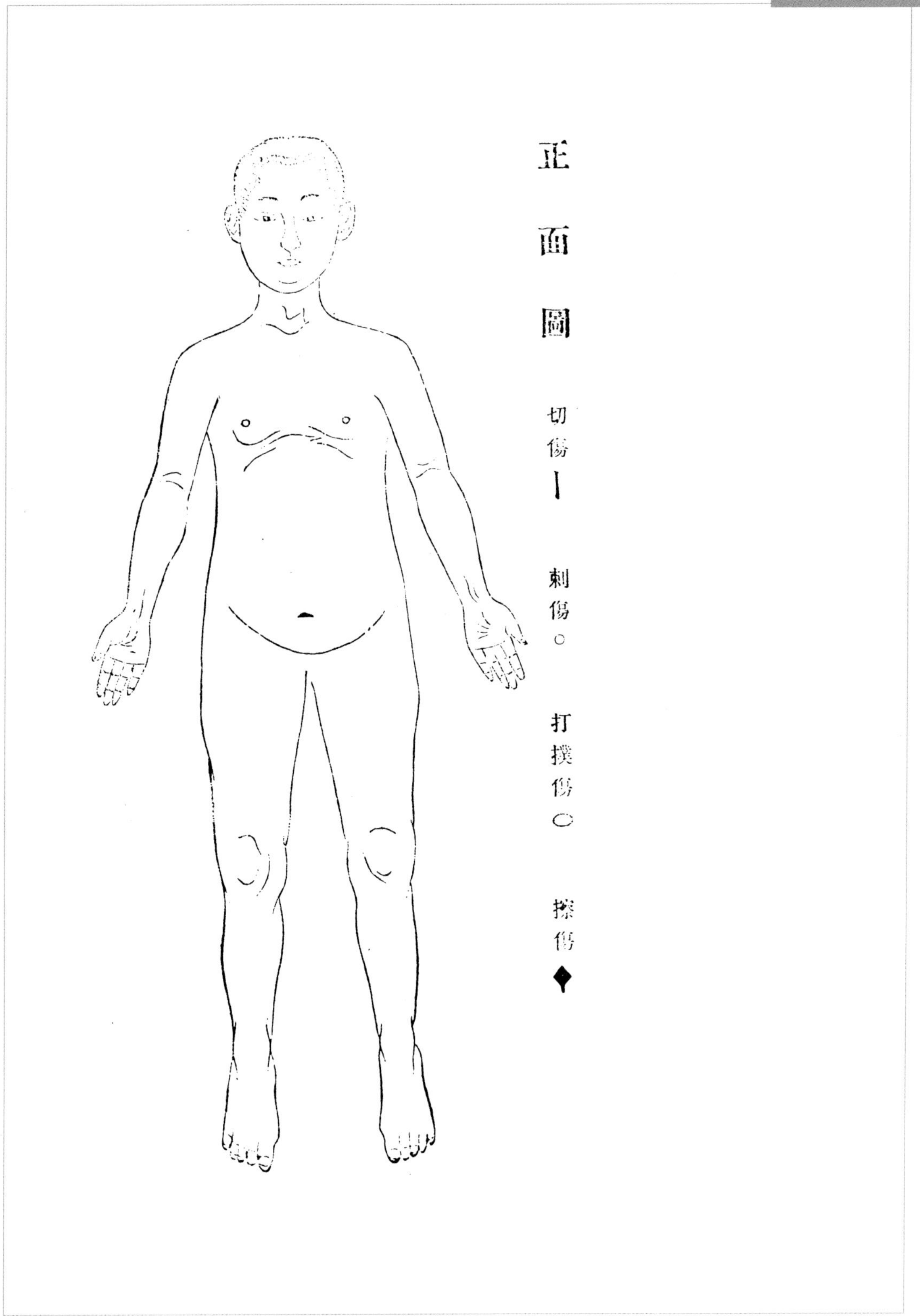
正面圖
切傷 |
刺傷 ○
打撲傷 ○
擦傷 ◆

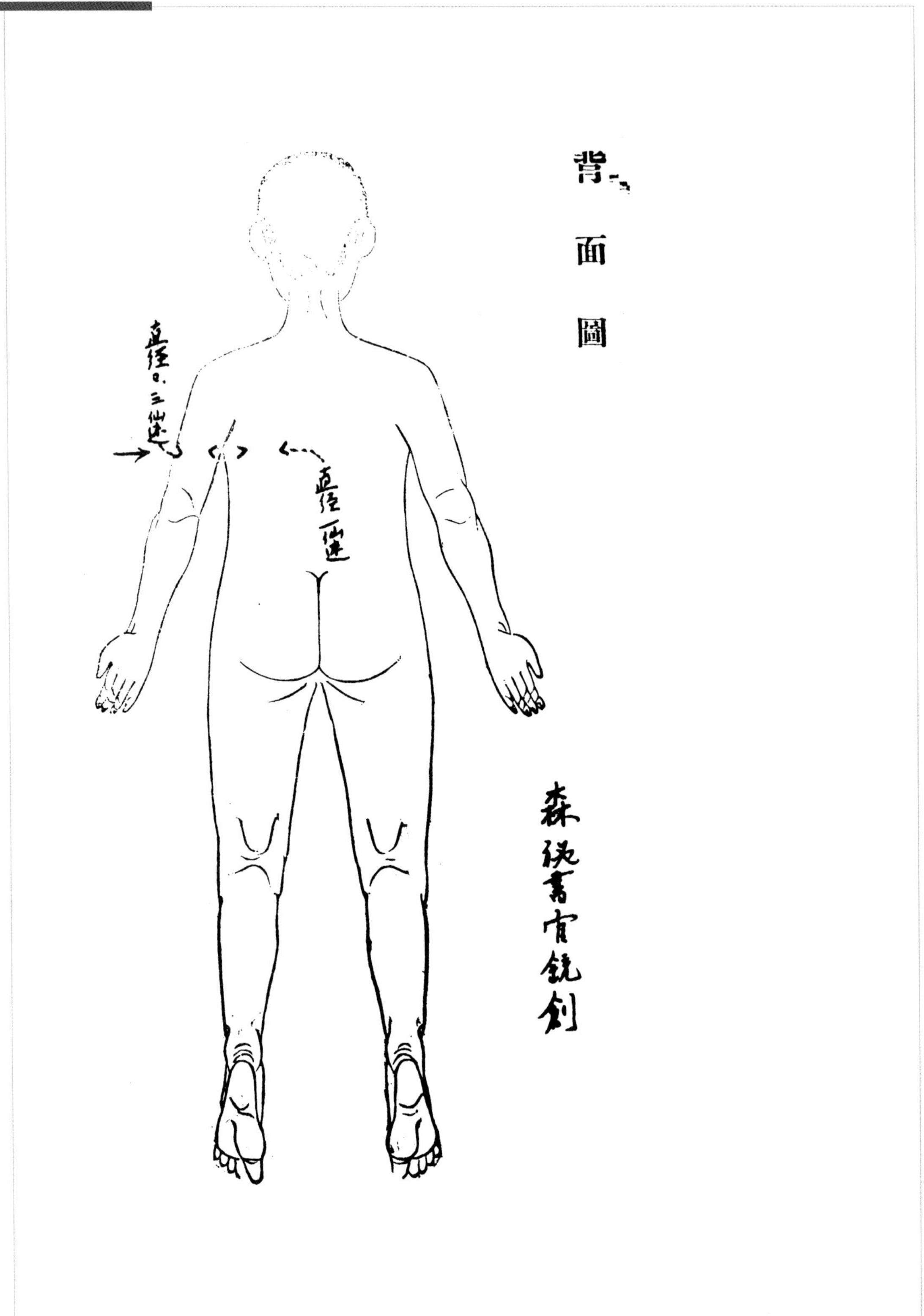
背面圖
直径〇、三仙迷
直径一仙迷

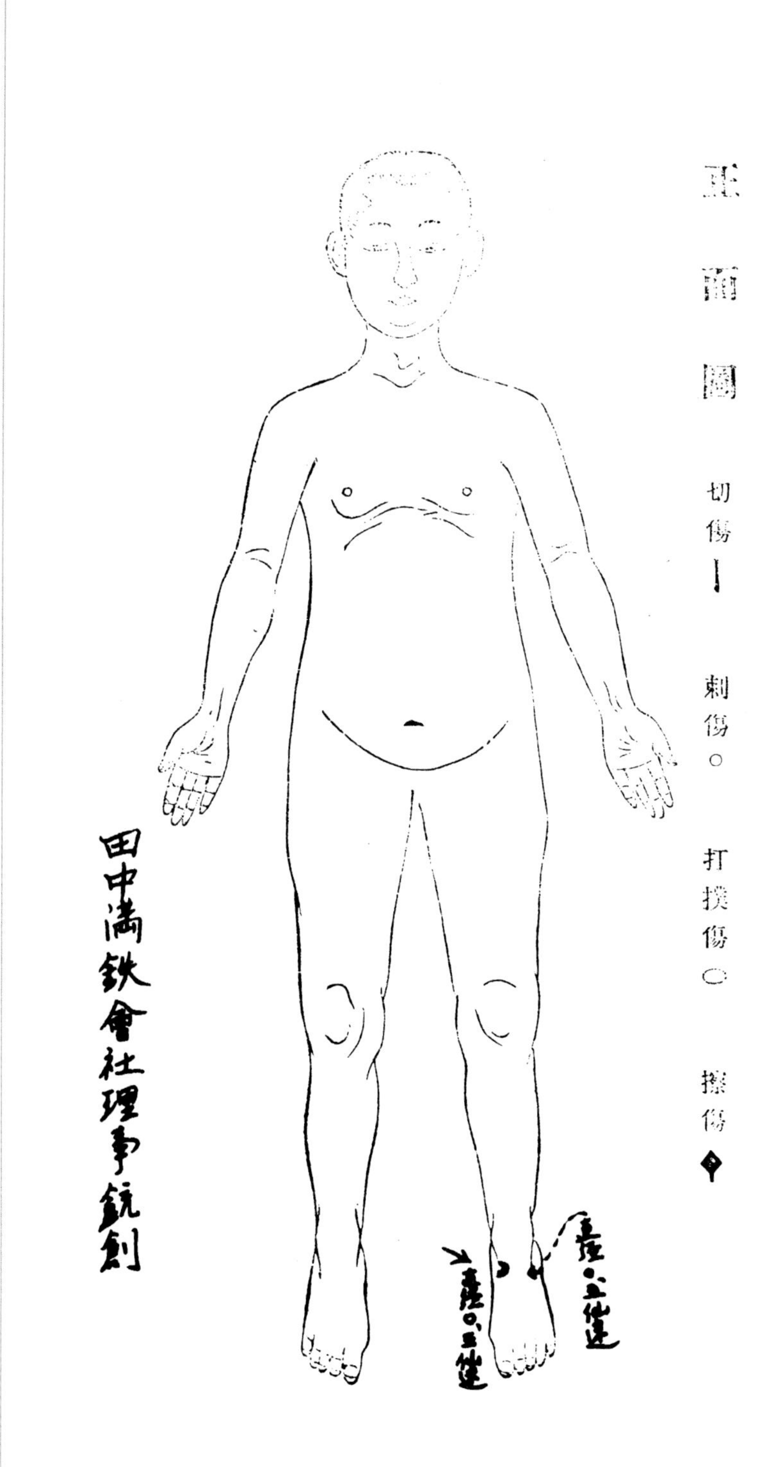
正面圖
切傷 |
刺傷 ○
打撲傷 ⬭
擦傷 ◆
田中滿鉄會社理事銃創
徑〇、五糎
徑〇、五糎

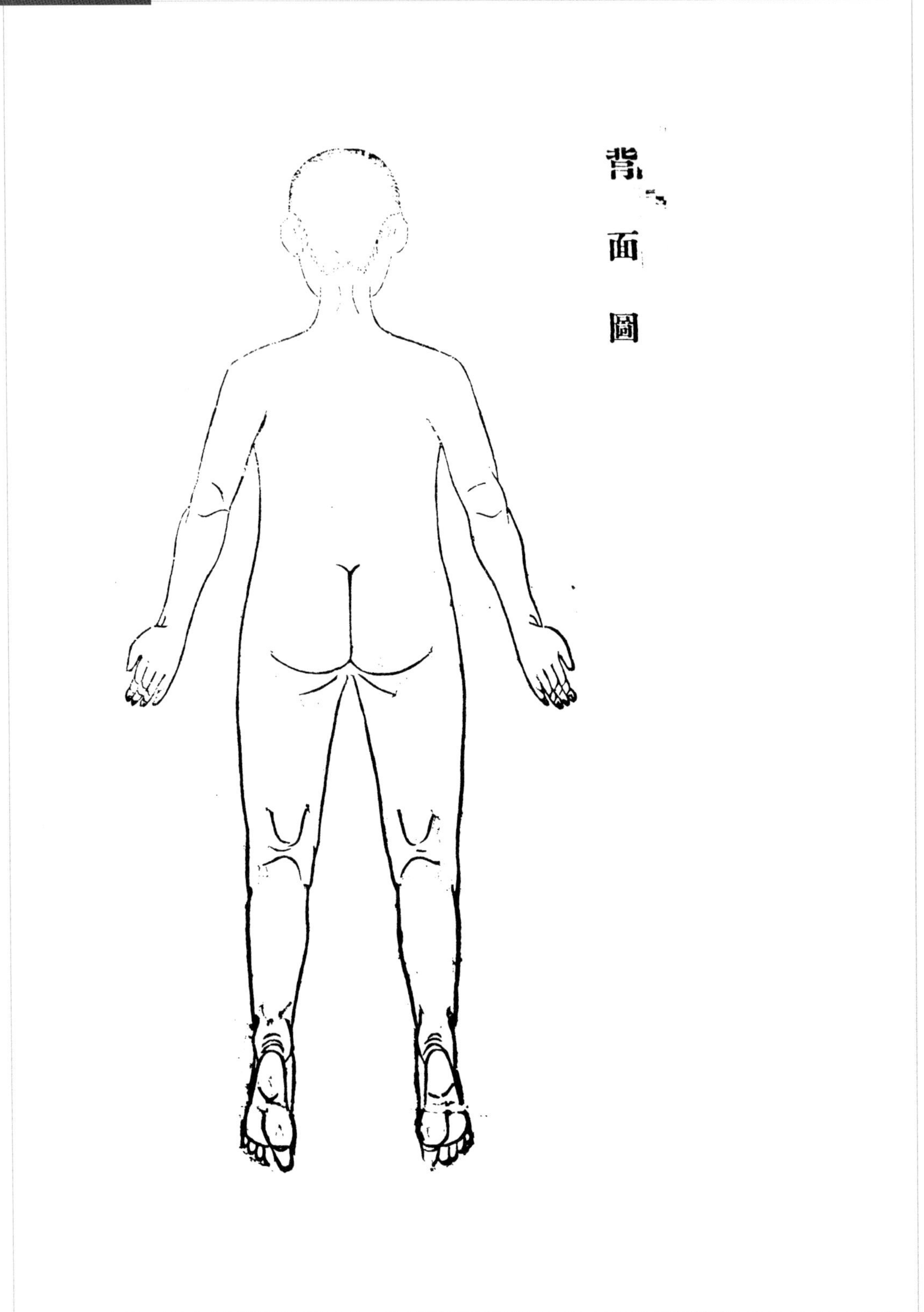
背面圖

聽取書

一 室田義文 聽取書 (1)

安應七外數名殺人被告事件ニ付室田義文取調方東京地方裁判所檢事正ハ囑託相成度本人當管內ニ歸リタルヲ以テ同所ノ移牒ニ依リ取調ノ上別紙ノ通リ聽取書ヲ作リタルニ付及回送候也.

明治四十二年十一月二十日
赤間關區裁判所
檢事 田村光榮
關東都督府 高等法院
檢察官 溝淵孝雄殿

追テ寫眞三枚ハ及返戻候也

聽 取 書

山口縣豊浦郡長府村字八幡
貴族院 議員
室田義文
六十三歲 十月廿六日生

右者本職ニ対シ左ノ通リ陳述ス

一 私ハ伊藤公爵滿洲視察ニ付單ナル仝行者トシテ同行シタルモノナリ而シテ內地ヨリ公爵ニ隨從シタル者及同行シタル者ハ
古谷樞密院議長秘書官、森宮內大臣秘書官、鄭大使館二等書記官、松木陸軍少

佐、宮內省醫務局御用掛小山善、黑澤宮內屬、南滿鐵道株式[1]秘書長龍居頼三、伊藤公爵ノ従者弐人

又大連ヨリ同行セシ者

南滿鐵道會社總裁中村是公、關東都督府參事官大內丑之助、陸軍參謀山本大尉

其他數十名アリシモ一々其氏名ヲ記憶セズ

二 長春到着ハ十月廿五日午廿七時過、同所出發ハ同日午廿十一時ナリシ

出迎人ハ關東都督府官吏、守備隊諸公職員及在留本邦人幷ニ清國官吏及兵隊、露國總領事等數百名ニシテ其氏名ハ記憶セズ

三 哈爾賓到着ハ十月二廿六日午前九時ナイ[2]當時同驛ブラットホーム[3]ニ露國及清國ノ兵隊樂隊等整列シ樂隊ハ奏樂、兵隊ハ捧銃式ヲ行ヒ居タルヲ目擊セリ 驛外ノ模様ハ詳カナラザリシ

四 公爵下車ノ際ニ於ケル歡迎ニ出テタル彼我官民ノ位置ハ此圖面ニ記載スル所ト聊カ相違スル廉アリト思フ卽圖中清國軍隊ト記シアル所ニ於テ同軍隊ヲ認メス清國軍隊ハ露國軍隊ノ左方ニ在リシ露國軍隊ニ接シ右方ニ露國官憲及外國領事團ノ在リシヲ認ム(露國大藏大臣ガ伊藤公爵ヲ外國領事ニ紹介セシヲ以ツテ知ル)

日本人ノ出迎者ハ圖面位置ノ外露國兵ノ列後ニモ約二側[4]ニ位置[5]多數佇立シ居タリト記憶ス

此時本人ノ回送ノ圖面ヲ見テ陳述シタリ

五 公爵ノ車ガ哈爾賓ニ着スルヤ露國大藏大臣ハ三四名ノ將校ヲ從ヘテ之ヲ迎ヘ將校ヲ車外ニ止メ大臣独リ車內ニ入リテ公爵ヲ訪問シ對話數分間ニシテ公爵ハ大臣ト共ニ下車シ大臣ハ車外ニ待受ケテ居リシ露國將校ヲ公爵ニ紹介シ此將校ノ先導ニテ行進セリ其位置ハ右先導者ノ次ニ左方ニ公爵右方大藏大臣ト併ビ僅カ

---

1 南滿鐵道株式會社。
2 ナリ。
3 プラットホーム。
4 列。
5 국편본: 約二側位ニ。

隔リテ公爵ト大臣トノ間ノ処ニ通訳者川上總領事、其次ニ我随從員同行者及露國官吏等付從シ露國官憲外國代表者ノ居リシ方行ニ向ツテ行進中モ前仝様ノ位置ヲ保チタリ尚當時歡迎群集列ニ紊亂起リシコトハ心附カズ

六 行進中ニ於ケル公爵ト大臣トノ位置ハ前述ノ通リ相並ビテ行進シタルモノナリ 初メ大臣ハ公爵ニ向ヒ自己ガ名譽司令官タル守備隊ハ閣下ニ対シ敬意ヲ表スル爲メブラットホームニ整列セリトテ同隊ノ閲兵ヲ乞ヒ公爵ハ之ニ應シテ大臣ト共ニ下車シタルモノニテ公爵ハ進テ外國領事團ノ所ニ至リ大臣ノ紹介ニテ夫々 握手ヲ為シ回轉路ニ就キタルモノナリ

七 公爵ノ往路ハ前述ノ通ニテ下車シタル後露國軍隊ノ前ヲ過キ外國領事團ノ所ニ至リテ回轉シ露國軍隊ノ所ニ至リ遭難セラレタルモノナリ

公爵ノ轉回セラレタルハ一部ノ閲兵ヲ終ヘ領事等ト握手交換セラレ尚他ノ部分ニ在ル軍隊ノ閲兵ヲ為サントセラレタルモノニシテ尚公爵ガ北米合衆國領事ト握手セラレタルヲ見タルモ同地市長、判事及始審裁判所檢事ミューレルナル人ト握手シタルヤ否ヤハ知ラズ

公爵轉回時ニ於テ歡迎列ニ動搖アリシコトヲ認メズ極メテ靜肅ナリシ

八 公爵ハ前述外交團ノ所ニ至リテ握手ヲ終ヘ歸路ニ向ヒ進テ露國軍隊ノ前ニ至リタルトキ忽チ數發爆竹ノ如キ音響ヲ聞キタルモ狙撃者アリシコトヲ気付カス少時進ミテ洋服ヲ着タル一人ノ男ガ露國軍隊ノ間ヨリ身ヲ出シテ拳銃ヲ以テ自分ノ方ニ向ヒ發射スルヲ認メ初メテ狙撃者ノアルコトヲ知リ直ニ公爵ノ傍ニ走リ寄リテ左後部ヨリ其体ヲ抱擁シタルニ公爵ハ既ニ負傷セリト陳述セラレタリ狙撃當時ノ模様ハ是以外ニ知ラス

九 狙撃當時露國官憲ノ動靜、大藏大臣ノ態度等ハ之ヲ詳ニセス公爵ノ身邊近ク在リシ川上總領事ノ負傷サヘモ気付カサリシ位ナリ

十 公爵ノ負傷ヲ聞ヤ直ニ大声随行小山醫師ヲ呼ヒ仝人カ驅付ケルト相前後シテ中村滿鐵總裁モ來リ同總裁ハ自分ト反對ニ右前部ヨリ公爵ヲ抱キ止メ共ニ步行シテ最前下車セシ客車ニ向ヒ進行セリ此ノ際露國官憲將校随行員及本邦人等陸續馳セ來リ自分ハ公爵ノ帽子ヲ脫シ手ニセラレシ杖ヲ取リ收メテ之ヲ從者ニ交付シ公爵ヲ汽車内ニ抱キ入レ車中ノ卓上ニ横臥セシメ小山醫師主トシテ治療ニ從事シ露國軍隊付醫師本邦人ニテ哈爾賓ニ在住セル醫師某等之ヲ助ケタリ然レドモ是等助手者ノ氏名年齡住所等ハ知ラス

十一 公爵負傷ノ模様ハ前陳ノ通ニシテ其負傷ヲ自分ガ實見シタル所ヲ見取圖シテ差出マスガ二ケ所ハ右腕ヲ貫通シ一ケ所ハ衣服ヲ貫通シ餘力肺腹部ニ命中シ其彈道ハ何レモ上部ヨリ下部ニ向ヒ傾斜シ居リタリ

此時伊藤公爵疵所見取圖ヲ差出シタリ

十二 前述ノ如ク自分ガ狙撃セラレタルコトヲ發見シタル時狙撃者ハ右手ニ拳銃ヲ握リ右足ヲ前ニ出シ身體ヲ前ニ斜メニシ居ルヲ見受ケタリ自分ハ外套ノ下部ニ三發ノ貫通彈痕ト右洋袴膝部ニ一發ノ貫通彈痕ト左手小指ノ指痕ニ一發ノ彈痕ヲ受ケタルモ小指ニ擦過傷ヲ負ヒタル外他ニ身體ニ負傷セザリシ是モ見取圖ヲ差出シマ[6]

此時室田義文衣服彈丸貫通見取圖ヲ差出シタリ

私ノ斜背后ニ居リシ中村滿鐵總裁ハ外套右裾ト右洋袴トニ貫通彈痕ヲ受ケタルモ身體ニ負傷ナシ
川上總領事ハ右手腕ヲ貫通シテ背部ニ負傷シ
森秘書官ハ左手腕ヲ貫通左胸部ニ負傷シ
田中滿鐵理事ハ左ノ足首ニ貫通傷ヲ受ケタルモ是レハ自分若クハ中村ニ發射シタル彈丸ガ流レテ中リタルモノナラント思ハル

十三 前述以外ノ者ニハ被害ナシ
大藏大臣ハ其後目撃セザリシガ歸路發車ニ先タチテ來車シ公爵ノ體ニ寄リ添ヒロノ內デ何カ唱ヘツツ頻リニ落涙シ且花環ヲ贈リ度ニ付三十分間程發車ヲ見合ハセ呉レト乞ヒ尚自分ハ止ムナキ所用アリテ見送ルコトガ出来ズ駐清露國公使及哈爾賓守備隊司令官並東清鐵道總裁等ヲ政府及自分ノ代理ニ見送ラセルカラ用事アレバ何事ニテモ申付ケ呉レト云ヒタリ

十四 加害者逮捕ノ時ノ狀況ハ混雜ノ際ニシテ分ラズ

6 差出シマス。

十五 此寫眞ニアル人物ハ能ク覺ヘサルモ多分自分ヲ狙擊シタル男ニ相違ナシト思フ
前述ノ如ク自分ノ受ケタル彈痕ハ五發中村總裁ノ受ケタル彈痕ハ二發ナルモ此内ニハ一發ニシテ二ケ所ヲ貫キタル処モアル可キニ依リ狙擊者ハ少クトモ五六發發射シタルモノナラン后日聞ク処ニ依レハ[7]狙擊者ハ七連發ノ銃ヲ用テ發射シ一發殘リアリシトノコト故此点ヨリ推察ヲ下セバ公爵ヲ狙擊セシモノハ此寫眞ニアル狙擊者デナク他ノ者ナラカ[8]ト思ハル尤モ狙擊者ガ公爵ヲ打チタル時ハ更ニ銃ヲ換ヘテ打チタルモノトセバ格別ナリ

此時送付ノ寫眞三葉ヲ見テ申立ヲ為シタリ

又此寫眞ノ男ハ自分ヲ狙擊シタル時ニ初メテ一見シタルモノニテ尓后[9]更ニ見タルコトナシ
御示シノ別紙圖面ニ公爵下車后行進ノ方向等ヲ記入シタルニ付差出シマス
右讀聞ケタルニ無相違旨承認シ自署捺印セリ

室田義文

明治四十二年十一月二十日 於赤間關區 裁判所
檢事 田村光榮

7 依レバ。
8 者ナランカ。
9 국편본: 其後。

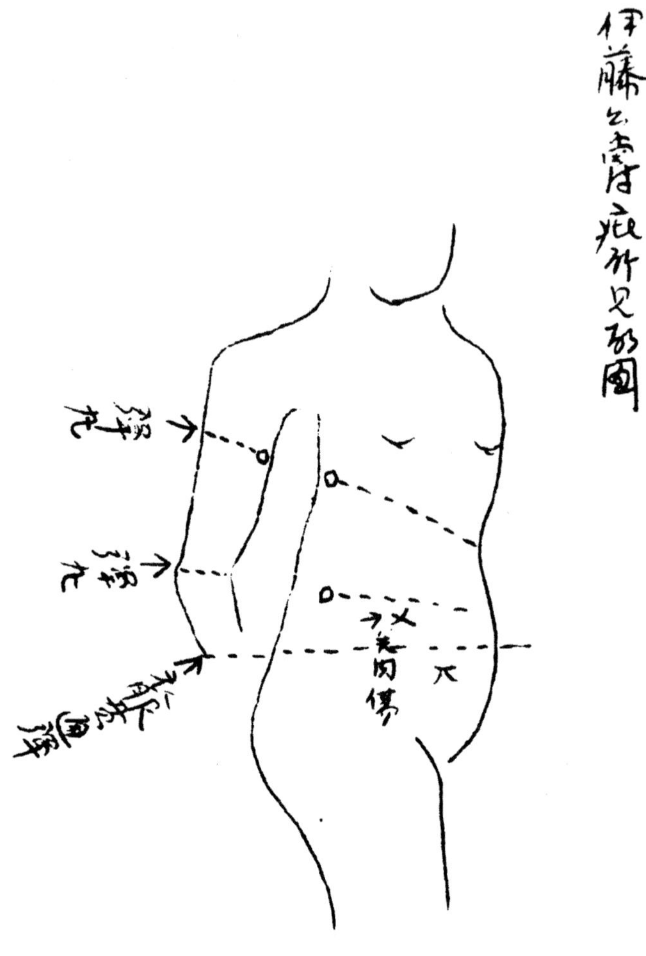

室田義文衣服弾丸貫通見取図
黒点ハ右方前部貫通セシ箇
示スモノ

千九百九年十月十三日伊藤公爵狙撃ノ時ニ於ケル哈爾賓停車場露国軍隊官憲代表者及諸外国ノ軍隊及官憲ノ代表者配置見取図

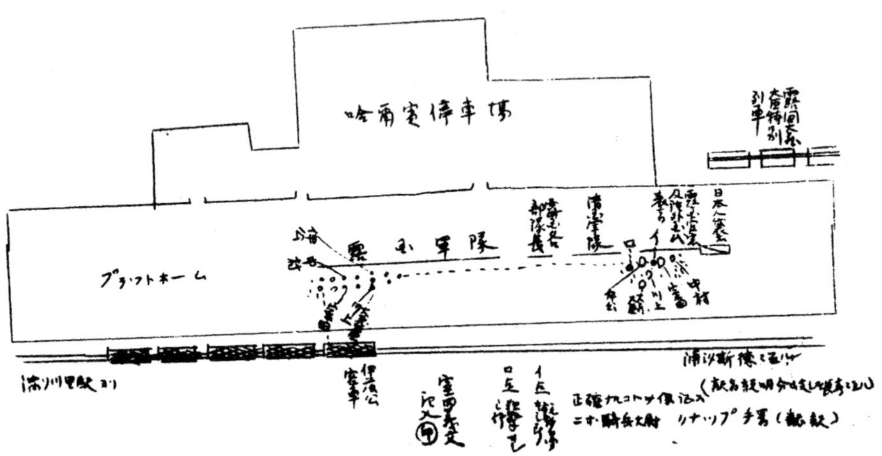

室田義文 聽取書 (2)

聽取書[1]

東京赤坂區靈面坂[2]町三一 楠木方

室田義文

弘化四年生

右者明治四十二年十二月十六日
被告事件ニ付當職ノ通知ニ依リ任意東京地方裁判所檢事局ニ出頭シ左ノ陳述ヲ爲シタリ

一、私ハ先般伊藤公爵ガ滿洲視察ノ爲メ出張セラレタルトキ隨員トシテ參リタル一人デアリマスガ長春以北ニ入ルニ當リテ日本官憲ノ警衛ハアリマセヌデシタ此事ニ付私ハ秘書官ノ古谷久綱ヨリ承リタル所ニ依レハ都督府ノ官吏某(多分大内事務官ナラント思ヒマス)ハ日本官憲ノ警衛ヲ申出テタルニ付其旨ヲ伊藤公爵ニ進達シタルトコロ公爵ハ他國ニ行クニ當リテ自國人ノ護衛ハ不要ナリト云ハレ茲ニ辭退ノ事ニ決定シ而シテ「ハルピン[3]」ニ向ハレタトノコトデシタ私ハ其當時ハ知ラズニ居リシモ後ニ古谷ヨリ右ノ話ヲ聞キマシタ夫故ニ公爵ノ辭退アルニ拘ハラズ尚警衛ヲ附セントシタル事實アリヤ否ヤヲ知ラス右以外ニハ聞込ミタルコトアリマセヌ公爵ノ意見モ前陳ノ通リデアツタコトハ相違無イト思フノミデ直接ニハ承リテ居リマセヌ

哈爾賓帝國總領事ガ警衛ニ關シテ露國官憲ト協議手落無ナキ旨ヲ述ヘタリヤ否ヤ當時少シモ聞知セヌノテアリマス川上總領事ハ從前ヨリ親シキ間柄デアリ前以テ長春迠出迎居ル旨ノ通知ニ接シ且ツ宿泊所等ニ付世話スルト云フテ接

1 국편본: ( )。
2 靈南坂。
3 ハルビン。

待一方ノ件ハ直接本人ヨリ其通リ承リ且ツ長春ニ於テ出迎ヲ受ケタノデアリマスケレドモ警衛ノ点ニ付テハ別ニ聞キモシナカツタノテアリマス[4]

一 公爵遭難ノ時ハ川上總領事ハ丁度通訳ノ任ニ當リ公爵ト露國藏相ト相並ンデ軍隊ノ前面ヲ行進セラルルニ當リ其中間稍後方ニ在リテ随從シ通譯シツツアリタノデス然ルニ突然拳銃ノ射撃ヲ受ケ公爵ハ遣ラレタトロ外セラレタルニ付私ハ驚キ身邊ニ駈付ケ次デ中村滿鐵總裁モ亦駈付テ私ト兩人テ先ヅ公爵ヲ支ヘ保護ヲシタノデ極ク瞬間ノ出来事ニ付其際川上總領事ハ如何ニシテ居タリヤ知ラズニ居リ汽車内ニ公爵ヲ助ケ入レタル時始メテ川上總領事ガ居ラヌコトニ気附キタルヲ以テ居合ハセタル人々ニ尋ネタルトコロ銃創ヲ負ヒ直ニ現場ヨリ露國人ニ助ケラレ露國病院ニ運バレタリトノコトデアリマシタ實際仝人モ重傷ヲ負フタノデスカラ他ニ致方モ無キ次第テ私ノ意見ヲ以テスレバ仝總領事ノ態度ト申シテ毫モ非難スヘキ點ハ無イト思フノデアリマス

一 伊藤公遭難時ニ於ケル最初ノ言語ハ右申ス通リ「遣ラレタ」トノ一言デシタ私ハ駈付ケ其身體ヲ支ヘルヤ拳銃ダカラ大丈夫ダシツカリナサイ(經驗ニ依レハ拳銃ノ弾丸ハ容易ク目的通リニ中ルコト稀ナルニ依ル)ト申シ勵シタルトコロ公爵ハ大分這入ツタ駄目ダト申サレタノテ[5]直ニ汽車ニ戻ルベク中村トモ話シ介抱シ汽車ニ連レ行ク途中テアツタ[6]ト思ヒマスガ公爵ハ何奴ツカト問ハレタルモ其瞬間私ニハ兇漢ノ何人ナリヤ不明ノ為メ然ト答ヘズ車内ニ入ルヤ公爵ハ從者ニ命シ右足ノ靴ヲ脱ガセ其時迠ハ足ヲ持上ケラレタルモ左足ヲ脱クトキハ最早其氣力モアリマセンデシタ而シ醫師カ上衣等ノ鈕ヲ外シテ創傷ヲ検シタトキ最早致命傷デアルコトガ一見明瞭ニナリ気附ノ藥ニモトテ先ヅ「ブランデー」ヲ勸メルコトトナリ第一回ニ其一杯ヲ勸メタルトコロ苦モナク飲ミ干サレマシタ 丁度其際テアツタト思ヒマスガ通辯ガ來テ犯人ハ韓人テアル直ニ捕縛シタリトノコトヲ告ケタルニ公爵ハ之ヲ理解シ「馬鹿ナ奴ダ」ト申サレマシタ此際一面ニハ注射ヲ始メ五分間ノ後尚「ブランデー」一杯ヲ勸メタルニ際シ公爵ハ最早其ノ首ヲ上グルコトモ出来ナクナリタノデ其儘口ニ注キ込ミ夫レヨリ一二分ノ間ニ全ク絶命セラレタル次第デアリマシタ

---

4 デアリマス。
5 申サレタノデ。
6 途中デアツタ。

右陳述ヲ錄取ス

東京地方裁判所検事 古賀行倫

三　森泰二郎 聽取書

聽取書

東京市赤坂區青山南町六丁目百二番地

森泰二郎

四十七年

右ハ安應七外數名ノ殺人被告事件ニ付明治四十二年十一月十五日肩書ノ自宅ニ於テ任意左ノ陳述ヲ為シタリリ

一 私ハ伊藤公爵滿洲視察ニ付宮內省ヨリ隨員トシテ出張ヲ命セラレ仝公爵ニ從ヒ東京ヨリ隨伴シタル一人デアリマシタ內地ヨリ隨員ハ古谷久綱、鄭永邦、松木直亮、室田義文、小山善、黑澤滋太郎等ニシテ外ニ公爵ノ從者奧村金次郎、小林某[1]モアリマシタ仝行者トシテハ南滿鐵道會社秘書役龍居頼三ガ其當時東京ニ出テ居リテ仝行シタノデアリマシタ

大連以北ノ仝行者トシテハ中村是公、田中清次郎外ニ氏名不知三名ノ南滿鐵道會社ノ役員ガ居リ其外ニ關東都督府民政長官代理大內丑之助ガ仝行致シマシタ

一 右一行ノ長春ニ着シタノハ本年十月十五日ノ午後七時ニシテ仝所ニ出迎ヘタル重ナル人ハ淸國長春縣道臺顔世淸デアリマシタ外ニハ數多ノ淸國人及我居留人等アリマシモ氏名ハ分リマセヌ同夜ハ右道臺ガ我共ノ出發時刻ト定メタル午後十一時迠ニ公爵ニ晩餐ヲ供シ度旨申立タルヲ以テ一行ハ其宴ニ臨ミ右指定ノ時刻ニ長春ヲ出發シタノデアリマシタ見送人モ前仝樣デアツタト記憶シテ居リマス

一 夫レヨリ哈爾賓ニ着シタノハ翌廿六日午前九時十五分デシタ其當時仝驛ニハ一行ノ乘組ミタル客車ノ前面「プラツトホーム」內ニ露國軍隊整列シ客車ノ方面ヨリス

1　小林淸三郎。

レバ右軍隊ノ右側ニ各國領事等代表者ノ一團ガ列ビ尚其右側ニ日本居留民ノ團體ガ列ビ孰レモ靜肅ニ歡迎ノ意ヲ表シテ居タノデアリマス右ノ露國軍隊ト外國代表者トノ中間ニ淸國軍隊ガ出テ居リシヤ否ヤ気附キマセンデシタ仝驛附近ニハ別般人家ノ密接シタルモノモナク遙ニ停車場ヲ離レテ人家ヲ望ミタル様ニ覺ヘ居リマス而シテ驛附近ノ場所ニハ各半丁位ノ距離間隔ヲ以テ露國ノ兵員ガ一人位宛配置セラレ警戒ノ任務ニ當リ居リマシタ其外ニハ之レト申シテ気付キガ無イノデアリマス

一 御示シノ見取圖ハ伊藤公爵下車ノ際ニ於ケル彼我官民ガ右停車場ニ歡迎シタル位置ヲ示シテ誤リアリマセヌ只私ハ淸國軍隊ガ介在シタリヤ否ヤ気附カズニ居リタル事前述ノ通リデス

(其時囑託書添屬ノ前示見取圖ヲ示シタリ)

一 公爵下車ニ際シ先導者トナリシ者ハ露國藏相及川上總領事ニシテ通訳ハ川上總領事之ヲ擔任シ陪從者ハ中村是公、室田義文、田中淸次郎、龍居賴三、古谷久綱、鄭永邦、森泰二郎卽チ私ノ順序デ先ツ[2]貴賓車内ニ入リ來リテ歡迎セラレタル露國藏相ト共ニ伊藤公爵ハ下車セラレ藏相ハ左方ニ公爵ハ其右方ニ並列シテ下車行進ヲ始メラレ其中間稍後方ニ川上總領事ガ隨伴シテ通訳ヲ爲シ而シテ右述ヘタル[3]如ク我等隨從仝行ノ者ガ行進ヲ始メタノデアリマス松木、大內、小山等ハ私ノ後方ニ續ケ來リシト思フモ或ハ田中以下ノ順序ハ多少相違シテ居ルヤ難計確トハ記憶ニアリマセヌ尚其當時別ニ警護者ト申スモノハ無ク露國軍隊ノ外ニ或ハ同國警察官吏アリシヤ知レサレトモ私ニハ分リマセンデシタ兎モ角我國ヨリハ此際憲兵警察官等ハ隨從シ居ナカツタノデアリマス而シテ下車ノ際ハ總体ニ至極靜肅デアツテ未ダ歡迎者ノ群衆中ニ其位置ヲ亂スガ如キ事ハ少シモ見ヘマセヌデシタ只客車到着ノ瞬間ニ停車場ヲ向フテ左方ニ當リ萬歲ノ声ヲ聞イタト覚ヘマス別ニ何等ノ異狀ヲ認メナカツタノデアリマス

一 右述フル如ク公爵ト露國藏相トハ相並デ(公爵ハ右側ニ進マレ)藏相ノ請ニ基キ軍隊

2 先ズ。
3 述ベタル。

ノ前面ヲ通過シテ閱兵セラルル事トナリ先ツ整列セル軍隊ノ左ノ端(但シ客車ヲ基準トシ停車場ニ向フテ左方ノ意味ナリ)ニ出テ其全部隊ヲ一直線ニ前面ヲ通過セラレテ右ノ端ニ至リ其閱兵式ヲ終リ次デ各國代表者ノ團體前面ニ至リ此處テ暫ク停止セラレ各代表者等ト握手ヲ交換セラレマシタガ日本居留民ノ團體前迠ニハ行カレサル模様アリシ為ニヤ全團體ノ代表者ハ進出シテ公爵ニ歡迎ノ挨拶ヲ為シ公爵モ亦其厚意ヲ謝セラレタル後チ弥々停車場ノ出口タル方面ニ向ハントシテ居留民團ノ方面対シテ[4]背後ヲ見セル様ノ地位トナルヤ居留民ノ群集ハ其少シ以前ヨリ動搖ヲ始メ其一團ノ位置ハ轉換セラレテ各國代表者團體ノ前面ニ進出致シテ其所ニ停止シ其瞬間專ラ此方面ノミニ動搖ガアツタノデアリマス

一 伊藤公爵ハ前陳ノ如ク下車ノ後チ藏相ト共ニ絶ヘズ並列シテ行進セラレ各國代表者ノ正面ニ於テ我居留民代表者ト應對ヲ終リ停車場ノ出口ニ向ヒ再度露國軍隊ノ前面卽チ停車場ニ向ツテ右翼ヨリ數步ヲ前進シ同軍隊ノ左翼ニ向ハントシ行進シ居ラレマシタ此時迠モ矢張リ居留民團體ノ方ハ其瞬間尚動搖シテ居タル様ニ覺ヘテ居リマシタ但シ別般ニ大聲ヲ喧擾スルナドノ事ハ見受ケ無ツタノデス而シテ歡迎者ノ他ノ部分ニハ何等ノ動搖モ無ク始終靜肅デアツタノデス

一 右ノ如クシテ伊藤公爵ハ露國軍隊ノ右ノ翼ヨリ左翼ニ向ヒ其前面ヲ數步進マレタル瞬間ニ於テ突然洋服ヲ着シ鳥打帽ヲ冠ブツタル一名ノ男ハ我留民團ノ前陳[5]動搖シタル群集中ヨリ現ハレ来リ忽チ公爵ノ背後ニ迫リ丁度川上總領事ノ右側ニ出テ中村南滿鐵道會社總裁ノ前ニ入リ急ニ所携ノ拳銃ヲ以テ公爵ノ右側ヨリ之ヲ狙撃スル事數發白煙現出シ公爵ハ稍其體軀ヲ支フル事能ハサル如キ有様見ヘタル瞬間隨從員全同行者等ハ擧ハテ[6]急變ヲ覺知シ公爵ノ許ニ馳付ケマシタガ其中室田義文ハ最先ニ公爵ノ身邊ニ着シテ其手ヲ支ヘ(左右ノ孰レカ一方ナレトモ確タル記憶ナシ)村總裁殆ンド同時ニ公爵ノ體ヲ支ヘ次デ露國ノ軍人二三名其足腰ノ邊ヲ支ヘテ共同トシテ直ニ前搭乘セラレ居タル貴賓車ノ中ニ輔ケ入レマシタ公爵ハ右射擊ヲ受ケ室田ヨリ支ヘラレタル時ニ「遣ラレタ、身體ノ内ニ大分彈丸ガ入ツタ様ダ」トロ外セラレマシタ　而シテ其儘冥目閉ロシテ別般ノ言葉モナク車內ニ

4 方面ニ對シテ。
5 국편본: 前後。
6 국편본: 而シテ。

運ハレタノデアリマシタ

右公爵ガ狙撃セラレタル瞬間ニ於テ随従同行者ノ中川上總領事田中滿事[7]及私ノ三名ガ共ニ彈丸ニ中リ川上、田中ノ兩氏ハ何時ノ間ニカ露國軍人ニ輔ケラレテ同地ノ病院ニ運バレ手當ヲ受ケタル由又中村總裁、室田義文ハ其着用ノ「ズボン」ニ彈丸ノ貫通シタル損傷ヲ受ケタリト言ヒ孰レモ後ニ其ヲ承リマシタ而シテ私ハ其當時左肩胴部ヨリ右腕腋下ニ貫通銃創ヲ受ケ尚其餘勢ニテ右腕上膊部ヲモ貫通セル創ヲ受ケ彈丸ハ「シヤツ」ノ外上衣ノ袖ノ邊ニ留リタル模様ヲ後ニ至リテ發見シタレトモ其彈丸ハ後刻手當ヲ受ケタル時何處ニテカ失ヒタリト見ヘマス

以上兇行者ハ只一人ノ男デアツタ事ハ間違無イト思ヒマス其彈丸ガ如何ニシテ前陳ノ如ク随從仝行者ニモ命中シタリヤ瞬間ノ騷擾ニヨリテ如何ニモ判明致シマセヌ室田ハ後ニ至リテ其意見トシテ其命中數ガ多キ為メ或ハ動搖シタル居留民團ノ中尚他ニ拳銃ヲ亂發シタルモノアルベシト申シ居リタレトモ私ハ現場ニ於テハ左様ノ者ヲ認ムル事ガ出來ナカツタノデアリマス實際公爵ヲ狙撃シタル彈丸ハ其當時公爵ノ身邊ニ集リタル我等随從仝行者ニ身體又ハ衣服ニ中リタリト思ヒマス

一 右兇行者ハ卽時現場ニ於テ露國軍人ニ取押ヘラレ何レニシテモ二三ノ軍人ハ其兇行者ヲ地上ニ押サヘ付ケ手拳ヲ振ツテ亂打セルノヲ認メマシタガ我等ハ公爵ノ保護手當等ニ急ナルガ為メ引續キ貴賓車内ニ入リシニ付其後ノ様子ハ見テ居リマセヌ後ニ聞ケハ兇器タル拳銃ハ直ニ取上ゲ又同人カ[8]「ズボン」ノ隠シニ入レテ所持セル鋭利ノ短刀一本ヲ取上ケタリトノ事デアリマシ私ガ右客車ニ入ル迠其兇行者ハ別ニ一言ヲ発セズ其他歡迎者群集中ニテモ別ニ喧擾ヲ極メタル様子モ見ヘズ却ツテ其急變ニ驚カサレ一仝孰レモ言語モ出サル模様ニシテ又其瞬間多數ノ者ハ如何ナル珍事ガ出来シタリヤ気付キタルモノハ稀ナリシ事ト想像致シテ居リマス私ハ韓語若クハ露語ヲ知ラザレトモ兎モ角其瞬間ニハ群衆中ニ別般ノ騷擾ガアツタトハ認メテ居リマセヌ

又其瞬間ニ露國大藏大臣ハ如何ナル態度ナリシヤ判然記憶シマセヌ或ハ公爵ガ客車内ニ運バレタル後間モナク車ノ外ヨリ車内ノ様子ヲ窺ハレタリヤトモ思ヘトモ之亦判然トハ申上兼ネマス

---

7 滿鐵理事。
8 同人ガ。

一 我共ハ前陳ノ如ク急速公爵ノ身邊ニ随ヒ客車内ニ入リ混雑ヲ防ク爲メニ他ノ人々ノ入リ来ルヲ差止メ専ラ公爵ノ看護手當ニ留意シタルニ付停車場内ノ其後ノ模様ハ能ク目撃シテハ居リマセヌ然レトモ我居留民團ノ中ニハ醫士アリシト見ヘ其中ヨリ成田十郎、森某(令[9]四十歳位ト見ヱ)外ニ三十才前後ノ醫者氏名不知ノ者ガ直チニ見舞ニ来テ呉レマシタ

尤モ公爵ノ方ヘ車内ニ入ラルルヤ直ニ小山醫士ガ主トナリテ之ヲ横臥セシメ外套「チヨツキ」等ヲ脱キ傷口ヲ改メ注射ヲ為シ從者ニ命シテ小サキ杯一杯ノ「ブランデー」ヲ公爵ニ勸メマシタル処公爵ハ一時興奮セサレテ誰カ射撃シタルカ誰々ガ傷ヲ受ケタカトノ問ヲ發セラレタルニヨリ古谷室田ノ何レカ一人ヨリ兇行者ハ韓人ナリ直ニ取押ヘラレ又川上、田中及森ノ三名ガ負傷シタリト對ヘタルニ其意了解セラレタリト覚シク其間更ニ仝量ノ「ブランデー」ヲ勸メタルニ之ヲ飲下セラレタレトモ次ノ三杯目ヲ勸メル時ニハ最早絶命セラレタノデ遭難后十五分ノ後ハ人事不省ニ陥リ尚ホ十五分ノ後ハ全ク絶命セラレタル事實デアリマシタ

右ノ如ク公爵ノ方ハ小山ガ主トナリ治療ヲ加ヘテ居リシニ付居留民中ノ醫士等ハ小山ノ助手ヲ為シテ手當ヲ加ヘタルモノアリ又一面ニ直ニ私ノ傷ニ付應急ノ手當ヲ加ヘテ假リニ綳帶ヲ施シ呉レマシタ丁度公爵ノ絶命後間モ無クシテ露國側ヨリハ哈爾賓病院長某東清鐵道會社附ノ露國人醫士一名(氏名不分)見舞ニ來タレトモ公爵ハ萬事休シタル后ノ事デ致方ナク困リテ私ノ傷ヲ見テ病院ニ入リシ事ヲ勸メ呉レマシタケレトモ此時既ニ客車ハ長春迄引返ス手續ガ濟ンデ居リ廿分内ニ發車スル筈トナリテ居タルニ付私ハ之ヲ謝絶シタルニ東清鐵道附ノ右露人ハ車門ニ於テ直ニ本綳帶ヲ施ス手當ヲシテ呉レマシタ

露國相藏相[10]ハ客車ノ出發前ニ車内ニ見ヘテ鄭重ナル弔詞ヲ述ヘラレ且ツ花環ヲ捧ケ度三十分内ニ出来スベシニ付其間發車ヲ見合ハシ呉レト懇請セラレタル為之ヲ諾シ鄭重ナル花環ヲ受クルヤ直ニ發車長春ニ向ツタノデアリマス

一 伊藤公爵ノ負傷ハ小山ガ車内ニ於テ衣服ヲ脱キ改メ居ル際私ハ只其一部タル臍下ヲ貫通シ内臟ニ入リタルト覚シキ傷口ヲ見タルノミデス其所ヨリ出血スルノヲ認メマシタガ其他ハ見テ居リマセヌ後ニ承レハ他ニ二個ノ銃創アリ一ハ右肩ヨリ肺ヲ貫通

9 齡。
10 露國藏相。

シ二ハ右ノ肘關節ヲ挫キ右肺ヨリ腹部ニ入リタリトノ事デアリマシタ

一 仝行者ノ中川上總領事及田中清次郎ハ現場ヨリ露國軍人ガ介抱シテ病院ニ連レ行キ手當ヲ加ヘタル由ニ付私ハ夫等ノ傷ハ見テ居リマセヌ中村是公ハ其「ズボン」(右足ノ黑節ト俗稱スル邊)ニ貫通ノ損壞ヲ止メ室田義文ハ其ノ左右孰レカ一方ハ膝關節ノ部ニ當ル「ズボン」ヲ貫通セル毀損一ケ所ヲ止メタル由デアリマシタ

私ハ負傷ハ前述ノ如ク左肩胸部ヨリ右側腋下貫通シ同時ニ右腕上膊部ヲ貫通シタル創傷ニシテ仝時ニ夫等ノ部位ニ當ル洋服ハ貫通シ「シヤツ」「白シヤツ」「チヨツキ」上衣ニ至ル迠其局部ニハ孰レモ血痕ヲ印シタルモノヲ今尚其自宅ニ貯藏シテ居リマス而シテ右ノ如ク應急手當ヲ受ケ東清鐵道附露國醫士ニ附添ハレ長春ニ着シ仝所ヨリハ同所居留醫士某ノ看護婦一名トノ保護ヲ受ケ大連ニ出マシタ尤モ其途中大石橋ニ於テ大連病院長ノ出迎モアリ仝氏ノ手當ヲ受ケテ翌廿七日ノ午前十時半大連ニ着スルヤ直ニ大連病院ニ入リテ治療ヲ受ケ翌廿八日ニ秋津洲艦ニ搭乘シテ艦内ニ於テ小山ノ診察ニヨリ本月一日着京ト同時ニ日本赤十字社病院ニ入院シテ副院長鶴田博士ノ治察ヲ受ケ去ル十一日退院シタレトモ左肩ヨリ右腋下ニ通スル傷ガ未ダ癒着スルニ至ラズ自宅ニ靜養加療中デアリマス醫士ヨリ屋外ノ運動モ差止メラレ居ル次第ニ付本日ハ檢査局ノ召喚ニ應スル事出來ザリシ次第デアリマシタ

但シ私ノ創傷ハ醫士ノ見込ニ依ルト機能障害ヲ殘ス虞無キ由デ今一週間モ經過セバ外出モ出來ルカト思ヒマス

一 以上遭難當時ノ狀態トシテハ別ニ之レト申シテ気附キタル事柄ハアリマセヌ 兇行者ハ直ニ露國軍人ニ捕ヘラレ其他ニ連累者ト認ムヘキモノモ其當時出現セサリシニ付夫レ以上ノ危害ヲ加ヘラレタル事モナク露國藏相ハ現場遭難ノ時無難ナリシニハ相違ナキモ如何ニシテ其難ヲ免レタリヤ之ヲ知ラス[11]仝氏ハ公爵絶命後車内ニ入リ來リテ鄭重ナル弔意ヲ表シ且ツ花環ヲ供セラレタル事ノミ私ハ認メテ居リ其外ニハ見聞スル所ガ無イノデアリマス

一 兇行者ヲ逮捕セル當時ノ模様ハ先ニ述ベタルノ外私ハ知リマセヌ而シテ其犯人ハ御示ノ寫眞ノ人物ニ寸分相違ナイ事ヲ證言致シマス當時同人ハ洋服ヲ着シ上

---

11 知ラズ。

ニハ外套ヲ着テ鳥打帽ヲ冠リ面色蒼白身長ハ本邦人ノ並ト稱フベク格別高キ方ニアラズ薄キ鬚アリ一見スレバ我邦ニテ壯士俳優トモ見ユヘキ柄ニシテ年令[12]ハ三十四五才カトモ見ヘマシタ私ハ現場ニ於テ彼ガ公爵ヲ射擊スル央ニ彼ノ貌ヲ顧ミルノ瞬間彼モ亦私ノ方ヲ見タル事アリ其際彼ノ顔ヲ見テ恐シキ顔付ヲ為シ居ル事ヲ今尚覺ヘテ居リマス此寫眞ハ其當時ノ目ヨリハ少シ大キクアル樣ニ思フモ鼻及口ノ邊ハ其當時ノ狀態其儘テアリマス

(此時囑託書添屬ノ寫眞ヲ示シタリ)

一 先ニ御示シノ見取圖ハ當時ノ配列ノ模樣ト少シモ差異ハアリマセヌ私ハ數日前ニ自宅ニ於テ當時ノ停車場內ニ於ケル歡迎者ノ配置、公爵一行ノ行進順序及兇行者ガ入リ來リテ狙擊ヲ加ヘタル瞬間ノ位置ノ模樣ニ付畧圖ヲ作成シ置キタルニ付御參考ノ為メ提出シマス

(此時右圖面二枚ヲ提出シタルニ付之ヲ本書ニ添綴スヘキ旨告知シタル処本人ハ承諾シ還附ヲ要セザル旨ヲ申立タリ)

右陳述セル所ヲ錄取シ之ヲ讀聞タル[13]ニ其陳述ノ相違ナキ事ヲ承諾シ左ニ署名捺印シタリ

即日現場出張先ニ於テ本書ヲ作成ス因リテ所屬官署ノ印ヲ押捺セズ

東京地方裁判所檢事 古賀行倫 印
陳述人 森泰二郎 印

---

12 年齡。
13 讀聞セタル。

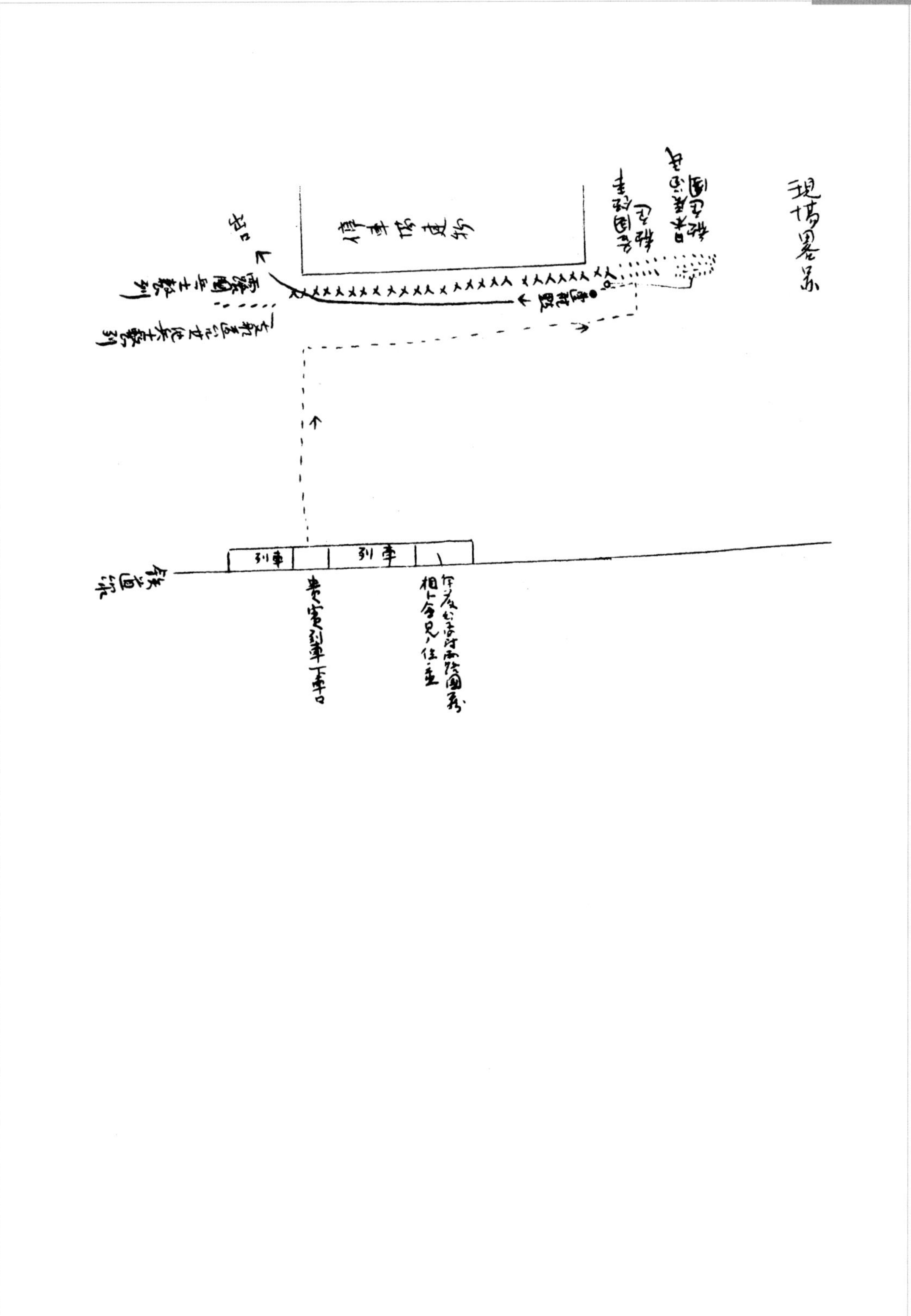
出口
列車
列車
貴賓列車下車口

（其一）先行者ノ位置

四 大西はつ 聽取書 (1)

聽取書

東第二區第二十五号

初音旅館 大西はつ

右之者方へ客月二十六日投宿シタル韓國人鄭大鎬嫌疑事件ニ付左ノ通リ供述セリ

一、 客月廿六日午後六時鄭大鎬仝人兄鄭瑞雨、實母鄭兩氏、妻鄭良氏、妹鄭鎬氏ノ五名投宿シ翌日午前五時三十分發汽車ニテ哈爾賓ニ向テ出發シタリ

一、 本人等ノ擧動

本人等ハ荷物多カラス何等怪シムヘキ点ナキヲ以テ普通旅客ノ取扱ヲナシ露貨二十五圓紙幣ヲ小錢ニ交換シタルノミ日本語ハ能ク解シ居レリ廿六日夜伊藤公爵來長ノ話シナド私シガ致シマシタケレトモ本人等ハ何トモ話シハ致シマセン伊藤公ガ哈爾賓ニ向テ御出發翌朝鄭大鎬ノ一行モ哈爾賓ニ向テ出立致シタノデ前後ノ様子カラ察シマシテモ怪シクハ思ヒマセン

一、 本人等ノ出發ノ際ハ停車場迠見送ヲナシタル次第ニテ私共ハ毫モ怪シキ様ニ思ハレマセン

右錄取讀聞セタルニ其供述相違ナキ旨ヲ承認スルモ無筆無印ニ付代書押印セシム

明治四十二年十一月二日

於長春警務署

警部 谷山常志

供述者 大西はつ 拇印

五　大西ハツ 聽取書 (2)

聽取書

原籍 大阪府三島郡福井村大字福井番地不詳 平民

當時 長春市東二區 号[1]地旅宿業初音館事

大西ハツ

明治九年十二月生

右ハ當館ニ出頭シ本職ニ對シ左ノ供述ヲ爲シタリ

一. 韓國人鄭大鎬鄭瑞雨ノ兩人ノ方ト其家族トテ老婦人一人ト細君ラシキ若キ婦人ガ二人ト小兒ガ四人ノ一行ガ十月二十六日午后六時ノ汽車ノ着スルト同時ニ私方ヘ御出シナツヲ泊ラレマシタ

一. 其宿帳ノ寫ハ別紙ノ通リデアリマス

問　此寫眞ヲ二枚ノ人ガ泊ツタノニ相違ナキヤ

(此時寫眞ヲ示ス)

答　相違御座リマセヌ鬚ヲオハヤシニナッテ居ラレル方ハ善ク日本語ガ出來マシテ最初ハ日本人カト思ツテ居リマシタ

一. 老婦人ハ鄭大鎬此ノ方ノ母御サントカデ外二人ノ婦人ハ銘銘ノ細君ダト云フ事デ御座リマシタ

1　五号。

右錄取讀聞タル處相違ナキ旨申立ツルモ自署スル能ハザルヲ以テ代書捺印セシム
明治四十二年十一月六日

於長春領事館
檢察事務取扱 藤吉常與武 印
大西ハツ 印

初音旅館 宿泊人名簿

客室番號	三	仝	七	仝	仝
投宿月日	廿六日午后六時	仝	仝	仝	仝
出發月日	廿七日午前五時卅分	仝	仝	仝	仝
前夜宿泊場所	奉天	仝	仝	仝	仝
行先地	綏芬河	仝	仝	仝	仝
用件	買物ノ爲メ	仝	仝	仝	仝
本籍及現住所	韓國京城南大門 吉林綏分河	仝	仝	仝	仝
職業	支那稅關書記	兄	家屬	仝	仝
氏名	鄭大鎬	鄭瑞雨	鄭雨氏	鄭良氏	鄭鎬氏
生年月日	廿六才	三十才	六十一才	廿四才	廿五才

六 小西音哉 聽取書

聽取書

小西音哉

右之者方へ客月十三日午後六時哈爾賓ヨリ來長投宿シタル韓國人鄭大鎬ノ擧動ニ關シ當署ニ出張左ノ供述ヲナセリ

長春東第七區壹号地
大和屋ホテル

一、 客月十三日午後六時停車場ヨリ徒歩ニテ來リ單身投宿翌日午前八時三十分發汽車ニテ奉天ニ向ヒ出發シタリ

一、 擧動
本人投宿後外出モセス何等怪シムヘキ点ナク只タ歸國スル旨ヲ申シ居リタリ

一、 本人ヨリ十四日朝韓國鎭南浦稅關ニ宛テ打電セリ其文意ハ「イマタツ」トノ事ナリシ其他何等怪シキ廉アルヲ發見セス

右錄取讀聞セタルニ其供述相違ナキ旨ヲ承認左ニ署名拇印セリ

明治四十二年十一月二日
於長春警務署
警部 谷山常志

供述者 小西音哉

七 古場ワキ 聽取書

聽取書

熊本縣飽託郡白坪井村字新土河原四百九十四番地

當時哈爾賓プリスタニプレワヤ街十二号地洗濯業江崎勝太郎ノ內緣ノ妻平民

古場ワキ

三十四歲

右安應七、禹連俊、曺道先、柳江露、鄭大鎬、金成玉、金衡在、卓公圭、金麗水、張首明、金澤信、洪時濬、李珍玉、方士瞻、鄭瑞雨、金培根ニ対スル殺人被告事件ニ付哈爾賓日本帝國總領事館ニ於テ本職ノ面前ニ出頭シ左ノ陳述ヲ爲シタリ

一、去ル十月二十六日伊藤公爵ガ當哈爾賓ヘ御出デニ爲リマスノデ私ハ同日朝停車場ヘ歡迎ノ爲メ參リマシタガ未ダ汽車ガ着イテ居リマセヌカラ一等ノ待合室ヘ行キマシタレバ同所ノ飮食店ノ番頭ノ露國人ガ休ンデ遛ツテ居レト申シテ椅子ヲ吳レマシタ其時露國ノ中尉カ少尉ト思フ將校デ鼻ノ高イ顏ノ長イ三十四五歲位ノ人ガ婦人ヲ連レテ來テ居リマシタ其婦人ガ私ニ吳レタ椅子ニ腰ヲ下シマシタカラ私ハ嫌ナ人ダト思フテ居ルヤ汽車ガ着キマシタカラ遲レヌ樣ニ「ブラットホーム」ヘ出マシタガ其ノ時出口ノ所ニ日本ノ婦人ガ水色ノ衣服ヲ着テ二人並ンデ立ツテ居リマシタ其外ニ附近ニハ誰レモ居リマセナンダ

私ハ「ブラットホーム」ヘ出テ左方ノ日本人團ノ方ヘ行キマシタガ其時年齢二十二三歲位ノ日本人ラシイ男ガ背廣ニ行釦ノ薄イ汚イノヲ着テ「カラ」モ確カ付ケテ居ラナンダ樣ニ思ヒマシタ鳥打帽ヲ被テ伊藤公爵ガ下車セラルル方ヘ眞直ニ行キマシタ其ノ男ハ色ノ黑イ平タイ顏デ後ロカラ見レバ頭ノ後ノ方ガ押付ケタ樣ナ平タナ口髭モ生ヘテ居リマセナンダ而シテ兩手ハ「ポケット」ヘ差入レテ馳セテ行キマシタ

二、私ノ居リマシタ處カラハ伊藤公爵ガ下車セラルルノハ見ヘマセナンダガ右ニ申

シタ男ガ露國ノ將校等ガ列ンデ居ル方ヘ這入ルト共ニ其方面カラ烟花ノ様ナ音ガ致シマシタスルト段々人ガ騒キ出シマシタカラ私ハ今ノ音ハピストルデアツタト思ヒマシタカラ早ク歸ロウト思ツテ待合室ヲ通ツテ停車場ノ外部ヘ出マシタレバ總領事ノ川上サンガ露國ノ將校ニ後カラ手ヲ抱カレテ種種介抱セラレテ居リマシタ

被告安應七ノ寫眞ヲ見テ

三、 此人ノ着テ居ル服ハ厚イ様デスガ私ガ停車場デ見タ伊藤サンガ下車スル時馳セテ行キタ人ハ折襟ノ所ガビラビラシテ居ル薄イ服ヲ着テ居リマシタ全ク此ノ寫眞ノ人デハアリマセヌ

安應七ヲ除ク外被告一同ノ寫眞ノ中ヨリ李珍玉ノ寫眞ヲ出シ

四、 此ノ人ハ志方ト云ウ醫師ノ宅デ見タ様ニ思ヒマス此ノ外ノ人ハ停車場又ハ其外デ終ニ見タ事ハアリマセヌ

古場ワキ

右錄取シ讀聞カセタルニ承諾ノ上自署セリ
明治四十二年十一月七日
前記總領事館ニ於テ
但シ出張先ニ係ルヲ以テ所屬官署ノ印ヲ用フル能ハス

關東都督府地方法院
書記　　岸田愛文
高等法院檢察官　　溝淵孝雄

八 吉見保七 聽取書

聽取書

奉天鐵道附屬地西塔大街一丁目六号地旅人宿營業カハ旅館事

吉見保七

二十八年

右韓人鄭大鎬外一名殺人被告事件ニ付本職ノ面前ニ於テ陳述スル左ノ如シ

一. 鄭大鎬ハ本年八月二十六日長春ヨリ來奉投宿翌廿七日午前七時安東縣向出發尙ホ客月十四日午後五時長春ヨリ來奉

投宿翌十五日午前七時安東縣ヘ向出發尙八月廿六日投宿ノ際ハ哈爾賓支那稅關鄭大鎬ト自書シテ吳レタノデシタ

一. 客月廿五日午後七時前述鄭大鎬ハ原籍吉林省綏芬河人現在哈爾賓稅關書記二十六年ト稱シ投宿シマシタル其際ハ原籍仝上鄭瑞雨三十年外五十餘歲ノ老婦一名參十歲前後ノ婦人二名八歲、六歲、四歲、二才ノ子供四名一行七名宿泊シ翌廿六日午前八時吉林ニ向出發致シマシタ

一. 只今御示ノ鄭大鎬及鄭瑞雨ノ寫眞ハ正敷私シ方ニ投宿致シマシタル本人等ニ相違アリマセヌ

右筆錄シ讀ミ聞セタル所相違無之旨陳述シ左ニ本職ト共ニ署名押印セントスルニ本人ハ印判不持參ニ付拇印セシム

吉見保七 (拇印)

明治四十二年 十一月 七日

於奉天警務署

警部 大仁田市太 (印)

始末書

始末書

本年十月廿五日牛后七時草河口ヨリ宿泊翌日午前八時吉林省へ向ケ出發ノ韓國人原籍吉林省綏芬河稅關書記鄭大鎬(廿六才)鄭瑞雨(卌才)外女三人ノ內年齡五十八九才ノ分ハ兩人ノ母ニシテ外二人ノ妻ノ如ク其他八才、六才、四才位ノ男兒及ビ二才位ノ女兒四名ハ氏名不詳ナルヲ以テ記入洩レハ恐縮ニ堪ヘズ候御命ニ依リ始末書差出候也

明治四十二年 十一月七日
奉天西塔大街一丁目第六号
カハ旅館 吉見保七 印

奉天警務署長
警視 佐々木貞七殿

始末書 右之通候也

昭和十三年十一月七日

奉天西塔大街一丁目六六号

カハ旅館 吉見保七 ㊞

奉天警察署長

警視 佐々木良七 殿

505

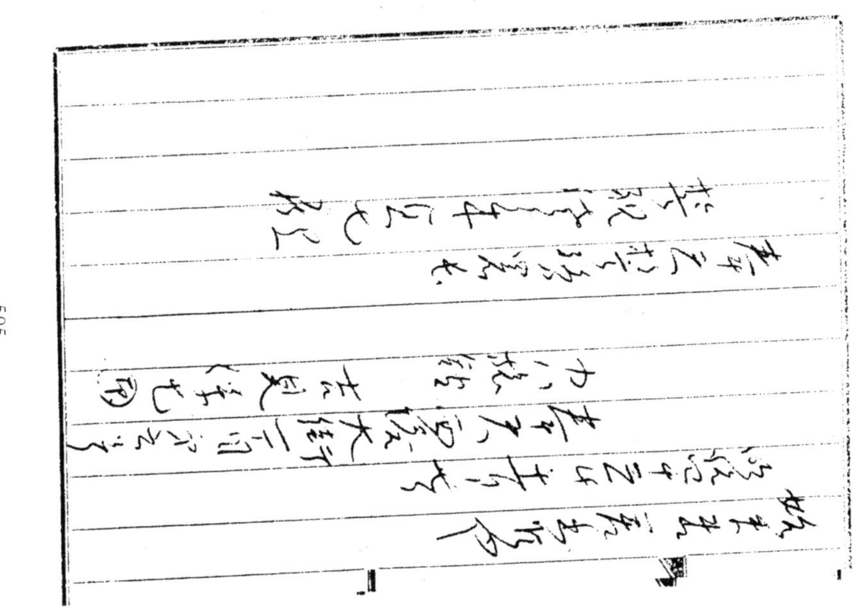

始末書

本年十月廿五日午后七時草河口
ヲ窩泊望ハ午前八時老林ヘ向ケ
出発ノ韓国人候補老林者俊彦行
税関吏紀鄭大鎬（廿六才）鄭瑞雨
（卅才）外女三人ノ内年齢五十八九才ノ
外ハ両人ノ女ニ手外二人ノ妻ノ如ノ
他ハ八才、六才、四才、位ノ男児及ヒ二才
位ノ女児四名ハ氏名不詳ナルモ以上ノ九
人ハ同ヒ恐縮ニ堪ヘス候節

504

右陳述ヲ記シ通訳ト共ニ署名押印シ
セシメタルニ本人ハ之ヲ承認シ署名拇
印セリ

吉見保七 (拇印)

昭和廿一年十一月七日

於[illegible]検事事務官

検事 大仁田[illegible]太 (印)

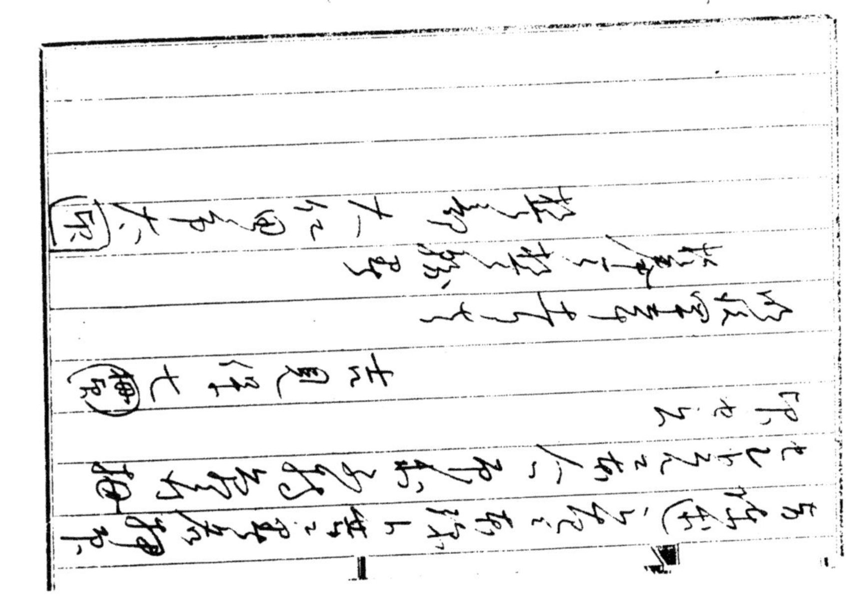

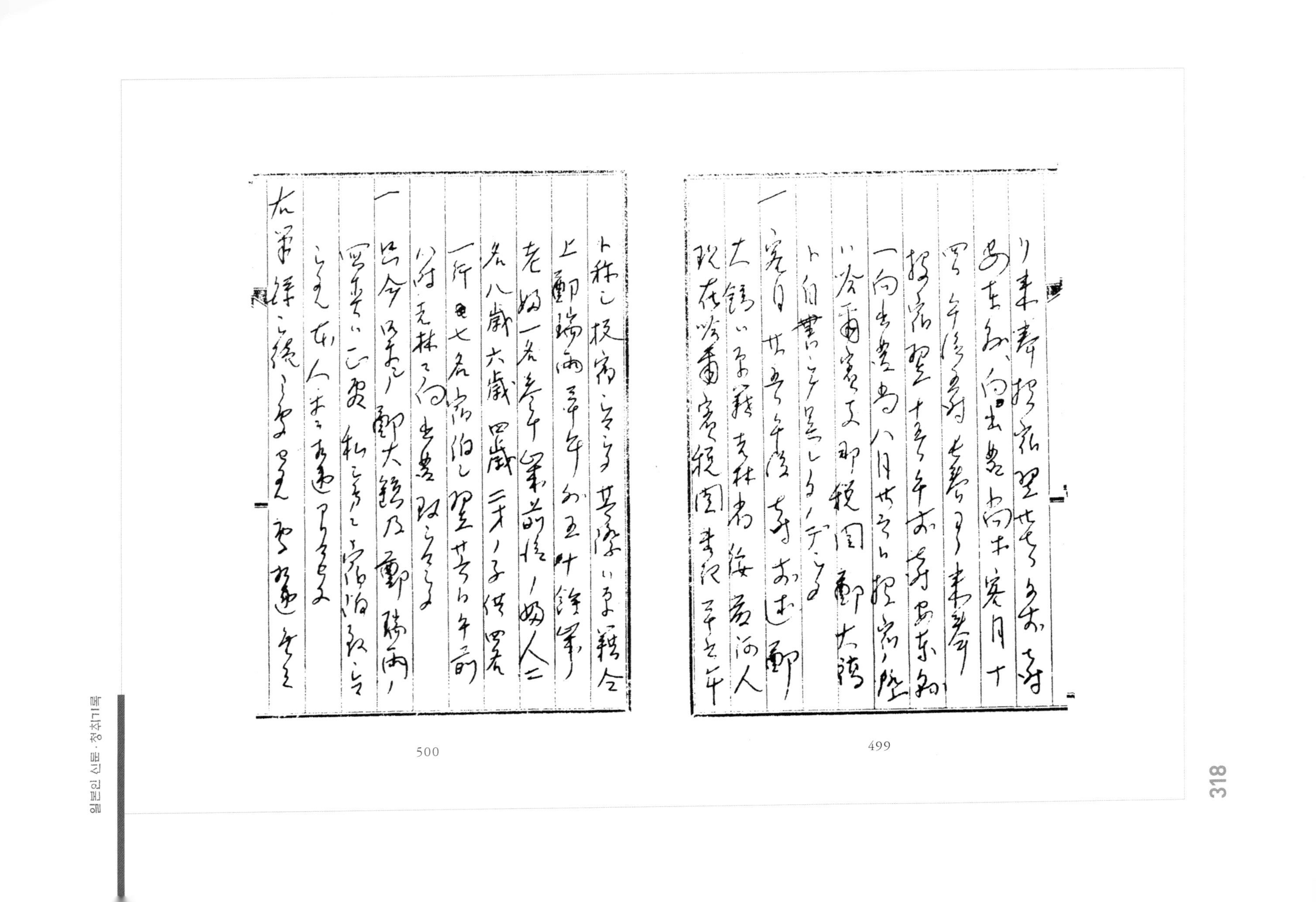

500

499

陳述者

奉天鉄道附属地西塔大街一丁目

三号地旅人宿営業 力八[illegible]

事

吉見 保七

当四十八年

右ノ者ハ鄭大鎬ニ係ル殺人被告事

件ニ付本職ニ對シ任意左ノ陳述ヲ爲シタリ

ノ如シ

一、鄭大鎬ハ本年八月早々ヨリ長春ニ

498

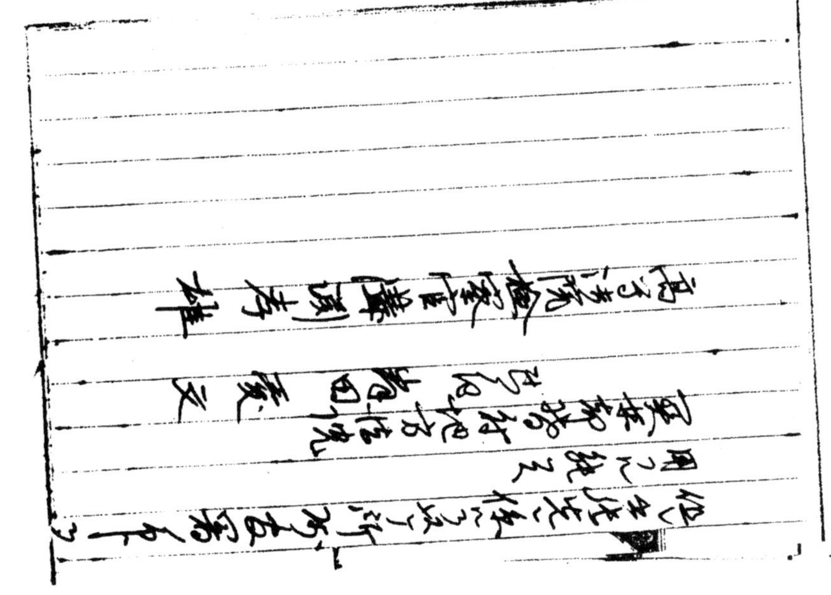

但シ右住宅ニ係ル分ハ所有者ニ下ケ
用フル能ハス
[illegible]地方法院
判事 [illegible]田 [illegible]文
高等法院検察官 [illegible]孝雄

495

セラルヽノハ見ヘマセンデシタガ右ニ申シタ男ガ
露兵ノ将校ガ列ンデ居ル方ヘ這入
ルト共ニ其方向カラ烟花ノ様ナ音ガ致
シマシタ スルト段々人ガ騒ギ出シマシタカラ
私ハ今ノ音ハピストルデアツタト思ヒマ
シタカラ早ク敵ロウト思ウテ待合室ノ南
ノ停車場ノ前ヘ出マシタレバ総領事
川上サンガ露兵ノ将校ニ後カラ手ヲ
抱カレテ種々ニ抱セラレテ居リマシタ
三、被告安應七ノ寫眞ヲ見テ
此人ノ着テ居ル服ハ厚イ様デス私ガ
停車場デ見タ伊藤サンガ下車スル時

493

馳セテ行キマス人ハ折襟ノ所ガビラ〳〵シテ居
ル薄イ服ヲ着テ居マシタ今此ノ寫眞
ノ人デハアリマセヌ
安應七ヲ除ク外被告一同ノ寫眞ノ中ヨリ李珍玉ノ
寫眞ヲ出シ
四、此人ハ志方ト云フ醫師デモ見タ様ニ思
ヒマス此外ノ人ハ停車場デ又ハ其外デモ終ニ
見タ事ハアリマセヌ
右録取シ讀ミ聞カセタルニ承諾ノ上自署セリ
古場ワキ
明治四十二年十一月廿七日
前記総領事館ニ於テ

494

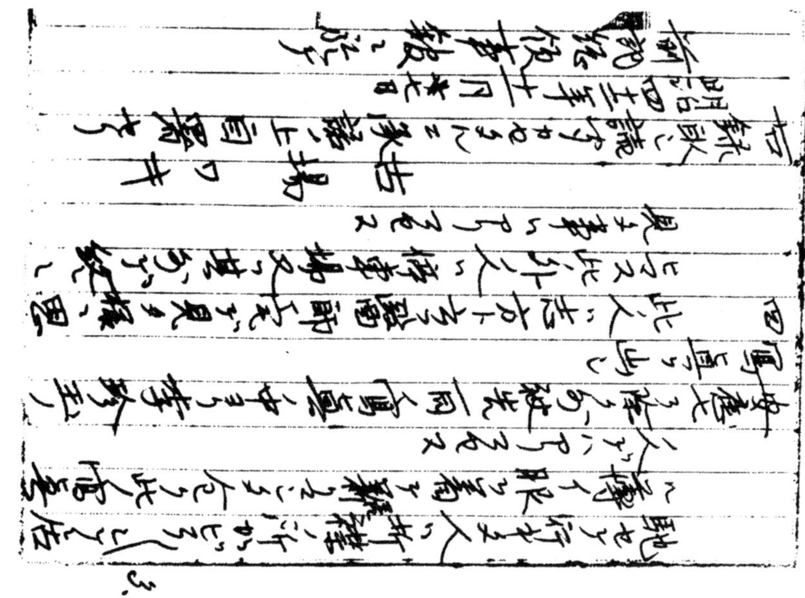

場ヘ歓迎ノ為メ参リマシタガ未ダ汽車
ガ着イテ居リマセヌカラ一等ノ待合室ヘ
行キマシタレバ同待合ノ飲食店ノ番頭ノ露
國人ガ休ンデ居レト申シテ椅子ヲ呉
レマシタ其時露國ノ中尉カ少尉ト思フ
将校デ鼻ノ高イ顔ノ長イ三十四五歳位ノ
人ガ婦人ヲ連レテ来テ居リマシタ其婦
人ガ私ニ呉レタ椅子ニ腰ヲ下シマシタカラ
私ハ嫌ナ人ダト思ツテ居ルヤ汽車ガ着
キマシタカラ遅レヌ様ニ「プラットホーム」ヘ
出マシタガ其ノ時出口ノ所ニ日本ノ婦人ガ水
色ノ衣服ヲ着テ二人並ンデ立ツテ居リマシ

491

タ其ノ外ニ附近ニハ誰レモ居リマセナンダ
私ハ「プラットホーム」ヘ出テ左方ノ日本人團ノ
方ヘ行キマシタガ其時年齢二十二三歳位
ノ日本人ラシイ男ガ背廣ニ行鉛ノ薄イ
汚イノヲ着テ「カラ」モ確カ付ケテ居ラナンダ
様ニ思ヒマシタ鳥打帽ヲ被テ伊藤公爵
ガ下車セラルヽ方ヘ眞直ニ行キマシタ
其男ハ色ノ黒イ平タイ顔デ後ロカラ
見レバ頭ノ後ロ方ガ押付ケタ様ナ平タナ
口髭モ生ヘテ居リマセナンダガ而シテ両手ハ
「ポケット」ヘ差入レテ馳セテ行キマシタ
私ノ居リマシタ處カラハ伊藤公爵ガ下車
二

492

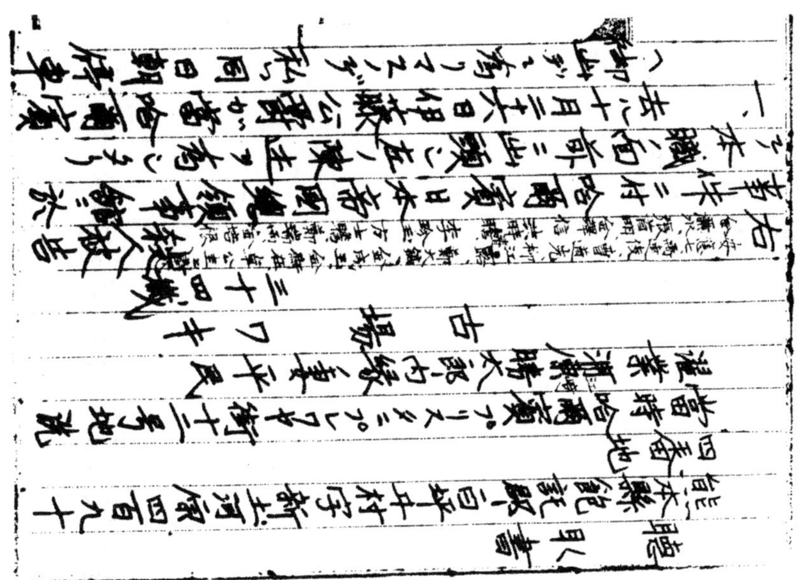

聽取書

熊本縣飽託郡白坪村字新土河原四百九十四番地

當時哈爾賓プリスタニプレワヤ街十二號地洗濯業

瀬原勝太郎内縁ノ妻 平民

古場 ワキ

三十四歳

右安應七、禹連俊、曺道先、柳江露、鄭大鎬、金成玉、金衡在、卓公圭、金麗水、張首明、金澤信、洪時燾、李珍玉、方士瞻、鄭瑞雨、金培根等ニ關スル被告事件ニ付哈爾賓日本帝國總領事館ニ於テ本職ノ面前ニ出頭シ左ノ陳述ヲ為シタリ

一、去ル十月二十六日伊藤公爵ガ當哈爾賓ヘ御出デニ為リマスノデ私ハ同日朝停車

490

時ニ於テ當館來ニテ筆先ニ向ヒ出甚
シタリ

一、筆跡
本人ハ控箱ニ出セシ電文何等怪シ
ムヘキ点ナク場合ヲ見ヘタリト申シ
ミタリ

一、本人ハ昨十四日韓國鎮南浦
領事館ニ宛テ打電セシ其文意ハ
「イマタクカ」ト云フ事ナリシ其他何等
怪シキ廉アルヲ見サリキ

487

右録取シ読聞ケタル処其供述ニ相違
ナキ旨ヲ申立テ記名ニ署名拇印セリ
明治四十二年十一月一日
於長春領事館
領事 森山帯志
供述者 小西 [illegible]

488

聴取書

長春東第七区壱号地

大和ホテル

小西音彌

右者去ル八月十二日午後六時冷甫
客ヲ来ル長ホテル宿泊ノ韓国人ノ鄭大
鎬ノ挙動ニ疑ヒ患者ニ出張セシ
借出ヲナセリ

一、客月十三日午後六時停車場ヨリ徒歩
ニテ来リ單身ホテル到着午前八

486

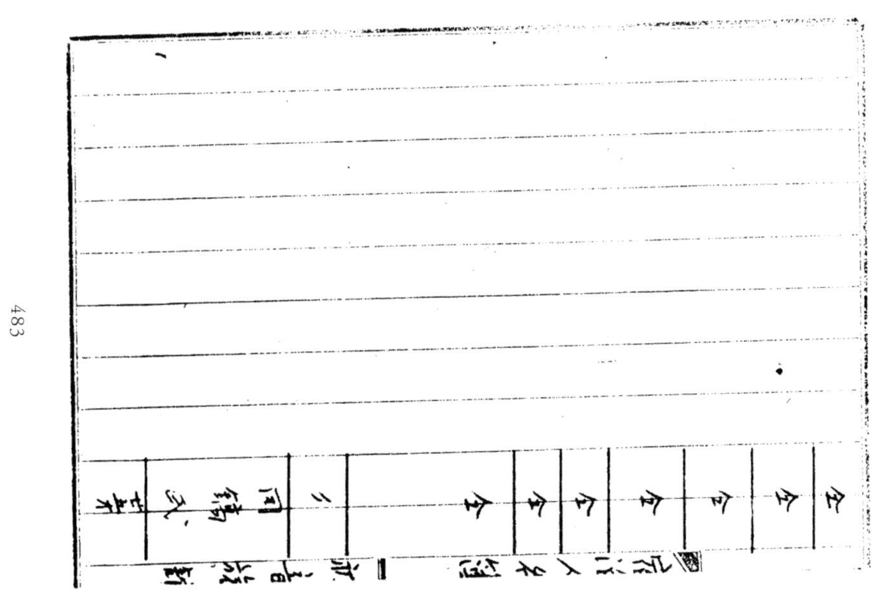

検察事務取扱 藤志常嘉武 印

大西ハツ 印

481

客室番号	投宿月日	出発月日	前夜宿泊所	行先地	用件	本籍及現住所	職業	氏名	生年月日
三	廿六日午后六時	廿七日午前五時卅分	奉天	綏芬河	買物ノ為メ	韓国京城南大門 吉林綏芬河	支那税関書記	鄭大鏞	廿六才
〃	〃	〃	〃	仝	仝	仝	兄	鄭瑞雨	三十才
七	仝	仝	仝	仝	仝	仝	家属	鄭雨氏	廿二才
〃	仝	仝	仝	仝	仝	仝	〃	鄭良氏	廿四才

482

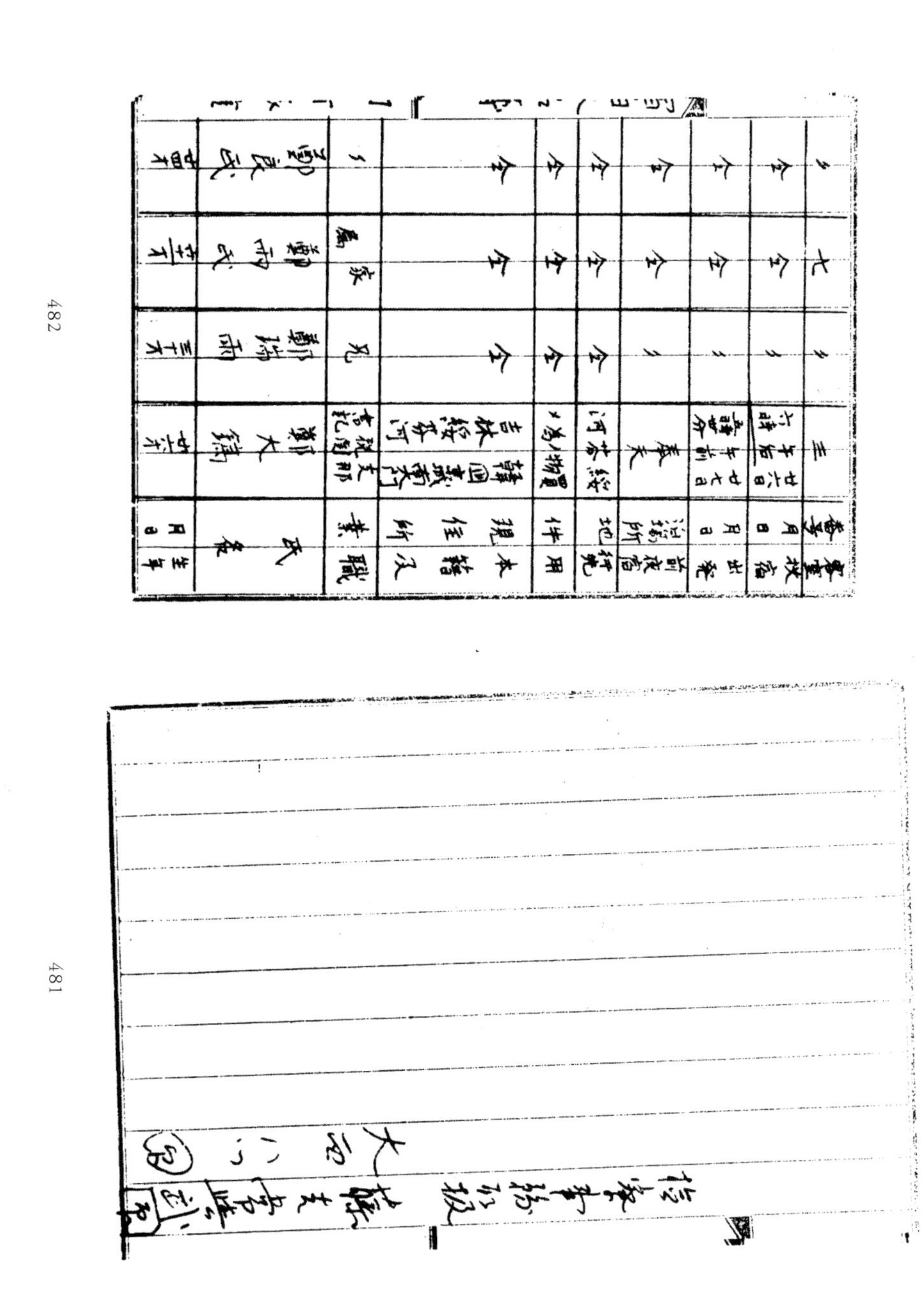

方ト其ノ家族トデ老婦人一人ト細
君ト二三ノ若イ婦人ガ二人ト小児ガ
四人ノ一行ガ十月廿六日午后六時ノ
汽車ノ着タト同時ニ私方ヘ御出ニナ
ツテ泊ラレテヰル
一、其ノ宿帳ノ写ハ別紙ノ通リデアリマス
問 是写真四二枚ノ人ガ泊ツタノニ相違
ナイヤ
（是時写真ヲ示ス）
答 相違 [illegible]

479

皆さん方ハ能ク日本語ガ出来マシタ
最初ハ日本人カト思ツテ居マシタ
一老婦人ハ鄭大鎬氏ノ方ノ母御サントカ
外二人ノ婦人ハ鄭氏ノ細君ダトカ云フ
事デ御座リマス
右録取読聞ケタル処相違無キ旨申立記
名自署シ能ハサルヲ以テ代署捺印
セシム
明治四十二年十一月二日
於長春領事館

480

聴取書

原籍 大阪府三島郡福井村大字
福井番地不詳 平民
当時 長春市東二区 旭地旅宿
業 和多館事
大西ハツ
明治九年十二月生
右ハ当館ニ出頭シ本職ニ對シ左ノ供
述ヲ為シタリ
一 韓国人鄭大鎬 鄭瑞雨ノ両人ノ

478

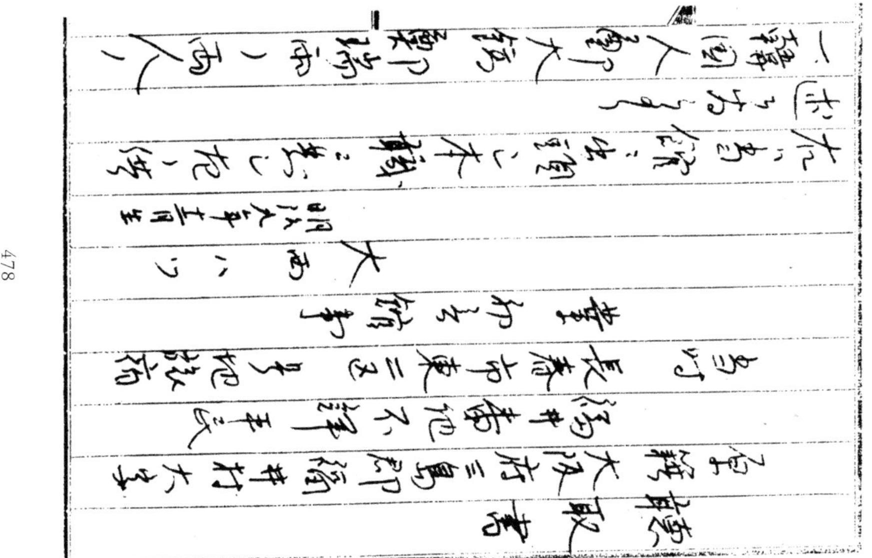

於長春領事館
警部 永山精志
通譯者 大西清 (印)

475

當人ニ向テ申出来ヌ事

一、本人等ノ擧動

本人ハ露國人ニテ何カ怪シイ一件

兵士十五六名ヲ要通旅客ノ服装ヲ為シ

ニ露國人二十五名紙鞄ヲ下ゲ

換ヘタル人ニ日本人ハ紙ヲ解シ

ヒトサヘ夜伊藤公爵来ルト聞キ

ラデ私共ノ汽車ノ乗客ニ本人

ハ何レモ殊ニ汽車ニ伊藤公ガ

哈爾賓ニ向テ出発セラレタル際

473

大臣ノ一行モ哈爾賓ニ向テ出立致シ

タノデ前後ノ模様カラ考ヘテ見テモ怪

シイト思ヒマセヌ

一、本人等ノ車中ニ於ケル様ハ停車場ニ

見送ニ来タ者ノ話デ私共ハ些モ

怪シイ様ニ思ヒマセヌ

右録取シ讀聞ケタルニ相違ナキ旨申述ベ

自署セシメントスルモ無筆ニ付

代署捺印セシム

明治四十二年十一月十日

474

聴取書

東第二区第二十五号地

初音旅館 大西はつ

右ノ者方ヘ客月廿六日投宿シタル

韓国人鄭大鎬嫌疑事件ニ付左ノ

通リ供述セリ

一、客月廿六日午后六時鄭大鎬同人ノ兄

鄭瑞雨母鄭両氏妻鄭氏

氏妹鄭鎬氏ノ五名投宿シ翌

々日午五時半発汽車ニテ哈爾

472

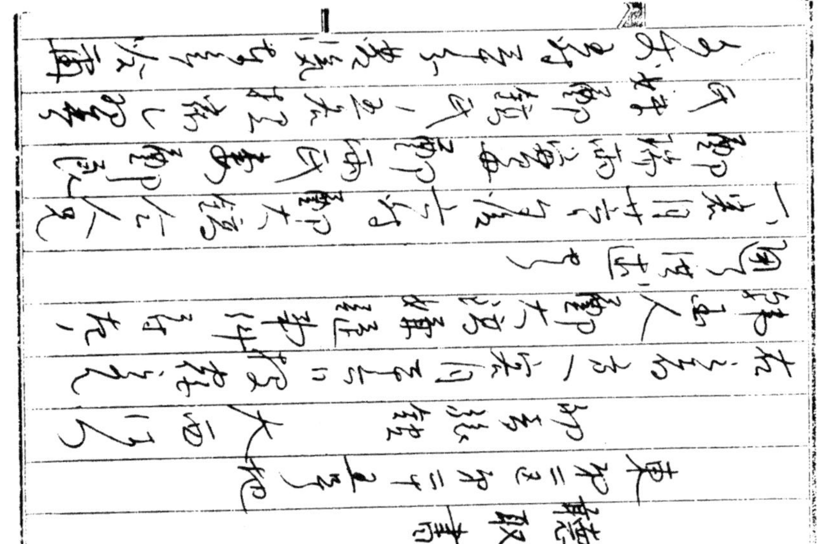

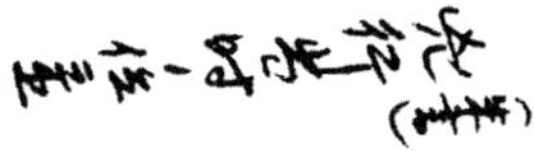

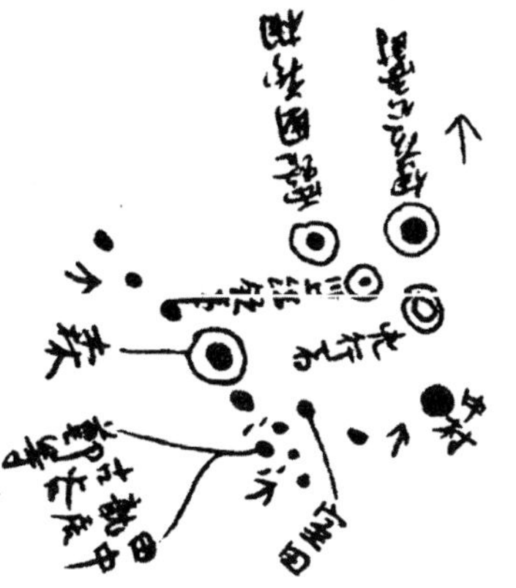

470

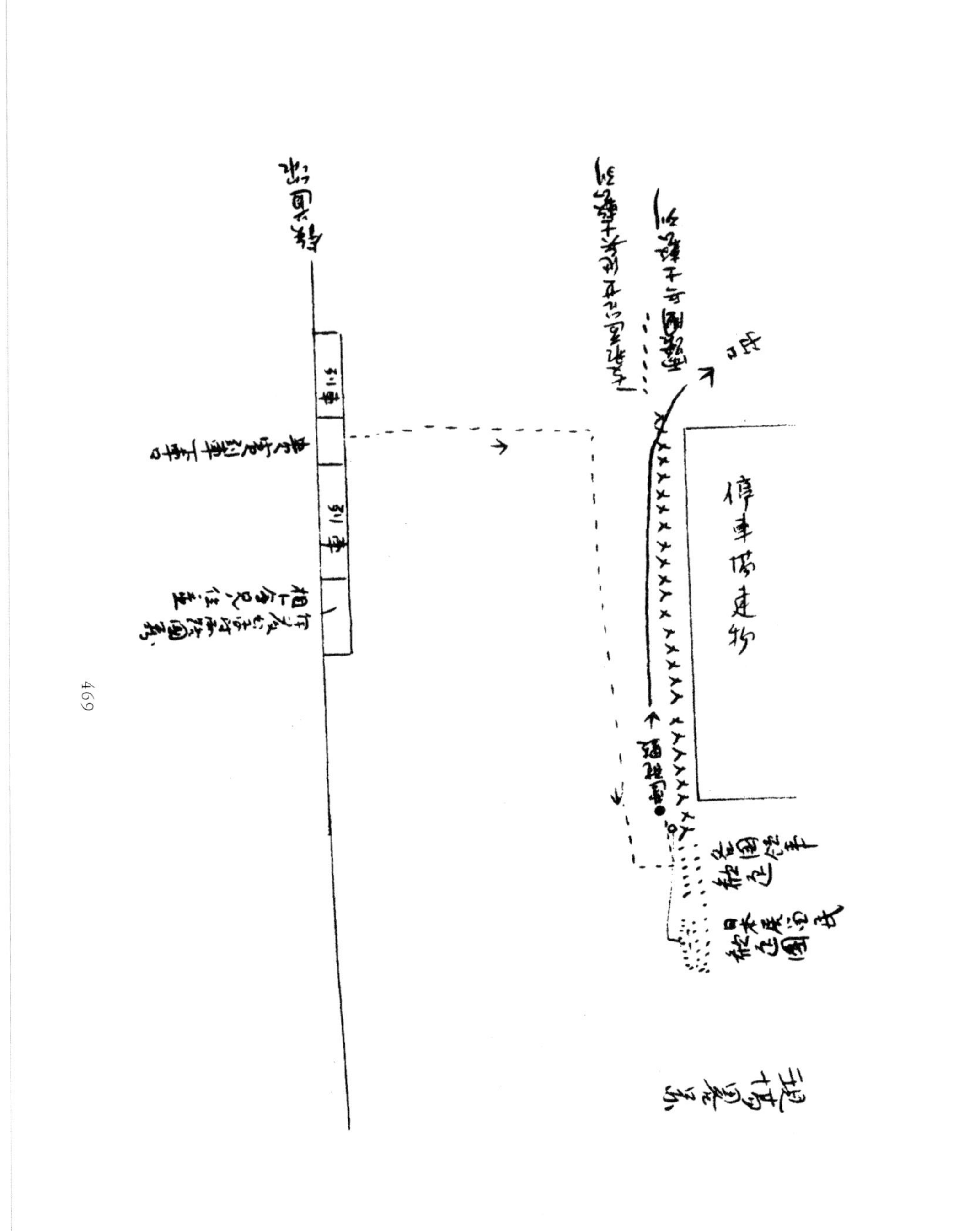
停車場建物
列車
列車
469

様ト考ヘシテ差支ヘナカツタ又私ハ数[illegible]
ニ自宅ニ於テ[illegible]ノ[illegible]内ニ於ケル[illegible]
逃走者ノ死亡、及其一行ノ行進順序
及先行者ガ入リ来リテ拘禁ヲ加ヘル場
所ノ位置ノ概略ヲ略図ヲ作成シ差
[illegible]作成ノ為ヲ提出致シマス
（野村大佐宛ニテ提出シマシテアリマス之ヲ本書ニ
ニ添附[illegible]人ニ[illegible]シ
差附ヲ致シ度イト思ヒマス）
右陳述ハ[illegible]シテ之ヲ[illegible]申述

467

相違ナキ旨署名捺印シタリ
即日現場ニ於テ本書ヲ作成シ[illegible]
所属官署ノ印ヲ押捺セズ

東京地方検察庁 検事 古賀行倫 (印)

陳述人 森泰二郎 (森)

468

ルノニ私ハ憤リテ甘ンセサリシハ見ナス
所カ能ハサリシ
一、先刻モ述ヘタ通リ伊藤ハ先ニモ云ヘ
タルカ私ハ勢リ甘ンセ甘死人ニハ外
ナノ学者ノ人物テナク全ク逆ナリ
致シテ又東洋人ハ深ク彼ヲ嫌ヒ
上ニ外交権ヲ奪ヒ皇帝ヲ冒リ而
色々ト自身モ本邦人ノ為ト称シ
特別高キ方ニアラス譲ルモノアリシ人
スレハ我邦ニ此士ハ優トモ見ユヘキ

465

揚ケシテ今ニテモ五年カトモ又ヘマ
テ私ハ伊藤ニ於テ彼カ云フ事ヲ射殺
スル決心彼ノ殺シ彼レノ語ル彼ニ私
ノ方ヨリ見レハ其際彼ノ欲スル
恐シキ殺サルル人ナリ大ナル
ヘテ放リ其此学者ハ其中ノ月ヨリカ
シ大キク見テ思フニ愛国ノ心ハ其中
時ノ状態其侭ナリ（此時嗚咽涕泣
居タル所ナリ）
一、先ニ述ヘシハ見孔固ハ中ノ犯罪ノ掾

466

ヲ受ケ十六日ニ退院シタレトモ右肩
ヨリ右腕下ニ通ズル傷ガ未ダ癒着セズ
為ニ自宅ニテ静養加療中デアリマシテ
医者ヨリ当分ノ運動モ禁止サレテ居レ
ル次第ナルカ極メテ病ノ痛ミニ悩ミ居ル
コト出来ザリシ次第デアリマス
但シ私ノ創傷ハ医者ノ見込ニ依ルト拳
銃弾ヲ受ケタル由デ今一回手
術セザレバ出来ルカト思ヒマ
ス

463

一、江上豊記者時ノ状態トシテハ別ニ之レ
ト申シテ気附キタル事柄ハアリマセヌガ
行者ハ直ニ露西亜人ニ捕ヘラレ其他
ニ連累者ト認ムベキモノモ其ノ時出
現セザリシ為メ江上ノ危害ヲ加ヘラ
レタルモノモナク露西亜側ハ現場遭難ノ
時非難ナリシコトハ相違ナキモ如何ニシテ
其難ヲ免レタリヤ之ヲ知ラズ今氏ハ公
務後病院ニ案内シテ来リテ郷守ヘ
帰京セシモ花環ヲ供セラレタ

464

「おとし」ヲ貫通セル故折レタルモノト見タ
由ナリマシタ
私ハ公爵ノ負傷ノ如ク右肩胛部ヨリ挟ク
腋下ヲ貫通シ内側ニ左腕上膊部ヲ貫
通シタル創傷ニシテ左臂ニ又右季肋部ニ傷ニ
弾丸ハ洋服ヲ貫通シ「シャツ」「肌シャツ」
「チョッキ」上衣ニ其ヲ貫キ其局部ニハ浸潤シテ
血痕ヲ印シタルモノナルモ其ノ皆是ニ
傷ハ浅クシテ殆ント何等ノ如キ危険モ
手当ヲ受ケ其後経過ハ斎藤医学士ニ附

461

係リハ長春ニ為シ全部ヨリ同所立寄
医士某ノ看護婦一名ト供ニ護送ヲ受ケ
テ大連ニ出テマシタ尤モ其途中大石橋
ニ於テ大連病院長ノ出迎ヲ受ケ合式ノ
手当ヲ受ケシノチ翌朝午前十時半
大連ニ着スルヤ直ニ大連病院ニ入リテ
治療ヲ受ケ翌朝午前ニ秋津洲艦ニ搭
乗シテ艦内ニ於ケル小山ノ診察ヲ受ケ
本月一日帰京ト同時ニ日本赤十字社病
院ニ入院シテ副院長鶴田博士ノ治療

462

肩ヨリ膝ヲ貫通シ二ハ右ノ肘ヨリ腹部ヲ
擦セ右腕ヲ腹部ヘ入リタルノデ
ゴアリマシタ
一、今ヤ支那ノ中川上弦鏡ヲ取出シ情況
申ハ現場ヨリ露西亜人ガ介抱シテ
病院ニ至ルマデ手術ヲ施シタル由ナリ私ハ
其手傷ハ見テ居リマセヌ中村是公ハ
其ズボンニ弾丸ノ穴ガアルト傷ハ無イ
ニ貫通ノ損壊ヲ止メ宮田ノ長文ヲ
書キ記シ一方ハ膝ヲ至テ腹部ニ向カフ

460

ヲ廿分ヲ致サセタルハ見ヘシト記憶也
ラレタル者之ヲ除シ都合十八ニ化院ヲ
受ケルヤ否ニ森事某ガ向ケタノデア
リマス
一、伊藤公爵ノ死体ハ中山ガ車内ニ於テ衣
服ヲ脱ガセ居ル際私ハ只廿一郎ヲ膝
下ニ置キ通シテ内服ニ入リタリト記シ居
ロヲ見タルノミデス其所ヲ出迎ヘノ
ヲ限メマシタガ其他ハ見テ居リマセヌ
役ニ隠シハ他ニ二個ノ銃剣アリ一ハ右

459

花ッ鉄道病院ニ行ッ小山ガ己トナリ治療
ヲ加ヘテ居タシ千秋高武中ノ医士ホ
小山ノ助手ヲ為シテ手術ヲ加ヘ居ルモ
ノアリ又一面ニ居ル私ノ停車場急ノ
手術ヲ加ヘテ居リ繃帯ヲ施シ置キマ
シタ丁度其時ノ絶命ト後間モ無クシ
テ露西亜側ヨリハ哈爾賓病院長某
東清鉄道会社附ノ露西亜人医士一
名（氏名不詳）其手ニ来ルシト其時
ハ最早死体トナリシ後ノ事デ致方ナシ閉

457

リテ私ノ傍ヲ見テ病院ヘ入レル丁ヲ勧メ
差シマシタケレド既ニ客車ハ長
春ヨリ引キ返ス手続ガ済ミテ居ル
廿分内ニ発車スル事トナリテ居ルノデ
私ハ之ヲ謝絶シマシテ東清鉄道附ノ看
護人ハ車内ニ於テ本繃帯ヲ施シ
手術ヲ為シテ置キマシタ
露西亜蔵相ハ客車ノ出発ニ際シ車内
ニ見ヘテ鄭重ナル弔詞ヲ述ヘテ立去リ
死骸ヲ検シ、終ニ車内ニ出来マシ

458

佐リ又コレ外ニモ千才山前氏ノ医者武石
不知ノ者カ直サマ見舞ニ来テ呉レ
マシタ
右ノ五名ハ前ノ車内ニ入ラルヤ直ニ出
医生カ先トナリテ之ヲ抱臥セシメ外
套ノ「チョッキ」ホリ傍ニ侍ニテ注ノ注射ヲ
為シ侍者ニ命ジ手カサキ様ノ手ノ方
ラレテ「レ」ヲ五名ニ御ノマシタ処五名
ハ一時興奮セラレテ従カ射撃ニナルカ従
ニカ傍ヨリ受ケルカトノ〃ヲ発セラレタルニ

455

引キ去ル当ノ体ハ一人ヲリ先リ去ッ
隣人ナリ直ニ面部ヘ之レ又以上ノ田中、及
森ノ三名カ負傷ナサレタト話ヘタルニ並
言フ事セラレ如何ト先ニ今其間モ
今度ノコトラレデーレヲ勧メタルニ並
殿下セラレタルトモ沈ノ三杯目ヲ勧メ
其ニ最モ絶命セラレタノデ遺郷足平
五分ノ後ノ人事不省ニ陥リタル十五分
ノ後ハ全ク絶命セラレタルデ実デアリ
マシタ

456

不都合千万ナル事ニ驚カサレ候

シモ云フ後ニ出サハ採採ニシテ又廿帰

ル毎数ハ如何ナル称ヲスルカ出来

ルカヤ気付ナルヘキモノハ稀ナリ

コノ事ト想像致シナカラ私ハ帰

後若クハ霞ケ関ヲ訪ネサレトモ宅ニ面

廿帰ルモ野集中ニテ劉新ノ騒擾

カアルトハ思ヒモヨラヌ事

又廿帰ル後陸軍大臣ハ如何ナル

態度ナリシヤ本記録ニシテモ又其ハ

453

巡査カ客車内ニ一名遂ニ乗ツテ居タモノト

車ノ外ヨリ車内ノ様子ヲ窺ヒシトヤ

民衆ハ民之前ニ於テハ車上ニ集マリ

一、私共ハ此ノ時ノ如ク急速巡査ノ身辺ニ

随ヒ客車内ニ入リ混雑ヲ防ク為メニ他ノ

人々ノ入リ来ルヲ差止メ尚ホ巡査ノ看護

手当ニ努メシタルニ付停車場内ノ廿役

掛等ハ絶ヘ目撃シテ居リマシタ然シ作

我カ兵士ノ兵團中ニテ医士アリシト云フ人

廿中ヨリ成田ナリシ、或某（今ニ判不明）

454

ハ動揺シテ居ル為武装ノ中ニ居ル者モ他ニ奉仕
ヲ托奔シテ居ルアルベシト申シテ居リシガ
私ハ現場ニ於テハ長ク残リ居ラザリシガ
生年ナカツタルガアリマシテ実際出会ヲ拒絶
シテ居タ者ハ其ノ事件ニ関係ノ事ニ集リタル
ル我等ハ随行シ居リシモ身体ヲ又ツブサニ
テ申シタリト思ヒマス
一、次ニ其ノ時ハ即時現場ニ於テ女官等ノ夫人ヲ
殺害シタルハ二三ノ日本人ハ其ノ死体ニ
地上ニ押サヘ付ケ手拳ヲ振ツテ之ヲ乱

451

其セシヤ否ヤ確メマシタガ私共ハ之ヲ
ノ保護ヲ手ニ取ツテ居リマセンカ為メ引続
キ其ノ宮室内ニ入リシシ其ノ後ノ様子
ハ見テ居リマセヌ後ニ聞キシニ死骸ヲ
火葬シタ所ハ其ノ附近ニテ又同人ガツブサニ之ヲ
隠シテ入レテ私ノ持ツテ居ル短刀ノ一
本ヲ取上ゲタリトノ事デアリマシタ私
ガ右ノ宮室ニ入ツタ其ノ先ヘ行ツタ時ニハ
一ニ三ノ女官ガ其ノ他ノ部屋ノ所ニ
之ヲ見テ居リマシタ様子モ見ヘ

452

来及私ノ三名カ其ニ此弾丸ニ中リ
川上、田中ノ両氏ハ何レノ弾丸カ露モ不知
人ニ触ケシテ同地ノ病院ニ運バレ手当
ヲ受ケ居ル又中村総裁、室田義文
ハ其着用ノズボンニ弾丸ノ貫通シ
ハ掠傷ヲ受ケタリト云ヘ孰レモ快ニ
赴キツヽアリマス、尚ホ私ハ其当時左
肩胛部ヨリ右腕腋下ニ貫通銃創
ヲ受ケ尚其余勢ニテ右腕上膊部ヲ
モ貫通セル創ヲ受ケ弾丸ハ「シャツ」ニ

449

外上衣ノ袖ノ辺ニ留リタル模様ナリ後ニ至リ
テ発見シタルトテ其弾丸ハ後刻手前
ヲ受ケタル状況ハ知ラヌガ失セタルト見ヘマ
ス
以上述ベタル如ク一人ノ男アリタルハ
ル色衣ト思ヒマス其弾丸カ如何ニ
三ノ前陸ノ如ク従往令リ左ニ命中
シタリヤ瞬時ノ騒擾ニテ如何ニモ
判明致シマセヌ室内ハ後ニ参リテ見タ
ニ意見トシテ其余ノ数ガ多キ為ニ或

450

所携ノ拳銃ヲ以テ発射セル者アリ之
ヲ狙撃スルコト数発白煙ヲ出シ発射
ハ稍其躰躯ヲ見ルコト能ハス其姿勢ナ
撥ス人ヘ只瞬ク間ニ随従負傷セル者等
ハ発射急速ヲ以テ為シ発射ノ許ニ
駆付ケマシタガ其中露国兵ハ又ハ暴
先ニ発射ノ身辺ニ居リシモノ手ヲ支ヘ
(左右ノ話シカ一寸ナシトスレ隣ニモ隠サナ
シ)中ニ於テ我等ハ発レト同時ニ発射ノ体
ヲ支ヘ随行者ノ一人ニシテ御供足

447

腋ノ辺ヲ支ヘテ共ニ同シテ車ニ御乗
セラレシニ居ル其貴賓車ノ中ニ輔ケ入レ
マシタル発射ハ右射撃ヲ受ケ腹内ヨリ
支ヘラレタル時ニ一旦迄ラシテ、身体内ヨリ
大分弾丸加リタル様ナトロ外セラレマシ
タリソノ其状況ヲ自分ニハ其ノ云
薬モ能ク車内ニ(速)ハシタルノデアリ
マシタ
右発射者ハ狙撃セラレタル瞬間ニ於テ
随従員等ノ中川上総領事田中清

448

國以来セル面前ニ於テ特兵ノ為武装

セル思附ヲ從ツテ待チ來リノ出テ向テ再

交戦ノ事實ノ有無ヲ問ヒ待チ来

掃ヒ向ヒテ丸ヲ発ス數ヲ示ス近シ

旧軍隊ハ訓練隊ニ向ツテハトメリ進ミシテ

既ニシテ暁ニ近ク兵張ハ非常ニ武

要所ノ方ハ其瞬間ニ動揺シ始メ

見物ニ来ルヘキモノマテ倒レ安ク

大勢ヲ挽回シ且援スヘキナドハ見ヘ

ケ能ハサルノアリマスカ 欲ス兵卒ノ

445

部分ニハ何等ノ動揺モ無ク極メテ静粛

デアリマシタ

一、右ノ如キ騒乱後ハ王宮ハ混乱シテ其困

ノ兵隊ヨリ左ノ兵隊ニ向テ発砲セシヲ數

多其シテ瞬クニ兵隊実ニ洋服ヲ

着シタル訓練隊ノ兵卒ガ一ヶ所ニ我

居留地公使館ノ前ニ集合シテ并セテ集

中ヨリ既ニ来テ宮中ニ参集シ且後ニ

廻リ丁度川上陸ヲ経ツテ次ニ出テ中

村ヨリ直ニ漢城府ニ至リ等ニ急ニ

446

(但シ宗教ヲ基礎トシ信仰ニ向ツテ右
方ノ意味ナリ）出テ其各部係ヲ一宗統
一前面ヲ通過セラレテ其ノ結果ヲ見聞
兵式体操次テ各団代表者ノ基督教
側ニ於テ此所ニテ暫ク停止セラレ各代表
者等ト握手ヲ交換セラレマタ我ガ日本
孫秉熙氏ノ宗体代表者ニハ抜カレザル様
アリシ事ニヤ今宗体ノ代表者ハ甚
出シテ其ノ意識ノ様子ヲ出シ
其信ニテ亦世界ヲ遊覧セラレ候ハ

443

強キ信仰ヲ出ルハ方面ニ向ハレ
トシテ居留民等ノ方面ニ対シテ皆後
ヨリ入ラセラレ握手ノ地位トナルヤ孫秉熙氏ノ
顔貌ハ其ノ如ク武ナル節操ヲ頌賛
一宗ノ位置ニ於テ握手セラレテ各国代表
者宗体ノ前面ヲ通過セラレテ其所ニ停
止シテ其ノ姿写真ヲ撮リ方面ニ之ニ勧擦
カアリタルノデアリマス
一、伊藤公ノ葬儀ニ於テ一般ニ下ル事ノ様ナ形
相ト於テ絶ヘズ並列シテ行進セラレ無

444

リ迄嫌メルノ事アリマス　松木、大内、小
山抔ハ私ノ後方ニ続イテ来リシト思ヒ
マス其ハ内田以下ノ警官ハ多分相違レ
テ居ルヤ難計候ヘトモ記憶致シテ居ラヌ
為其者ハ判別ニ苦シムトアリマスルハ
既ニ露国軍隊ノ内ニ或ハ同国巡査
交渉アリ而シテ其ト云フモ知ラヌマ
セヌガ尚兇器ヲ所持致シ居ラバ此際寛
無茶ニ要求ハ危険メ居ナカツタノ
事アリマス　[illegible]メ下手ノ際ハ強体ニ至

441

極静粛デアツタノデ余ハ徐ニ左ノ群集
中ニ其位置ヲ転スルカ如キ事ナカリシモ人ヘ
マセヌデシタ只警官ノ到着ノ瞬間ニ停
安寧ニ向テ其方ヨリ群集ノ[illegible]ニ警
ムルイルト云ヘハマスガ何等ノ不法ナ
頑メナカツタノデアリマス
一、右述フルノ如ク無難ト云フモ我相ハ何ヲ相益
デ（警護ノ為ニ仮令ヘ迄ニテ）我相ノ請願
本年[illegible]條ノ前面ヲ通過シテ之ヲ見セラレハ
ヽアトナリ先ノ報告ニモ（甲條）左ノ譯

442

リつく

一、此ケレ見ル所ハ件権ニ当時下車ノ
際ニ於ケル彼我官民ガ大ニ緊張シ
歓迎ニ至ル位並ナ余シテ混リアリ
マタ又只私ハ清記(中條ガ代リニ至リ
ヤ否ヤ気附カズニ居タリシ〕ナリ)
適テ(其時態此者係附ノ考ナ
孔第ナ余、モノ)

一、当時下車ニ際シ先導者トナリシ者ハ
露西亜総督及川上総領事ニテ、午直評

439

ハ川上総領事之ヲ担任シ随従者ハ
中村是公、室田義文、田中清次郎
諸氏続キ、古谷久綱、鄭永邦、森
泰二郎ト私ノ順序ニテ先ツ貴
賓車内ニ来リテ歓迎セラルヽ處ヘ
挨拶相了ヘ、仲度公爵ハ下車セラレ花
相ハ其左方ニ公爵ハ其右方ニ並列シ午
下車セシ其中ニ露後方ニ
川上総領事ガ随伴シテ直評沢ナシ
前ヘ九進ヘ外我ガ随従者今リモ加

440

廿六日ニ臨ミ右指定ノ時刻ニ長春ヲ出発
シタノデアリマシタ見送人モ前同様デ
アッタト記憶シテ居リマス
一、夫ヨリ哈爾賓ニ着シタノハ翌廿六日午前九
時十五分デシタ其ノ時公爵ニ一行ノ乗組
シマシタ客車ノ前面ノ「プラットホーム」内ニ露
国軍隊整列シ客車ノ方面ヨリスレバ右
軍隊ノ右側ニ各国領事ガ代表者ノ団カ
列ビ其右側ニハ本邦居留民団体ガ列
ビ孰レモ静粛ニ歓迎ノ意ヲ表シテ

437

居ルノデアリマス此ノ露国軍隊ト外国代
表者トノ中間ニ清国軍隊ガ出テ居リ
シヤ否ヤ気附キマセンデシタ公爵ハ附
近ニハ別段人家ノ密接シテ居ル様デモナ
ク遠ク停車場ヨリ離レテ人家ヲ望ミ
タル様ニ覚ヘ居リマス尤モ駅附近
ノ場所ニハ各半丁位ノ距離ヲ隔テ歩哨
ヲ露兵ガ一人位宛配置セラレ
警戒ノ任務ニ当リ居リマシタ其カラ
之レト申シテ気附キガ無イノデア

438

從ヒ東京ヨリ随伴シタル一人デアリマシタ
内地ヨリノ随員ハ古谷久綱、鄭永邦、松
木直亮、室田義文、小山善、黒澤滋
太郎等デ其外ニ公爵ノ従者奥村金
次郎小林某モアリマシタ同行者トシテ
ハ南滿鉄道会社秘書役龍居頼三カ
大連ヨリ東京ニ出テ居リ同行シタノデ
アリマシタ
大連以北ノ同行者トシテハ中村是公、田中
清次郎外ニ氏名不知二名ノ南滿鉄道

435

会社ノ役員カ居リマシタ関東都督府
民政長官白仁武大内丑之助カ同行シテ
居タ
一、一行ノ長春ニ着シタノハ本年十月廿五日午
后七時デ其所ニ出迎ヘタル主ナル人ハ
清国長春道台顔世清デアリマシタ
外ニハ数多ノ清国人及我居留人等アリシ
モ氏名ハ分リマセヌ同夜ハ右道台カ私共
ノ出発時刻ト定メタル午后十時迄ニ公爵ニ
晩餐ヲ催シ度キ旨申出タルヲ以テ一行ハ

436

聴取書

東京市赤坂区青山南町六丁目
百二番地

森恭二郎

四十七年

右ハ安重根外数名殺人被告事件ニ付明治
四十二年十一月十五日肩書自宅ニ於テ任意
左ノ陳述ヲ為シタリ

一、私ハ伊藤公爵満洲視察ニ付宮内省ヨ
リ随員トシテ出張ヲ命セラレ仝公爵ニ

434

431

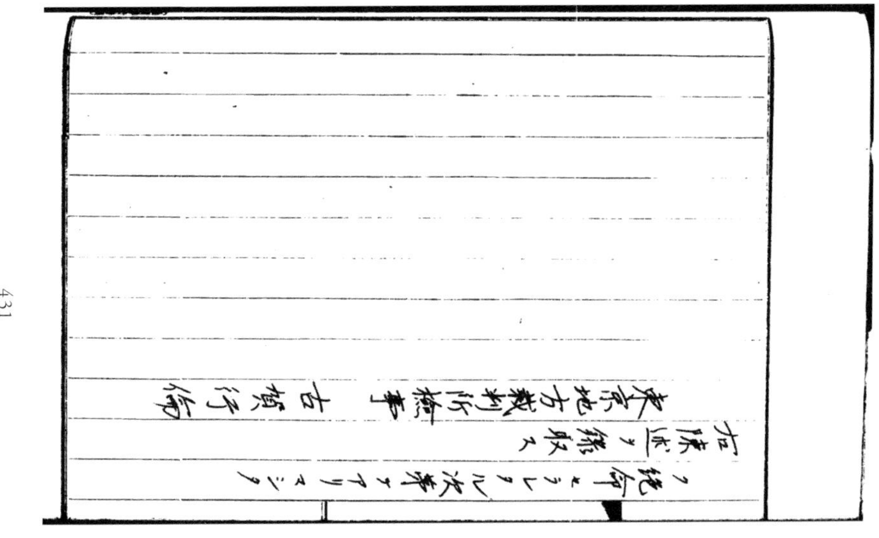

ノ拘留セラレタル次第デアリマシタ
右陳述ヲ録取ス
東京地方裁判所検事 古賀行倫

駈付ケ其身体ヲ支ヘルヤ拳銃ダカラ大丈夫ダシッカリナサイ（經驗ニ依レハ拳銃ノ彈丸ハ容易ク目的通リニ中ルコト稀ナルニ依ル）ト申シ勵シタルトコロ公爵ハ大分這入ッタ駄目ダト申サレタノデ直ニ汽車ニ戻ルベク中村トモ話シ介抱シ汽車ニ連レ行ク途中デアッタト思ヒマスガ公爵ハ何奴ツカト問ハレタルモ其瞬間私ニハ兇漢ノ何人ナリヤ不明ノ為メ黙リ居ヘズ車内ニ入ルヤ公爵ハ從者ニ命ジ左足ノ靴ヲ脱ガセ其時迄ハ足ヲ持上ケラレタルモ左足ヲ脱クトキハ最早其氣力モアリマセンデシタ而シ醫者カ上衣

429

等ノ鈕ヲ外シテ創傷ヲ檢シタトキ最早致命傷デアルコトガ一見明瞭ニナリ氣附ノ藥ニモトテ先ヅ「ブランデー」ヲ勸メルコトトナリ第一回ニ其一杯ヲ勸メタルトコロ苦モナク飲ミ干サレマシタ丁度其際デアッタト思ヒマスガ通弁ガ來テ犯人ハ韓人デアル直ニ捕縛シタリトノコトヲ告ケタルニ公爵ハ之ヲ理解シ「馬鹿ナ奴ダ」ト申サレマシタ此際一面ニハ注射ヲ始メ五分間ノ後尚「ブランデー」一杯ヲ勸メタルニ際シ公爵ハ最早其ノ首ヲ上グルコトモ出來ナクナッタノデ其儘口ニ注キ込ミ夫レヨリ一二分ノ間ニ全

430

一、迎ヲ受ケタノデアリマスケレドモ警衛ノ兵ニ付テハ別ニ聞キモシナカツタノデアリマス

公爵遭難ノ時ハ川上総領事ハ丁度通譯ノ任ニ當リ公爵ト露國藏相ト相並ンデ軍隊ノ前面ヲ行進セラル、ニ當リ其中間稍後方ニ在リテ随従シ通譯シツ、アリタノデス然ルニ突然拳銃ノ射撃ヲ受ケ公爵ハ遣ラレタト口外セラレタルニ付私ハ驚キ身辺ニ駈付ケ次デ中村満鐵総裁モ亦駈付ケ私ト両人ヲ先ヅ公爵ヲ支ヘ保護シタノデ極ク瞬間ノ出来事ニ付其際川上総領事ハ如何ニシテ居タ

427

リヤ知ラズニ居リ汽車内ニ公爵ヲ助ケ入レタル時始メテ川上総領事ガ居ラヌコトニ氣附キタルヲ以テ居合ハセタル人々ニ尋ネタルトコロ銃創ヲ負ヒ直ニ現場ヨリ露國人ニ助ケラレ露國病院ニ運バレタリトノコトデアリマシタ實際仝人モ重傷ヲ負フタノデスカラ他ニ致方モ無キ次第テ私ノ意見ヲ以テスレバ仝総領事ノ態度ト申シテ毫モ非難スヘキ点ハ無イト思フノデアリマス

一、伊藤公爵遭難時ニ於ケル最初ノ言語ハ右申ス通リ「遣ラレタ」トノ一言デシタ私ハ

428

タ此事ニ付私ハ秘書官ノ古谷久綱ヨリ
承リタル所ニ依レハ都督府ノ官吏某（多
分大内事務官ナラント思ヒマス）ハ日本官
憲ノ警衛ヲ申出テタルニ付其旨ヲ伊
藤公爵ニ進達シタルトコロ公爵ハ他國
ニ行クニ當リテ自國人ノ護衛ハ不安
ナリト云ハレ茲ニ辞退ノ事ニ決定シ而
シテ「ハルピン」ニ向ハレタトノコトデシタ
私ハ其當時ハ知ラズニ居リシモ後ニ古
谷ヨリ右ノ話ヲ聞キマシタ夫故ニ公
爵ノ辞退アルニ拘ハラズ尚警衛ヲ附
セントシタル事實アリヤ否ヤヲ知ラス

425

右以外ニハ聞込ミタルコトアリマセヌ公
爵ノ意見ハ前陳ノ通リデアッタコト
ハ相違無イト思フノミデ直接ニハ承リ
テ居リマセヌ
哈爾濱帝國総領事ガ警衛ニ関シテ
露國官憲ト協議手落ナキ旨ヲ述ヘ
タリヤ否ヤ當時少シモ聞知セヌノテアリ
マス川上総領事ハ従前ヨリ親シキ間
柄デアリ前以テ長春迄出迎ニ居ル旨ノ
通知ニ接シ且ツ宿泊所等ニ付世話
スルト云フテ接待一方ノ件ハ直接本
人ヨリ其通リ承リ且ツ長春ニ於テ出

426

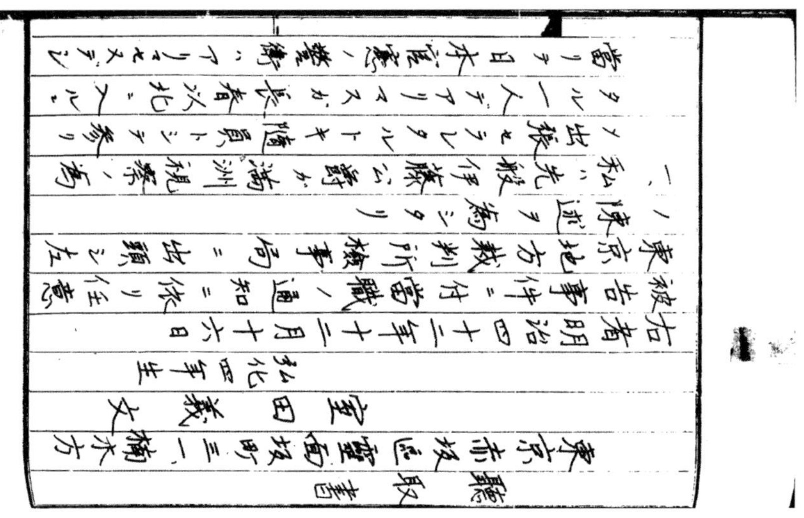

聽取書

東京赤坂區靈南坂町三一、楠木方

室田義文

弘化四年生

右者明治四十二年十二月十六日
被告事件ニ付當職ノ通知ニ依リ任意
東京地方裁判所檢事局ニ出頭シ左
ノ陳述ヲ為シタリ

一、私ハ先般伊藤公爵ガ滿洲視察ノ為
メ出張セラレタルトキ隨員トシテ參リ
タル一人デアリマスガ長春以北ニ入ルニ
當リテ日本官憲ノ警衛ハアリマセヌデシ

424

千九百九年十月十三日伊藤公爵狙撃ノ時ニ於ケル哈爾賓停車場露国軍隊官憲代表者及諸外国ノ軍隊及官憲ノ代表者配置見取図

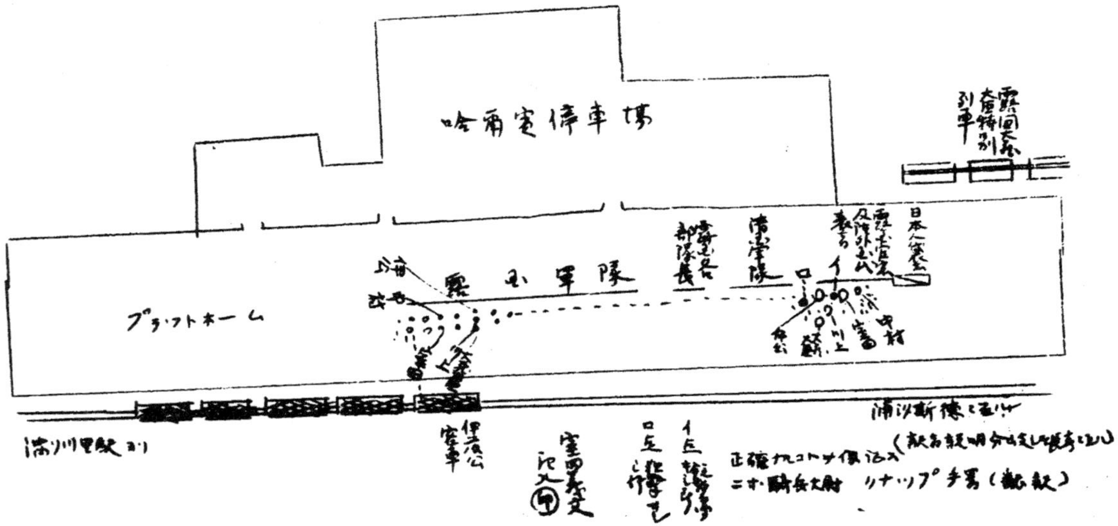

422

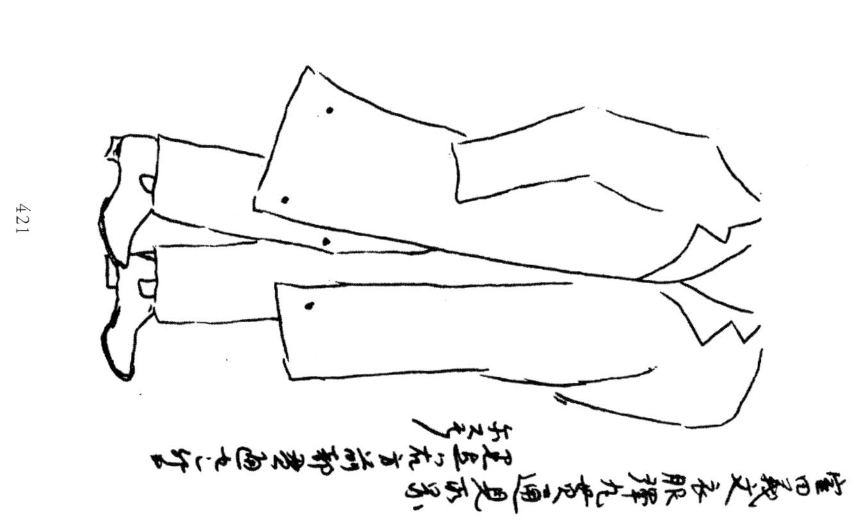
421

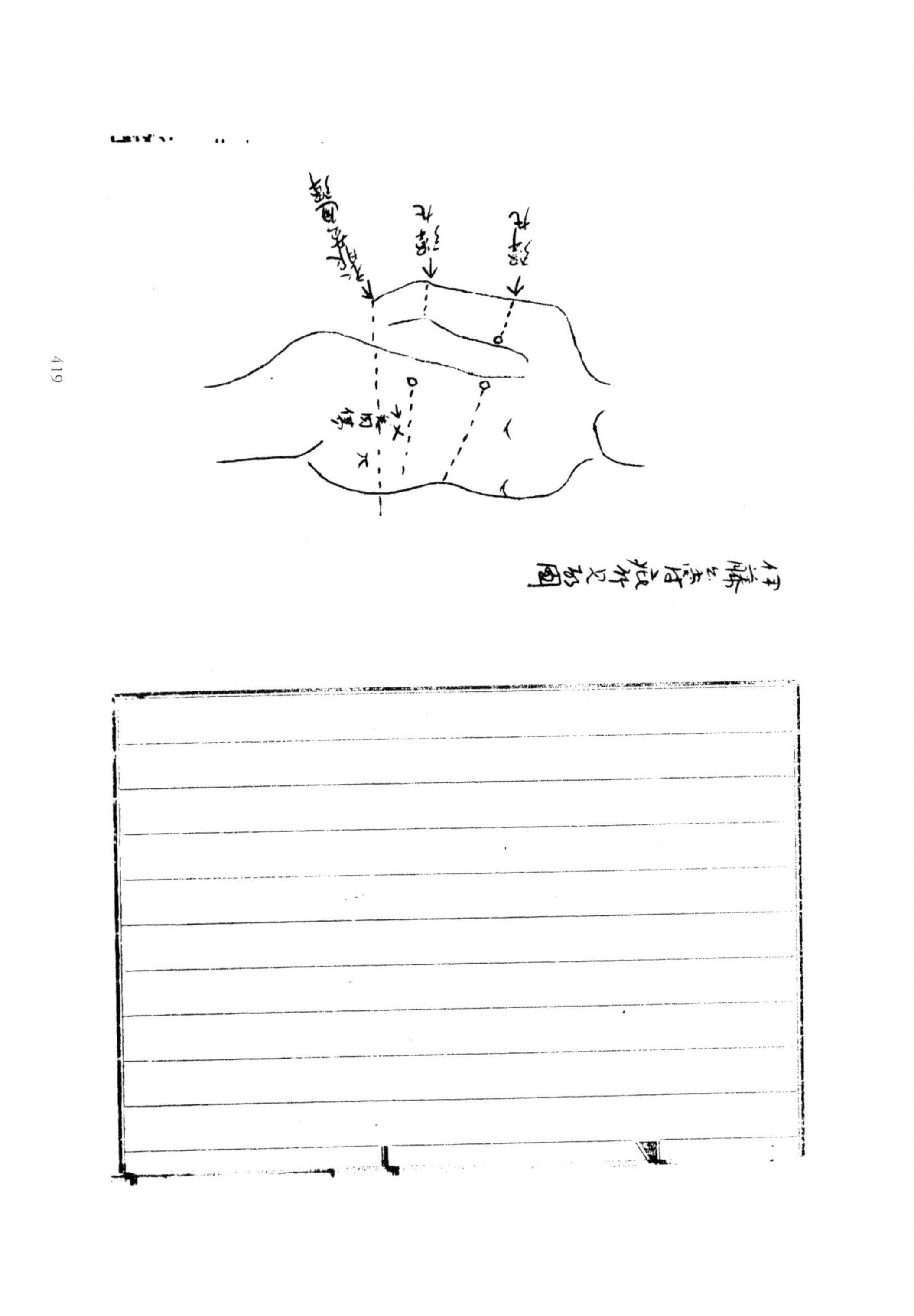

擊ヘテ打ナルモノトセバ格別ナリ
然ニ近付ノ写真三葉ヲ見テ申立
ル為ニ候
又伊藤公ノ男ハ自分ヲ抱擁スル体ニテ初メテ
一見シタルモノニテ余ノ後又ハ見タルコトナシ
一條所ニ付テ別紙図面ニ公爵下車后行進
ノ方向等ヲ記入シタルモノ差出シマス
右読聞ケタル処相違ナキ旨申述自署捺
印セリ

室田義文

416

明治四十二年十一月二十日於赤間関区裁
判所

検事 田村光栄

417

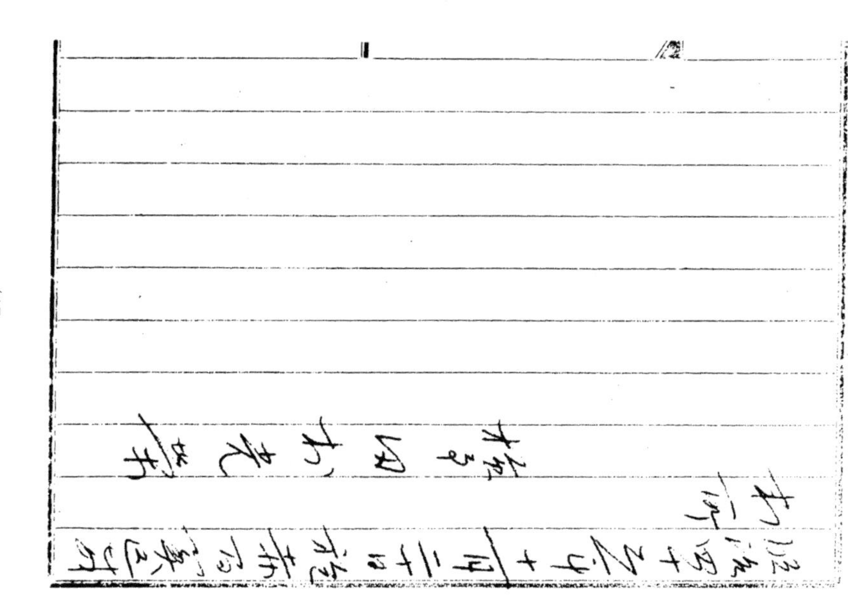

ヲ見放セ居レトモ尚自分ハ止ムナキ訳
閉ザリテ見送ルコトガ出来ズ駐清露国
公使及哈爾賓守備隊司令官並ニ
鉄道総裁等ガ政府及自分ノ代理ニ
見送ラセルカラ閉ヂテアルガ却テ幸ト申
付ケ居レト云ヒマシタ
十二 旅客若ハ逮捕ノ時ノ状況ハ混雑ノ為ニ
テ分ラズ
十三 問 居テアル人物ハ能ク見ヘナルセ自分
自分ハ狙撃ノ為メ常ニ注意ナレト思フ

414

前述ノ如ク自分ノ受ケタル弾痕ハ五発中
林総裁ノ受ケタル弾痕ハ二発ナルモ 問
問 右ハ一発ニシテ二六所ヲ貫キタルモアル
方キニ依リ狙撃者ハ十ノ内五六発ヤ
射タルモノナランモ最初ノ発ニ依レハ狙
撃者ハ七連発ノ銃ヲ用テ発射シ一発
残リアリシコトノ故 問 然ラハ拳銃ヲ下セバ
公爵ヲ狙撃セシモノハ 問 実無ニテアル
狙撃者デナク他ノ者ナラント思フハ如何
狙撃者ガ公爵ヲ打チタル時ト受ケタル銃ナ

415

擦過傷ヲ負ヒタル外他ニ身体ニ負
傷セサリシ毛皮外套ヲ貫キシマ
ハ財嚢ノ裏又衣服弾丸貫通セシ
所ニ面ヲ差出シ居リ
私ノ斜背後ニ在リシ中村満鉄総裁ハ
外套衣服ト左洋袴トニ貫通弾痕ア
リタルモ身体ニ負傷ナシ
川上総領事ハ右手腕ヲ貫通シテ背部
ニ負傷シ
森秘書官ハ右手腕ヲ貫通シテ右胸部

412

ニ負傷シ
田中満鉄理事ハ左ノ足首ニ貫通傷ヲ受
ケタルモ是レハ自分ノ花ノ中カラ発射シ
タル弾丸ガ流レテ中リタルモノナラント
思ハル
上述以外ノ者ニ被害ナシ
大蔵大臣ハ遭難目撃セザリシガ内話ニ
薨去ニ先チテ来テ公爵ノ許ニ寄リ添ヒ
口ノ内デ何カ囁ヘバ、頻リニ落涙シ且
花環ヲ贈リ霊体ニ三十分間悲嘆中

413

セラレタル小山医師主トシテ治療ニ従事シ
露国軍隊付医師并ニ邦人ニテ哈爾賓
ニ在住セル医師某等之ヲ助ケタリ
然レ圧是等助手者ノ姓名年齢住所
等ハ知ラス

十一 公爵負傷ノ模様ハ如何ノ由ニテ貫
傷ハ自分ガ実見シタル所ニ依レハ
差判マスガ二ケ所ハ右腕ヲ貫通シ一ケ所
ハ衣服ヲ貫通シ餘力腸膜ニ在中
ニ留弾道ハ外シモ上部ヨリ下部ニ向ヒ

410

傾斜シ居タリ
此時伊藤公爵死因究明ヲ要セシ
タリ

十二 前述ノ如ク自分ガ狙撃セラレタルコト三発
見ラレタル件狙撃者ハ右手ニ拳銃ヲ
握リ左足ヲ前ニ出シ身体ヲ前ニ斜メニ
シ居ルヲ見タリ自分ハ外套ノ下
部ニ三発ノ貫通弾痕ト右洋袴膝
部ニ一発ノ貫通弾痕ト左手小指ノ
指根ニ一発ノ弾痕ヲ受ケタルモ十指ニ

411

拳銃ヲ以テ自分ノ方ニ向ヒ発射スルヲ
認メ初メテ狙撃者アルコトヲ知リ直ニ
公爵ノ傍ニ走リ寄リ左後部ヨリ其体
ヲ抱擁シタルニ公爵ハ既ニ負傷セラ
レ夕リト陳述セラレタリ狙撃者ノ横
顔ハ見ルニ能ハス。

九 狙撃者カ露国官憲ノ動静大ニ[illegible]大
胆ノ態度等ハ之ヲ詳ニセス公爵ノ身
辺近ク在リシ川上総領事ノ負傷セシハ之
ヲ気付カサリシ位ナリ

408

十 公爵ノ負傷ヲ見ルヤ直ニ大声随行ノ小山
医師ヲ呼ヒ左人カ駆付ケルト相前後
シテ中村満鉄総裁モ来リ同総裁ハ
自分ト反対ニ右前部ヨリ公爵ヲ抱キ
止メ共ニ歩行シテ最前下車セシ客車
ニ向ヒ進ミ行キシカ露国官憲将校
秘随カ見及ヒ邦人等随員馳セ寄
自分ハ公爵ノ帽子ヲ脱シ手ニセラレシ杖
ヲ取リ収メテ之ヲ随員ニ交付シ公爵ヲ
汽車内ニ抱キ入レ車中ノ卓上ニ横臥

409

々捕手ニ為ニ同勢路ニ銃サレタルモノナリ
七 公爵ノ従路ハ安路ノ如ク退ニテ下車ニ見ル後
露国軍隊ノ前ヨリ進ミ外国領事団ノ
前ニ至リテ同勢ニ露国軍隊ノ前
ニ至リ昔進ミ銃セラレタルモノナリ
公爵ノ狙撃セラレタルハ一部ノ閲兵ノ整
ヘ居タルト捕手交換セラレ尚他ノ部合ニ
在ル軍隊ノ完兵ヨリ為サレトセラレタルモノニ
シテ尚公爵ガ北来在露国領事ト握
手セラレタルヲ見タルモ何地平出判ス

406

及臨席高官ニ挨拶ニテ一ールルナル人ト握
手シタルヤ否ヤ判ラズ
公爵ノ特団時ニ捨テ欲派遣列ニ動揺アリ
シコトヲ認メズ極メテ静粛ナリシ
八 公爵ハ安従ガ来臨ノ路ニ至リテ捕手ヲ
路ヘ陥路ニ向ヒ進ミテ露国軍隊ノ前
ニ至リタル件忽チ数発爆竹ノ如キ音
ヲ聞キタルモ狙撃者ノアリシコト
ニ気付カズナリシ時進ミテ洋服ヲ着シタル
一人ノ男ガ露国兵ノ軍隊ノ間ヨリ身ヲ出シテ

407

テ公爵ヲ訪問シ談話数分ニシテ公
爵ハ大臣ト携ヘテ下車シ大臣ハ手ヲ以テ待
受ケ居リシ露国将校ヲ公爵ニ紹介シ此
将校ノ先導ニテ行進セリ此位置ハ公
先導者ノ次ニ公爵右方大蔵大臣
ト併ビ僅カ一歩後リテ公爵ト大臣トノ間ノ
後ニ室田森古川上総領事ノ次ニ村田随従
員田中理事及露国官吏等付随シ露
国官憲外国代表者ノ在リシ方ニ行キ
向ツテ行進中モ余ノ位置ハ保チ居リシ

404

當時歓迎群集列ヲ紊乱致リシコトハ
[illegible]
行進中ニ於ケル公爵ト大臣トノ位置ハ前
述ノ通リ相並ビテ行進シタルモノナリ
初メ大臣ハ公爵ニ向ヒ自己ガ名誉司令
官タル守備隊ハ閣下ニ対シ敬意ヲ表ス
ル為メプラットホームニ整列セリトテ閲
隊ノ閲兵ヲ乞ヒ公爵ハ之ニ応シテ大臣
ト共ニ下車シタルモノニテ公爵ハ進テ各
国領事ノ群ニ到リ大臣ノ紹介ニテ大

405

ハ奏楽、兵隊ハ捧銃式ノ如キ礼ヲ

同 撃ツタ駅ノ模様ハ詳カナラザリ

三

四、公判下来ノ議ニ於ケル叙述ニ付テハ

ル彼我友邦ノ位置ハ公園ニ記録

カル故ニ卿ナル九遊ニ於ル主張アリト思フ

即国中諸国保護下ニ記シ於テ同

保護ニ認メ法ヲ保護ハ露国保護ノ

言方ニ生リ三露国保護ニ接シ右方ニ

露国ノ友要及ホ其処事望ノ生リニ理

402

（露西亜大蔵大臣ガ伊藤公爵ニ外国領事ヲ紹

介セシヲ以テ知ル）

同 外人ノ出迎者ハ国置位置ノ外露国

兵ノ列後ニ在ル二側位置約数何ニシ

於テ見タリト記憶ス

伴時外人ハ国毎ノ国旗ニ見テ陳述

スリ

五 公爵ノ来ガ哈爾賓ヘ着スルヤ露国大

蔵大臣ハ三露公ノ駒様ニ従ヘテ之ニ迎ヘ

将校ニ来 外ニ出タ大臣独リ来関ニ入リ

403

古谷樞密院議長秘書及森宮内大
臣秘書官鄭大使館二等書記官松
木陸軍少佐宮内省醫務局御用掛
小山善、黒沢宮内省嘱託南満洲鉄道株式
秘書長龍居頼三伊藤公爵随行者

又大連ニテ関係セシ者
南満鉄道会社総裁中村是公、実業
都督府参事官大内丑之助陸軍
参謀山竹大尉

400

其他数十名アリシモ一々氏名ハ記憶セス
二、長春到着ハ十月廿五日午后七時頃ニテ
同地發ハ同日午后十一時ナリシ
出迎人ハ実業家、都督府官吏、守備隊
公館員及當地本邦人並ニ清国官吏
及兵隊露国総領事等数百名ニテ
一々氏名ハ記憶セス
三、哈爾賓到着ハ十月廿六日午前九時
卅分頃ニテプラットホームニハ露国
及清国ノ兵隊、楽隊等整列シ楽隊

401

関東都督府高等法院
檢察官溝渕孝雄殿

追テ写真三葉ハ及返戻候也

398

聴取書

山口縣豊浦郡長府村字八幡
貴族院議員
室田義文
六十三年十月廿日生

右者本職ニ對シ左ノ通リ陳述ス

一 私ハ伊藤公爵満洲視察ニ付キ其ノ
仝行者トシテ同行致シマシタモノデアリマス
内地ヨリ公爵ニ随従シマシタ者及同行
シマシタ者ハ

399

安應七外数名殺人被告事件ニ付室田義
文取調方東京地方裁判所検事正ヘ嘱
託相成候処本人熱海ニ帰リ居ルヲ
以テ同所ノ検事ニ依リ取調ノ上別紙
ノ通リ聴取書ヲ作リ来ルニ付及回送
候也

明治四十二年十一月二十日
東京区裁判所
検事 田村光栄

397

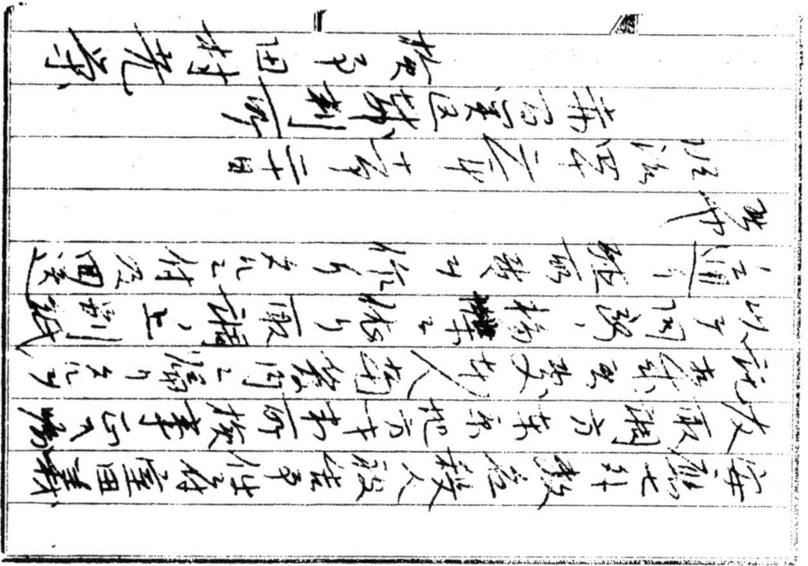

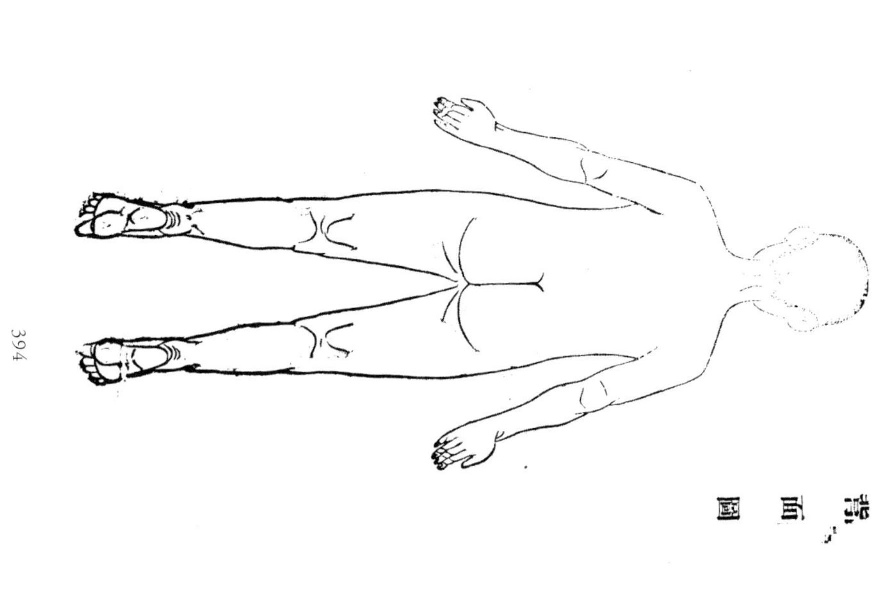
背面圖
394

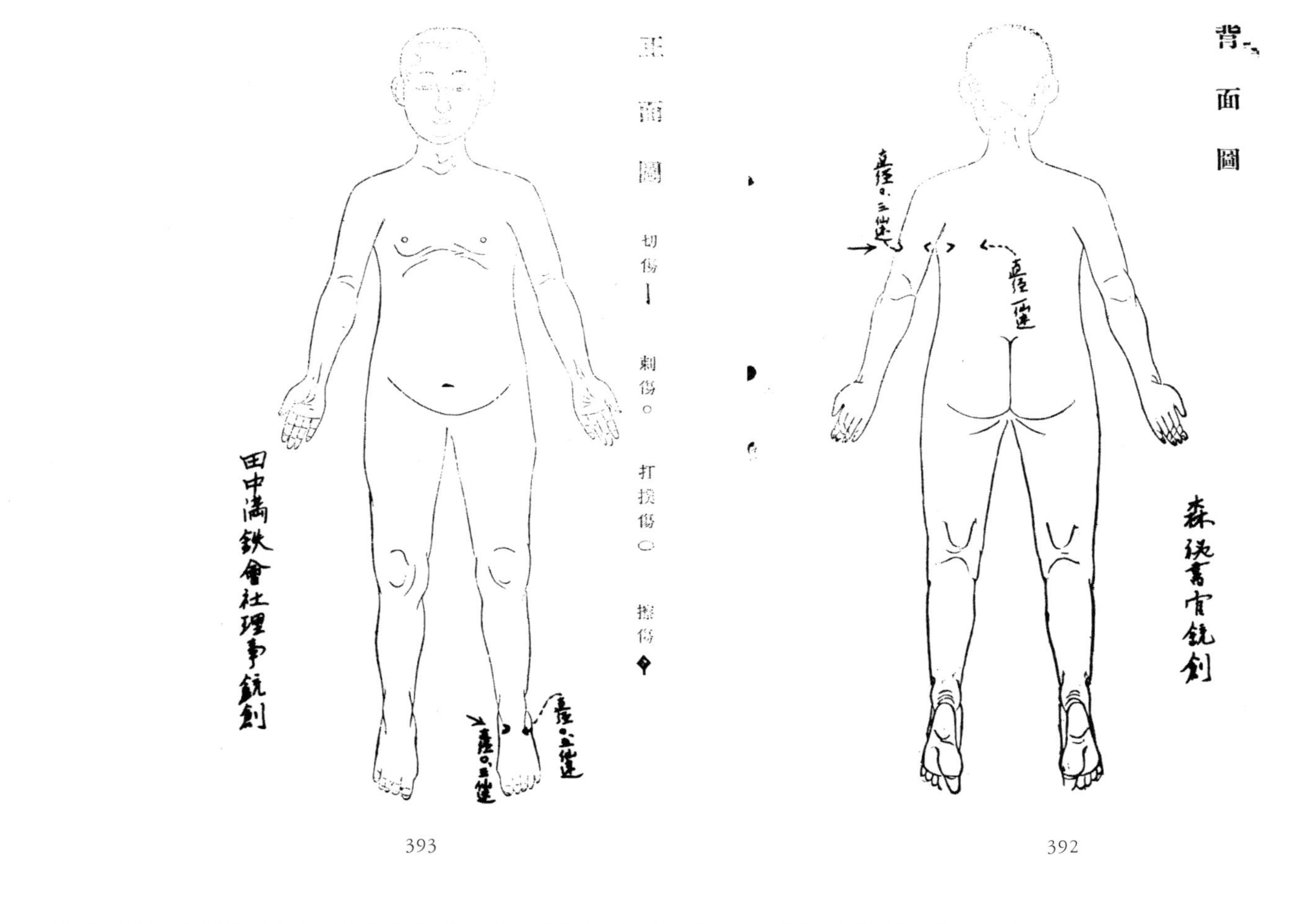
背面圖
森秘書官銃創
392
正面圖
切傷 ｜
刺傷 ○
打撲傷 ◎
擦傷 ◆
田中滿鐵會社理事銃創
393

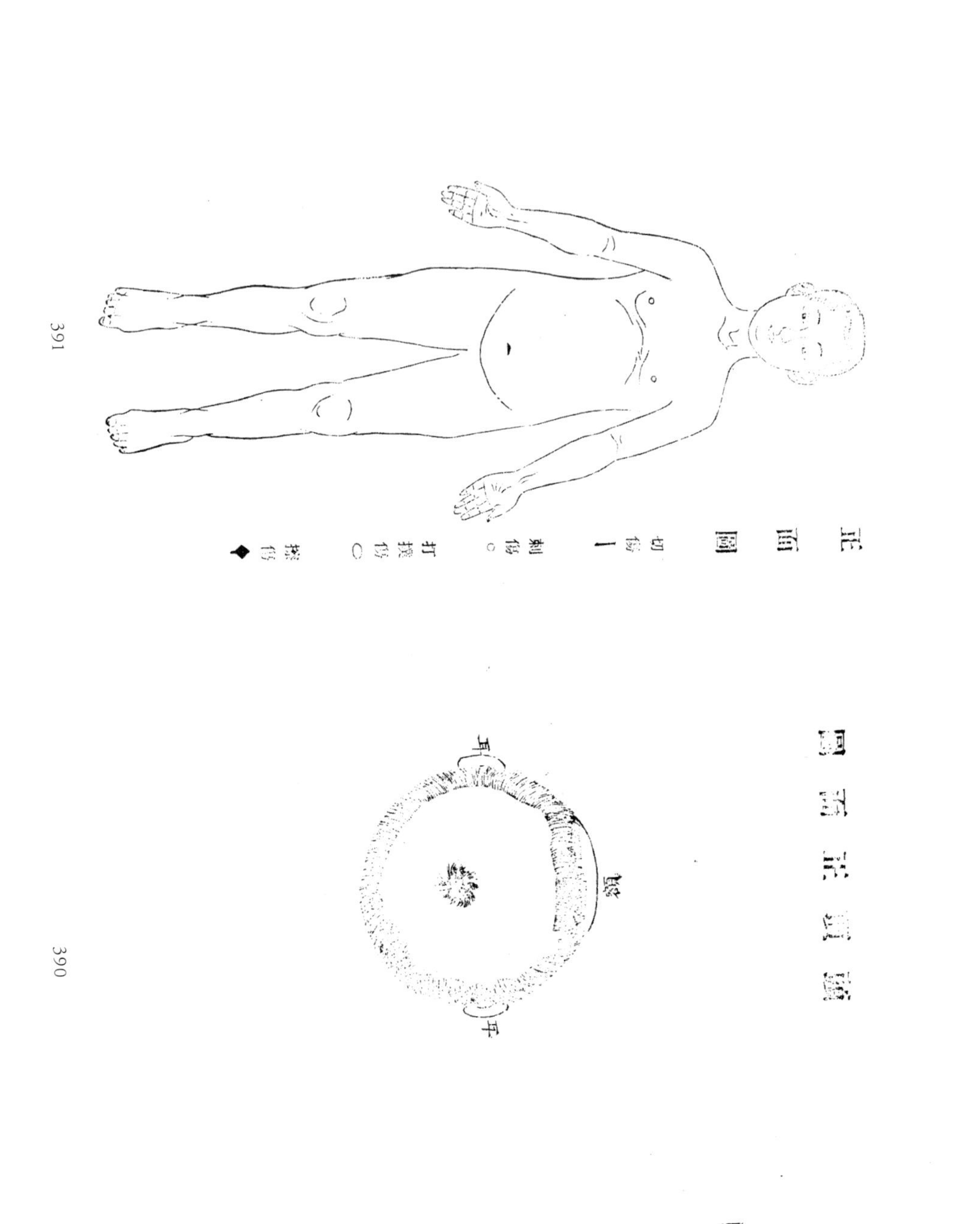
正面圖
切傷 ー
刺傷 ∘
打撲傷 ○
擦傷 ◆
391
390

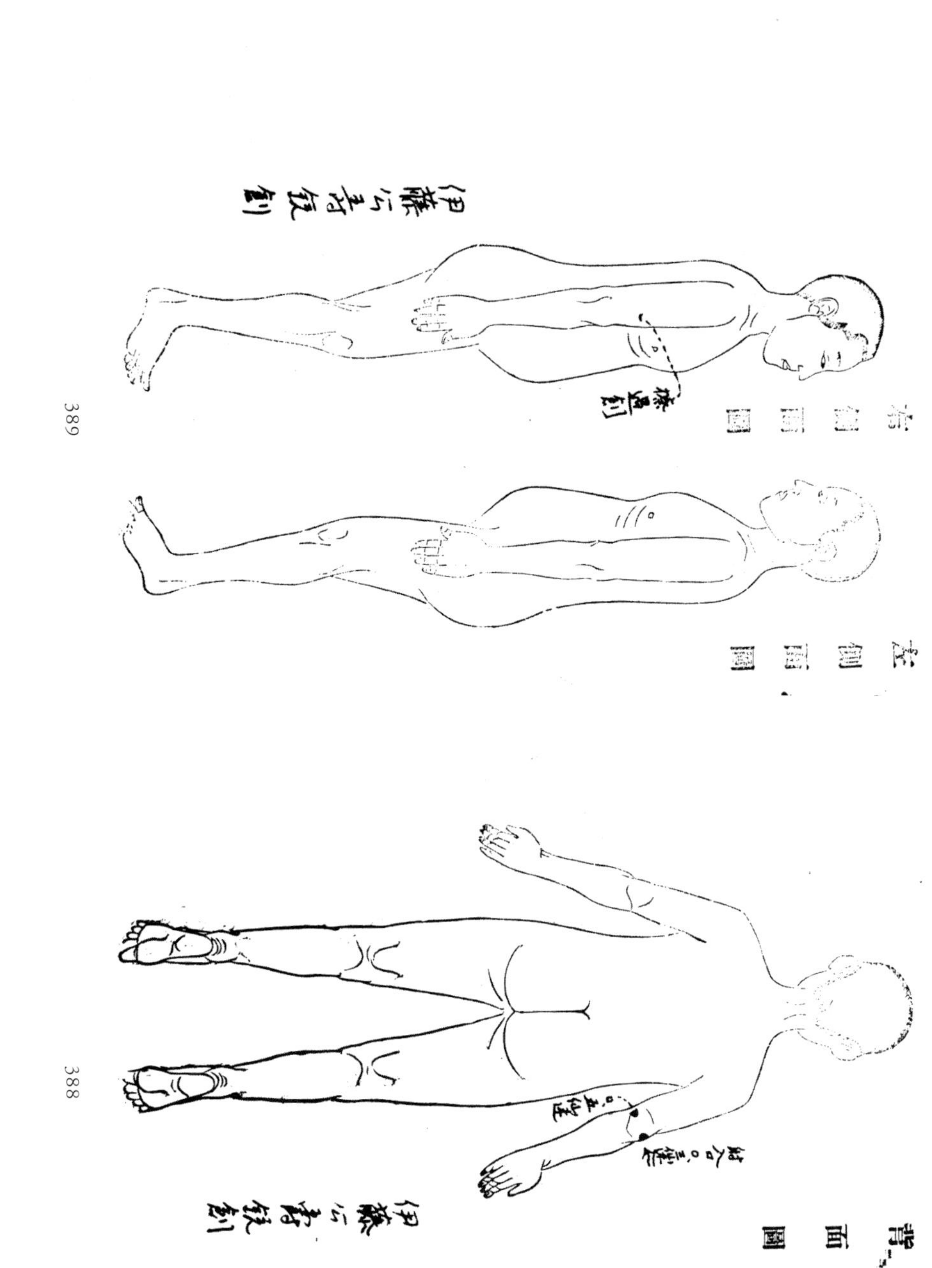

389

388

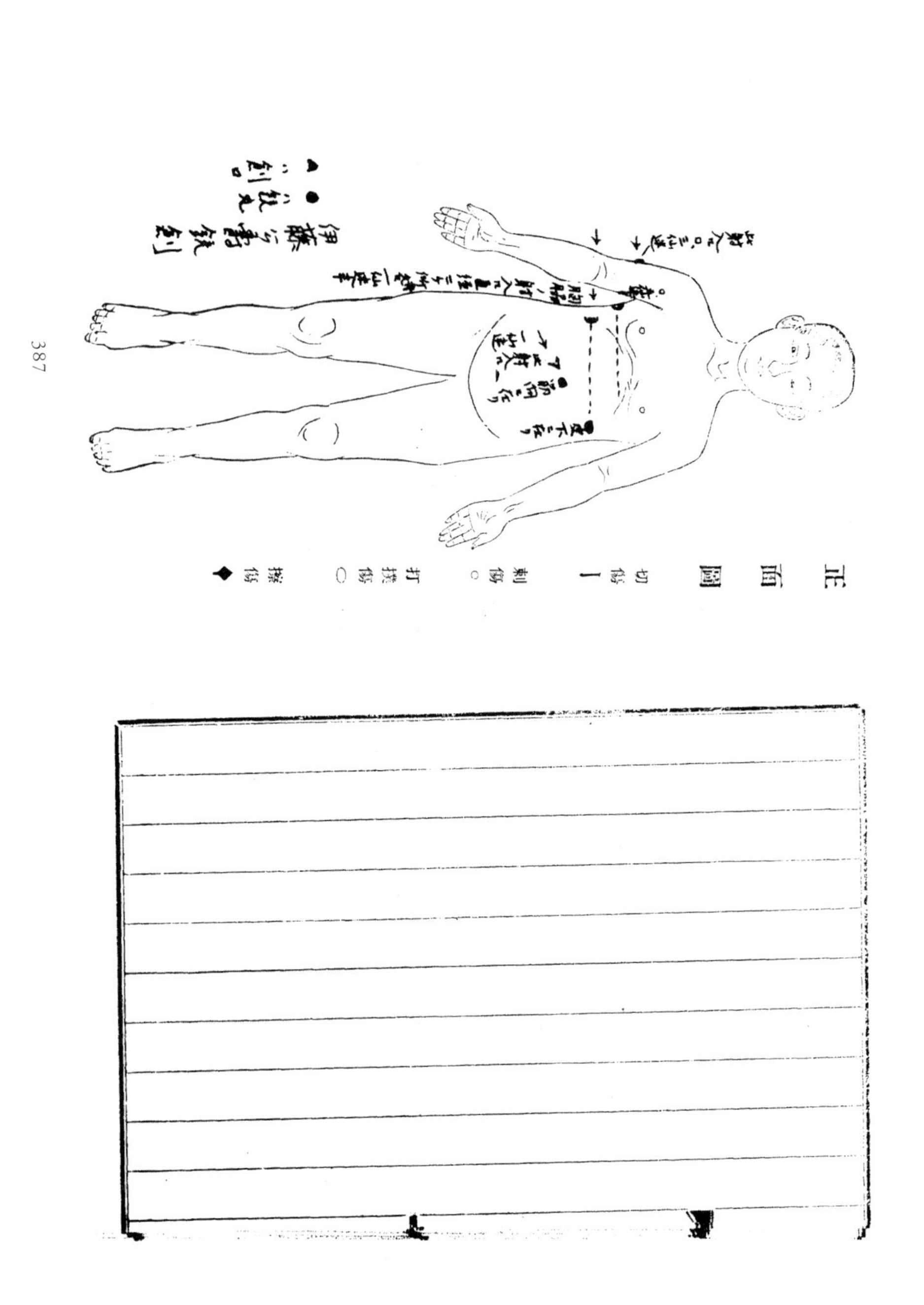
正面圖
切傷 ｜
刺傷 ○
打撲傷 ○
擦傷 ◆
387

尚ホ鑑定人ハ右鑑定書ニ創傷ノ部
位ヲ明瞭ナラシムル為メ別紙人体図ヲ
提出セシヲ以テ之ヲ本調書ノ末尾ニ添
付ス

鑑定人 小山善

右読聞ケタルニ相違ナキ旨申立
自署捺印ス
明治四十二年十一月廿七日於大連ヤマト
ホテル内
但書記ハ之ニ関シテ不能[illegible]

384

印ヲ押捺ス

書記 竹内静衛

高等法院検察官 溝渕孝雄

385

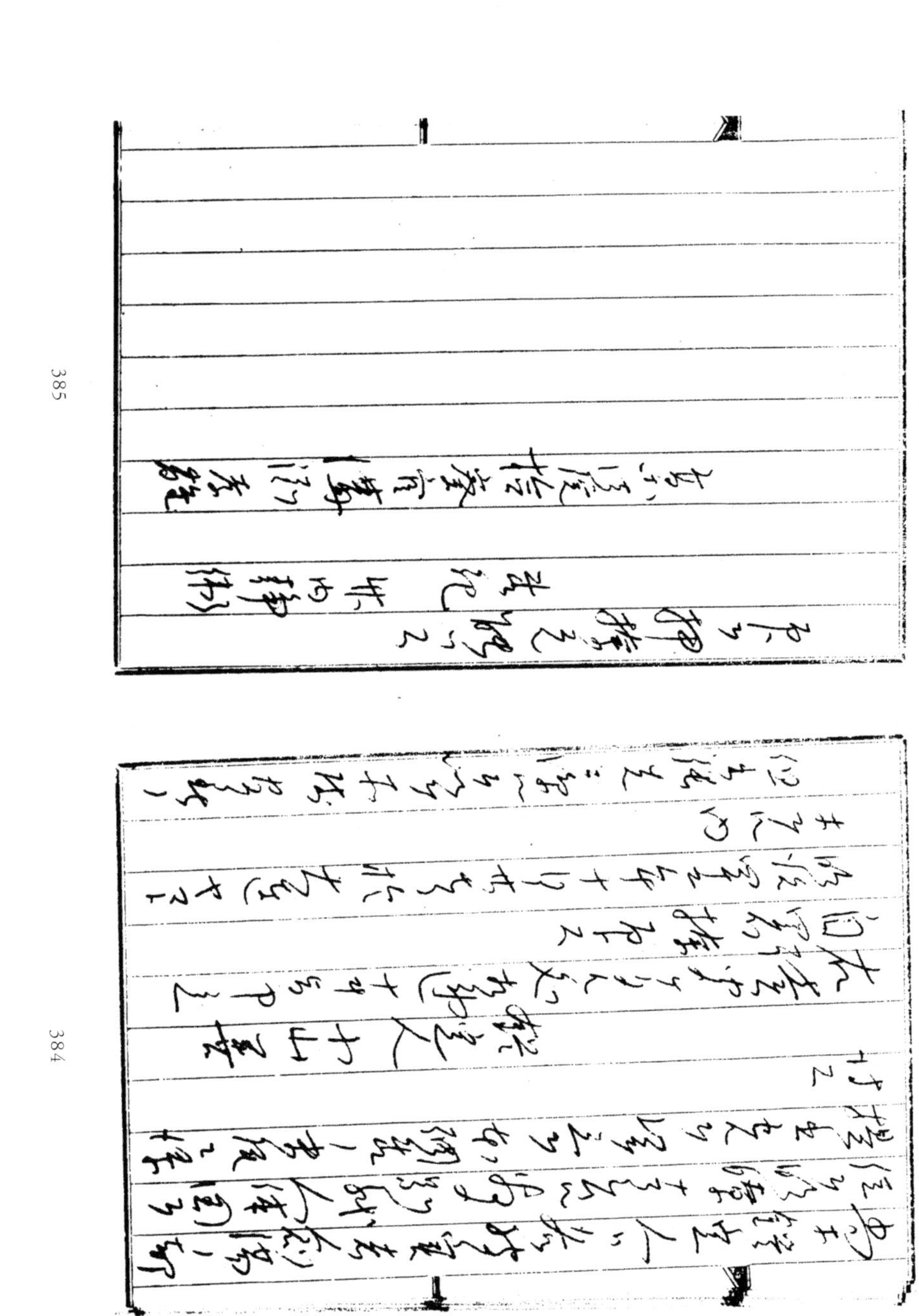

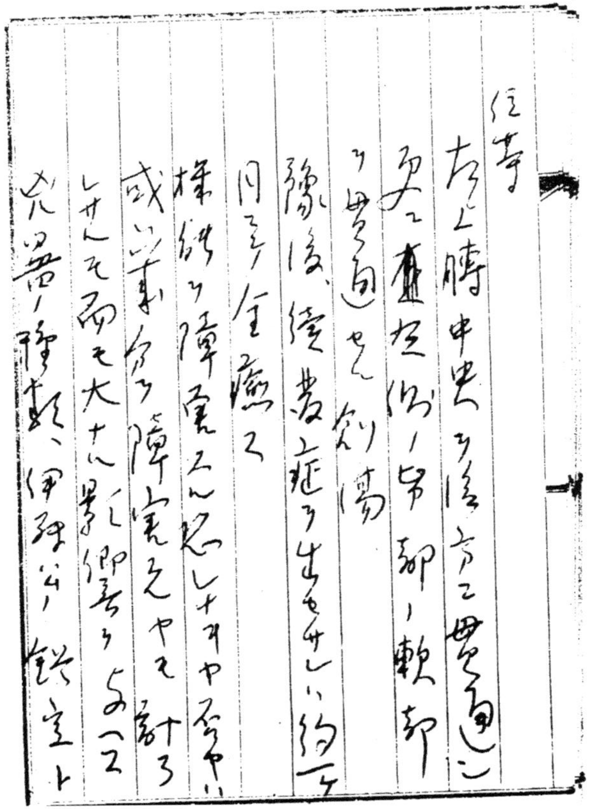
位等
右上膊中央ヨリ後方ニ貫通シ
又左腋側ノ胸部ノ軟部
ヲ貫通セル創傷
豫後ハ後遺症ヲ生セサルモ約一ケ
月ニテ全癒ス
採飯ヲ障害スル恐レナキヤ否ヤハ
或ハ業務ヲ障害スルヤモ計ラ
レサルモ而モ大ナル影響ヲ与ヘズ
其ノ程度、伊藤公ノ銃創ト

382

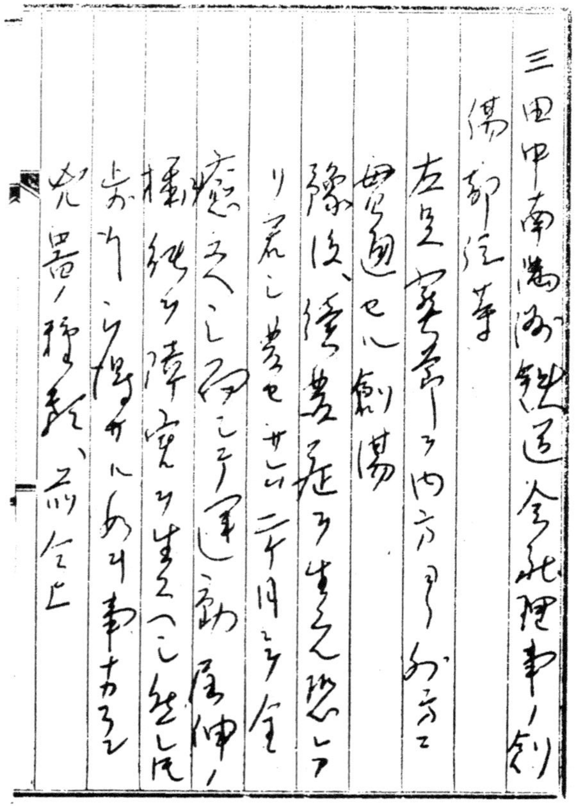
三田中南満洲鉄道会社理事ノ創
傷部位等
左足関節ノ内方ヨリ外方ニ
貫通セル創傷
豫後ハ後遺症ヲ生スル恐レア
リ存シ発セサル二ケ月ニテ全
癒スヘシ而シテ運動障碍ノ
採飯ヲ障害スルヘシ然レ
或ハ障害セサルモ事ナカルヘシ
其ノ程度、前ニ同シ

383

一 兇器ノ種類
鑑定人ハ右鑑定事項ヲ左ノ如ク
鑑定ス
一 伊藤公爵創傷ノ部位等
第一、右上膊中央外面ヨリ射入
シ第五肋間ヨリ水平ノ方向ニ両肺
ヲ穿通シ左肺ニ留マル胸内出血
多シ
第二、右関節背面ノ外側ヨリ射
入シ右胸部第九肋間ヨリ胸膜ヲ

穿通シテ左季肋下ニ留マル
第三、右上膊中央ノ外面ヲ擦過
シテ上腹中央ニ射入シ腹筋中
ニ留マル
致命傷、第一、二ノ創
致死ノ原因、内出血ニ因ル虚脱
兇器ノ種類、透射力ノ甚シカ
ラザルモノ即チ鈍力ナルピストルノ銃
丸ノ如キモノナリ
二 森宮内大臣秘書官ノ創傷部

問 年齢ハ
答 明治元年八月生
問 身分ハ
答 平民
問 職業ハ
答 医
問 住所ハ
答 東京市麹町区三番町十番
地
問 被告人ト親族関係[illegible]又

378

被告人ノ[illegible]ヤ
答 何ノ関係モ有マセヌ
問 於茲検察官ハ本件鑑定人トシテ訊
問[illegible]告ケ本件被害[illegible]
鑑定人カ実見セシ伊藤公爵ノ
容内大臣[illegible]
[illegible]ノ被害状態[illegible]
事項ノ鑑定ヲ求メタルコトヲ[illegible]
問 右被害者ノ創傷ノ部位程度
致死ノ原因[illegible]

379

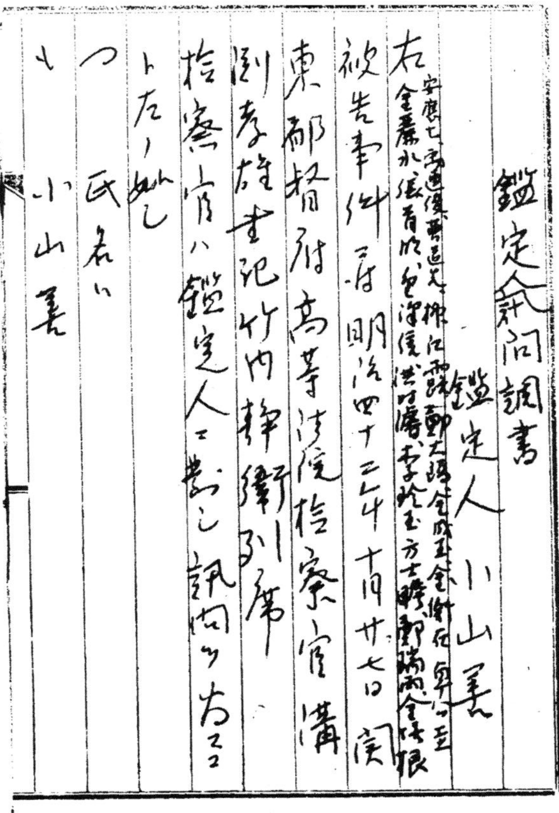

鑑定人訊問調書

鑑定人 小山善

右 安應七、禹連俊、曺道先、柳江露、鄭大鎬、金成玉、金衡在、卓公圭、金麗水、張首明、金澤信、洪時濬、李珍玉、方士瞻、鄭瑞雨、金培根

被告事件ニ付明治四十二年十月廿七日関

東都督府高等法院検察官溝

渕孝雄ハ書記竹内静衛列席

検察官ハ鑑定人ニ對シ訊問スルコト左ノ如シ

問 氏名ハ

答 小山善

377

實印ヲ携帯セサルニ付拇印ヲ

右讀聞カセタルニ相違ナキコトヲ承

諾シ自署拇印セリ

即日於旅順監獄署ニ於テ

但書供述者ハ[illegible]

印ヲ用ユル能ハス

関東都督府地方法院

書記 岸田愛文

高等法院検察官 溝淵孝雄

374

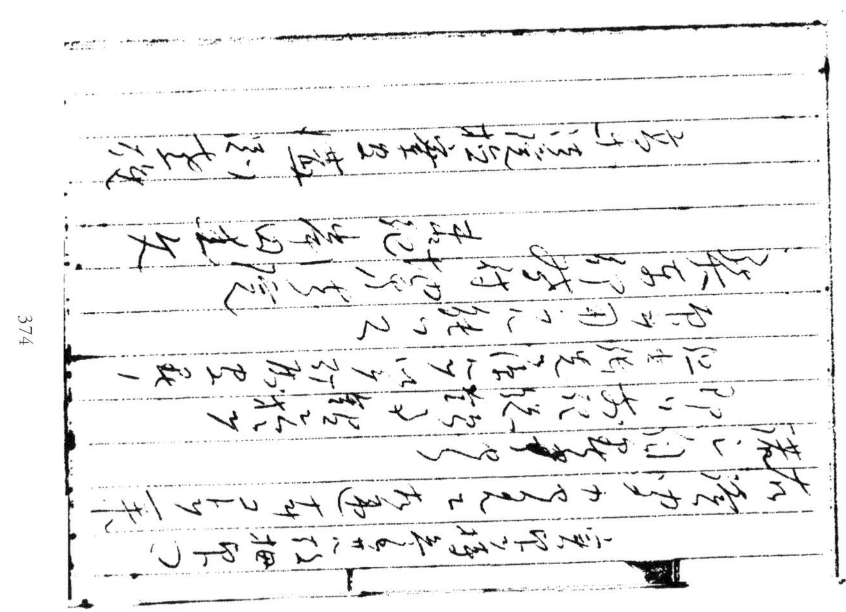

年齢ハ　明治五年六月十二日生
身分ハ　士族
職業ハ　関東都督府醫院
醫長　一等軍醫
住所ハ　旅順新市街ヒ一二
十二号官舎
右鑑定人ト被告人ト親族、後見人
被後見人、同居、雇人ノ関
係ナキヤ
、此宣誓ヲ為サシメタリ
檢察官ハ鑑定人ニ對シ左ノ件ニ付
[illegible]

372

事　川上總領事傷害ニ付キ
左記事項ノ鑑定ヲ命ス
鑑定事項
一、創傷ノ部位、形状、個数、
二、同他傷ノ區別
三、右創傷ヲ生セシメタル使用セラレタル
兇器ノ種類及身体ニ接觸
シタル方法
四、治癒日数
五、治癒後ノ機能障碍ヲ来スヘキヤ
右
鑑定人　徳岡熙敬

373

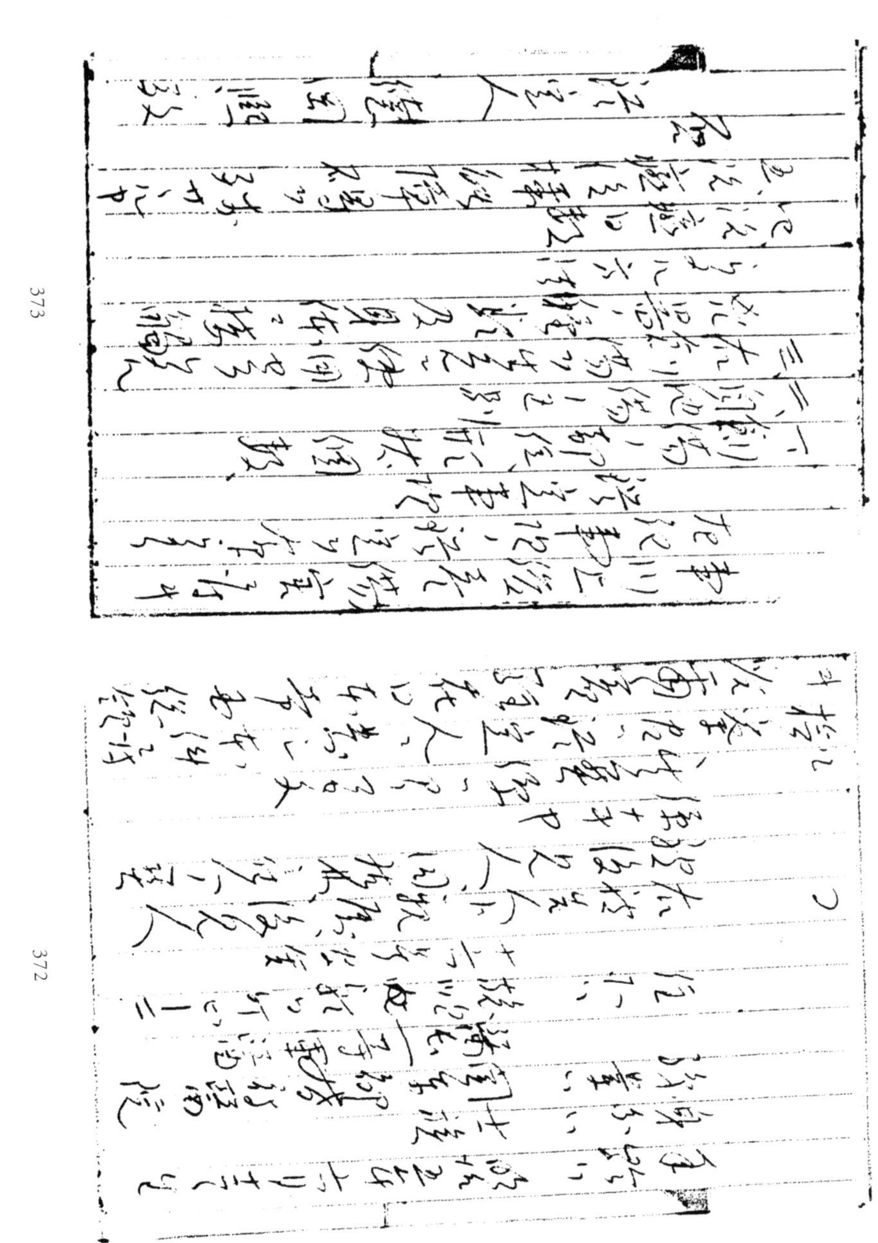

鑑定人訊問調書

鑑定人　德岡熙敬

右[illegible]ニ對スル殺人

被告事件ニ付明治四十二年十一月廿九日

旅順高等法院刑事部回經驗事歟

ニ於テ檢察官溝淵孝雄書記

岸田愛文列席

檢察官ハ鑑定人ニ對シ訊問スルコト

左ノ如シ

問　氏名、年齢、身分、職業、住所ハ

如何

答　氏名ハ　德岡熙敬

371

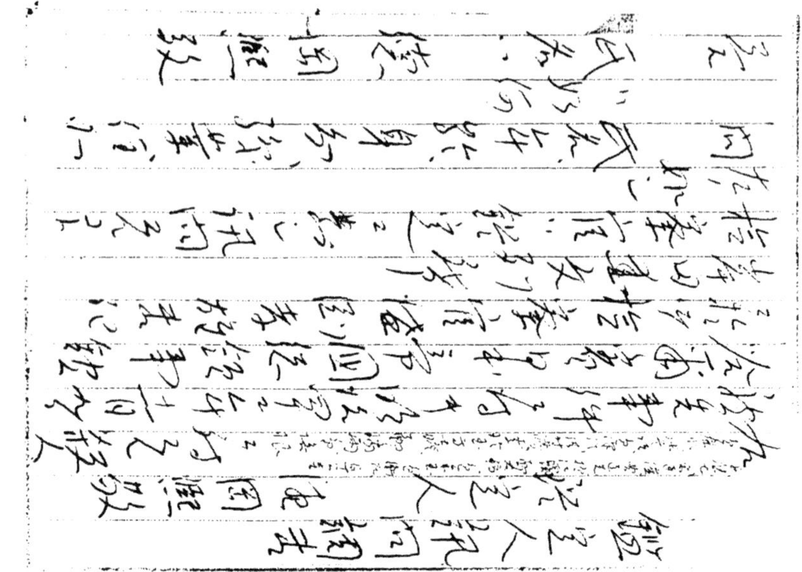

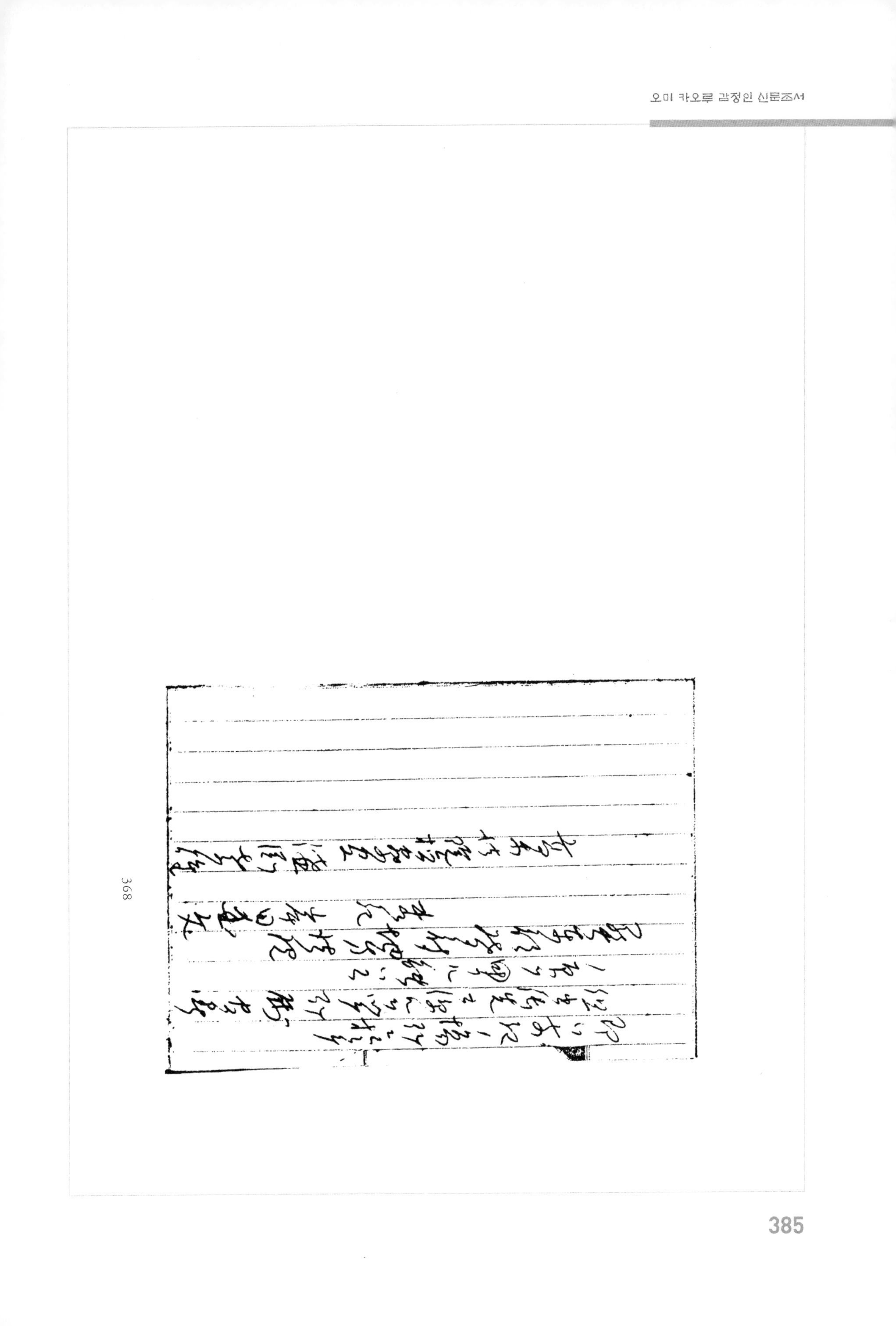

年齢ハ　三十六年
身分ハ　士族
職業ハ　醫師
住所ハ　大連市児玉町
右鑑定人ト記屆指定人
被害者人、同被告人ハ
要件ノ十月中
當裁判所ハ[illegible]
檢察官ノ請求ニ因リ鑑定人ニ對シ[illegible]
南滿洲鐵道株式會社理事田
中清次郎ノ傷害ニ付キ右記
事項ノ鑑定ヲ命シタリ

366

鑑定事項
一、創傷ノ部位、形状、個數
二、同創傷ノ區別
三、右創傷ヲ生セシメタル兇器ノ種類及身体ニ接觸セ
ル方法
四、治療日數
五、治療後機能障碍ヲ遺スヘキ
ヤ否
鑑定人　尾見薫
右宣誓ヲ爲サシメタリ　[illegible]
[illegible]

367

鑑定人訊問調書

鑑定人 尾見薫

右 安應七、禹連俊、曹道先、柳江露、鄭大鎬、金成玉、金衡在、卓公圭
金麗水、張首明、金澤信、洪時濬、李珍玉、高錫禧、方士瞻 ニ對スル殺
人被告事件ニ付明治四十二年十一月
十六日南満洲鉄道株式会社大連
医院ニ於テ検察官溝淵孝雄
書記岸田愛文列席
検察官ハ鑑定人ニ對シ訊問ス
ルコト左ノ如シ

問 氏名、年齢、身分、職業、住所
ハ如何

答 氏名ハ 尾見薫

365

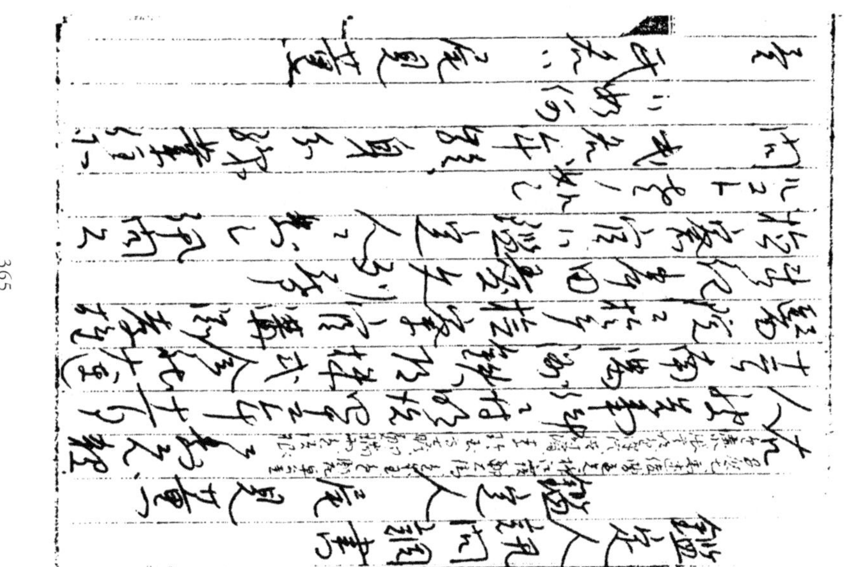

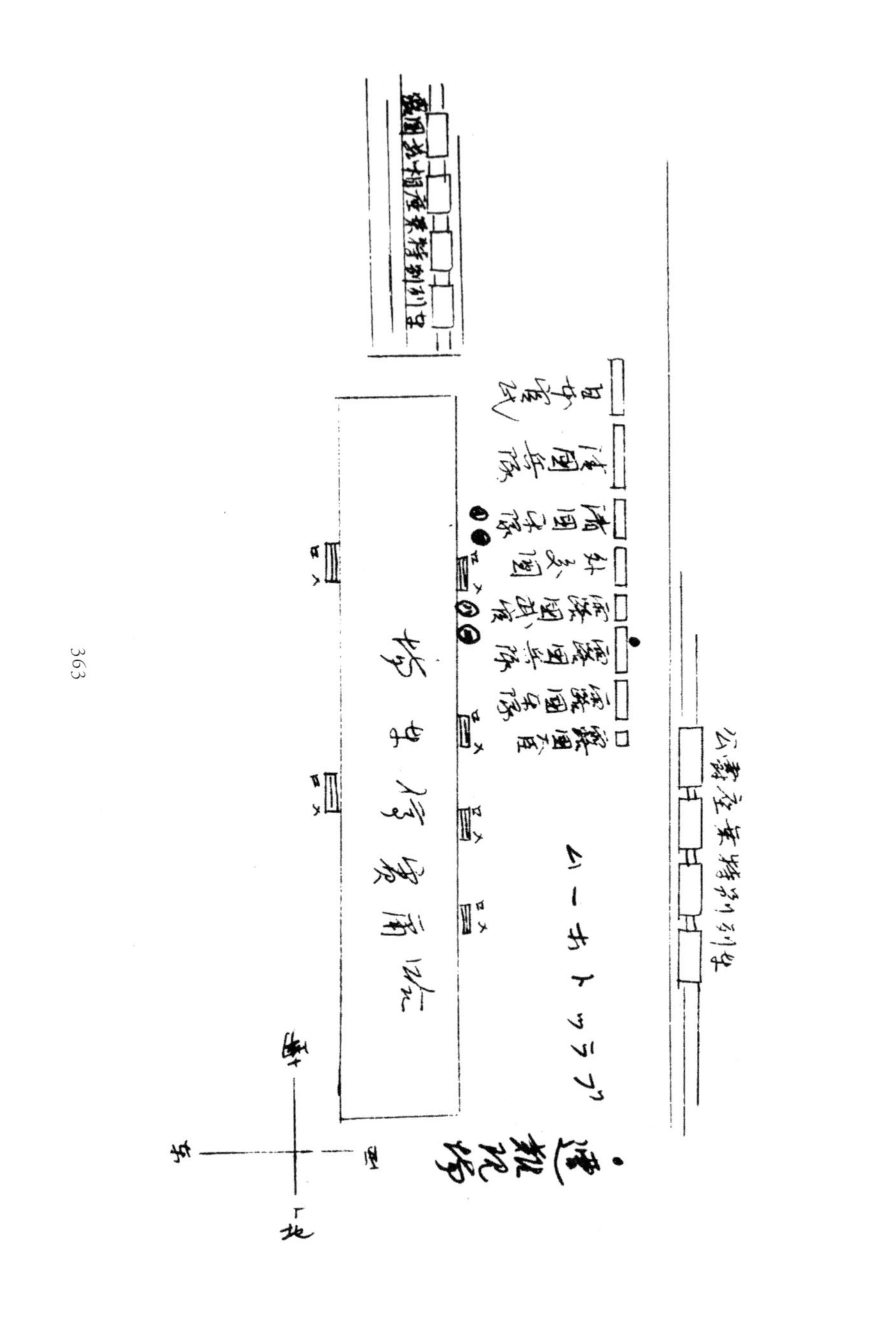

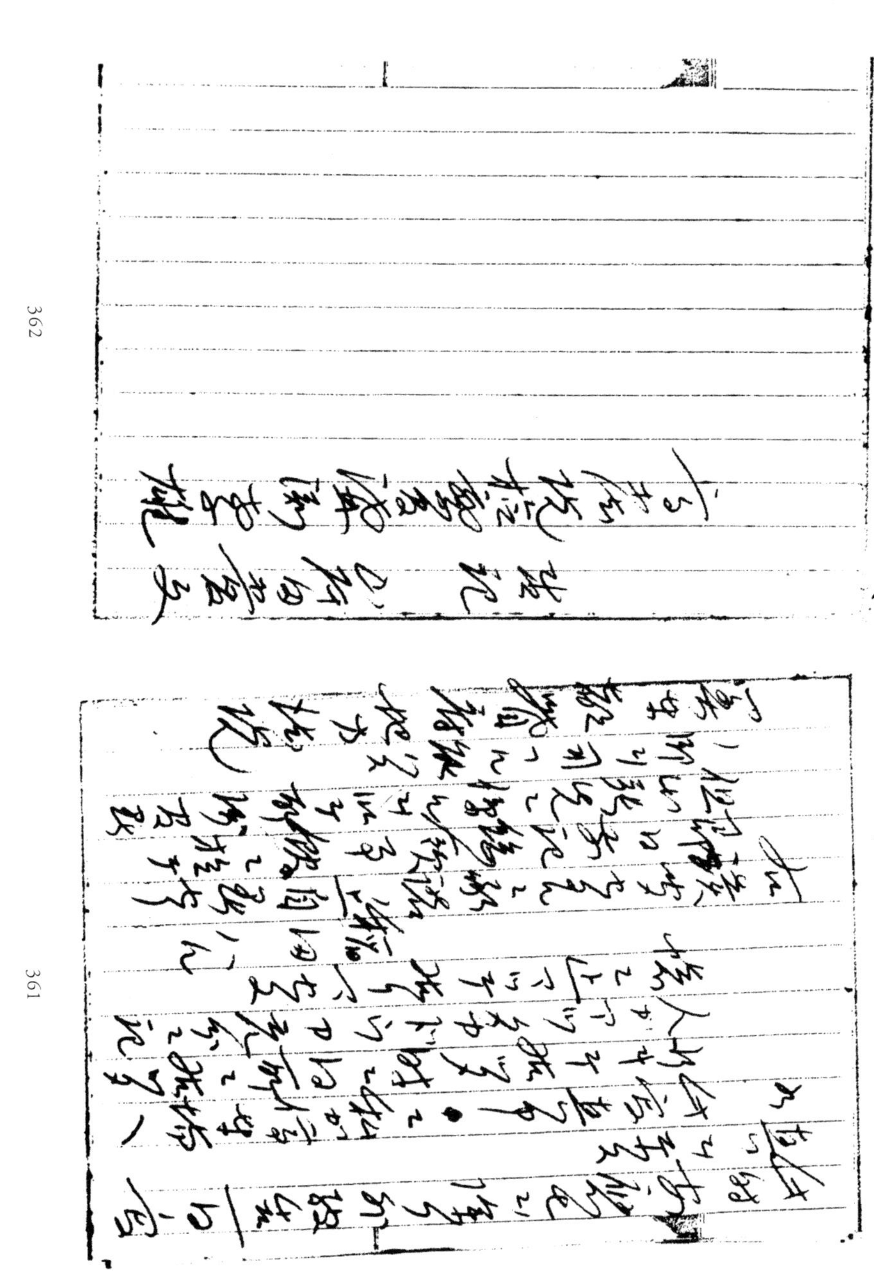
362
361

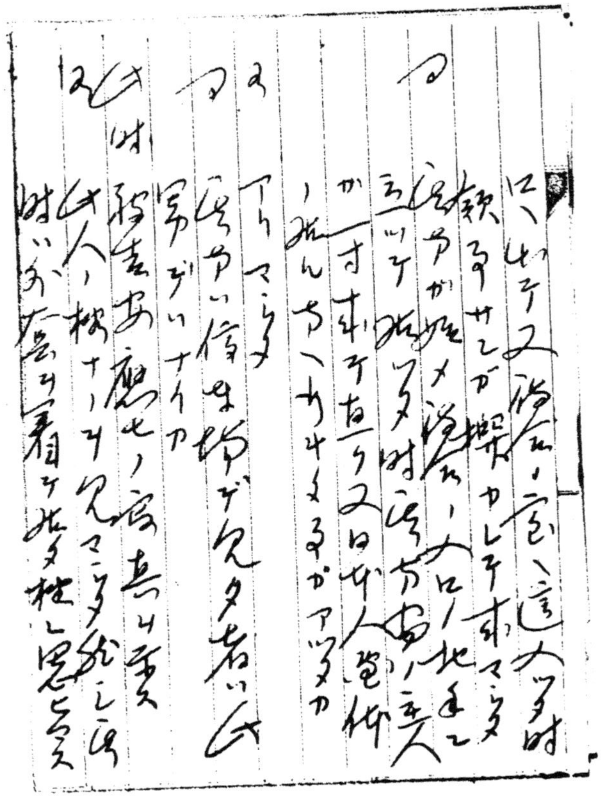

360

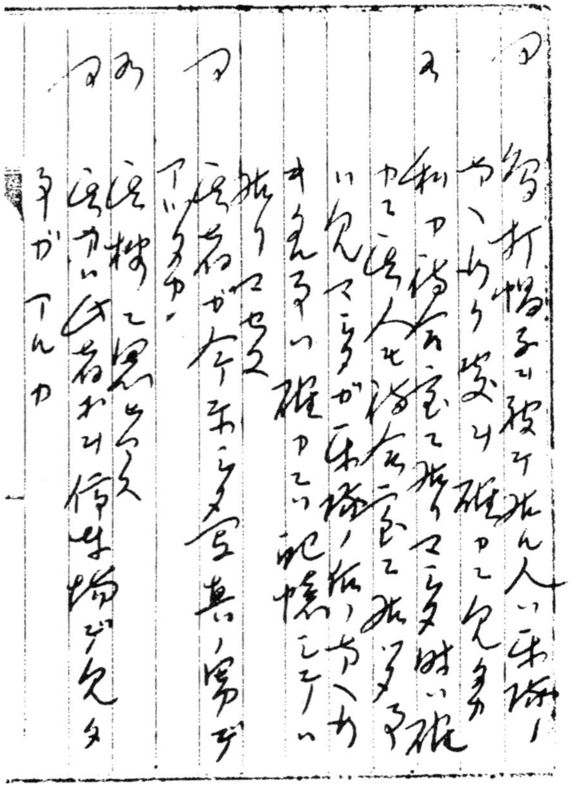

359

答 手ヲ振ッテ挨拶シテヰマシタ
問 殿下露台ノ方ノ様子ハ如何デアッテ居ルカ
答 大ケナ音ガイロ煙ノアッタ人ノ様ニ
思ヒマス
問 日本人ノ様ナ者ガ縄打帽ヲ被ッテ
陸軍楽隊ノ方ヘハ何カナカリシヤ
答 何モナカッタ様ニ大シテ確ニ見ヘマシタ
夫レハ負傷サレ[illegible]ッテ居ル演壇
問 何ガ看イテ後カ
答 [illegible]様ニナース負傷サレガ演壇カラ降
ルナリマシタデアリマシタ

357

問 誰カ負傷サレシ顔ヲ見タカ
答 露台ノ[illegible]ノ方カラ[illegible]見ヘマシタ
問 負傷サレハ演壇カラ降リテ来
ラレマシタカ
答 露台ノ列ヲ離レテ[illegible]ノ方ヘ
来タ時露台ガ私共ニアルラ、
[illegible]ト云ヒマシタカラ私ト[illegible]
[illegible]ト直リニ[illegible]ッテ来ロ
ゾ負傷サレシ[illegible]ヲ見テ
ト思ヒ私ガ[illegible]ヘ近寄ルト
時ニパンパンシクト云フ様ナ音ガ致シ
マシタ夫レカラ私ハ停車場ノ[illegible]

358

口ノ辺（別紙図面（イ）（ロ）ノ个所）
ニ於テ立ツテ居リマシタカラ又
西部又カト一所ニ入口ノ北手（別
紙図面（ハ）（ニ）ノ个所）ニ行キテ立ツテ
居リマシタ
問 然ラハ其方ノ前ニ誰カ人ガ
居リマシタカ
答 私ノ北ニ手ノ方ニ露西亜
人ハ在ニハ四人ノ様ナ人ガ居リマシタ
問 其時韓国宮カラ出テ来タ人
ハナカツタカ
答 出テ来タ人ハアリマス夫レニ出

355

人ノ様ナ人ガ結襟ノ洋服ヲ着
黒イ帽ヲ冠リ靴ヲ中折ノ帽子
ヲ被ツテ居ツタ人デス其人ハ私ノ
横手ニ居タ露西亜ノ士官ト歩カ
話シテ居リマシタ
問 韓国宮カラ出テ来タ人ハ鳥打
帽子ヲ被ツテ居ラナカツタカ
答 鳥打帽子ヲ被ツタ人デハアリマセ
又確カ中折帽子ヲ被ツテ居リ
マシタ
問 其露西亜ノ士官ト一所ニ手ヲ挙
テナカツタカ

356

354

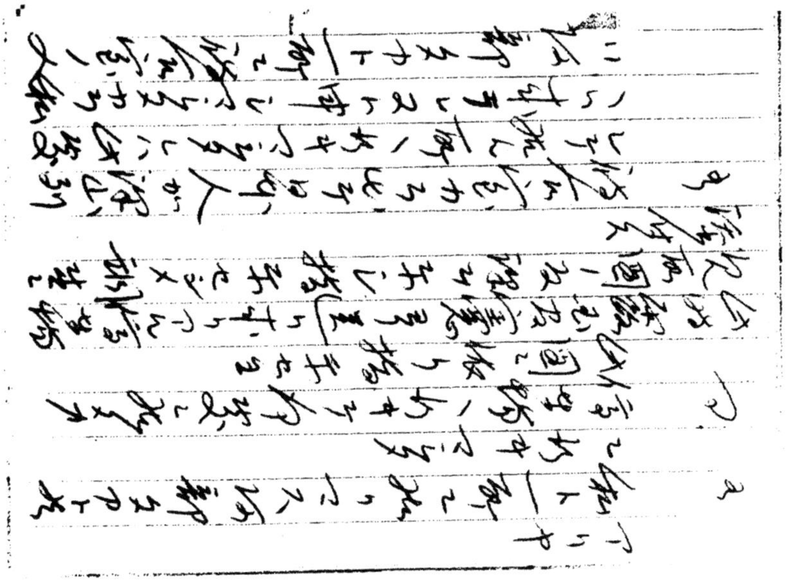

353

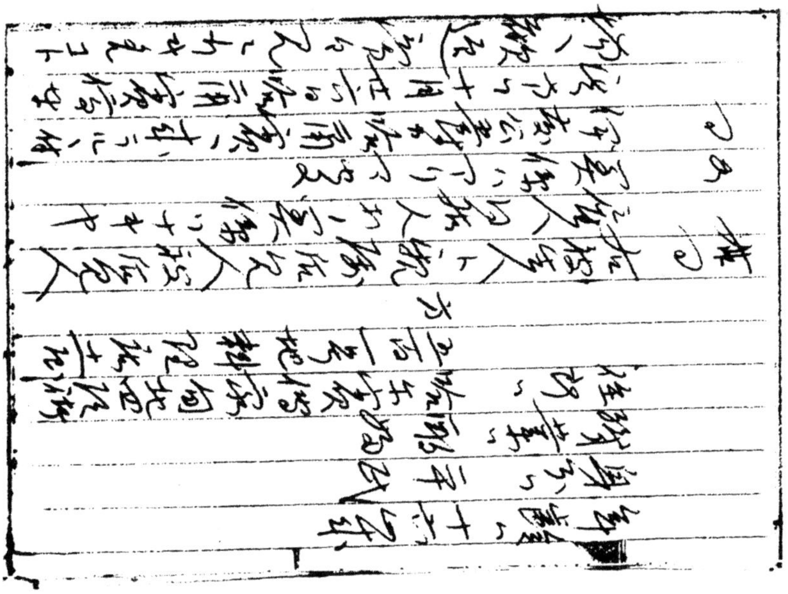

参考人訊問調書

参考人　稲田ハル

右安應七事安重根、禹連俊事禹徳淳、曹道先、柳江露事柳東夏、鄭大鎬、[illegible]、金成玉、卓公圭、金衡在、[illegible]、張首明、金沢信、[illegible]、方士瞻、李珍玉、金麗水、鄭瑞雨ニ対スル

殺人被告事件ニ付明治四十二年十一月二

日哈爾賓日本帝国総領事館ニ於テ

検察官溝淵孝雄ハ書記岸田愛文

列席

検察官ハ参考人ニ対シ訊問スルコト

左ノ如シ

問　氏名年齢身分職業住所ハ

如何

答　氏名ハ　稲田ハル（日本人）

352

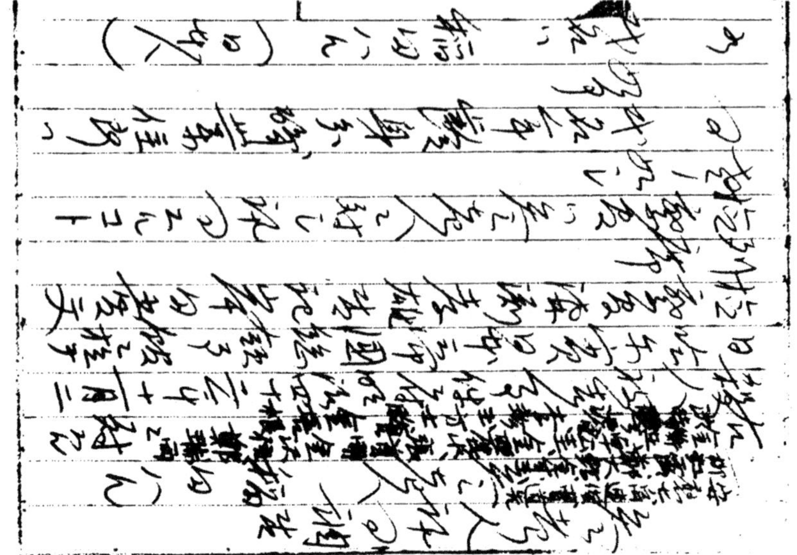

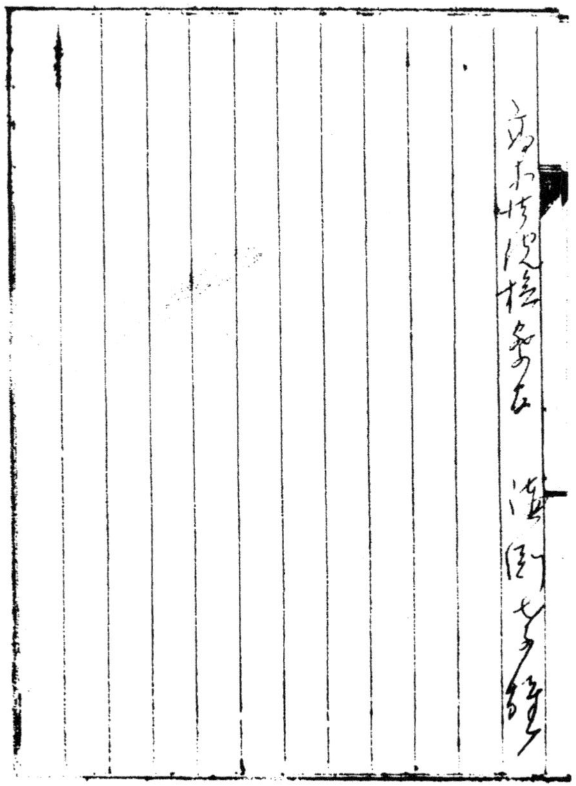

349

咲ハ果ト露西亜ヘ行テ居タカ
好続果シ得（カリシ）咲ナリシ様
ヲ述ラマシタ
之ヲ為シ韓国人ナハ北部ニ
来ノ居ル様子テアリマス
問 先ノ者ノ話ト話シ合ナイカ判ル
答 之レ実ナキヤ
リ二名ハ近シテ居ルコト、アリマセ
問 又此ノ若者ハ学ニ怪シキ様
ト三人ガ之レヲ居タメテ
露国官憲ハ北部ニテ不審ト
抱キ居ルガ其内一人ハ彼レ

347

カヘ行キ残リ二人ハ伊藤公遭難
ノ後露国官憲ニ捕ヘラレタト
聞キマシタ
証人 夏秋亀一
右読聞カセタルニ相違ナキ旨承認
シ自署セリ
即日於哈爾賓総領事館ニ於テ
出張先ニ於ケル検察官事務取扱
ノ所ヲ用ヒ證明ス
関東都督府地方法院
書記 岸田愛文

348

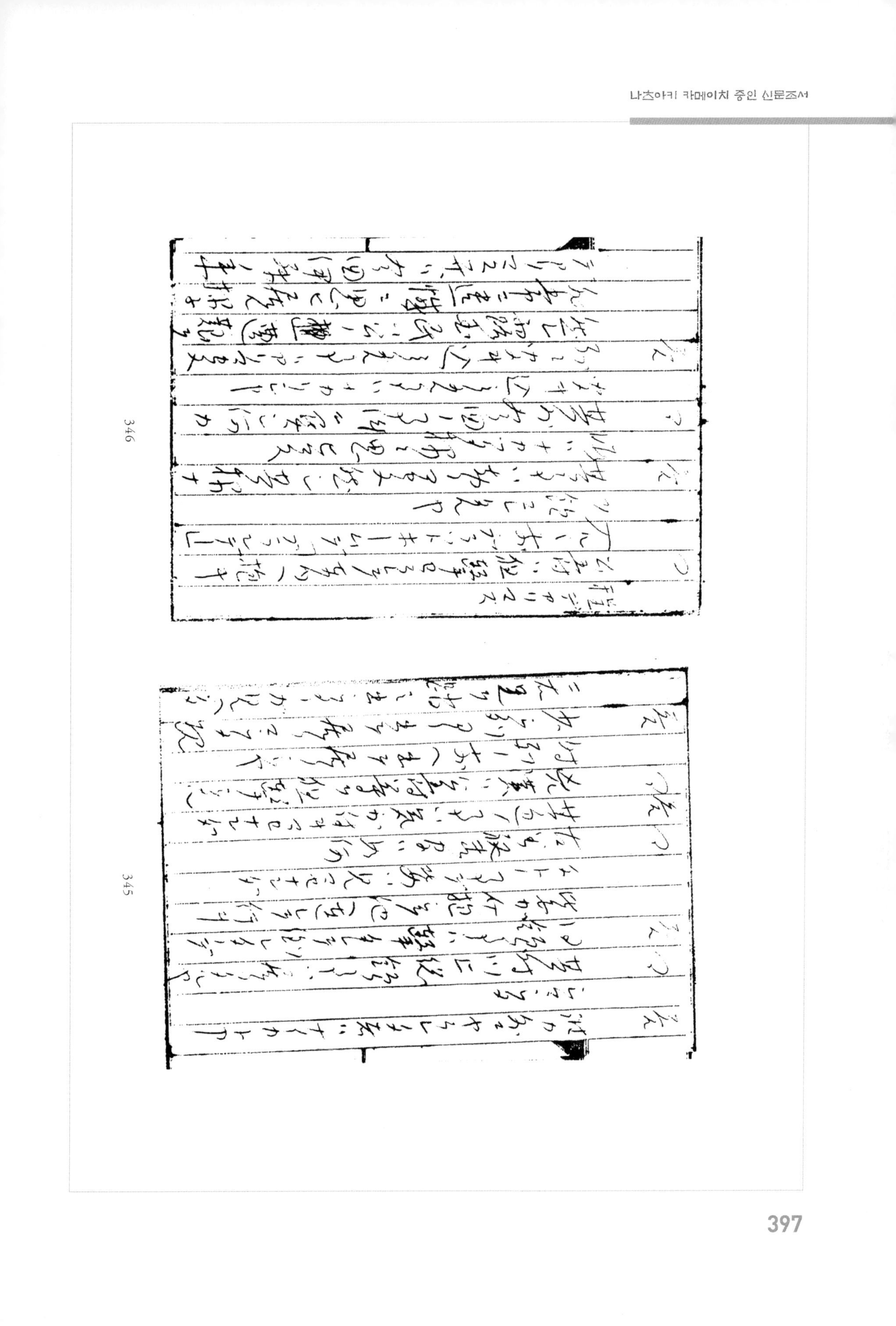

346

345

ムサトノ事ヲ云ヘバ銃デアツテモヨシ
問 公等ヲ狙撃シタル日本人ハ何
何ナル帽子ヲ被リ且能ク其ノ顔ハ見知リ居
ナルモノナリシヤ
答 帽ハ黒ク大キナ帽子ヲ被リ居
タ又顔ヲ見シ所ガ能ク見覚ハ無シ
分リマセナンダ
問 犯人ノ兄弟ハ何者ナリヤ
村ノ者ト思フ者モ居タリマシタ
答 村ノ者ナリアリマシタカ而シ其兄
弟ハ捕ヘラレタ [illegible] ト分ラ [illegible]
軍ナイフヲ取リニレタトノ事ナリシカナキ

343

マシタ
問 公等ハ狙撃セラレテ倒レタルヤ
答 倒レハ致シマセヌガ其ノ情態 [illegible]
道ノ [illegible] 致シマシタトテ人ガ
アレナイヨウノ一ト申シマシタカラ直ノ
公等ガ東西ニ抱キナシタルモノ [illegible]
アリマス
問 狙撃セラレシ時公等ガ両一方
ニ抱ヘタル人ハ誰ナルヤ
答 未ダ知リマセヌ
問 公等ハ狙撃セラレシ時何カ云
ハレシカ

344

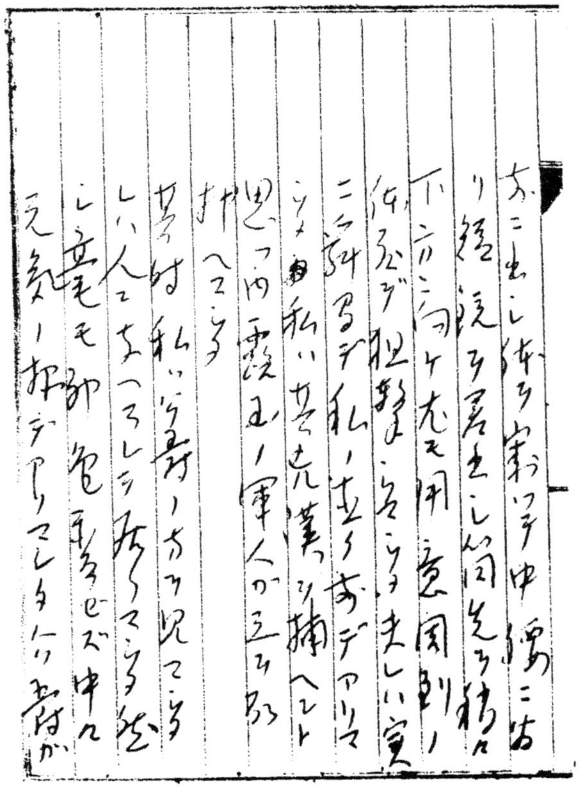

方ニ出シ体ヲ斜ツテ中腰ニ成
リ銃ヲ差出シ筒先ヲ稍々
下方ニ向ケ尤モ用意周到ノ
体ニテ狙撃シ居ラレ実
ニ巧妙ナルデ私ノ考ヘデアリマ
シテ私ハ其ノ犯人ヲ捕ヘルト
思フ内露国ノ軍人ガ立チ寄ル
捕ヘマシタ
其時私ハ公爵ノ方ヲ見マシタ
シハ人ニ支ヘラレシテ居マシタ
シ毫モ御顔色ヲ変セズ中々
元気ノ様デアリマシタ公爵ガ

341

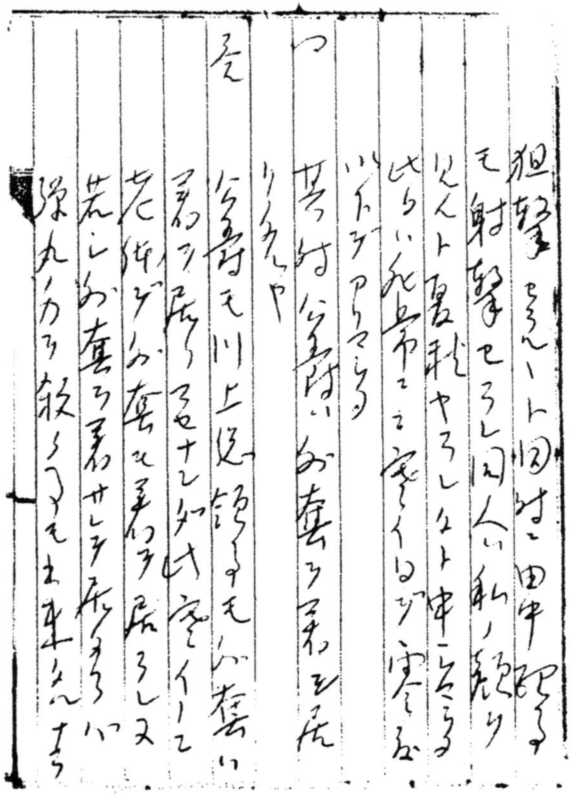

狙撃サレルト同時ニ田中理事
モ射撃セラレ同人ハ私ノ前ヘ
リシト倒レヤラレシト申ニ入ラル
此レハ森書記官ニモ負傷シテ居ラ
レタデアリマス
其時公爵ハ御顔ヲ顰メテ居
ラレマシタ
公爵モ川上総領事モ御負傷ハ
為サレテ居ルコトモ知ラズニ
居ツタガ公爵ハ尚居ラレシ又
若シ公爵ガ居ラセラレタラハ
弾丸ノ力ヲ殺グコトモ出来タカ

342

ヲ以テ同大臣ノ不法ナ因通路ヲ見
兄弟ノ数多ガ二ツニ分レ中央ヲ
空ケテアリマシタ其右手ニ外
交官モ居タト思ヒマス紫旗帯ニテ
隊形ヲ作ツテ居リ露国ノ軍隊ガ
整列シテ居リマシタ
公爵ノ汽車ガ着クト露国ノ大
蔵大臣ガ公爵ノ客車ニ行キ
同ジ汽車ニテ来テ一緒ニ大蔵
大臣ト伊藤公爵其他ノ随
員ハ道ヘ出テ来タガ随行ニ付テ
コマシテ歓迎団ノアル所ヲ

339

進ンテ行クガ交団ノ前近来ル時ニ
至ヘ拍手ヲ起シテ迎ヘラレマシタ其
時私ハ公爵ホノ後カラ付イテ
行キマシタ一丁近ク来タ時ニ銃
声カ大蔵大臣ハ伊藤公ノ右手
(歓迎者ニ近付キテ)ニ居ニテ清
国ノ領事ノ所ヘ行キマス時ハ左手
ト喜ブ声ガシタノデ私ハ爆音
花火カト思ヒマシタガ何トナク怪
シイ様ニ思ツテ私ハ公爵ノ方
ヘ行キマシタ数発発ハ確カ
黒イ服ヲ着テ居ル者ノ足ヲ

340

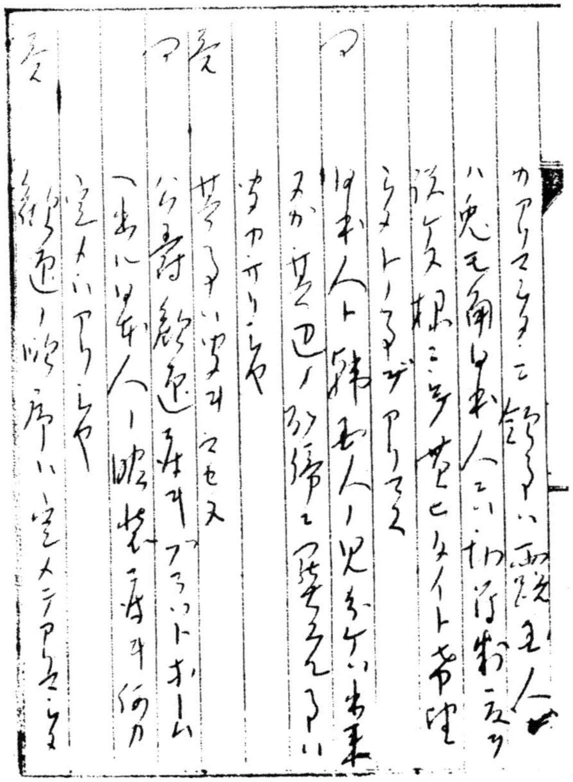
カアリマシタニ[illegible]
ハ兎モ角日本人ニハ[illegible]
[illegible]ト云フ希望
[illegible]ト云フ事ガアリマス
問 日本人ト韓国人トノ[illegible]
[illegible]
[illegible]
答 [illegible]マセヌ
問 [illegible]
[illegible]日本人ノ[illegible]何カ
[illegible]アリマセヌ
答 [illegible]アリマセヌ

337

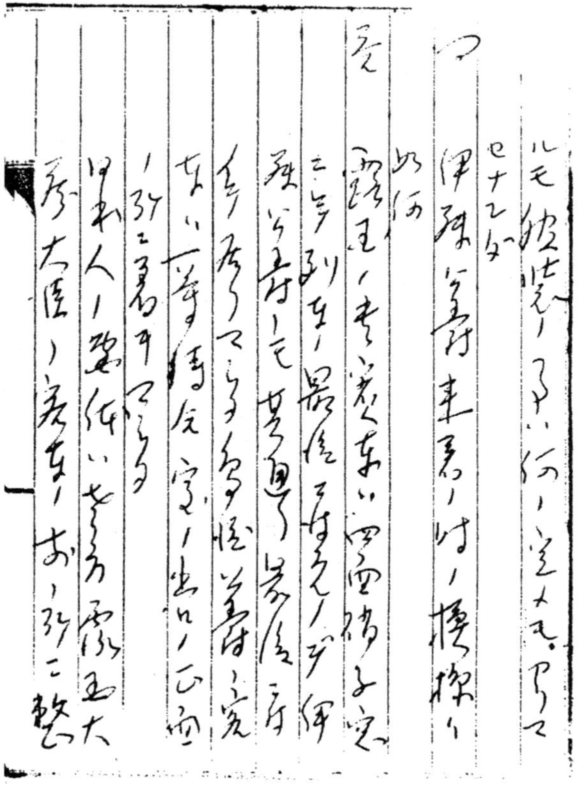
ルモ彼等ノ事ハ何ノ覚エモアリマ
セナイ如
問 伊藤公爵来着ノ時ノ様子ハ
如何
答 [illegible]
[illegible]
[illegible]
[illegible]
[illegible]
日本人ノ[illegible]
[illegible]大臣ノ[illegible]

338

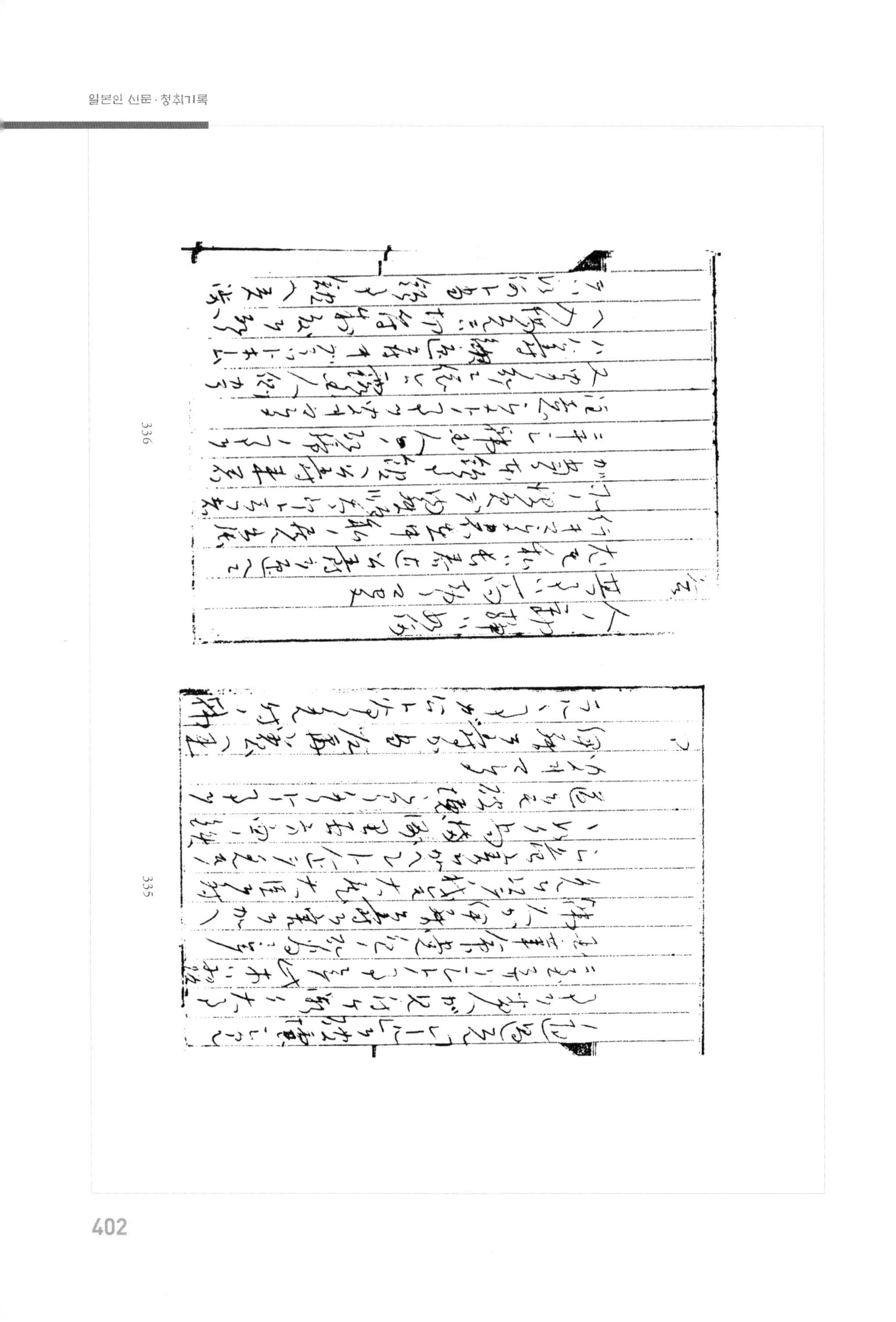

336

335

ト
シテ居ル様ナ根拠ニ見エマス
問　今韓国民全部ハ[illegible]
自由ナ考ヘ同人ハ露国ヘ傾化
シテ居ル様ナ露国ノ属民デアリ
ナカラ韓人民全部トナリ
居テ居ルカ見レハ韓人ニ対スル
ハ露国ノ挙動ハ露国ガ極メテ横ヤ
スル
露国ハ韓人ノ手ニ[illegible]サセヌ
ニナリ国民ノ国アル様ナ
込ミテ[illegible]居リマス
テモ又
今回伊藤公ノ遭難ニ対

333

テハ露国ハ非常ニ喜ビ居ルトテ
居ル様ナ根拠デアリマス
韓国人ト露国人ノ革命党ト[illegible]
ハ互ニ気脈ヲ通シ居ルト思ヒ
マス即チ露国ノ革命党ハ
露国ニ来リ韓国人ニ付テ之ヲ教
ヘルトモ又一ニ意気投
合シ互ニ[illegible]秘密結
社ヲ造リ居ルトノ[illegible]
現ニ露国ノ大蔵大臣ニ対シテモ
[illegible]ヲ加ヘントシタ如キモノ伊
藤公遭難ノ翌日大臣

334

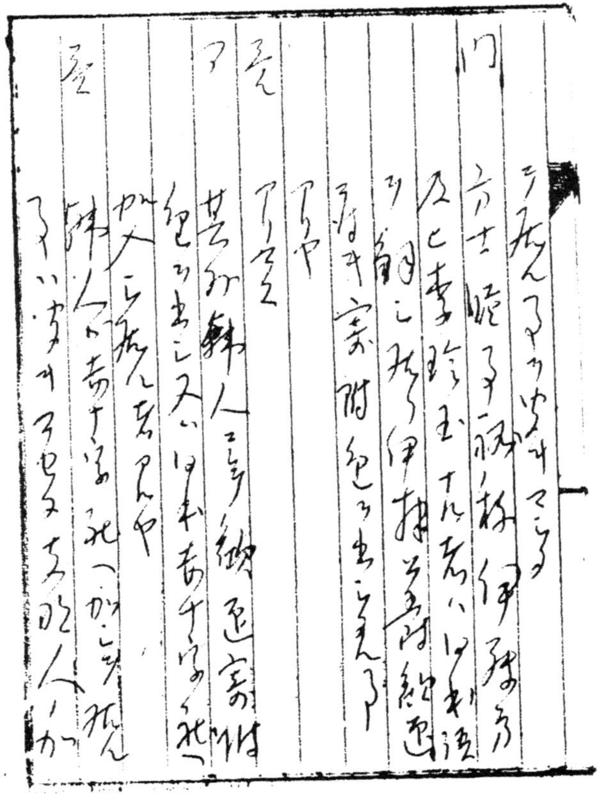

332

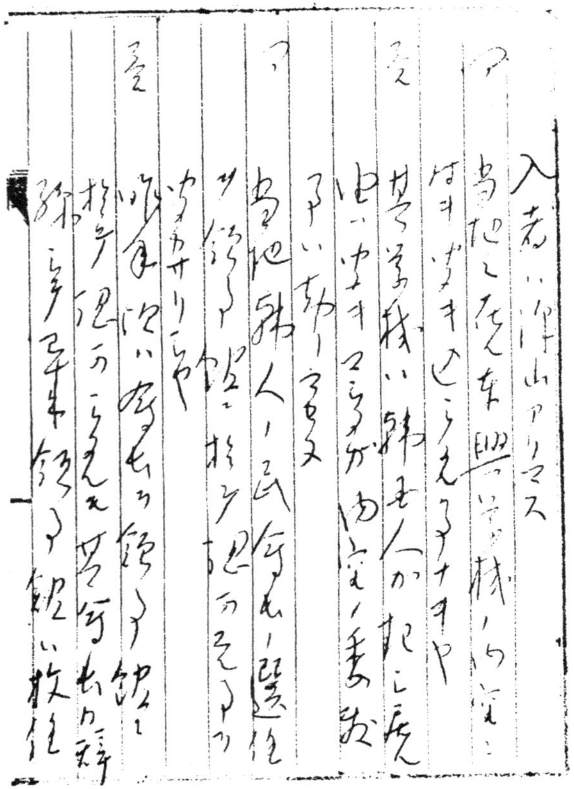

331

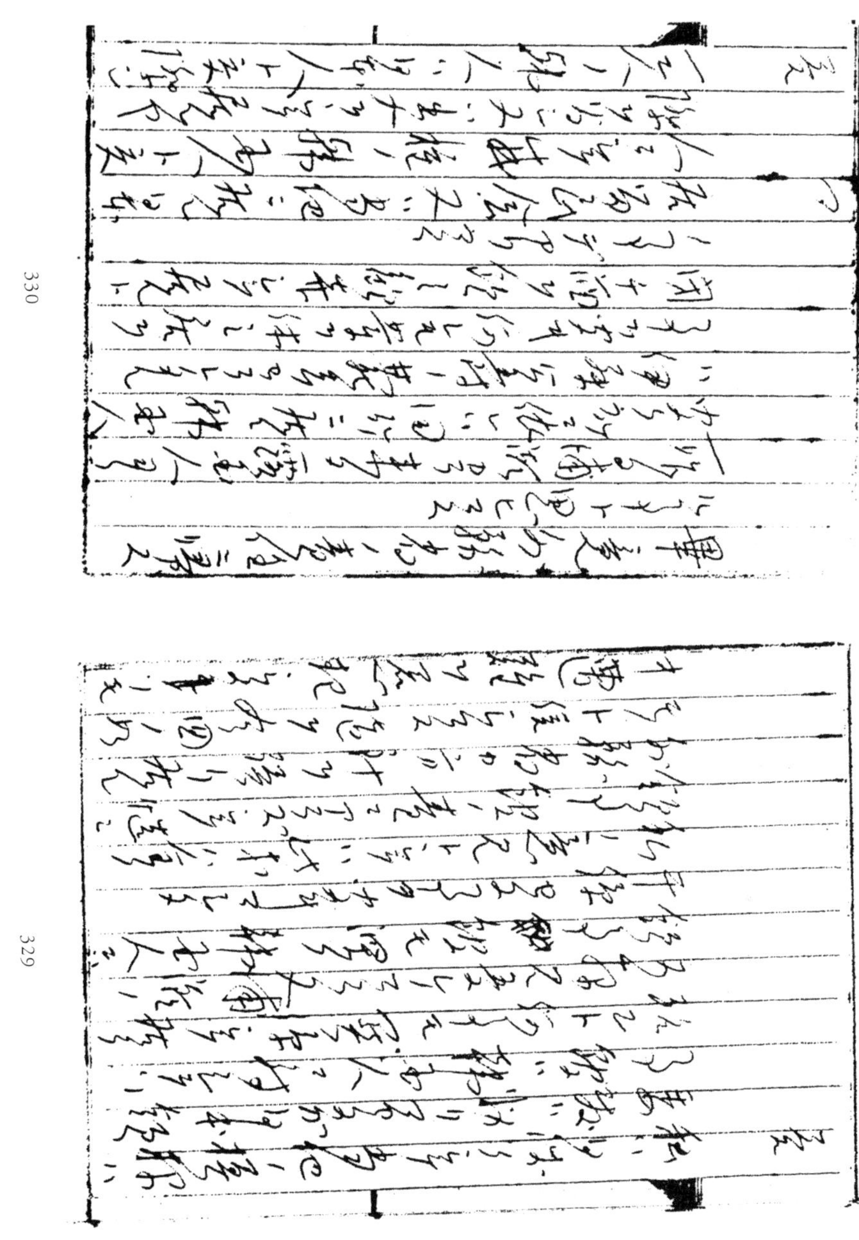

330

329

年齢ハ明治七年六月生
身分ハ士族
職業ハ古鉄古物[illegible]仕
住所ハ[illegible]区[illegible]ボーロヤ
[illegible]三番
問　右殺害者ト現居被告人[illegible]
被告人ト同居人トノ関係ハ
ナキヤ
答　其関係ハアリマセヌ
問　証人ハ当地ニ何年頃カラ
来テ居ルヤ
答　本年七月下旬ニ来マシタ

327

問　其以前ニ何処ニ居リシヤ
答　明治三十三年カラ露国ニ居リマシタ
問　証人ハ[illegible]日本政府当局ノ命
ニ[illegible]居タルヤ
答　当時ハ[illegible]関係ハアリマセヌガ
伊藤[illegible]ノ為[illegible]ヘ
来居ル時[illegible]
当リ又何回ナク当局ノ命ヲ諜
議員ヲ命セラレシコトアリマス
問　当地ニ於テ朝鮮人ハ平
素如何ナル行動ヲ為シ居ル
ヤ

328

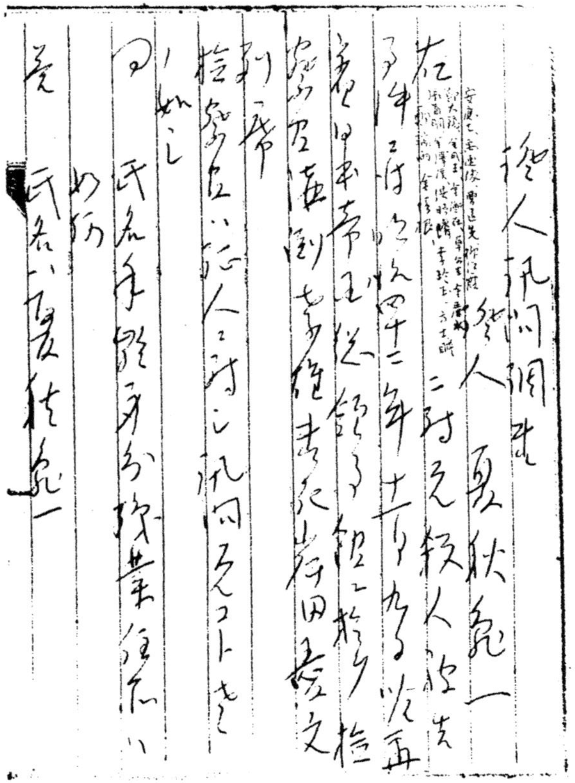

証人訊問調書

証人 夏秋亀一

右之者ニ対スル殺人被告（安応七、禹連俊、曹道先、劉江露、鄭大鎬、金成玉、卓公圭、金麗水、張首明、洪時濬、李珍玉、方士瞻、鄭瑞雨、金衡在、金澤信）事件ニ付明治四十二年十一月九日在哈爾賓帝国総領事館ニ於テ検察官溝淵孝雄書記岸田愛文列席

検察官ハ証人ニ対シ訊問スルコト左ノ如シ

問 氏名年齢身分職業住所ハ如何

答 氏名ハ夏秋亀一

326

323

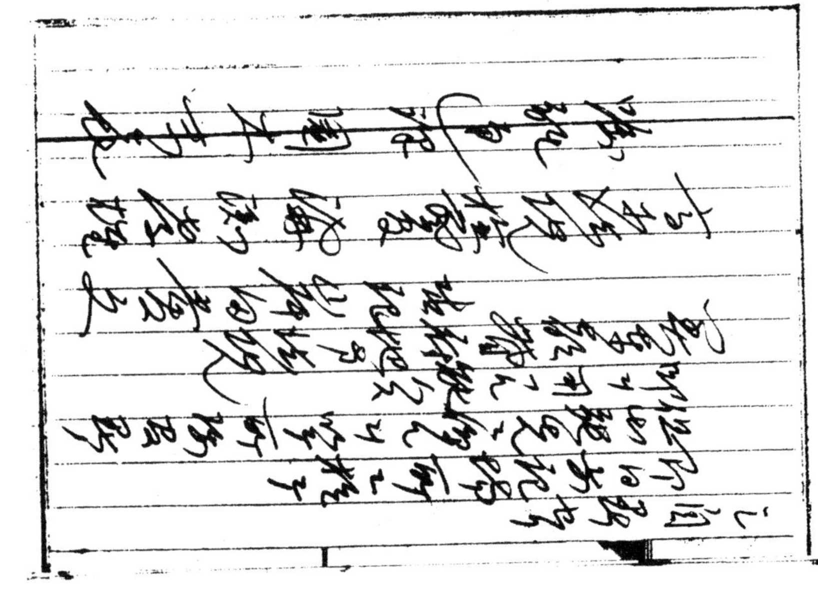

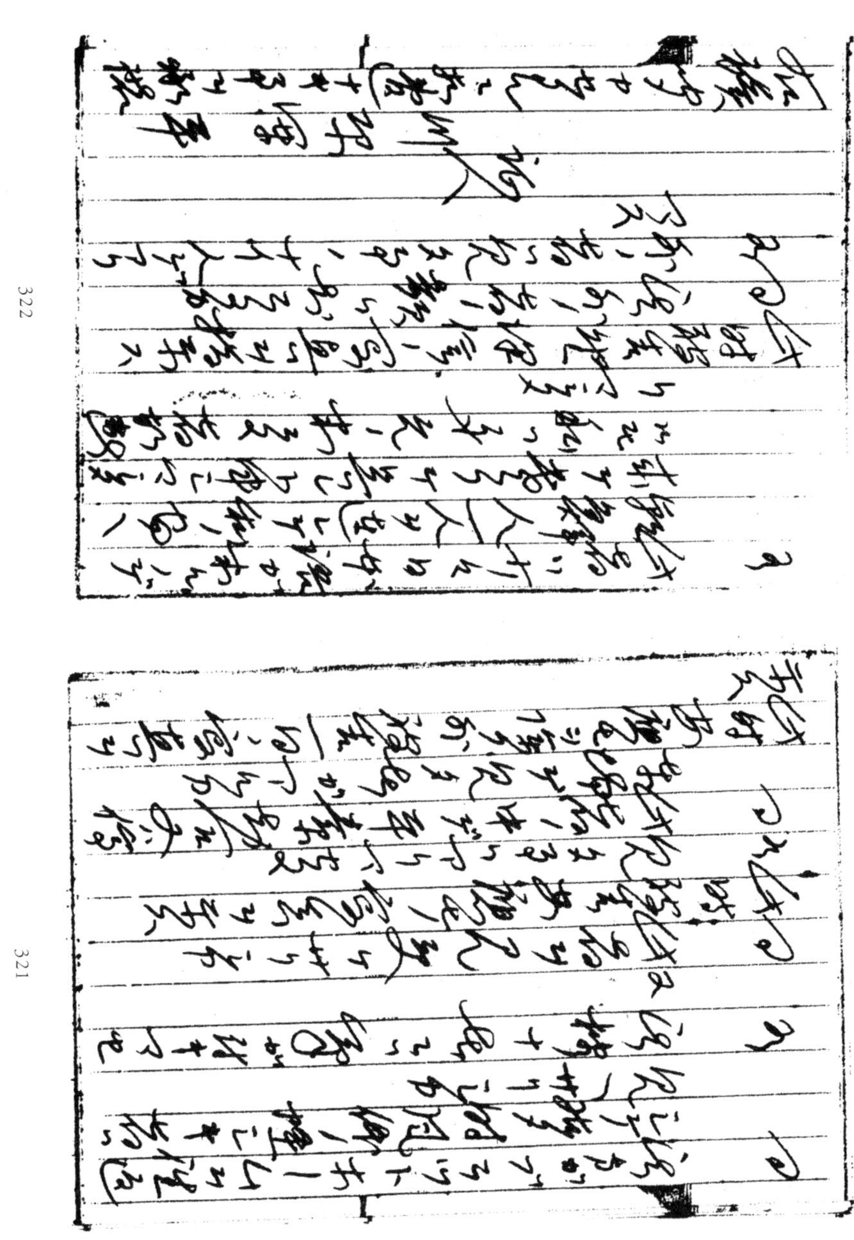

322

321

トホノ山ヲッ往復道ノ傍ニ見ヘ
ヤセナンダ
問 川上サンハ夫カラ如何ニシタカ
答 鹿切リノ日ノ死ノ様ノ付イタ着
物ヲ脱マシタカラ私ハ川上サン
ニ抱イテ居ル子ヲ渡サシテ張ッタ露
西ノ巡査ト一所ニ病院ヘ行キ
マシタ
問 然ラハ貴方ハ何者サシテ狙撃
シタ犯人ガ捕ヘラレタカ知
ラヌカ
答 夫レハ知リマセヌ又犯人ハ容貌モ

319

知リマセヌ
問 後ニ如何ナル話ヲ聞キマシタカ
答 病院デ日本人カラ聞キマシタガ韓
人ガ下手人デ捕ヘラレタト
聞キマシタ
問 其場ニ居タ日本人ハ誰カ
答 今申シテ居ル領事館ノ役人
モ来マシタノデ日本人カラデモ聞
キマシタカ殊ニ覚ヘテ居リ色
又
問 其日ハ貴方ノ何時頃デアルカ
答 午後三時頃デアリマシタ

320

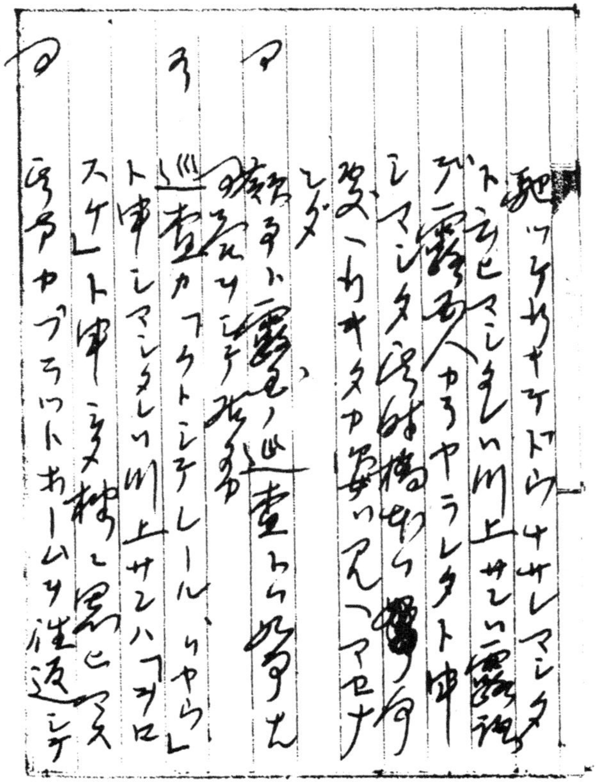

318

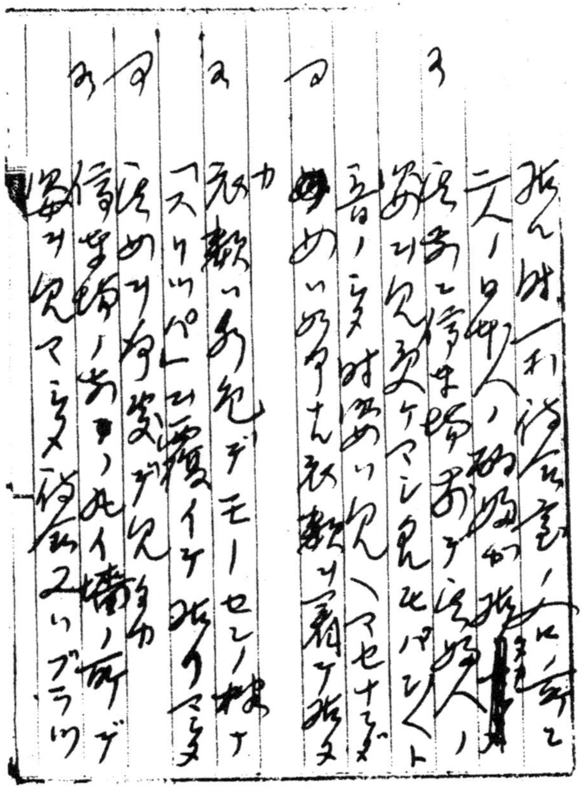

317

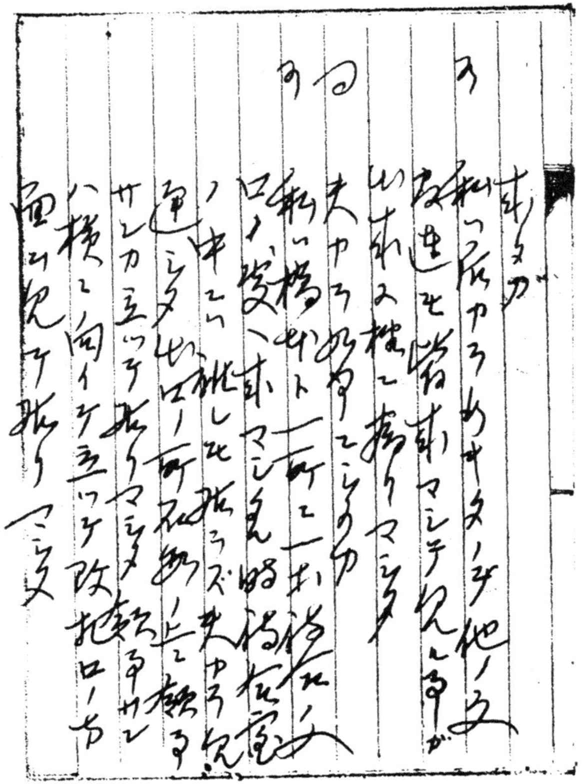

316

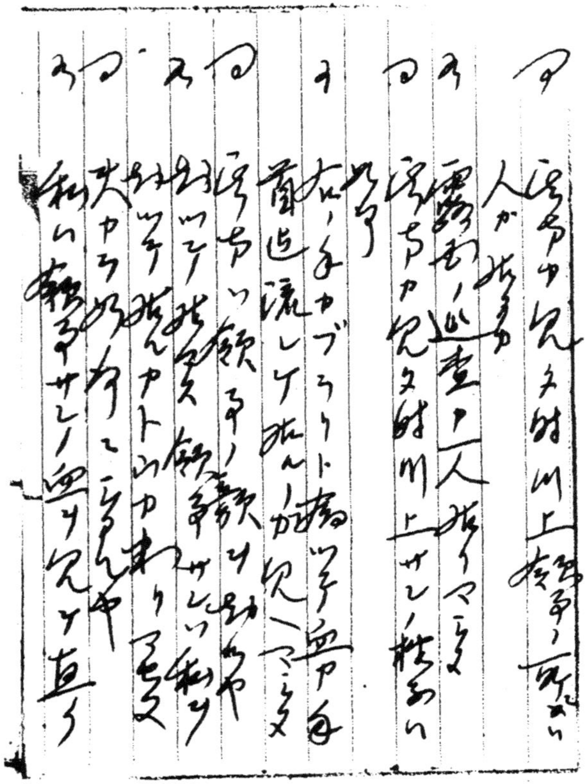

315

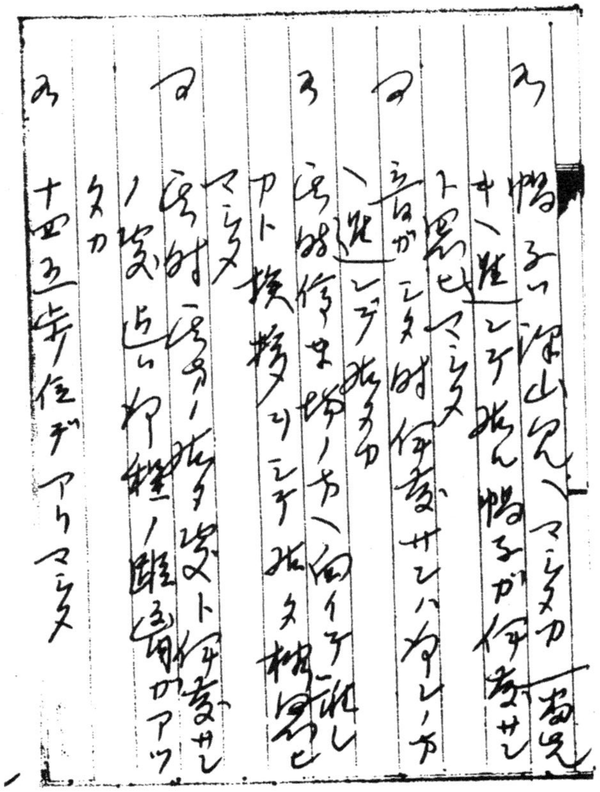

314

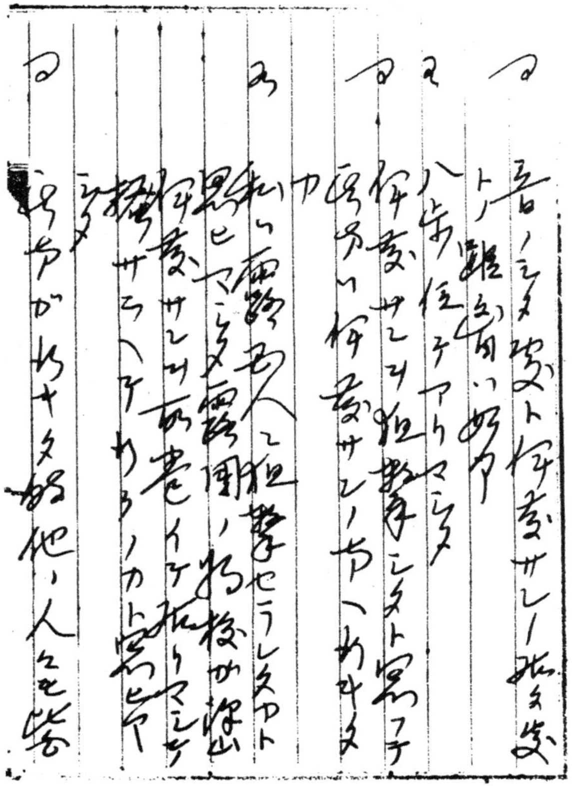

313

ソノ外ガ何ノ迎ニ来テ居タカ

答 安部ノ父安ヤ家族ノ伯父アリ
マシタ

問 信吾ハ何レノ役デシタカ

答 伊藤サンノ家ノ方ヘ要ツタ役
ノ人中デ信吾ガ探シマシタ

問 信吾ノシタ時ニ此ノ様ナ人ガ居
タカ

答 又安達ガ数ヘ屋書安様
居リマシタ

問 伊藤信吾ガシタカ見テサリシカ

答 只今レ居リマセナシタ

311

問 信吾ハ二度目ヲ見テアリマスカ

答 私ハ信吾ノ兄ガ見テ居リマ
シタ又ソレハ伊藤サンノ帽子モ見エ
又様ニナリマシタカ信吾ノ露話
ノ私色シノ綴リ写宿テ居ル所
ガ深山伊藤サンノ方ヘ進ミマシ
タカラ私ハ今ノ信吾ハ伊藤サン
ト相談シタノデアロウト思ヒ
マシタ

問 信吾ガ憲兵ニ云ハレテ行ッタ
又時伊藤サンノ帽子ガ見ヘテ
居タカ

312

ソシテ憲兵ガ居リマシタ

問　憲兵ハ将校ガ向フノ方ヘ行ッテハナラヌト申シタカ

答　露語デ申シマシタ私ハ露語ヲ少々知リマス

問　憲兵ハ何ト云ッタカ

答　此処ヘ来テハ行カヌト申シテ指デ后ヘ戻リセヨト云フ風ニ示シマシタ

問　来テハ行カヌト云フ事ハ露語デハ如何ニ云フカ

答　ミエタネリジヤ、ウムゴムハジート

309

申シマシタ

問　夫レカラ如何ニシマシタカ

答　私ハ四五歩后戻リシテ伊藤カニヲ見ルト思ッテ向フヲ見マシタレハ伊藤サンノ被テ居ル山高帽子ガ見エマシタ時ポン〱ト云フ音ガ七八ツ続キ[illegible]シマシタ

問　其音ハ何ト思ッタカ

答　私ハ支那ノ爆竹カト思ヒマシタ

問　其方ガ四五歩后戻リシタ時

310

タデハナイカ

答 又女ノ様ナ着タ人ハ沢山居リ
マシタ只普通ノ人カ居ラナカ
ツタト申シタノテアリマス

問 夫カラ停車場ニ着テ何処ヘ行キタカ

答 私ハ露西亜ノ兵ノ整列シテ居
リマシタガ、其ノ外ニ支那ノ兵隊
ト楽隊カ居リマシタ

問 露兵ニ混リ他ノ人ハ居ラナカツタカ

答 普通ノ様ナ服装シタ人ハ居リ
マセナンダ

問 汝カ到着シタ時カラ今申ス

307

支那楽隊ノ所ヘ来ル迄ニ露兵ノ
憲兵ヤ巡査ハ見ル事ナカツタカ

答 支那楽隊ハ整列シテ居ル後ニ居
様ナ人ハ見マセナンダ

問 支那楽隊ノ後ヘ行キタル時カ
ラ汝カ

答 其所ヘ行キマシテ見レハ憲兵ニ
向フノ方ヘ行ケハナラヌト申
シテ止メラレマシタ

問 汝ハ憲兵ノ所ヘ行キ露兵ノ居ル所カ

答 露国大蔵大臣ノ後ニ付イテ
居ル隊モニ楽隊イデアル儀仗兵

308

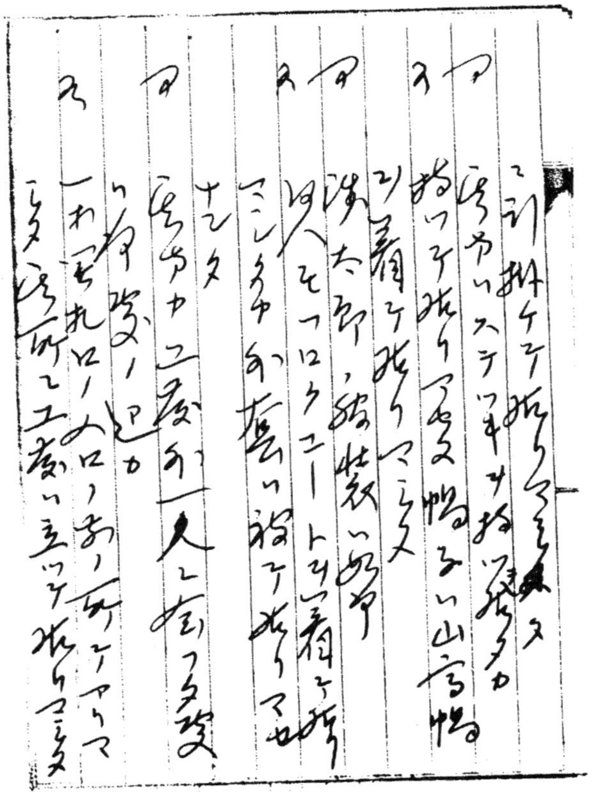

306

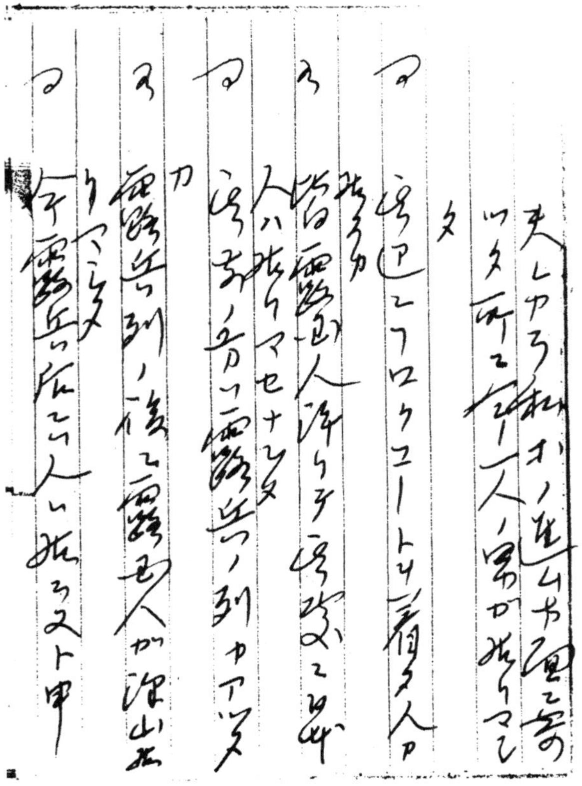

305

以テ一ヶ段扎口ノ方ヘ行キマシタ

問 宗郎ニハ如何ナル人カ居タカ

答 石綾ヲ着タ如何安達カ深山某

二十張マシタ私ハ宗別レテ

張人ノ二三歩所ヲ通リマシタ

問 宗時日本人様ノ如何ノ所ヲ通ッタ

張人ノ外見タカ

答 夫レハ見マセヌ宗時工廠ト言フ所

隣側ニ黄ノ帽張ノ支那人ト今一

人日本人ノ様ナ人ト二人居ルノヲ

見タ宗的私ハ宗工廠ト言フ人ニ

今日ハト申シテ挨拶ヲ致シマシタ

303

問 工廠及外ノ日本人ノ様ノ者ノ服装

装ハ如何

答 工廠ハ外套ヲ着テ鳥打帽カ

トシテ居ル様ナ物ヲ被テ居ル今一人ノ男

ハ如何ナル帽子ヲ冠ッテ居タカ記憶

カ付キマセヌ北山ニ帽子ヲ冠ッテ

アリマセナンダ所デ宗人ハ外

套ハ着テ居リマセナンダ

問 南在ハ何ヲ手ニ持ッテ居タカ

答 夫レハ持ッテ居リマセナンダ

問 宗方ハ如何ナル服装ヲシテ居タカ

答 フロックコートヲ着テ外套ハ着

304

中ニ支那人ノ将校ガ二三人居
リマシタ警備兵ノ方ヘ一所ニ進
ニナリマシタ伊藤サンハ露西亜
ノ将校ニ握手シテ後デ又支那
ノ将校ト挨拶シテ居リ
マシタ

問　支那将校トノ会話通訳ハ誰
ガシテ居ツタカ

答　通訳ハアリマセヌデ互ニ目礼
ヲシテ居リマシタ

問　夫レカラ如何ナル状況ニ歩イ
タカ

301

答　伊藤サンハ川上ヨリモ一歩位
先ヘ歩イテ行キマシタガ人ノ
蔭ニ隠テ私ノ所カラハ見ヘヌ様
ニナリマシタ

問　其際ニ於テ改札口カラ支那人其
他ノ人ガ沢山プラツトホームヘ
這入ツテ来マシタカ

答　這入ツテ来マスノハ見受ケマセヌ唯
ニ露西亜ノ商人ガ居リマシタ

問　伊藤サンガ遭難サレマシテ姿ガ見ヘ又
撃ツテ居ル男ハ如何ニシタカ

答　私ハ夫カラ急ニ走ツテ二度ノ下サリ進

302

モ隣室ノ事ガ能ク見ヘマセヌカ
ろ三木ノ切符發売口ノ方ハ
キ一番右ノ隅ノ露西亜将校達
ガ放ツ發ノ後ニ三歩ノ後ヘ
リキマシテ人ト人ノ間カラ
後ヲ其ヲ見マシタレバ降ハ
私ノ所ニ向ッテ放リマセヌ
時伊藤サンノ蔭ニ見ヘマ
セナンダカ撃タレタト見ヘ露西
海軍ノ将校ノ様ナ露西亜人トシ
テ背ノ低イ人ガ出テ来テ居
次ニ伊藤サンガ降リ居次ニ豈地ノ

299

銃声カ鳴リマシタガ其所ハ誰
レカ降リタカ見ヘマセナンダ

問

居ル方カ露西亜ノ将校達ノ飛ン
後ヘ行ク時又ハ伊藤サンノ降
其ヨリ見ヘテ放タ所ヲ露西亜ノ兵隊
ノ所ノ方ニ居ル人デモ放ッタカ

答 居所ニ居ル人ヲ放リマセナンダ

問 伊藤サンカ将校達中ヘ降
其ニテ如何ニシマシタカ

答 川上総領事ノ運ンデ将校ノ人ト
抱キ込ミ降シマシタ尤モ伊藤サン
カ下其ヲ見タ時露西亜ノ将校ト居

300

警察ノ[illegible]業ニ
係リ[illegible]エチナヤ所
在[illegible]人ト朝鮮人ト[illegible]人ノ殺[illegible]

問　見人ハ韓人ハ同様[illegible]人ナルノ実際
コトナキヤ

答　アリマセヌ

問　十月廿六日伊藤公爵ガ当
停車場ヘ着セシ時ハ迎ヒ
ニ出タカ

答　イヽエ出マセヌ私ハ停車場
[illegible]太郎ト[illegible]
又ハ[illegible]時[illegible]九時ハ分デア

リマシタカラ大急キデ停車場ヘ
行キマシタレハ伊藤サンノ乗ツテ
居リマス汽車ハ早着イテ居リ
マシタカラプラットホームヘ出ヤウト
思ヒマシタモ三等待合ニ帰
ツテ居リマシタカラ一等待合
ノ所カラプラットホームヘ
出マシタ時分ニ[illegible]ノ銃声ヲ
聞キマシタモ私ハ
日本人ガアリマシタカラ[illegible]
モナクプラットホームヘ出テ見
[illegible]ノ[illegible]ヘ行キマシタ

[illegible] 被告人 訊問調書

[illegible] 河野[illegible]郎 等

[illegible] 被告七名ニ対スル [illegible] 殺人 [illegible]

[illegible] 明治二十八年十一月 [illegible]

[illegible]

[illegible]

検察官ハ被告人ニ対シ訊問スルコト左

ノ如シ

問 氏名年齢職業住所ハ如何

答 氏名ハ 河野[illegible]郎年 [illegible]

年齢ハ 四十三年

身分ハ 士族

296

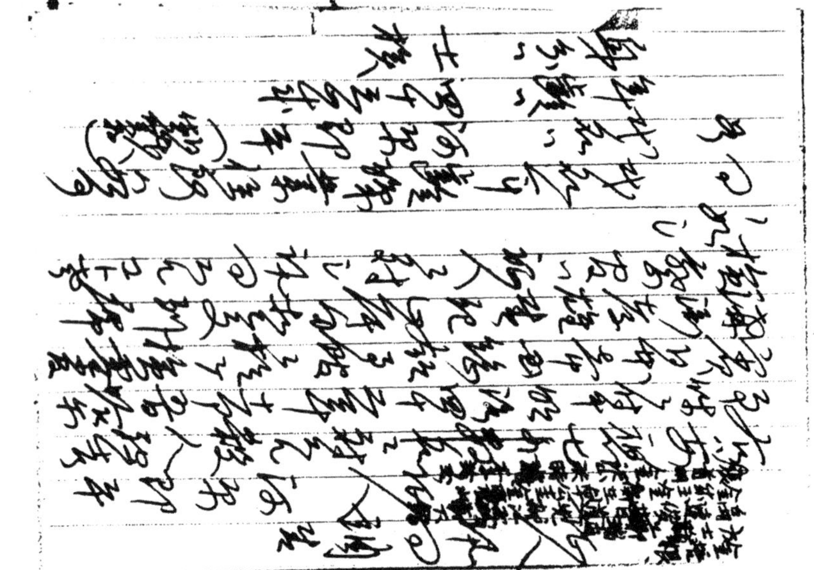

マデ然シ[illegible]ヲ[illegible]人デアリマス
[illegible]マセヌ
問 證人ノ受ケタ傷ノ經過ハ如何
答 初メ醫師ノ診斷ニ依レハ全治
マデハ八週間ヲ要スルトノ事デアリマ
シタ然シ今日ノ[illegible]ハ[illegible]
二週間ヲ經レハ全治スルコトヽ思ヒ
テ居リマス
問 負傷ノ為メ職務執行ニ障碍ヲ止メ
サルヤ
答 夫レハ判リマセヌ傷ハ未タ
化膿モ來サズ至極好結果

デアリマス
證人 川上俊彦
右讀聞カセタルニ相違ナキコトヲ承
諾シタルモ負傷ノ為メ自署不能ニ付
書記代署ス
即日前記ノ場所ニ於テ
但出張先ナルニ依リ所屬官署
ノ印ヲ用ユル能ハス
関東都督府地方法院
書記 岸田愛文
同法院檢察官 溝淵孝雄

撃テ之ハ私ノ身体ガ妨ゲニ
ナルダラウト思ヒマス
問 犯人ハ何デ之ヲ射倒シタカ
答 私ハ倒レマシタ又見ル手ガ宜クナカツタ
併シ又様ニ姿ヲ横様ノ様ニ逃
傷ガ少々痛ミマシタカラ
問 其時総督ヘ飛ビ掛ツタ人ガ
アリシヤ
答 其ハ知リマセヌ又私ガ
出血ノ多カモ知レマセヌ
問 兇漢ハ多分帽子ヲ被ツテ居
シヤ

291

答 刹那ノ事デアリマシタカラ其ンナ事ハ
気ガ付キマセナンダ
問 弾丸ハ何方カラ打付ケテ居タ
カヤ
答 其レモ気ガ付キマセナンダ
問 犯人ハ何人ニ撃チ掛タト思ヒ
シヤ
答 私ハ初メ露西亜人ガ撃ツタモノト
思ヒマシタカラ私ガ総督ヲ抱
セテ居リマス処ヘ露人ガ寄
ネ[illegible]ニ来テ呉レテ居ルカラ私
ハ露西亜人カラ撃タレタト申シ

292

答
レマセンヤ
倒レル様ナコトハアリマセヌ私ガ
聲ヲ立テ居ル處ヘ露西亞ノ將校
其他ノ人々ガ沢山ドカドカト
来テ私ハ露西亞將校ニ擁カレテ
待合室ノ中ヲ通リ外ノ方ヘ連レテ
出マシタ私ガ擁キ行カレル時公
爵ノ椅子ヲ見マシタラ公爵
ハモタレテ居ル様子デアリマ
シタケレドモ重イ事ハナイト思ヒマシテ
居リマシタ
私ハ將校ニ擁カレテ停車場

289

ノ外部ヘ出マシタ日本人ノ方
ダト云フ事カ領事館ノ方ヘ来リ
連レテ来マシタカラ私ハ其レハ公
爵ガアルカ否メノ處デアルト申シ
テ其處ヘ連レテ来サセマシタ
ニモ来マシテ病院ヘ行キマシタ
問　兇漢ハ公爵ノ何レノ邊カラ發射
シマシタヤ
答　公爵ガ少シ行過キシ後
後方ノ横手カラ射チマシタ
其ノ時私ハ公爵ト兇漢ト
ノ間ニ居リマシタカラ公爵ヲ狙

290

ル公爵ハ私ノ右側ニ在ッテ
当時一兵ガ従行進シテ進ンデ居リマ
シタ他ノ随員ハ側面ニ向ッテ進
遥カニ後ノ方ヨリ附イテ進ンデ居リ
マシタ

問 公爵ガ引返シテ向キナリ縦隊
ノ音カ分カリマシタヤ

答 公爵ガ引返サレテ二三歩来タ
ト思フ時露国ノ兵隊ノ中カラ
ポンくト音ガ致シマシタ
私ハ此音ヲ聞クト共ニ手ガ
痺レタ様ニ思ヒマシタカラ私

287

ハ早其時ニ狙撃サレテ居タ
モノト思ヒマス私ノ手ノ痺レタ後
テダンくト音ガ三ツ聞キマシタ
偖テ先キニ私ガ狙撃サレタ時ノ
音ハ耳ニ入ラナカッタモノト思ヒマ
ス
私ハ狙撃サレタノデ振返ッテ見マシ
タレハ露国軍隊ノ前ニ一人ノ兇
漢ガ出テ片足ヲ先キニ踏出シ
屈ミ腰ニ拳銃ヲ発射シ
居ッタ様思ヒマス

問 公爵ハ狙撃セラレタ時倒

288

イデ支那ノ軍隊ガ其ノ攻撃ガ劣勢
当デ私ノ見タ所ニ於テ様子ハ
ナカッタト思ヒマス

問 支那ノ将兵ハ居ラサリシヤ

答 支那ノ兵隊ハ私ノ見タ兵ノ中ニ
居ッタ様ニ思ヒマス

問 婦人達ハ当時其他ニモアリ
タルヤ

答 其ノ中ニハ多分ニ婦人達ハ
アリマセナンダ

問 公爵ハ下関デ露国ノ軍隊
ノ所ヲ通過スル時露国モ大抵

285

答 大臣ト無論シテ居リタルヤ
軍隊ノ前ヲ通ッテ行クニ付大陸
大臣ハ伊藤公爵ノ右側ニ付ッ
テ公爵ヨリハ少シ遅レテ居ッタカト
モ思ヒマス而シテ露軍扶兵ノ所
カラ引返シテ伊藤公爵ハ
右側ニ大臣ハ左側ニ居ッ
テ向キ公爵ハ少シ先キニ進ンデ
居ッタト思ヒマス
私ハ公爵ガ既メ進ンデ行クニ付テハ
公爵ノ左側ノ後方位ノ所
ニ付テ行キマシタ又引返シテ御

286

下車シ其跡ニ公爵ノ次ニ私ガ
下車シマシタ其ノ後カラ降リタ
人ハ幾人アッタカ判リマセヌ
公爵ハ下車スルト先キニ立タ
レ「プラットホーム」ニ整列セル
露兵ノ前ヲ通リ各国領事ノ
所ヘ行キ握手ヲ致シテ居ラレタ
夫レカラ公爵ハ軍隊ヲ一瞥見テ
一先ツ汽車ヘ引返シ汽車中
デ主ナル人ヲ見テ再ビ挨
拶ニ来ル筈デアリマシタルモ公爵
カ通リ中各国領事ノ所ニ於テ

283

何レモ握手ヲ始メタカ為メ然シ其
モ公爵ハ握手ヲセラレタノデアリ
マス其中ニ大蔵大臣ガ握手ハ止メ
テ汽車ノ方ヘ御出テ下サレト
云フタノデ引返サレタ刹那ポン／＼
ト云フ音ガ致シマシタ

問 伊藤公爵ガ下車セラレシ時プ
ラットホームニ整列セル軍隊歓迎者
外ノ配列ハ如何

答 プラットホームニハ公ノ客車ニ向ッテ
右ニ方ノ端ニ日本人歓迎者ガ居リ
マシテ其左手ハ支那ノ軍隊

284

公使ハ胸襟ヲ開
キ親密ナル交際ヲ為スニハ
互ニ人気ノ和熟ナルコトヲ希
望スヘシトシテ之ヲ薫説セラレ
マシタ
而シテ又大院君大臣ハ旧
来ハ異字ノ号ノ先登者
揮アオナルヲ以テ名ヘーハ未
君ノ時代ブラウトホール一輪別
サセテアリマスカラ此ノ様ヲ見ヲ免
フト云ヒ
公使ハ決シハ蒲ニ居ルマデ

281

アリマスカ旅状ノフロククコートデ
「ユニホーム」ヲ持チマセヌカラ甚ダ
失礼デアルト申シマシタハ一向
差支ハアリマセヌト云ハレタノデ
夫レカラ公使ト一所ニ下車セラ
レマシタ
右大院君大臣ト公使トノ対談
ハ約二十分間許リ要シタト思
ヒマス
問 公使及ビ大院君大臣ガ下車セ
ラレシ後ハ如何
答 両陛下大院君大臣ガ戸ノ一番ニ

282

様介ヲ得タルハ自認而已ノ
為メ従ヘテノ矣ニ於テ好都合
ト存シマス然テハ今回ノ不可視
ノ事アリマシテ何卒早速来様迄ノ
ヲ希望シテ居ルモ要務ノ都合
上以来様迄ノ運ビニ至ラズトノ
事ナテ総テ速様ニ致シテ居
マスト述ヘマシタルハ
大臣大臣ハ日本ガ先ヅ
進メテ呉サレマシアル今日ハ是
非一度ハ来ヲノメキ矣ヘ来ルモ
何分王族多端ノ為メ甚ダ遺

279

ヲ果サズ甚ダ中村様ヲ得テ
無上ニ存シテ且ツ其ニ今見スヘシ
トシテ御意ヲ伺フベク多忙ヲ僅ニ遺
シノ申シマシテ陛下ヲ以テ遺
ヒニ出タルハ際テ副総裁ヲ以テ
遺シ室中タル好ク自分ノ到来
内ニテ十分安ラ陛下ニ於テ
閣下ヲ以テ根拠ヲ仰ギ上タル而
議長ノアナ殿下ニ限ヲ見
ヲ以テ閣下ノ国家ノ隆盛ト
川上総領事ト共ニ退出テタ
居ヒタシトノ事ナデアリマス

280

身分ハ　士族
職業ハ　日本帝国総領事
住所ハ　哈爾賓秦家崗日本帝国
総領事館
問　右被告人ト親族後見人被傭
人若ハ同居人ノ関係ハナキヤ
答　其関係ハアリマセヌ
問　十月二十六日伊藤公爵ガ哈爾
賓停車場ニ来着セラレシハ
時刻ハ如何
答　当日ノ午前九時ニ着シ
テ居タ

277

問　公爵ノ着車後露国大蔵大
臣ハ公爵ノ所ヘ挨拶ニ来ラレ
タルヤ
答　露国大蔵大臣ハ公爵
ノ室ヘ挨拶ニ来ラレテ私ガ其
中ニ立チテ通訳シテ居リ其
対談ノ模様ハ
大蔵大臣ハ公爵ニ対シ今
回旅行ノ先ニ就テ話シ且会シ
タルコトハ実ニ快感ニ堪ヘズト
云ヒ
公爵ハ閣下ガ極東巡視ノ

278

證人訊問調書

川上俊彦

右（安應七、禹連俊、曹道先、柳江露、鄭大鎬、金成玉、金衡在、卓公圭、金麗水、張首明、金澤信、洪時濬、李珍玉、方士瞻、鄭瑞雨、金[illegible]根）殺人被告事件ニ付キ明治四十二年十二月九日旅順地方法院ニ於テ検察官溝淵孝雄、書記岸田愛文列席ノ上、検察官ハ証人ニ対シ訊問スルコト左ノ如シ

問　氏名年齢身分職業住所ハ如何

答　氏名ハ　川上俊彦

年齢ハ　文久三年十二月生

276

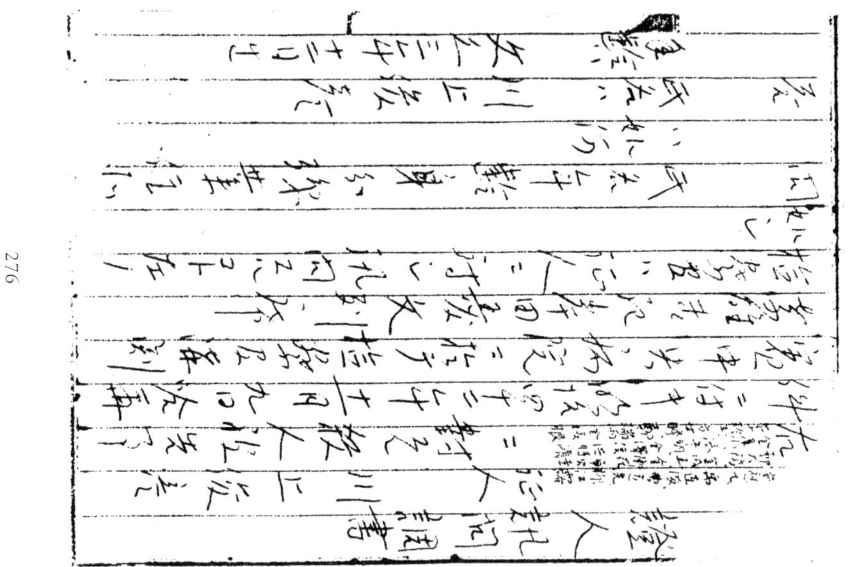

明治四十二年十一月九日

安東縣五番通四丁目一番地
菊水旅館事
妻木やすゑ 印

273

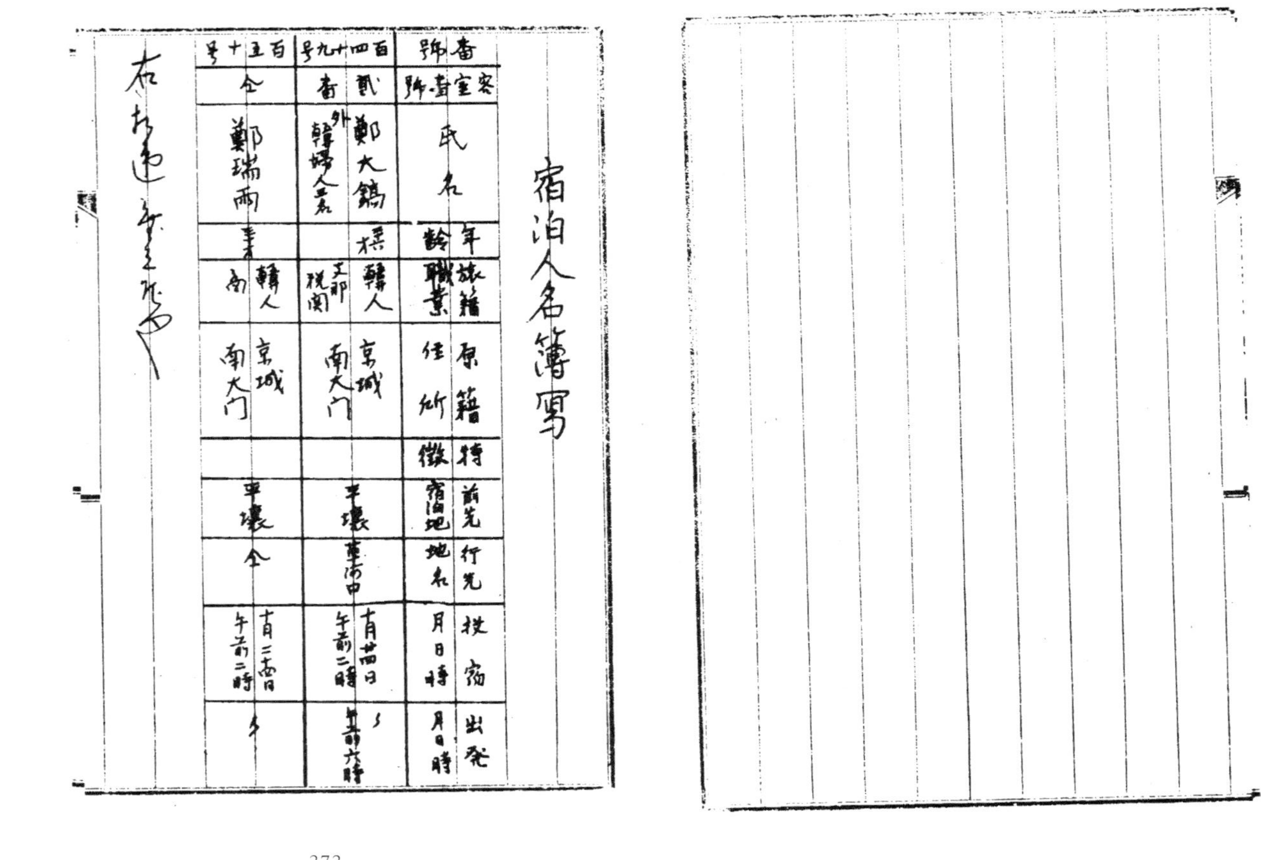

宿泊人名簿写

番號	四百四十九號	四百五十號
客室番號	貳番	仝
氏名	鄭大鎬 外韓婦人一名	鄭瑞雨
年齡	[illegible]	[illegible]
旅籍 職業	韓人 無職	韓人 商
原籍 住所	京城 南大門	京城 南大門
特徴		
前宿地	平壤	平壤
行先地名	平壤府中	仝
投宿月日時	十一月十四日 午前二時	十一月十四日 午前二時
出發月日時	〃 午前六時	〃

右抄出[illegible]

272

一念モ無シト其後ハ十分ニ眠ラズ
今ノ筆ハ吉林ノ領事館員ナリト称
シ居ル筆ハ大中小筆紙ノ筆
靴ニ個、其他ニ三個ヲ所持シ居リ
問 充器筆ハ携ヘ居タリシヤ
答 携ヘ居タルコトモ其ノ辺ハ記憶ナキ能ハ
サリキ
右読聞セタル處相違ナキ旨申立
テタルモ署名拒絶セリ
安東縣 於東山道四丁目一番地

269

菊水館 妻木ヤス ㊞
昭和四年十一月九日
在安東
領事 木部守一
外務書記生 久我成美 ㊞

270

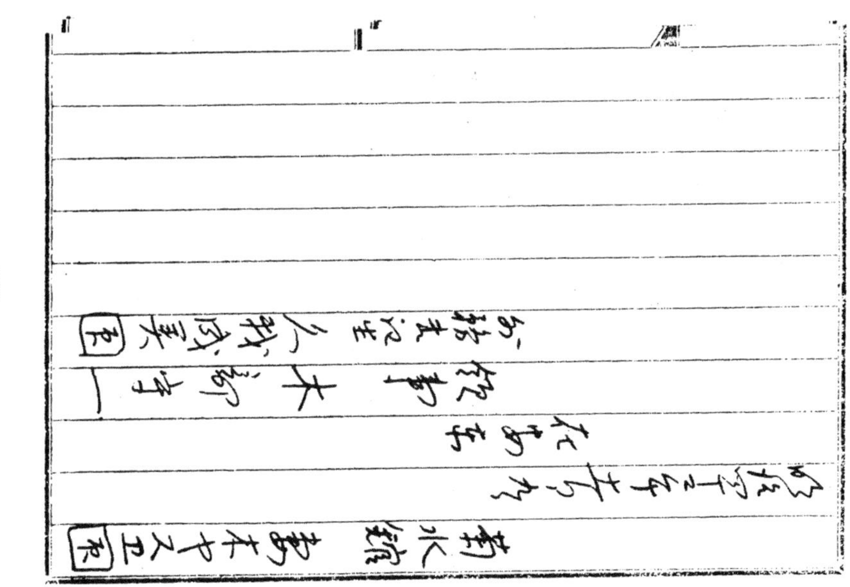

年長ノ鄭瑞雨ハ鄭大鎬ノ従兄ニシ
ノ老婦人ハ世話ヲ為シ居ル老婦
人ハ鄭大鎬ノ母ニシテ若年ノ婦人ハ
其妻ハ小児ノ内二人ハ其子ナリトノコトナリ
又今一人ノ婦人ハ一人ノ小児ヲ連レ居
リシモ一行ノ男子ノ妻トモ思ハレサリキ
一行ハ非常ニ前途ヲ急キ殊ニ自分
方ニ参リ服装ヲ改メテ洋装トナリ出
發セリ老婦人ハ帽子ヲ冠リ金色
洋装ヲナシ若年ノ婦人ハ下衣ハ韓

267

國服ナルモ上ニハ耶蘇教ノ傳道婦人
ノ着スル様ナ黒キ上着ヲ着ケ靴ハ
普通ノ婦人ノ穿ク靴ヲ穿ケ頭髪モ
韓國風ナリシモ若年者ハ束髪
ニ結ヒ直シ居リタリ
問 其方ハ一行ト離レテ別レタル
如何ナリシヤ
答 別ニ異状ハ認メサリシモ非常ニ
前途ヲ急キ殊ニ荷帯ヲ納
メモシ居リ其眼ハ余ノ気ノ流レニ問

268

問 職業ハ
答 旅館業
問 本年十月二十日ヨリ廿六日迄ノ間ニ於テ
男子二人老婦人中年婦人一人小児
五人ノ一行宿泊シタルコトアリヤ
答 有リ但シ小児ハ五人ニテ男ハ三人ナリ
又婦人ハ六十才位ノ老人一名、四十
五才位ノモノ一名、二十七才位ノモノ一名
ノ三人ナリ
問 右ノ者等ノ宿泊シタルハ何日ナリヤ

265

答 十月二十一日ノ午前着ニテ来リ廿三日ニ発
安奉線鉄道ノ一番列車ニテ草河
口迄ノ切符ヲ買ヒ求メ出発シテ行
先ハ吉林ト申シ居リ
問 当時宿泊シタル者ハ此写真ノモノニア
ラザルカ
此時溝渕検察官ヨリ証號ノ写真二
枚ヲ示ス
答 此写真ノ二名ニ相違ナシ此髭ノアル方カ
鄭大鎬ニテ他ノ方カ鄭勝雨ナリ

266

妻木ヤスヱ訊問調書

関東都督府高等法院検察官溝渕孝雄ノ嘱託ニ依リ當館ニ於テ妻木ヤスヱヲ[illegible]訊問スルコト左ノ如シ

問　氏名ハ

答　妻木ヤスヱ

問　原籍ハ

答　愛媛縣新井郡西條町字秋屋敷

問　現住所ハ

答　清國安東縣五番通四丁目一番地

264

マシタ
岸田ガ狙撃シテシマッタ時私ノ
服ノズボンノ膝ノ少シ下ニ弾ガ
当リ弾丸ガ一発射抜イテ居リ
マシタガ傷ノ方カラアルカト
思ヒマスガ其ノ服ニモ穴ガ明
イテ居リマシタ然シズボンニハ
少シモ傷ハ付イテ居リマセナンダ
又其時室田君モ膝ノ上ノ方
ニ当リズボンノ射抜カレタ
所ガアリマシタガ然シ私
モ室田君モ身体ニハ何ノ傷モ

259

問 ソレモ本当カ
答 私ハ読聞カセラレテ相違ナイカラ
思ヒマスガ僕ハ深山君射タ
モノト思ヒマス
供述人 中村是公
右読聞カセタルニ相違ナキコトヲ承諾
シ自署ス
即日於旅順関東都督府
但出張先ニ付所属官署
ノ印ヲ用ヒル能ハズ
関東都督府地方法院
書記 岸田愛文

260

スルコトハナイ様ニ思ヒマシ
タカ何分銃器ノコトヲ知ラヌカラ委
敷ハ判リ兼マス

問 犯人ノ見込ニ就テノ考ハ如何
ト考ヘテアリマスヤ

答 併シ加害男ガ黒イ様ナ服ヲ
着テ居タノデ室外ヨリ出テ當
射タル様ニ思ヒマス

問 発砲ハ幾ツ聞ケタリシヤ

答 夫レハ気ガ付キマセナンダ

問 其時公爵ハ外套ヲ着テ
居ラレタカ

答 着テ居ラレマシタ
既ニ公爵ノ着テ居ラレタ毛裏
ノ外套ニハ弾ガ射抜イタ痕カ
アリマス即チ外套ノ手ノ上膊
ニ當ル部分ニ後方ノ縫目ノ
横ノ方カラ縫目ヲ擇ンデ一
ツ穴ガ明イテ居リマス又外套
ノ下腹部ニ當ル所ノ方ニ一方
カラ一方ヘ射抜イテ穴ガ明イテ
居リマス
公爵ノ身体ニハ弾丸ガ二ツ止
マリ一ツハ貫通シテ居ルト申ス

露大蔵大臣ノ随員ガ迎ニ来
立チ並ンデ居ル日本人ノ群ノ前
ニ外ノ方カラ右ノ方ヘ露國軍人ガ
整列シテ居リマシタ私ハ公
爵ノ直グ後ニ付イテ参リマシタ
モ支那軍隊、露國軍隊ガ
始終此所ニ並ンデ居リマス
ガ又其他ノ歓迎者ガ何ヲ致
シテ居ルカ気ガ付キマセンデ
公爵ハ下車セラレ軍隊ノ前ヲ
右ノ方ヘ行カレマスルガ何レノ辺カ
ラ引返サルカ判リマセヌガ公爵ガ

255

引返シテ来ラレ附軍隊ノ所ニ於テ私
ハ右ノ端ノ所カラ公爵ハ少シ前
ヘ出ラレ[illegible]其時ポン
ポント云フ銃声ガ聞コヘマシタ
其時私ハ公爵ノ左横ノ後ニ居リ
方ニ歩イテ居ル私ノ前ノ方ニ室
田ガ居リ田中理事ハ進ンデ居
ノ方カラ付イテ来テ居ラレル
公爵ハ狙撃セラレ[illegible]
ガ崩レルト又直ニ倒レタ
様子カアリマセヌ
問
答 私ノ見タ時ハ別ニ苦シミモナク崩レ

256

如何
答 氏名ハ中村是公
年齢ハ五十歳
身分ハ士族
職業ハ南満洲鉄道株式会
社総裁
住所ハ大連市児玉町
問 右被告人ト親族後見人被
後見人同居人雇人等ノ
関係ナキヤ
答 其関係ハアリマセヌ
問 伊藤公爵ガ哈爾賓ニ行カレシ

253

時証人ハ全ク随行セラレシ
ナリヤ
答 左様デス
問 伊藤公爵ガ哈爾賓驛ニ下
車ノ当時同プラットホームノ事
情[illegible]ノ顛末順序ハ
如何
答 公爵下車ノ時公ハ[illegible]
リシノ[illegible]
ニ向ヒ[illegible]ト云フハ皆之ニ
[illegible]日本人[illegible]カ一[illegible]ニ為
[illegible]直ニ右手ニ[illegible]

254

証人訊問調書

証人　中村是公

右安応七 [illegible] 等ニ対スル殺人被告
事件ニ付明治四十二年十一月十[illegible]日
満洲鉄道株式会社大連医院ニ於テ
関東都督府地方法院検察官
溝淵孝雄書記岸田愛文列席
検察官ハ証人ヲ[illegible]訊問スルコト
左ノ如シ
検察官ハ証人ニ対シ訊問スルコト
左ノ如シ
一　氏名年齢身分職業住所ハ

252

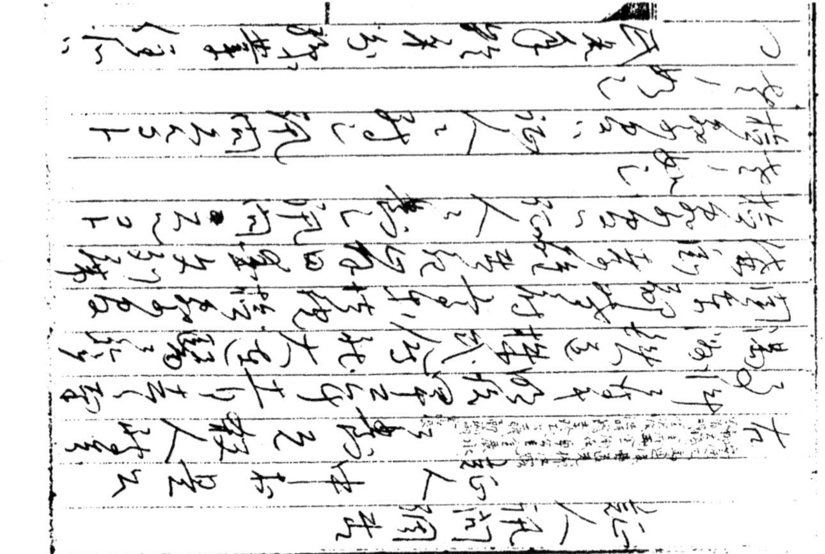

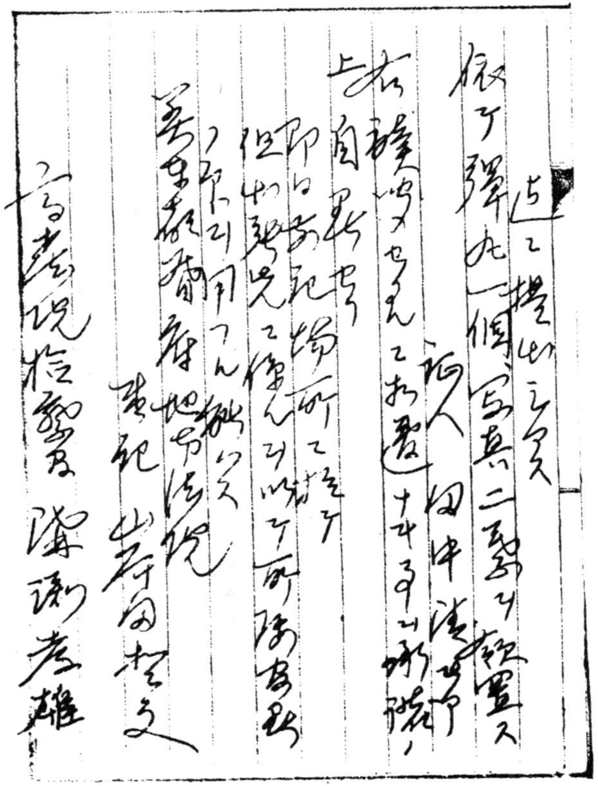

249

マセナイト思ヒマス

問 信号塔所附近ノ露兵ノ憲兵巡
査ノ服装ヲ見受ケナカッタカ

答 公爵ノ客車ノ下リ口ノ所ニ露兵
ガ剣ヲ付ケテ居ル二人立ッテ居
マシタ、信号機手ニ憲兵ガ一人張
リマシタ露国人ニ対シテハ制限
ガ如クテアッタカ見ヘナカッタト
ホームニテ普通ノ露国人ハ張ラナ
カッタ様ニ思ヒマス

問 公爵ガ狙撃セラレ丸ヲ何方ヨリ
込マレマシテナキヤ

247

答 別ニ喰込ミラレテ居リマセヌ
蔡家溝駅デ犯人ガ二人捕ヘテ
ヰタガ同人ノ親類ナリト云フ
露兵ノ後ヨリ打ッタト云フ事ヨリ大蔵
大臣カ語リマシタト申シマシタ
私ハ車中ニ居マシタ弾丸ハズボンキ
靴トヨリ這入リ貫キ靴下ノ中
ニアリマシタカラ脱ッテ取リマシ
タカラ証拠トシテ差出シマス
又始終ノ状況ハ伊藤公爵
下車ノ時ノ模様ヲ個人テ撮影
シタモノガアリマスカラ参考

248

問 公爵ガ狙撃サレタル時如何ナル云
ハシタルヤ
答 狙ヲモ附ケマセヌガ皆ガ公
爵ハ中々大キイト申シマス
引率団ノ運ビ来ル時公爵ハ山
シクトナッテ居リマシタ
問 汝ハ兇漢ノ姿ヲ見タルヤ
答 私ノ居ッタ所カラ四五間ノ所デ
アリマシタカラ能ク見マシタ
問 兇漢ハ如何ナル服装ヲ為シ
ヤ帽子ヲ被リ居リシヤ
答 服ハ気ガ付キマセナンダガ帽

245

ハ着テ居ラナンダ様思ヒマス帽
ハ確カ鳥打帽デアッタト思ヒ
マス
問 兇漢ハ何カ云ヒ付ケテ居リシヤ
答 夫レハ気ガ付キマセナンダ兇漢
ハ初メ公爵ヲ狙ッテ撃チマシテ
身ヲ転ジテ私ノ方ヘ銃口
ヲ向ケテ撃チマシタ其時私ハ足
ニ利中又腕ニ当リマシタ
問 汝ハ川上総領事ノ姿ヲ見タル
ヤ
答 同人ノ姿ハ見マセナンダ全ク振リ

246

夫レヤ
あ 其様ナラ
公爵ハ今ノ方向ヘ出迎セラ
ゐ レタルヤ
ろ 當時御迎ノ為ノ方ヘ向イテ進ム
居ニマシタ
然シテ公爵ガ露兵ノ列ノ前面
ヘ来タ時大概大臣ハ二歩許リ
進シテ居リマシタ
然シテ公爵ガ露兵列ト露
西洋人ノ中間位ノ所ヘ来タ時
後方カラ一人出テ来テトシクト

243

音ガサセマシタカラ私ハ後方ヲ見
マシタレハ兇漢ハ私ノ方ヘ拳銃
ノ先ヲ向ケテ折ツ又様ニ思ヒマ
スタレト同時ニ私ハ足ガ利カヌ
様ニ為ツテレール上ヘ倒レマ
シタ 私ハ倒レル前ニ公爵
ノ方ヲ見マシタレハ公ハ其儘タレ
タ様ニ於テアリマシタ私ハレール
ノ上ヘ倒レタル時後面ヨリ見ル
ニ西秋君ガ来マシタカラ今ヤ
ラレタト申シマシタレハ何人ガ
抱ヘ出シテ呉レマシタ

244

問 川上總様ハ何處ニ詰テ居リシヤ

答 夫レハ気ガ付キマセナンダ、

問 梓侯公ハ下手人ニ面識モ有ル様
下挑手セラレシ者ヤ

答 公爵ガ下手人ヲ見タ時大院大臣ガ
居リシ所ニ立ツテ居ツテ武器ヲ
人ヲ殺タルノ公爵ハ役人ヲト
挑手セラレテ夫レカラ公爵ハ書
大院大臣ハ居ル所ニ並ンテ列ノ
方ニ居ル方ニ進ミマシタ

問 川上總督モ並列シテ居タシヤ

241

答 夫レハ気ガ付キマセナンダ公爵ノ
後ノ方ヲ宮内、方面ノ者ガ付
イテ行ツタノハ見マシタ私ハ夫カ
ラ又途中デ後ノ方ヲ一頁秋ガ
斯ト一所ニ付イテ居リマシタ

問 公爵ノ後カラ付テ居タル人々ハ如
何様ニ並ンデ居リシヤ

答 横ニ並ラ並ンデ歩イテ居リマ
シタ
公爵ハ如何ナル所迄来タ歟
リニ挑手セラレテ居リマシタ

問 公爵ハ如何ナル所ヨリ引返サレ

242

人ガ二人出ルノヲ見受ケマシタ

問 公爵着車ノ時露国大蔵大臣ハ公爵ヲ訪問セラレタルヤ

答 公爵ノ着車スル時露国大蔵大臣ハプラットホームデ待ッテ居リマシテ着車後直クニ公ノ客車ニ入ッテ川上総領事ノ通弁デ約廿分間程公爵ト対話セラレマシタ其時私ハ自分ノ室ニ居リマシタカラ対話ノ模様ハ詳細ニ知リマセヌ

問 公爵ノ下車セラレタ順序ハ如何

239

答 対話ガ終ルト大蔵大臣ガ先ニ下車シ次ニ公爵次イテ川上総領事ガ降リラレマシタ夫レニ続イテ古谷君カ室田君ガ降リマシタト思ヒマスガ之ハ確カナ記憶ガアリマセヌ

問 公爵ハ下車ノ時外套ヲ着セラレテ居リマシタヤ

答 確カ外套ヲ着テ居ラレタカノ様ニ記憶シマス 当日ハ非常ニ寒イ日デアリマシタ

240

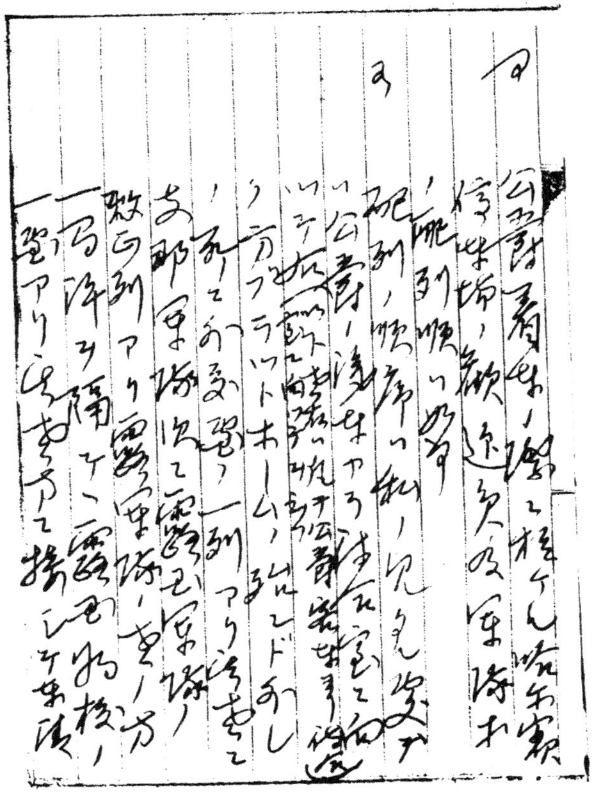

238

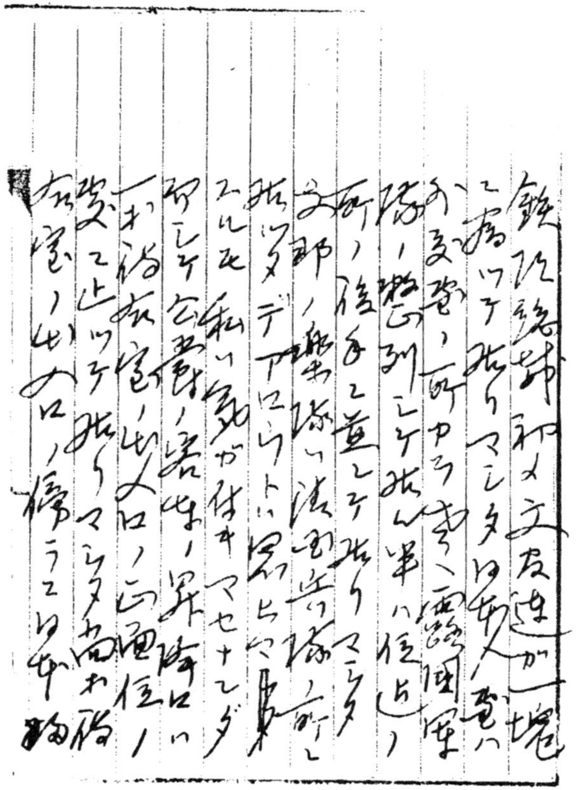

237

236

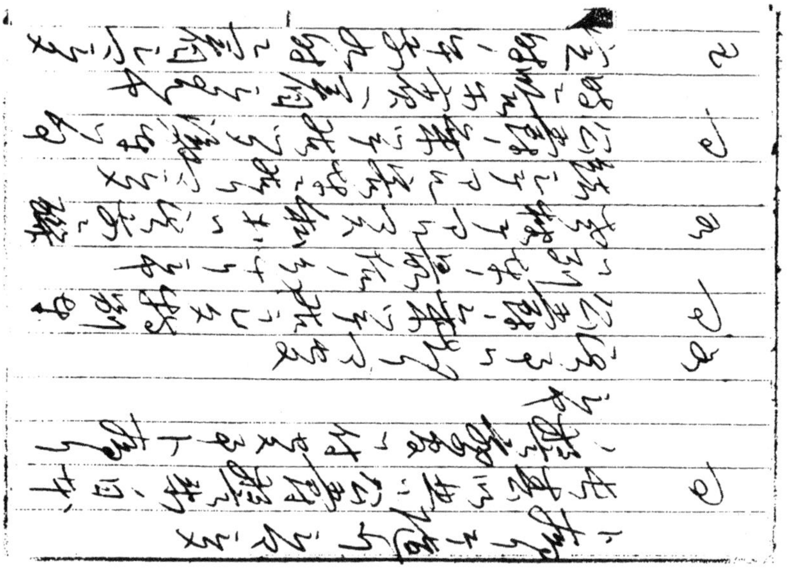

235

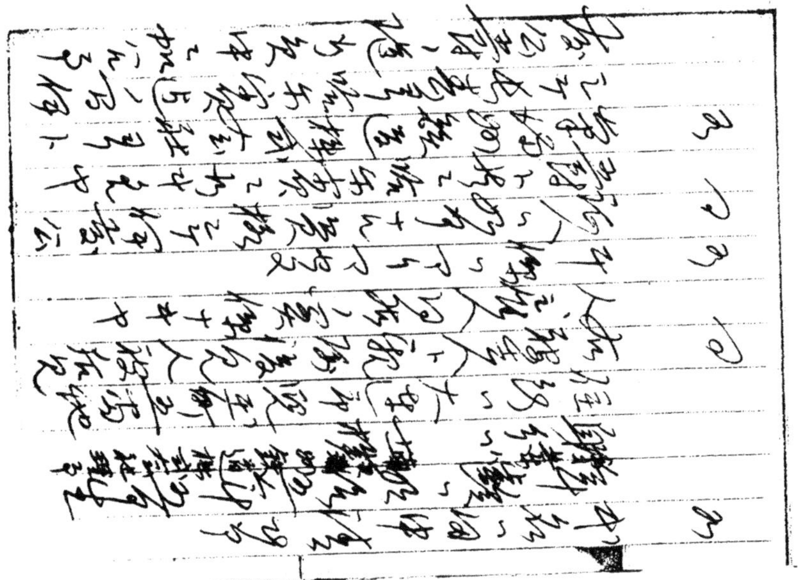

証人訊問調書

右 安応七、禹連俊、曹道先、柳江露、鄭大鎬、金成玉、[illegible]、張首明、金沢信、洪時濬、李珍玉、方士瞻、[illegible]、鄭瑞雨、金[illegible] 同律 [illegible] ニ対スル殺人

被告事件ニ付明治四十二年十一月十二

日南満洲鉄道株式会社大連医

院ニ於テ旅順地方法院検

察官溝淵孝雄書記岸田愛文

列席

検察官ハ証人ニ対シ訊問スルコト

左ノ如シ

問　氏名年齢身分職業住所

ハ如何

234

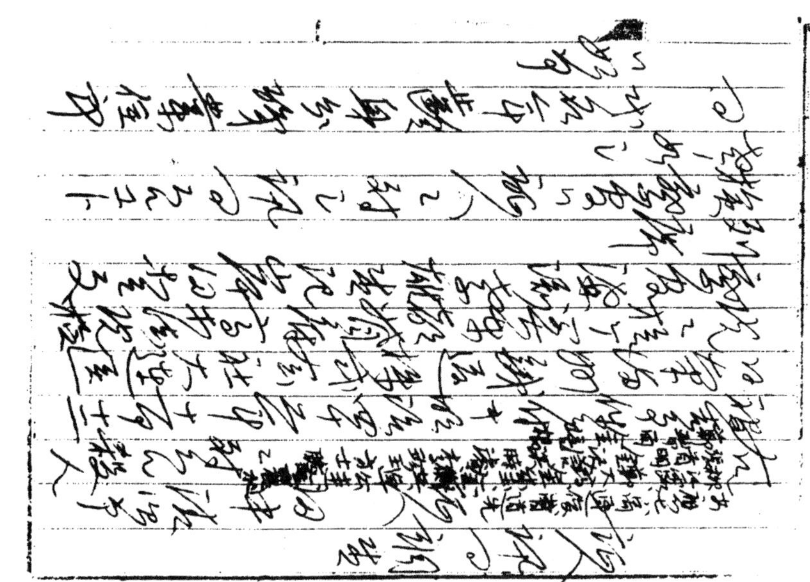

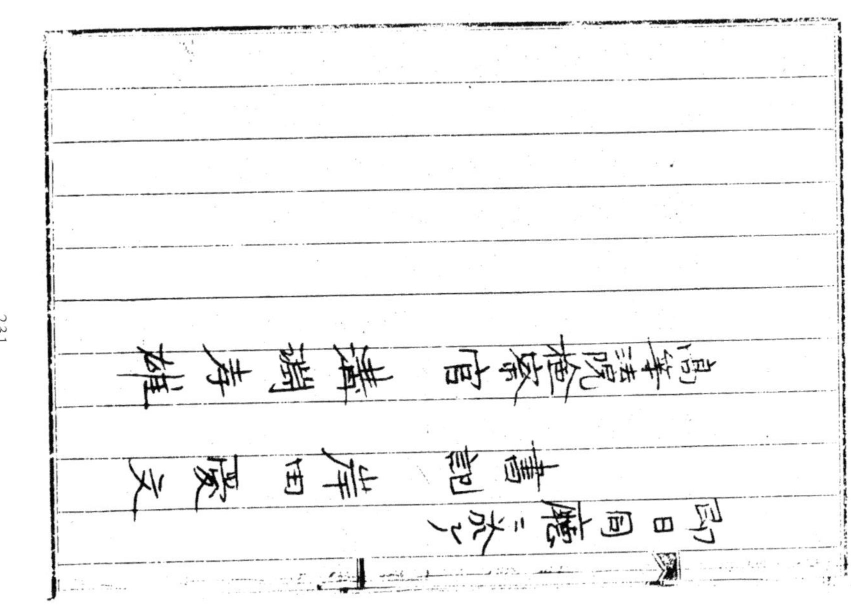
即日同廳ニ於テ
書記 岸田愛文
高等法院検察官 溝淵孝雄

231

語ハナカリシヤ
答 其時ニハ其様ナ話ハ少ナカッタナレドモ然シ哈爾
賓渡車後滊車中ヨリ露国ノホルワト少
將ガ儀伏兵ヲ出シタト話シガアリマシタ
尚ホ同少將ハ寛城子駅ニ来タ時内閲
兵ヲシテ呉レト申出マシタカラ松木少
佐ニ私ガ付イテ閲兵ヲ致シマシタ其故ハ松
木少佐ノ談ニヨキ閲兵ヲスル事ハ礼デアル
トモ云フ事ヲ少シ聞キマシタカラデス夫カラ尚ホ
ハワト少將ハ自国ノ管区ハ此寛城子

229

迄ナルモ一中隊丈ケ儀伏兵ヲ附シテ長春マ
デ御送リシテ日本ノ軍隊ハ御優ニ致シタイカ
ラ承諾シテ呉レト申シ終ニ長春マデ一中隊
兵ヲ附シテ送ッテ来マシタガ其時日本ノ軍
隊ハ未ダ出テ居リマセナンダガ支那ノ軍隊ハ已
ニ出テ居リマシタカラ程ナク日本兵モ来リ同
軍隊ト露国軍隊トノ間ヲ通リテ公爵ノ
遺骸ヲ満鉄ノ滊車ニ移シマシタ
右読聞カセタルニ承諾ノ上自署セリ
証人
庄司鐘五郎

230

先ツ左様デアル云フト申シタノデアリマス
以上申シ述ベタ通リ露国皇室ハ一般ニ
對シテハ同情ヲ寄セテ居ルノデア
リマス自分ノ筆記ハ御参考ノ為ニ提
出シタ筈デ宜シウアリマス
其時筆記ノ綴ヲ提出シタルモ前記陳述ト同一ト認メ
タルニ付之ヲ還付シタリ
問 公爵ノ遺骸ヲ持帰ル事ハ室田氏ガ主トシテ
定メラレタルヤ
答 左様デアリマス

227

問 露国カラ花環ヲ献シタイト申シ来リタル事ナ
アリシヤ
答 露国大蔵大臣ニ公爵ハ薨去セラレタルニ付キ
一ト先ツ南行シタキガ差支ヘハナキヤト申シ
タレバ花環ヲ今作ラシテ置キマシタカラ今ニ持テ
来ル筈デアルカラ五分間丈ケ猶豫ヲ與ヘテ
呉レルレバ幸福デアルト申シマシタガ其後五分
間ヲ経ヌ中ニ花環ヲ持ツテ来ラレマシタカラ
受取リマシタ
問 遺骸ニ對シ儀仗兵ヲ付スル事ニ付キ

228

損失モ決シテ少ナクナイノデアル我々ハ伊
藤公ノ今日ナリシヲ悲ムト同時ニ露国ノ為
ニ失フタル所ノモノヲ惜ムノデアル韓国ノ今
回ノ犯人ヲ出シタルガ為ニ不名誉ナル大損
害ヲ蒙ル事ハ致シ方ナシ只今日歓ブモノハ
誰レデアロウカ清国一ツアルノミデアロウ
然シ此歓ビハ永久ノモノデナイ直ニ又目覚
メル様ナ事ガ出来ルデアロウ今度両偉人
ノ会見ガアルト云フノデ清国人ノ騒ギハ一方
デナカツタラシイ支那官憲カラ伊藤公ヲ

225

兼用事デ清国ノ何者カラ次官ガ二人同兼来
哈シタイカラト申込ンガアッタカラ其積リデ手
配シテ置イタラ ソレナ者ハ何處ヲ捜シテモ
居ラナカッタ長春カラ只タ何トカ外交官ト云
フ清人ガ一名来ッタ許リデアル許ニ云フタ次
官連ノ事ヲ能ク々取調ヘサセルト一日トカ
二日トカ前ニ已ニ徹行シテ哈爾賓ニ来テ居
居ルトカノ事デ而モ種々ノ間者ヲ放テ両
偉人会合ノ模様ヲ探知シ努メテ居ッタノハ
事実デアル只ダ情ナキハ世界ノ一偉傑ヲ

226

事シテ居リマシタガホルハト中將ハ途中私ヲ一室ニ
招イテ情然トシテ左ノ事ヲ云ハレマシタ「思ヘハ思
フ程情ケ無キ限リテアル最後ノ大戰爭以前伊
藤公ハ露ノ云フ事ヲ着シ露國ガツイタナラ、
アノ悲惨ナ戰爭モアノ露國ノ不名譽モ無
カッタノデアル今ハ又多智ナ一偉人ノ為ニ耻
辱シノナラヌ事ヲ仕出来カシタ伊藤公ガ
今回ノ来哈ガ大藏大臣ニ對シ普通一般外
交上ノ空數御世辞交換ノ為デナイ事ハ誰
モ判ッテ居ッタ事デアル又伊藤公ハ事トシタ

223

ナラバ露国人ニ對シテ「汝等最早満洲ヲ去レ
満洲ハ汝等ヲ容ルル地ニアラズ」抔ト云フ一点張
ノ主張ヲ語ル様ナ人テナイト誰モ深ク信シテ
居ッタノデアル尊敬スヘキ老大偉人ノ今回此
地ニ来タヤ勿論両国共ニ利益ヲ得ル事ノ
出来ル話合ノ付クヘキ問題ヲ商量サレタノニハ
相違ナイト信スルノテアル然ルニ未ダ其緒ヲ
語リ出ス暇モナク此有様トハ如何ニモ不幸
ナル運命デアロウカ日本ノ損害失ハ云フ迄
モナイ多分大デアル然シ露西亜ノ蒙ッタ

224

出テ、親シク諸君ト御目ニカカル事ノ出来ルノハ
自分ノ誠ニ満足ニ思フ所デス、従来自分
ハ日露両国ノ親密ナル関係ヲ見ルノ必要
ヲ感ズル至ツテ切ナル者デアル、ドウカ此親和ノ関
係ガ信ズル一中諸君ト同席スルヲ得タル此汽車
中ニ始マツテ益々鞏固ナル関係ヲ養成シ得
ル事ヲ期シタイノデアル、今諸君ノ健康ヲ
祝シ杯ヲ挙ゲタイト云ハレマシタ公爵ノ
右挨拶ハ出迎トシテ長春迄派遣セラレタ
ル露国人ノ脳中ニ深ク銘セラレタ様デアリマ

221

シタ公爵御遭難後食堂ニ集マツタノ
車夫ニ関スル四方山ノ話頭ガ如キ中ニ度々、
露国人カラ「昨夜公爵ノ御挨拶ノ中ニ日露ノ
親和ガ此汽車中ニ始マリ益々鞏固ナランコト
ヲ望ムト云ハレタト語ラレタ時ノ聲ガ未ダ此耳ニ鳴
ツテ居ル、ソコヘ返ス〻モ残念ナ事ヲ出来シタモノ
ダ」杯ト申シテ感激ガ少ナクアリマセンデシタ
伊藤公爵遺骸ト共ニ哈爾賓発東南行セル
列車ニハ北京駐露公使、東清鉄道長官ホルワット
ト少将ノ外大佐以下十名ノ将校ガ見送リノ為メ乗

222

答

アリコスカラ申述ヘコス去ル二十五日夜長春デ
清国官憲ノ晩餐会ニ出席セラレタ後東
清鉄道貴賓車ニ便乗北行ノ途ニ就カ
レタルハ午后十一時ト記憶致シテ居リコス昔
節哈爾賓ヨリ出壽ヲ出迎トシテ来ラレタル彼
ノ地民政部長少将「アファナシエフ」氏並ニ
東清鉄道営業課長ギンツエ氏ヲ始メ外
十数名ノ挨拶ハ出壽モ御疲労デハアラウ
ガシヨウカ晩餐後ノ茶話モ又一場ノ御慰ミ
ニモナロウシ御見知リノ栄モ得タイカラドウカ

219

食堂ニ御出席ヲ願ヒタイトノ事デ出壽
モ申上ケルト心地能ク御承諾ニ為リテ彼此ノ
御話モアリ露国人側ヨリ挨拶モアリテ末ニ
式デハナカツタケレトモ出壽ハ此ノ意味ノ挨
拶ヲセラレマシタ「一度見テ置キ度イト思フタ満
洲ニ余暇ヲ利用シ皇帝陛下ノ御許可ヲ得
テ視察ノ途ニ上ルト偶々貴国大蔵大臣ガ東
洋ニ御出デニ為ルト云フ事デ道モ遠クナイ御
目ニカカリタイト思ヒ付イテ何ノ計劃スル所モ
ナク出タ日露親和ノ緒ニモナラウカト思フテ罷

220

ノ誠意ヲ述ベ且ツ時露國横車ヨリ云
々事御退職ノ横視ヲ要求シ来リ居リシコト又
カノ右ノ手続ハ一行ニ取リテ要ナシト認メ之ヲ
看破シ得ル様大臣ヨリ御指令アランコトヲ依
頼シタル所之ニ對シテ大臣ハ申サルルニハ本
件ハ余ノ所管事項ニアラサルト云ヒ余ハ
御申出ノ趣ヲ右ニ云ル者ニ傳達シ御希望
ニ添フヘキヤウ期スヘシト申サレシコト又
右ノ外大臣ハ其ノ時マデニ犯人取調ノ結
果露國ヨリ右ニ就テ得タル報告ヲ傳

217

達セラレシコト且申サルニハ犯人ノ國籍畧シテ
韓人ナル事判明ノ上ハ犯人ハ勿論韓人ニ引
渡スヘキモノ即チ今日ニ於テハ貴國ヲ經由シテ
韓人ニ引渡スヘキモノナルカ故ニ特ニ諸君ヨリ
御依頼アルコトモナク本件犯人取調上得ル所
ノ報告材料等ハ悉ク貴國領事館ニ其
都度報告提供スル様當國ヨリ御約束
致スヘシトノコトテアリマシタ

問

伊藤公遭難前後ニ於ケル露國官憲ノ
感想上ニ付キテノ外ニ見聞シタル事ナキヤ

218

人ノ自由入場ヲ許シタル事デアル日本人ト
極東人トノ区別ハ日本側ニ於テ韓国難
デアル一方韓国側ニ於テハ尚更其区別ハ出
来難イ事デアッテ遺憾ノ至リデアルト云
ハシマシタ尚大蔵大臣ハ続ケテ云ハルルニハ
「尚ホ諸君ニ一言ス我露国皇帝陛下
ハ目下御承知ノ通リ伊国訪問ノ途ニ在リ
今日ノ事変ニ関スル詳細ナル余ノ電報ハ陛
下ニ於テ多分其ノ旅途之ニ接セラルヘシ
余ハ信ス陛下ハ余等ト斉シク深甚痛歎ノ

215

心ヲ以テ本件ニ関スル余ノ電報ヲ悲シマルヘ
キヲ又諸君ニ云フ諸君カ御帰国ノ上貴
国政府当局者ニ対シ以上余ノ申述ヘタル趣
ヲ具サニ御伝言アランコトヲ終ニ臨ミ余ハ
我政府及余ノ所有ヲ代表セシメ北京駐在
露国公使「コロストウエツ」氏ヲシテ我鉄道沿
線ノ終点迄伊藤公ノ寿御遺骸ノ御見
送リヲ為サシメント欲ス御承諾ヲ乞フト
申サレマシタ
右大臣ノ弔詞ニ対シテ伊藤公ノ一行ヨリ厚

216

筆シテ認メラレタル所ナルヘク又余カ如何ニ悲
ニ堪ヘスカルヤハ諸君ノ御賢察ヲ乞フ次第
ナリ何ノ来哈ハ空シキ旅行ニアラサリシヤ
ヲ確信セリ日露両国ノ親和ハ公ト余トノ
ノ親シキ會見ニ依リテ温メラレ且成育セラル
ヘキモノナリト信シテ楽ト為セリ然ルニ未タ
意思ノ詳カナル交換ヲ為スニ先チテ公ハ逝
ケリ両国ノ為メ深ク遺憾ト為サヽルヲ得ス
左レト余ハ確信ス人ハ死シ得ルモ其主
義ト為セル所ハ死シ能ハサルナリ伊藤公

213

ノ来哈ハ斯クノ如キ悲シキ出来事ヲ以テ終リ
又然レトモ余ハ確信熱望ス公ノ薨去ハ日
露将来ノ親和ニ對シ毫モ其障碍ト為
ラサルノミナラス寧ロ今回ノ不幸ハ却テ
ト於テハ両国民和親ノ幸福ヲ生ムノ有力ナ
ル端緒タラシコトヲト云フニ止メ尚ホ力説
確ナル句調ヲ以テ云ハレタル所ハ停車場歓
迎人ノ取締ニ関シテ露国側ニテハ切符
制度ニ依リテ歓迎人ヲ制限取締ル筈
ナリシニヨリ上総領事ノ求メニ依リ日本

214

伊藤ヲ斃死セシ後、大蔵大臣ヲ始メ室ニ入
ル露國官民等ハ公ノ遺骸ニ對スル最モ
後ノ敬礼ヲ表スヘク遺骸ヲ安置セル貴
賓車内ニ入ルノ許可ヲ求メ來リシタガ我
一行ハ之ヲ辞シ誠ニ御氣ノ毒ナレトモ今回
ノ事變ニ罹レル者ヲシテ多クノ人々ニ接
セシムルハ我々ノ情ニ忍ヒサルヲ諒セラレタシ
願クハ大蔵大臣閣下御一名ニテ他ヲ代表
セラレ御入来アランニ同意セラレタシトノ旨
ヲ告ケマシタ所ガヤガテ入来セル大蔵大臣ハ

211

悄然トシテ申サルルニハ悲惨ナル最後ヲ遂ケシ世
界ノ偉人伊藤公爵ノ遺骸ノ前ニ旅立テル
余ハ今何等謂フ所ヲ知ラサルヲ覚エ御遭
難際余ハ誰ヨリモ近ク公爵ニ接近シ居タリ
當時余ハ余自身ノ危険範圍ニ在ルヲ
忘レ居タリ余ハ第一ニ公爵ノ身体ヲ抱キ支
ヘタリ余ノ心ハ痛ク動揺セリ余ハ今尚ホ等
シク余ガ心ノ動揺ヲ感シ居ルナリ右ハ諸君
ガ（私ハ此時居リタ人々ハ私ノ外ニ室田、古谷二氏デアッタ
記憶シ居ルコトス）又今日居合セ[illegible]ノ人々ガ

212

答　川上領事カ居リマセナンダカラ私カ其場ニ居リマシタカラ自然私カ通譯ヲスル事ニナリマシタ

問　大蔵大臣ハ如何ニ言ヒタカ其時ノ模様詳細ニ述ヘラレヨ

答　承知シマシタ私ハ其時ノ問答並ニ長春發車時及公ノ遺骸ヲ運ブ途中ニ於テ露国人ノ感想ヲ知ラシト思ヒテ自分ノ見聞ハ後日ニ於テ何カ参考ニ為ルコト、豫期シテ筆記シ取ツテアリマスカラ其筆記ニ基キテ申立ヲ致シマス

210

カト申シテ居ルノガ聞ヘマシタ夫レカラ私ハ車外ヘ出マシタ時古谷君モ下リテ来マシタカラ同人ニ石齋ノ模様ハ如何デストタズネマシタレバ何トモ云ハズニ手ヲ振リマシタ其時石齋ハ兇害セラレタデアロウト思ヒマシタ

問　石齋ガ兇害セラレタ後露国ノ大蔵大臣ガ来テ非常ニ悲シマレタトノ事ナルガ其様ナ事ガアリマシタカ

答　アリマス

問　大蔵大臣トノ問答ニ付テハ誰人カ通譯シタルヤ

209

古谷君ガ川上領事ヲ呼ンデ居ルノデ居ラヌ
トノ事故私モ同人ヲ捜シマシタガ見当リマ
セナンダカラ私ハ川上総領事ハ自己ノ責
任上自殺ヲセサリシカト心配シマシタガ後
ニ病院ニ居ルノヲ聞キ安心シマシタ
私ハ自分ノ乗室ニ行キマシタレバ露西亜人ガ
沢山見舞ニ行キテ居リマシタ其露西亜人
ノ間カラ自分ヲ見マシタレバ誰カガ左ノ方ノ
腹部ヘ注射ヲ一本刺シマシタ其時迄公爵
ハ腹ニ弾ヲ打タレテ足ヲ縮メタリ伸シタリシ

207

テ非常ニ苦シンデ居リマシタガ注射ノ為ノ稍々静
カリタル様子デ眼ヲ開ケマシタ其時古谷君ガ私
ニ露西亜人ハ皆車外ニ出テ貰ヘト言ヒ
マシタカラ私ハ露西亜人ニ対シ此ノ様ナ場合デス
カラ皆サン車外ニ御出下サレト申シマシタレド
容易ニ下車シマセヌ故私ハ怒気ヲ帯
ビ今ノ瞬間ガ大切ノ場合故下車シ呉レ
ト申シ露西亜人ヲ押出シマシタ私ノ背ガ車
ノ扉デ押サル、ヲ感ジテ出タ時古谷君ノ
聲デ公爵何カ御申置キハアリマセヌ

208

答 川上、田中、森ノ三名ガ負傷シマシタ
問 伊藤サンガ狙撃セラレテ客車ノ中ヘ入
ラレテ、ソノ間ニ於ケル状態ヲ証人ハ目
撃シマシタカ
答 公爵ガ狙撃セラレタ事ガ判リマシタカラ
私ハ公爵ト田中理事トノ所ヘ行キテ
如何デ御座リマスト申シマシタガ其ノ時
沢山ノ人ガ集マツテ来テ病院ヘ送ルトカ
又汽車ノ中ヘ入ルトカ申シテ居リマシタ
ガ終ニ汽車ノ中ニ入ルヽ事ニ為リテ運ビ

205

入ルヽ前公爵ニ「ブランデー」ヲ勧メタル事ア
リシヤ
答 其事ハ見マセヌ
問 公爵ガ狙撃セラレタル時誰レカ狙撃シタ
者ハ韓国人デアルト公爵ニ申上ゲタ事
アリシヤ
答 其事ハ知リマセヌ然シ後デ室田君カラ
聞ク所ニ依レバ公爵ハ弾丸ハ大分這入ツテ
居ルゾト云ハレタトノ事デス
公爵ヲ汽車中ヘ運ビ入レタル後室田君ヤ

206

ノ記憶ハ正確デアリマセヌ

問 兇漢ハ初メ公爵ノ方ヘ銃口ヲ向ケテ発射シタル事ヲ見シ後又横ノ方ヘ向ケテ発射シタル事ヲ見サリシヤ

答 夫レハ見マセヌ

然シ初メ兇漢ハ伊藤サンノ方ヘ向ケテ二三発発射シタル時其手首ヲ押ヘラレタガ其儘又発射シタト露西亜ノ大佐カラ聞キマシタ依テ手首ヲ押ヘラレタル時自然ニ方向ガ転シタノデハアルマイカト思ヒマス

203

又私ガ爆竹ノ様ナ音ヲ聞イテ其方ヲ見タル時抜剣シテ振リ上ゲテ居ルノヲ見マシタ其剣ハ打下シハセヌカト思フテ居ル中鞘ニ収メマシタ其抜剣シタノハ露西亜ノ大佐デアツテ同人ハ兇漢ヲ斬ラントシタルモ向ニ人ガ居ツテ妨ケニ為ツテ斬ル事ガ出来ナンダト後ニ其大佐カラ直接私ニ話ヲシテオリマシタ

問 其時伊藤サンノ外ニ未ダ負傷シタ人ガアリシヤ

204

カラ委敷事ハ判リマセヌガ確カ其時大蔵
大臣ハ伊藤サンノ右手ニ居ツタ様ニ
思ヒマス
依ツテ右ニ申シマシタ如ク伊藤サンハ引返ス時
右ニ回転シタノデハアルマイカト思フテ居リマス

問 兇漢ハ何事カ声ヲ発シタルヤ

答 拳銃ヲ六七発発射シタ後デ何カ悲鳴
ヲ揚ル様ナ声ガ聞コヘマシタ彼ヲ取押
ヘタ露西亜大佐某ノ語ル所ニ依レバ兇漢
ハ取押ヘラルヽ時彼ノ隠カラ「ナイフ」ヲ取出

201

サムトシタルニ地ニ顔ヲ摺リ付ケラレタトノ事デ
アリマスカラ其時ニ痛サニ悲鳴ヲ挙ゲタ
ノデアロウト私ハ考ヘマシタ一体其ノ瞬間
ノ模様ハ露語デ「日本人ガ日本人ヲ」ト云フ
聲ヲ又「公爵カリ上ガ」「田中ガ」ト云フ聲ヲ聞
キ向フヲ見レバ兇漢ノ手先ガ見ヘル又一方
デハ露国ノ少将ガ線路ノ所ヘ倒レテ片手ヲ
突イテ起キ上ラントシテ居ルノヲ見又弾丸ヲ
避ケル為メ人波ニ為ツテ私ノ方ヘ押シテ来ル
等色々ノ光景デ頭ガ混雑乱レテ其時

202

問　伊藤サンハ引返ス時右ニ回轉シタルヤ左ニ回轉
セシメルヤ
答　引返ス時又左手ノ方デ活動写眞器械
ガ盛ニ運轉ヲ初メタノデ私ハ好奇心ニ早イモノダ
ト其方ヲ見テ居リマシタカラ克ク記憶シ
マセヌガ私ハ右ヘ回轉シタノデハナカツタカト思ヒ
マス
問　活動写眞器ハ初メ証人ガ見タ所ヨリ位置
ヲ変ヘテ左ノ方ヘ据ヘテ居リシヤ
答　左様デス何時ノ間ニカ位置ヲ変ヘタカト思フテ

199

驚イタ程デアリマシタ
問　証人ハ兇漢ノ姿ヲ見タルヤ
答　差シ伸ヘテ拳銃ヲ握リ居ル手ノ先丈ケ見マ
シタ
問　兇漢ハ立ツテ居リシヤ又中腰ノ様ニ為ツテ
居リシヤ其辺ハ見サリシヤ
答　兇漢ノ手ハ余リ高クモナイ様ニ思ヒマシタガ
又シヤガンデ居ル様ナ模様ニモ見受ケマセナ
ンダ其時私ハ伊藤サンヨリ六七尺左ノ後方
ニ居リマシタガ其中間ニハ沢山人ガ居リマシタ

200

問 伊藤サンガ閲兵ヲセラレタ時兵ノ列ンデ居ル
右手ノ方デ握手ヲセラレタ事ハ無カリシヤ
答 握手ヲセラレタ様ニ思ヒマス夫レガ[illegible]
忘カモ知レマセヌ丁度其時活動写真ノ
器械ガ運転ヲ初メタ音ガシタソコヘ[illegible]タノデ
私ハ始メテ之ヲ見ルノデ珍ラシク其方ヲ見テ
居リマシタカラ気ガ付キマセナンダ
問 伊藤サンハ閲兵ヲ終ハリシヤ
答 兵隊ノ前ヲ通ラレタカラ全ク閲兵ハ終ツタ
事ト思ツテ居リマシタ殊ニ兵ノ前ヲ通ル時

197

伊藤サンハ挙手ノ礼ヲセラレツツ居リマシタカラ之レ
ガ即チ閲兵デアルト思ヒマス
ソレデ再ビ引キ返シ更ニ閲兵セラルルコトハ無カ
ラウト思ヒマス
問 証人ハ爆竹ノ様ナ音ヲ聞キタルヤ
答 聞キマシタ
問 何レノ方面ニテ聞キタルヤ
答 伊藤サンガ兵隊ノ前ヲ通ツテ行キ其後カラ
附イテ行キマシタ者モ伊藤サンニ続イテ引
返シテ来タ時音ヲ聞キマシタ

198

問 閲兵ノ時モ此様ニ出テ居リシヤ

答 閲兵ノ時ニハ出テ居リマセナンダ私ノ思ヒマスニハ余リ公爵ノ會談ガ永カツタノデ日本人歓迎團ガ待テ帯シテ突出テ来タモノト見ヘマス然シ公爵ノ閲兵セラレシ時ハ制セラレタルモノト見ヘ皆整然ト列シテ居リマシタ

問 汽車ガ哈爾賓驛ヘ這入ツテ行ク時証人ハ歓迎者ノ整列順序ヲ見タルヤ

答 見マシタ汽車ガ進ンデ行ク時「プラットホーム」ニ第一番ニ清國ノ儀仗兵ガ少数列ンデ居リ

195

マシタ其次ニ停車場ノ模様ヲ写ス為ノ活動写真ノ高イ台ガ立ツテ其所カラ少シ後方ニ日本人團ガ二列ニ為ツテ居リマシタ其次ニ日本人團ガ少シ前方ニ出タ處ニ露國ノ儀仗兵ガ整列シ其次ニ清國ノ歓迎團ガ居リマシタ尚其時一等待合室ノ出口ノ左手ノ所ニ日本ノ婦人ガ二人紫ノ様ナ衣類ヲ着テ立ツテ居ツタノヲ見受ケマシタ

問 各國領事團ハ何處ノ辺ニ居リシヤ

答 夫レハ氣ガ付キマセナンダ

196

紹介ナレマシタカラ再ビ議事ヘ取ツテ来マシタ
要ハナイ様思テ居リマシタ
問 伊藤公ハ閲兵ヲセラレタルヤ
答 閲兵ヲセラレマシタ重九露国ノ歓迎團ト
挨拶ガ終ルト大蔵大臣ハ伊藤公ノ左ノ手
兵隊列ニ近キ方ニ居テ公爵ト並ンデ進行
セラレマシタ公爵ハ山高帽ヲ冠テ居リマシテ
モ右ノ手ヲ挙ケテ礼ヲシナガラ向フヘ進マレマシ
タ其時露兵ハ捧銃ヲシタデアロウトハ思ヒマス
ガ私ハ気ガ付キマセナンダ

193

公爵ノ後カラハ公爵ノ一行ノ人々及ビ露国ノ
重九歓迎團ガ不順序ニ离テ附イテ行キ
マシタ
其時ノ進行ハ寛々徐々デアリマシテ寒イ日
デハアリマシタガ皆偉イ人ノ後ニ附イテ行クト云
フ心持デ心中誠ニ陽気ニ感ジマシタ夫レハ私
一人ノ考ヘデハアリマセヌガ他ノ人モ皆同一ノ
感ガアツタデアロウト思ヒマス
問 証人ガ初メニ撮ツタ写真ニ依レバ兵隊ノ列
ノ先ノ人ガ前方ヘ突出テ居ル様見ユルガ

194

ッテ一番左方ノ後姿ノ人ハ東清鉄道會社ノ
副総裁「ウエンツエリ」同人ニ相對シテ肩章
ノミガ見ヘテ居ル人ハ公爵ノ遺骸ヲ見送ッ
テ来タ北京駐在ノ露国公使「コロストウエツ」其
次ニ居ル人ハ東清鉄道會社ノ調査役「ゴゲ
ウヰッチ」ト云フ人デアリマス

問 伊藤サンハ如何ナル順序デ歓迎者ニ對シ挨
拶ヲセラルルトナキシ節

答 私ハ其順序ノ委敷事ハ分リマセヌガ伊
藤サンガ下車セラルルト露国ノ重ナル歓迎團ノ

191

人々ガ出テ来テ公爵ト握手ヲ致シテ居リマシタカラ
私ハ公爵ハ閲兵ヲシテ直ニ停車場ヲ出テ馬
車デ行カルル事ト思ッテ居リマシタ

問 川上総領事ノ云フ所ニ依ルト伊藤サンハ閲兵
ヲシテ一端汽車ニ戻ッテ後重ナル歓迎者ヲ引
見シ挨拶ヲセラルル筈デアッタト云フ事ナルガ如
何

答 川上ハ始終公ニ附イテ居リマシタカラ当人ガ左様
申セバ夫レカモ知レマセヌガ私ノ考デハ大蔵大臣
ハ伊藤公ニ紹介ヲシテ置クモ要アル人ハ既ニ

192

テ居リマシタ写真器デ停車場ノ模様ヲ撮
影シマシタガ其中ニ公爵ガ下車セラルヽ模様
デアリマシタカラ其下車ヲ待ツテ又写真ヲ撮
ツテ直グ写真器ヲ汽車ノ中ニ入レテ公爵ノ後
カラ付イテ行キマシタ

問　其時撮影シタ写真ハ之レカ

此時四十二年領特第一号ノ三十ノ写真二葉ヲ示ス

答　左様デアリマス

問　其写真ノ人々ハ記憶シテ居ルカ

答　後カラ撮ツタ方ノ写真（特第一号ノ三十ノ二）ノ向ツテ

189

右ノ端ノ後姿ハ田中理事デ露国ノ兵隊ヲ挟
ンデ其次ガ夏秋君デ其次ニ帽ノ庇ニ手ヲ掛ケ
テ居ルノハ川上総領事デ其次ガ露国ノ大蔵
大臣デ其前方ニ此方ヘ向テ外套ヲ着シテ
居ル老人ハ即チ伊藤公爵デ其前デ公爵
ト相対シテ居ル人ハ氏名ハ知リマセヌ露国人デ
之ニ大蔵大臣ガ公爵ニ紹介シテ居ル所デ
アリマス一番左方ニ大キナ後影ノ人ハ露国人
デ写真ノ器械ヲ持ツテ居ル男デシタ
又最初ニ撮ツタ写真（特第一号ノ三十ノ一）ノ向

190

其前ニハ露國ノ出迎人ノ乗ッテ居ル客車
ガ一台聯結セラレテ居タト思ヒマス
私ノ乗ッテ居ッタ客車ハ公爵特別車ノ
直ク前ノ分ト思ヒマスガ或ハ今一ッ前方ノ
箱デアッタカモ知レマセヌ

問　哈爾賓停車場デ汽車ハ如何ナル位置ニ停
車シタルヤ

答　伊藤サンノ乗ッテ居ッタ貴賓車ノ前方ノ
昇降口ガ一等待合室ノ出口ト相對シテ居
ッタノデ之レハ正確ノ記憶デ間違ヒハナイト思

187

ヒマス

問　着車後ノ模様ハ如何

答　着車ト同時ニ露國ノ大蔵大臣ガ伊藤サンノ
客車ヘ来マシタ然シ私ハ其時ハ會談ノ模
様ハ知リマセヌ會談ノ時間ハ随分永イカ
ッタノデ皆永イナート云ッテ待遠ク思ッテ居
マシタ私ト田中理事ハ随分寒ウアリマシタケ
レトモ汽車カラ降リテ運動ヲ致シテ居マシ
タ露國側ノ人モ手ヲ揩ッテ待遠イ様ナ様
子デ運動ヲシテ居リマシタ私ハ其時携帯シ

188

スル筈ナリシヤ
答 夜十一時ニ出發シ翌二十六日午前八時着哈ノ
豫定デアリマシタ
問 哈爾賓ヘハ豫定通リ到着セシヤ
答 到着シマシタ
問 少シ時刻ガ遅レタト云フ者モアルガ如何
答 其様ナ事ハアリマセヌ豫定ヨリ早ク汽車ガ
着イタ事モ有ルノデ途中汽車ノ速力ヲ緩メタ
位デアリマスカラ遅着ノ事ハ更ニアリマセヌ
問 蔡家溝ノ停車場デ汽車ノ乗換ヘヲスル様ニ為

185

シテ居ルヤ
答 其様ナ事ハナイト思ヒマス同所ニハ別ニ支線
ハナイ筈デス
問 伊藤公ノ乗ッテ居タ客車ト證人等ノ乗ッテ居ッ
タ客車トノ順序ハ如何
答 伊藤サンノ乗ッテ居タ特別車ハ一番最後ニ聯
結シテアリマシテ同車ニハ公ノ居間モアリ應
接室モアリマシタ又公ノ随員ノ居間モアリマ
シタ其前方ニ日本人ガ乗ッテ居ル客車ガ
二台聯結セラレ其又前方ハ食堂車デ

186

マセヌ

問　哈爾賓ノ日本人歓迎團カラ藝妓ヲ五名同地ヘ連レテ行キタトノ事ハ分カリマシヤ

答　川上総領事ガ八千代田ト云フ料理店デ飲ンデ居ルト分カリマシテ逢ヒマセヌデシタ當時ノ到着ガ夜ニ入ッテ私共ハ食事ヲシテ居ラヌノデ停車場デ出會ッタチチハルノ領事三井物産會社ノ川井、長春ノ長谷川、哈爾賓領事館ノ警部及ビ夏秋等ト一所ニ長春ノ或ル料理店ヘ行キテ晩飯ヲ食ヒマシ

183

タ時ニ誰レカガ歓迎ノ為メ藝妓ヲ連レテ行カ誰ヲ選ンダトカ申シテ居リマシタガ私ハ之ヲ咒談トシテ居リマシタ然シ実際連レテ行キタカ否カハ知リマセヌ

問　其時露国側ノ警衛其他取締ニ干スル話ヲ分カリマシヤ

答　其事ハ聞イタ様ニモ思ヒマスガ充分記憶シマセヌ其事ニ付テハ私ハ後ニ露国ノ大蔵大臣カラ聞イタ事ガアリマス

問　伊藤サンノ特別車ハ何時長春ヲ出發

184

問 長春ニ於テハ同所以北ノ公爵護衛ノ方法
ハ聞カサリシカ
答 長春デハ其事ハ聞キマセヌガ哈爾賓カラ
取ルトカ何人カガ其話ヲシテ居タノヲ聞キ
マシタ即チ其話ハ公爵ガ哈爾賓行ニ付
テハ長春ノ憲兵隊カラ護衛トシテ憲兵ヲ
差出シマス若シ正服デ都合ガ悪ルケレバ角袖
ニシテ出シマスト古谷秘書官ニ申込ミシタルニ
同秘書官ハ経費ノ都合モアル故其事ハ
不必要デアルト申シテ断ハッタトノ事デア

181

リマシタ尤モ古谷秘書官ハ憲兵カラ申出
テタ事柄ヲ公爵ニ話シタカ否カハ私ニハ判
リマセヌ
問 尚ホ長春カラ新聞記者ノ同行モ断ハッタトノ
事ハ聞カサリシヤ
答 其様ナ事ハ聞キマセナンダ
問 公爵恩顧ノ老壮士亀田易平ト云フ者モ
同行スル事モ断ハッタトノ事ナルガ其事
ハ聞カザリシヤ
答 其事ハ新聞ノ記事デ見マシタルモ話ハ聞カ

182

答 氏名ハ　庄司鐘五郎

年齢ハ　四十歳

身分ハ　平民

職業ハ　南満洲鐵道株式會社職員

住所ハ　大連市児玉町九

問 被告人ト親族同居人後見被後見ノ関係ナキヤ

答 アリマセヌ

問 先日伊藤公爵ガ哈爾賓ヘ赴カレタル時證人ハ公爵ノ汽車往来ニ便宜ヲ與フル為メ南満鉄道株式會社總裁付トシテ行キタル譯ナ

179

ルヤ

答 私ハ門司デ公爵一行ト一所ニ為リ東京ヨリ来リタル本社ノ秘書役龍井頼三カラ北行シテ貰ヒタイトノ話アリ北行スル事ニ為リマシタノデ別ニ總裁付ト云フノデハアリマセヌ

自分デモ其用務ノ範圍ハ判リマセヌ

問 證人ハ公爵一行ト大連ヨリ同行シタルヤ

答 私ハ後カラ大連ヲ立テ公爵ガ長春ニ着カルル朝長春ヘ行キ公爵ガ哈爾賓ヘ出発セラルル夜長春カラ共ニ一行ニ加ハリマシタ

180

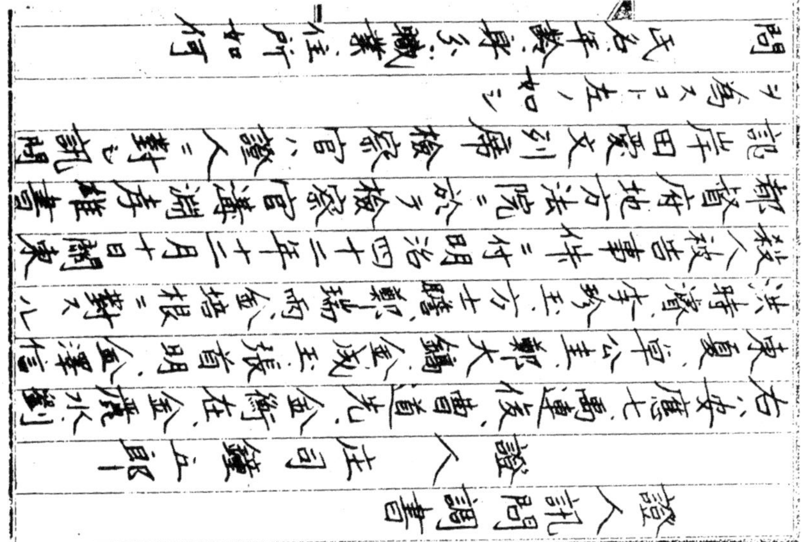

證人訊問調書

證人 庄司鐘五郎

右ハ安應七、禹連俊、曹道先、金衡在、金麗水、劉
東夏、卓公圭、鄭大鎬、金成玉、張首明、金澤信
洪時濬、李珍玉、方士瞻、鄭瑞雨、金培根ニ對スル
殺人被告事件ニ付明治四十二年十二月十日關東
都督府地方法院ニ於テ檢察官溝淵孝雄書
記岸田愛文列席檢察官ハ證人ニ對シ訊問
ヲ為スコト左ノ如シ

問 氏名、年齢、身分、職業、住所如何

178

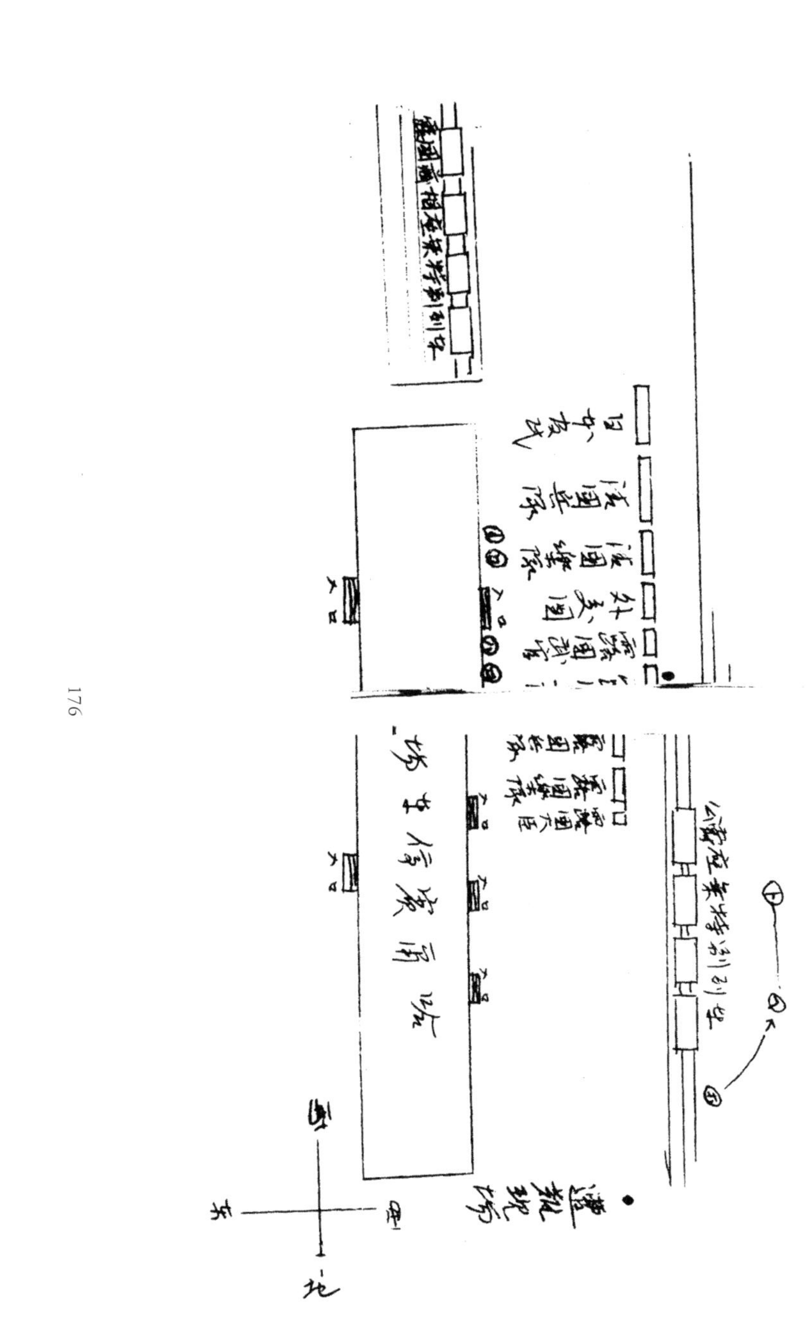

174

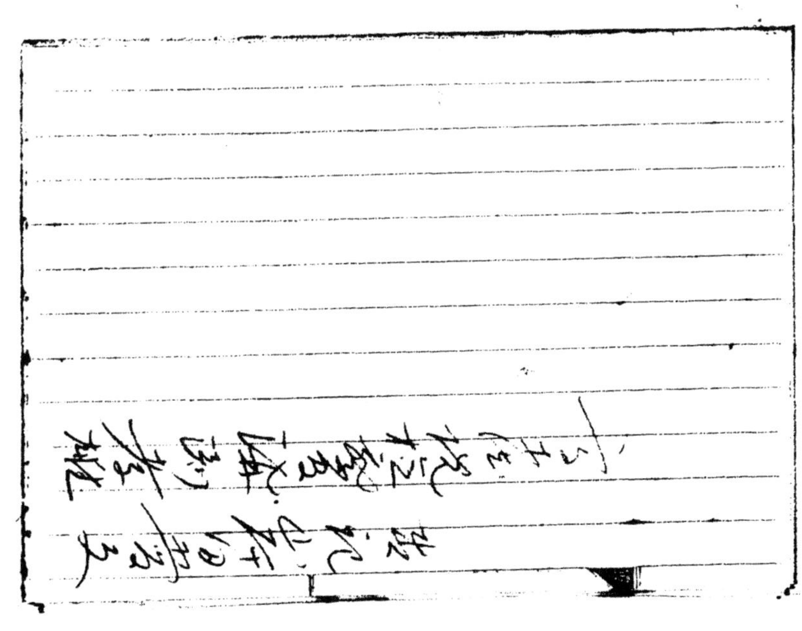

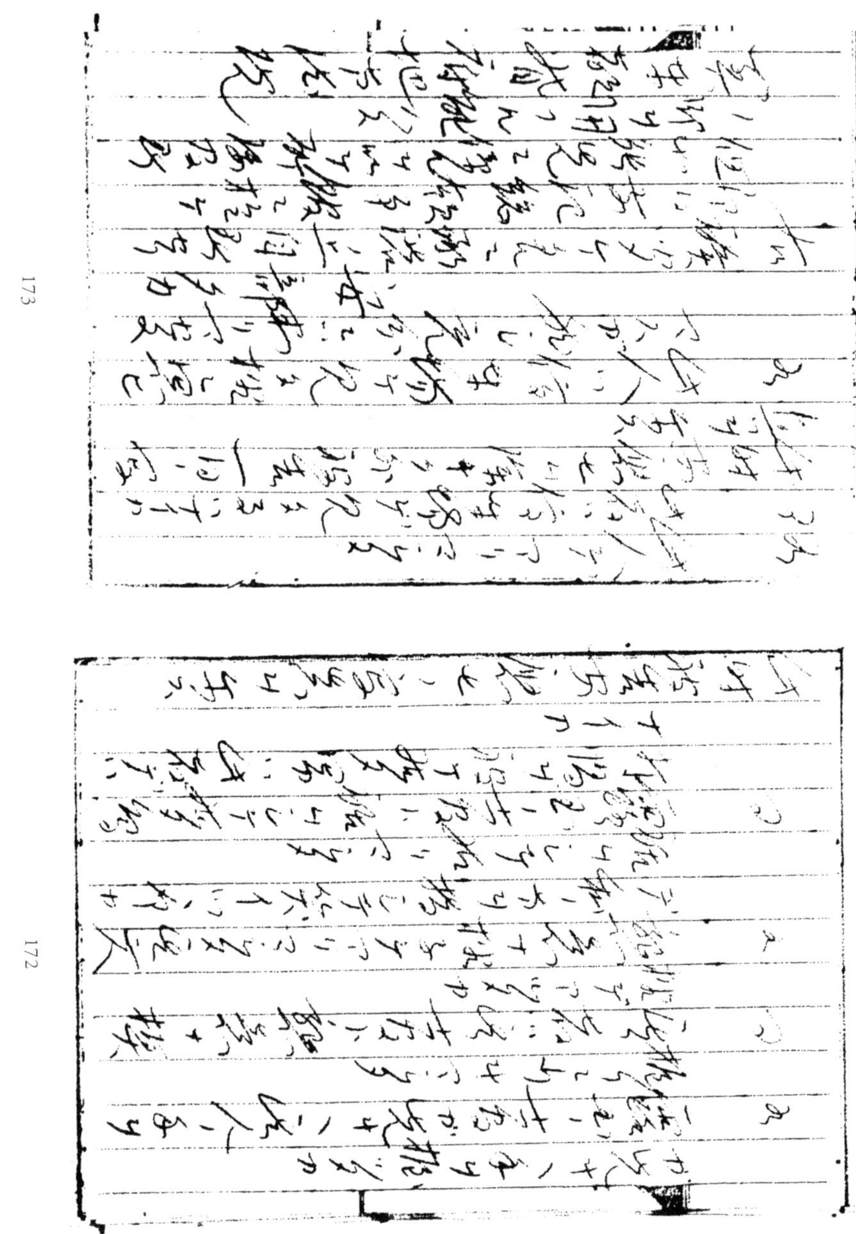

私ハ夫レヲ見ルト狼狽ヘルカ、ハカキ
東口ヘ出テ伊藤サンノ出ル所
ヲ見ヤウト思ヒ待合室ヘ入ツタ
然ルニポンポント二ツ三ツ云フ音ガ致
シマシタカラ何モナク驚キマシ
タカ操カシテ居リマシタ
問 伊藤サンガ汽車カラ降ル所
ハ、汝ハ見タカ
答 見マセヌ伊藤サンノ見ヘナイ内ニ
ノ低イ般ニ沢山居タ中ノ人ガ一人
汽車カラ降リテ来マシタ
問 露服ノ蒙ト服ニシテ振タ日本人

170

ノ様ナ帽ノ鳥打帽子ヲ着テ
居タモノ逃サナイカ
答 ナ逃ゲマセヌ、後人ハ私ガ後伝
ニ出テ居リマスカラ見テ能ク知ツテ
居リマス
問 其鳥打帽ヲ被タ男ガプラツ
トホームヘ出ル所ヲ見タカ
答 夫レハ見マセヌ私ガ待合室ノ
入口ノ所ヘ行キタル時ニ其人ハ
先キヘ行キテ居リマシタ
問 其鳥打帽ヲ被タ男ト露國
ノ士官ト手ヲ握ツタト云フガ話シ

171

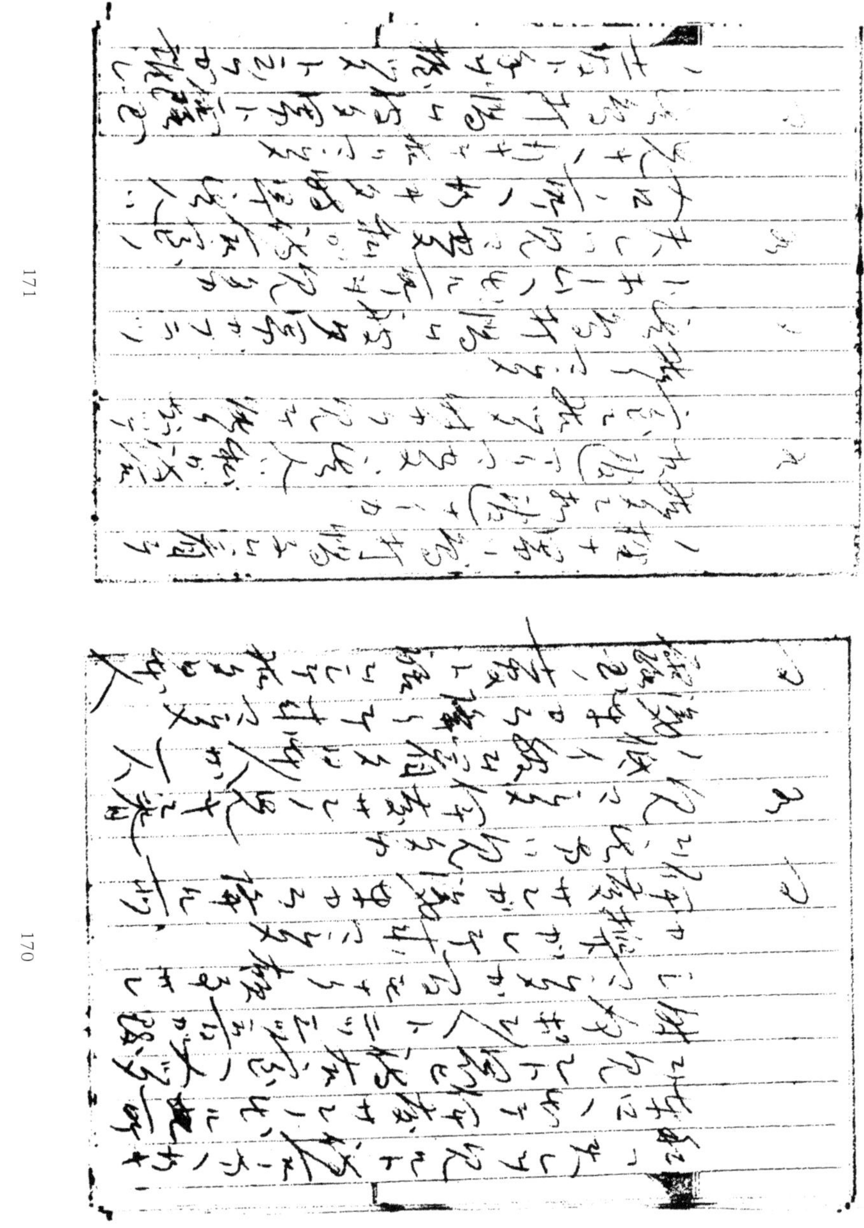

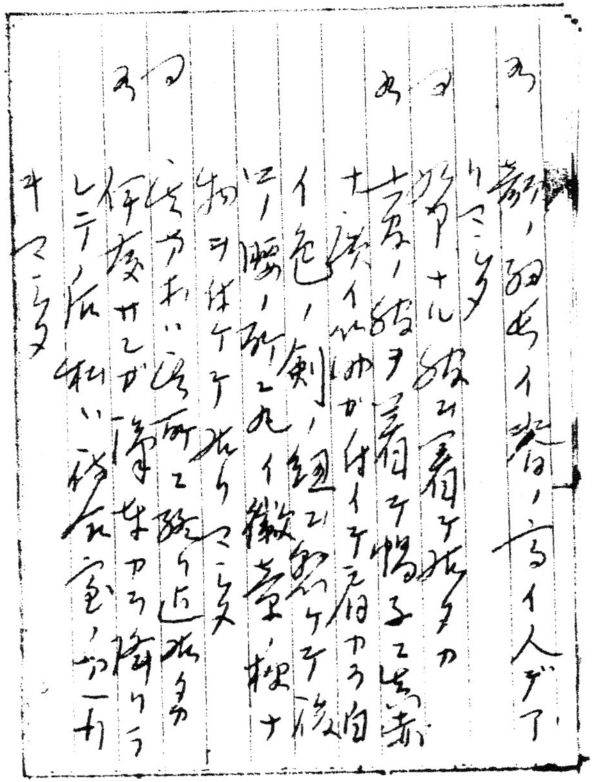

答 [illegible]ノ[illegible]ノ高イ人デア
リマシタ
問 如何ナル服装ヲ着ケテ居タカ
答 士官ノ服ヲ着テ帽子ニ赤
ト黄イ線ガ付イテ居テ肩カラ白
イ色ノ剣ノ紐ヲ掛ケテ後
デ腰ノ所ニ丸イ徽章ノ様ナ
物ヲ付ケテ居リマシタ
問 [illegible]ハ[illegible]所ニ[illegible]居タカ
答 [illegible]サレシガ[illegible]カラ降リテ
[illegible]
キマシタ

168

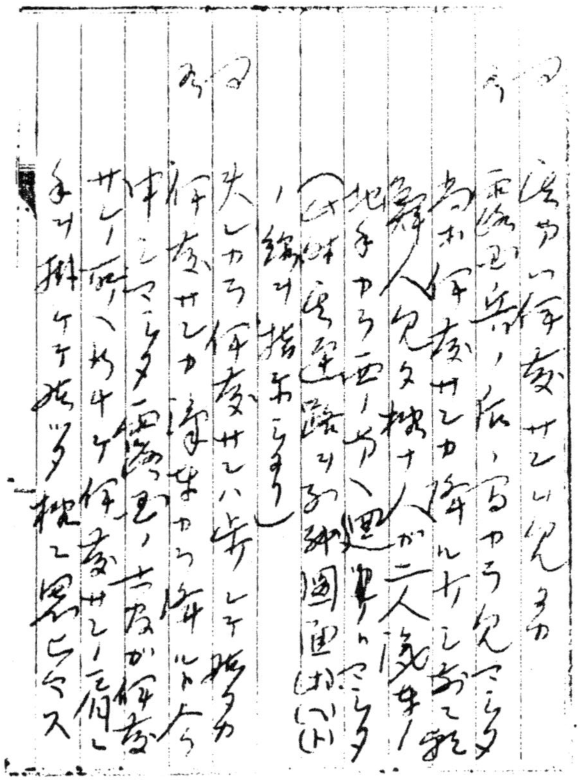

問 [illegible]ハ[illegible]サレシヲ見タカ
答 [illegible]ノ所ノ[illegible]カラ見マシタ
[illegible]サレシカ降ルナシ[illegible]
[illegible]人ガ二人[illegible]
[illegible]カラ西ノ方ヘ運ビマシタ
([illegible]図面[illegible])
ノ線ヲ指示ス
問 [illegible]サレシハ[illegible]カ
答 [illegible]カラ[illegible]サレシカ[illegible]カラ降ルトキ
[illegible]
[illegible]
手ヲ掛ケテ居ツタ[illegible]

169

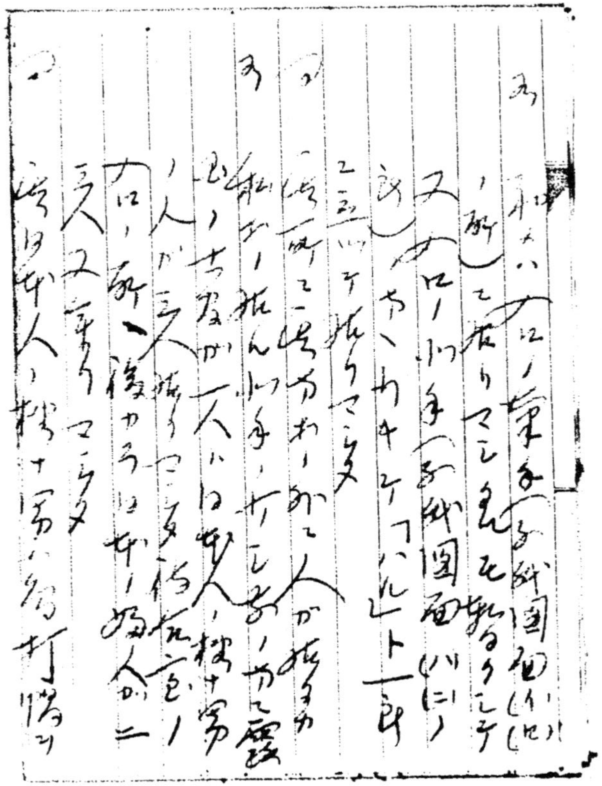

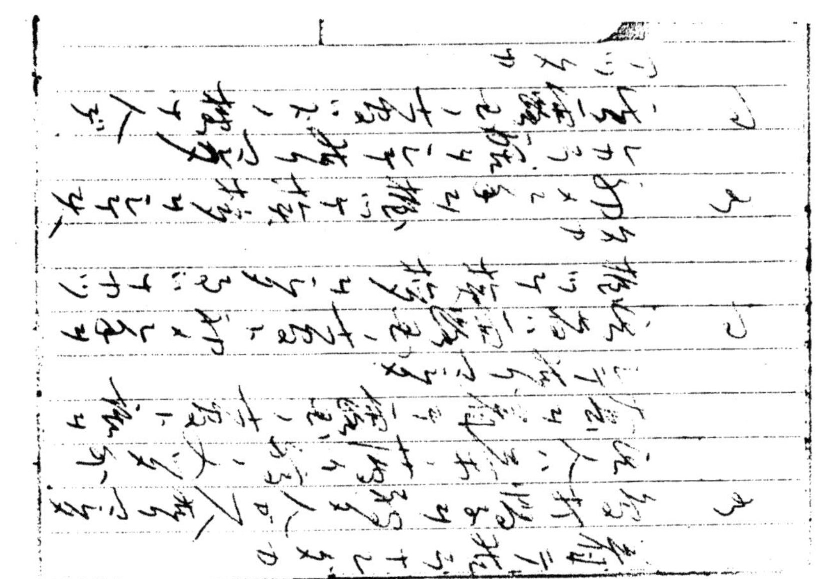

年齢ハ 二十四歳
身分ハ 平民
職業ハ [illegible]
住所ハ 哈爾賓傅家甸北四道街五百一号地[illegible]理髪店方
問 右被告人ト[illegible]
[illegible]
答 [illegible]アリマセヌ
問 汝ハ十月廿六日稲田ハルト共ニ伊藤公爵ガ来ラルルノデ[illegible]

164

停車場ヘ歓迎ノ為メニ行キマシタカ
答 行キマシタ
問 [illegible]
[illegible]
[illegible]
答 [illegible]
問 [illegible]

165

証人訊問調書

阿部タカ

右安應七、禹連俊、曹道先、柳江露、劉東夏、鄭大鎬、金成玉、金衡在、卓公圭、方士瞻、金麗水、張首明、金澤信、洪時濚、李珍玉、金培根ニ対スル

殺人被告事件ニ付明治四十二年十二月

二日哈爾賓日本帝国総領事館ニ於テ

検察官溝淵孝雄書記岸田愛文

列席

検察官ハ証人ニ対シ訊問スルコト左

ノ如シ

問 氏名年齢身分職業住所

ハ如何

答 氏名ハ 阿部タカ（日本人）

163

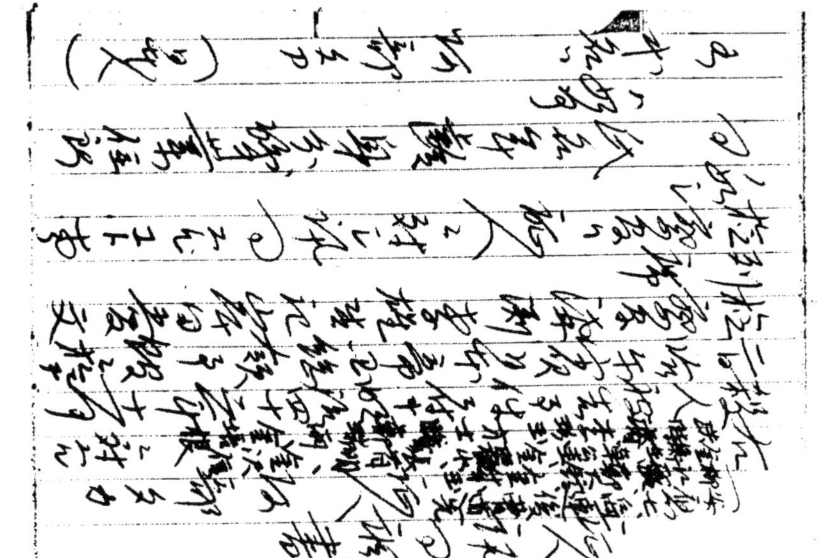

宿泊人名簿寫

投宿月日時	出發月日時	前夜宿泊地名	行先地名	族籍又ハ國籍	住所	職業	氏名	生年月又ハ年齢
	十月廿四日午時	安東県動永塵	韓国平壤	朝人	清国吉林省綏芬河	文部校閲書記	鄭大鎬	[illegible]才
		ゝ	ゝ	母				[illegible]才
		ゝ	ゝ	妻				[illegible]才
		ゝ	ゝ	子供二人				[illegible]
		ゝ	ゝ	妹氏				[illegible]才
		ゝ	ゝ	子供二人				
	十月廿四日	ゝ	ゝ	韓人		商	鄭瑞雨	[illegible]才

右寫相違無之候也

明治四十二年十一月十二日

草河口中國屋旅館

主人 児島信治 (印)

161

小児ハ何レモ韓國風ナリシト思フ
問　容器ハ如何
答　風呂敷包様ノモノ二三個ヅヽノ鞄一個
手提鞄様ノモノ一個宛ナリシト思フ
判然セス
問　兇器様ノモノヲ携帯セサリシヤ
答　気カ附カサリシ
右聞読セシメタル処相違無キ旨申立ツ
ルヲ以テ署名拇印セシム
草河口中國憲兵隊　供述人

159

児島信次 ㊞
昭和四年十一月十日
在安東日本領事館
外務書記生　久我成美 ㊞
領事　木部守一 ㊞

160

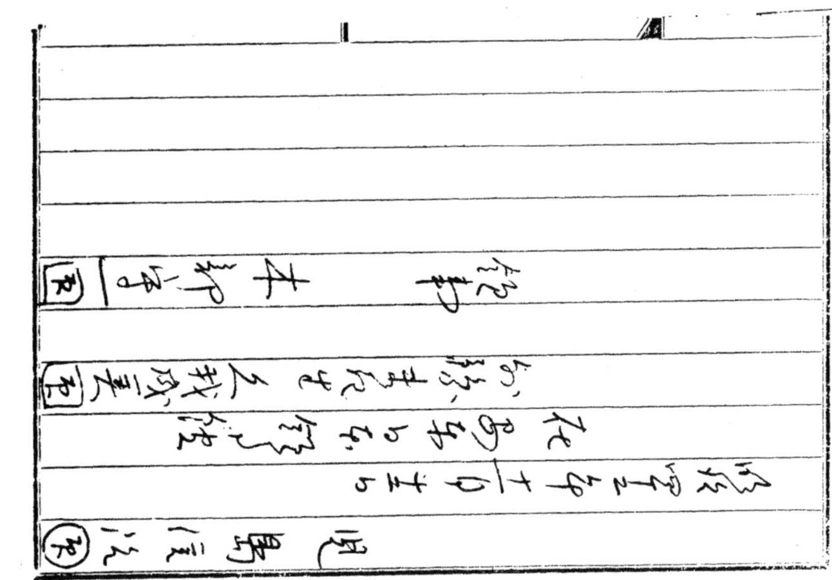

問 右ノ宿泊シタル男子二人ハ此写真ノモノ
ニアラサルヤ

此時溝淵検察官ヨリ差越ノ写真二葉ヲ示ス

答 此二人ノ者ニ相違アリマセヌ

問 投宿者ト出発ノ日付如何

答 十月二十四日午後七時頃投宿シ翌日午
前六時十五分発ノ列車ニテ東天ニ向ケ
出発シタリ

問 行先ヲ急クトカ又ハ用事アル様子ナカ
リシヤ

157

答 別ニ行先ヲ急クノ様子ハ見ヘサリシモ
長春寛城子等ノ停車場ナトヲ問ヒ十九日
本語ニテ尋ネタリシハ鄭大鎬ト申ス
有髯ノ男子ニシテ同人ハ十月十五日ニ妻子
ト共ニ館ヨリ居向ケ自分方ニ泊
リナカラ新築家ニ向ケ出発シタルモノ
ニテ同人ハ丸山田武市トテ呉服
商ト申スモノト同行同宿セリ

問 今回ノ行ノ服装如何

答 男子二人ハ谷黒服ヲ着シ帰人及

158

問 現住所ハ
答 草河口旅館中國方
問 職業ハ
答 旅館中國方ノ通訳人
問 中國屋ニ宿泊シテ居ル旅客ニ付テ其方
ニ於テ見ルニ朝鮮人居ルヤ
答 自分ハ去リテ中國屋ニ居リシ身ニ
傭ハレ其以後ノ事ハ大抵朝鮮人
ガ多ク人
問 本年十月半頃[illegible]

155

[illegible]ノ男子二人老婦人壱人中年
婦人一人小児五人ノ一行宿泊シタル
コトアリヤ
答 十月ノ半頃男子二人老婦人一名中年
婦人二人小児四人ノ一行宿泊シタル
コトアリ男子ノ髭ノ有ル男子ハ三十歳恰好他ハ
ノ男子ハ二十四五老婦人ハ六十歳近キモ
ノト思ハレ他ノ二人ハ二十四五ト二十歳近キ
モノト思ハレタレトモ朝鮮人ノコト故
判然ト御断致シ兼ネマス

156

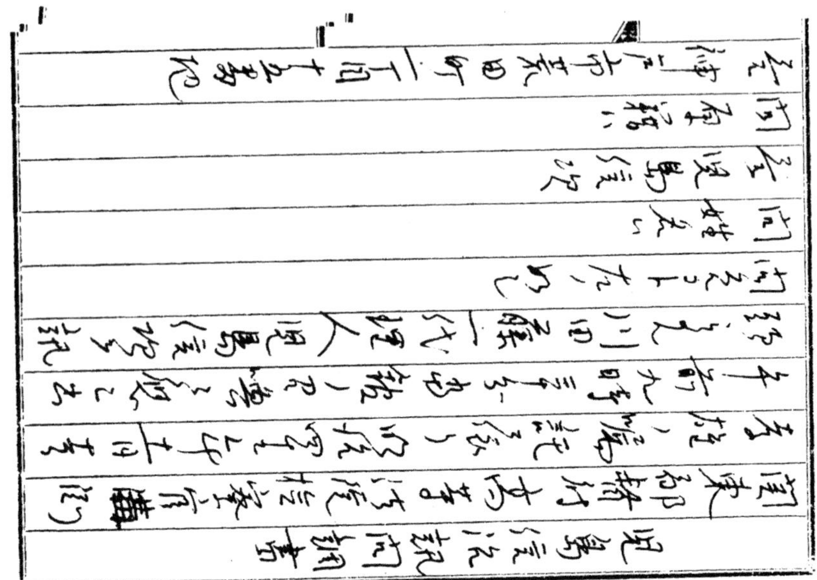

児島信次訊問調書

関東都督府高等法院検察官溝渕孝雄ノ嘱託ニ依リ明治四十二年十二月十三日午前九時三十分當舘ノ召喚ニ應シ出頭シタル川田藤一代理人児島信次ヲ訊問スルコト左ノ如シ

問 姓名ハ

答 児島信次

問 原籍ハ

答 神戸市荒田町一丁目十五番地

154

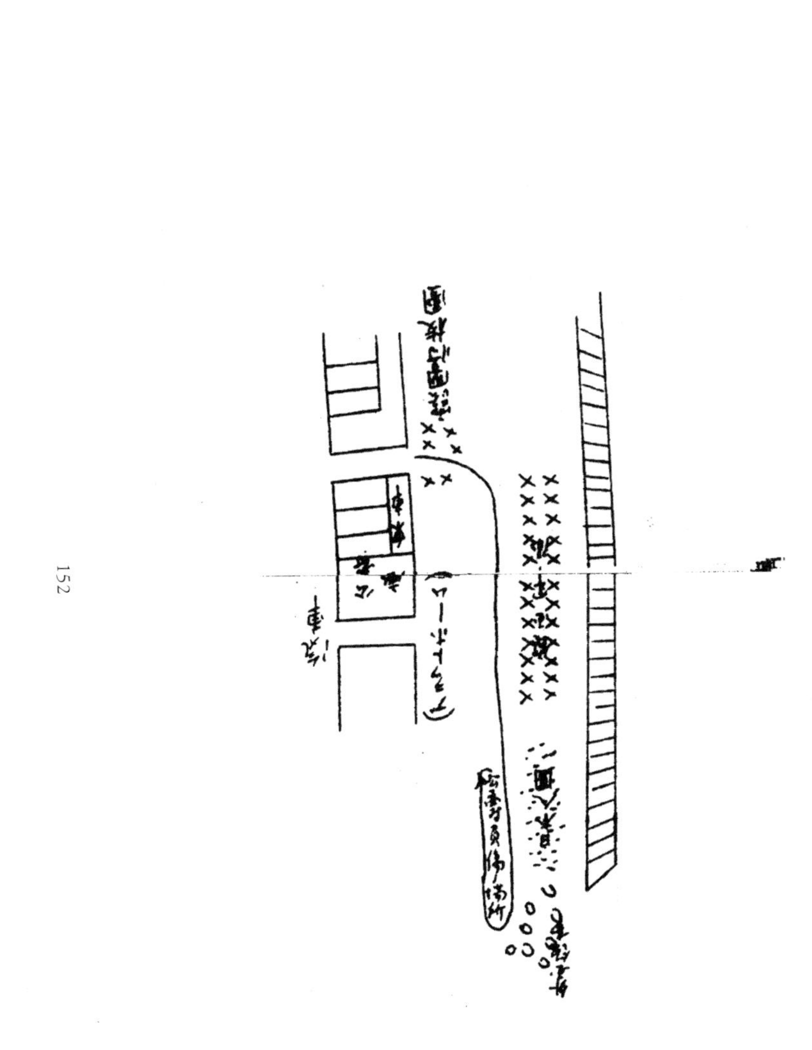

ル

公爵ノハ左ヨリ身体ニ三個ノ創

所アリテ其中ノ二ハ穿

通シテ其一ハ中ニ留マリ森

其弾丸ハ外部ヨリ之ヲ触シ得ル

弾丸ノ一ヲ検シタルニ丸ク

其ノ先ガ十字ノ切アリタルカ

打カ鈍カナリ且ツ公爵ノ創

傷ノ如キ銃創通リテ居ル

トヲ思ヒマシタ

證人 小山善

150

右通訳セシメ読聞ケタル処相違ナキ旨申立自

署捺印ス

明治四十二年十一月廿七日於大連ヤマトホテ

ル内

但出張先ナルヲ以テ所属長ノ

印ヲ押捺スル能ハス

書記 木内静衛

高等法院検察官 溝渕孝雄

151

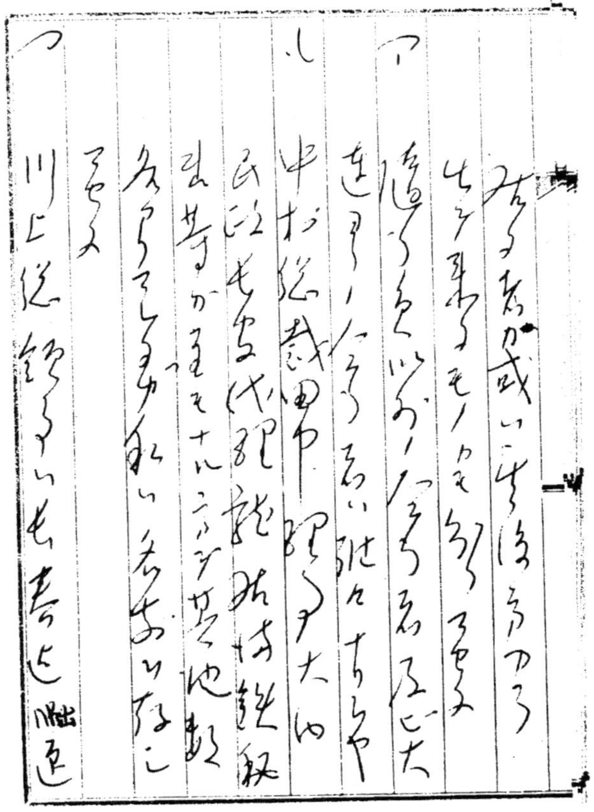

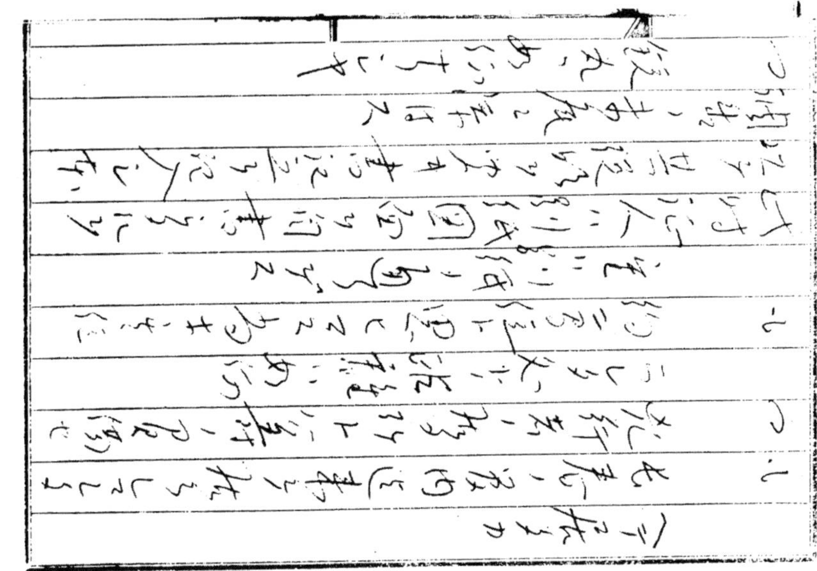

149

148

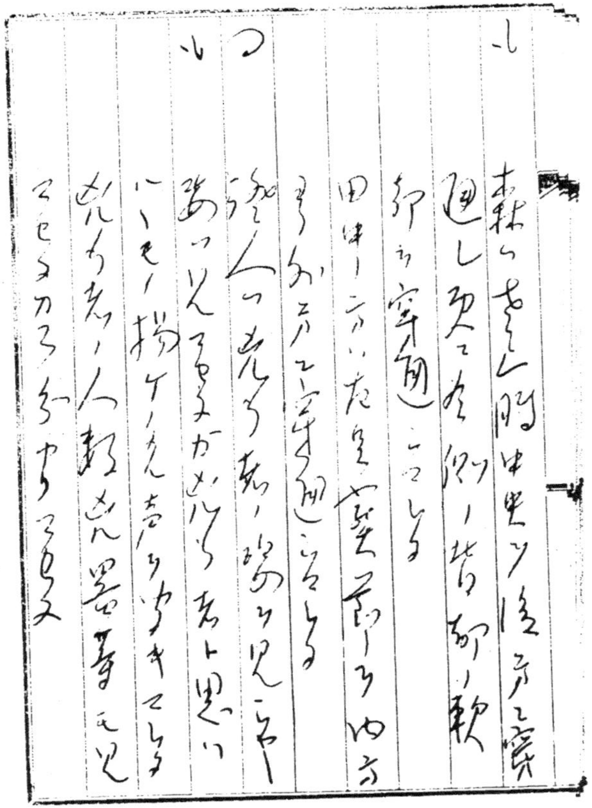

147

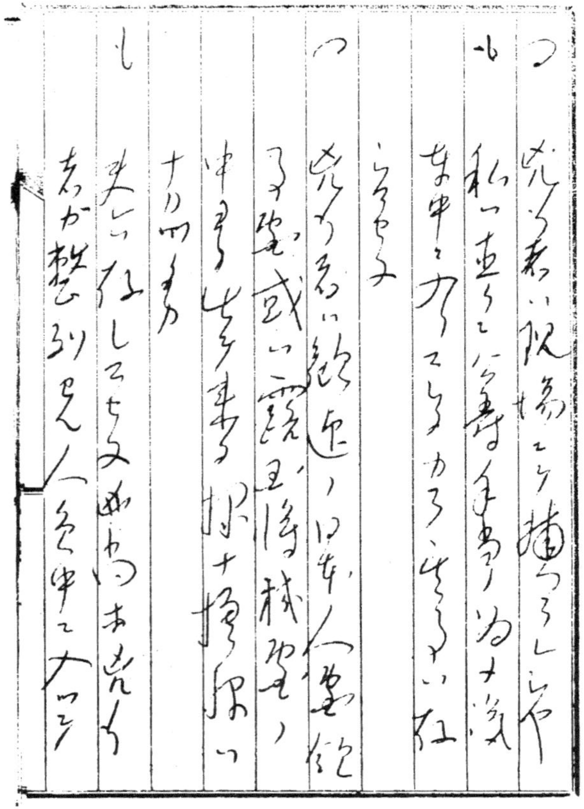

146

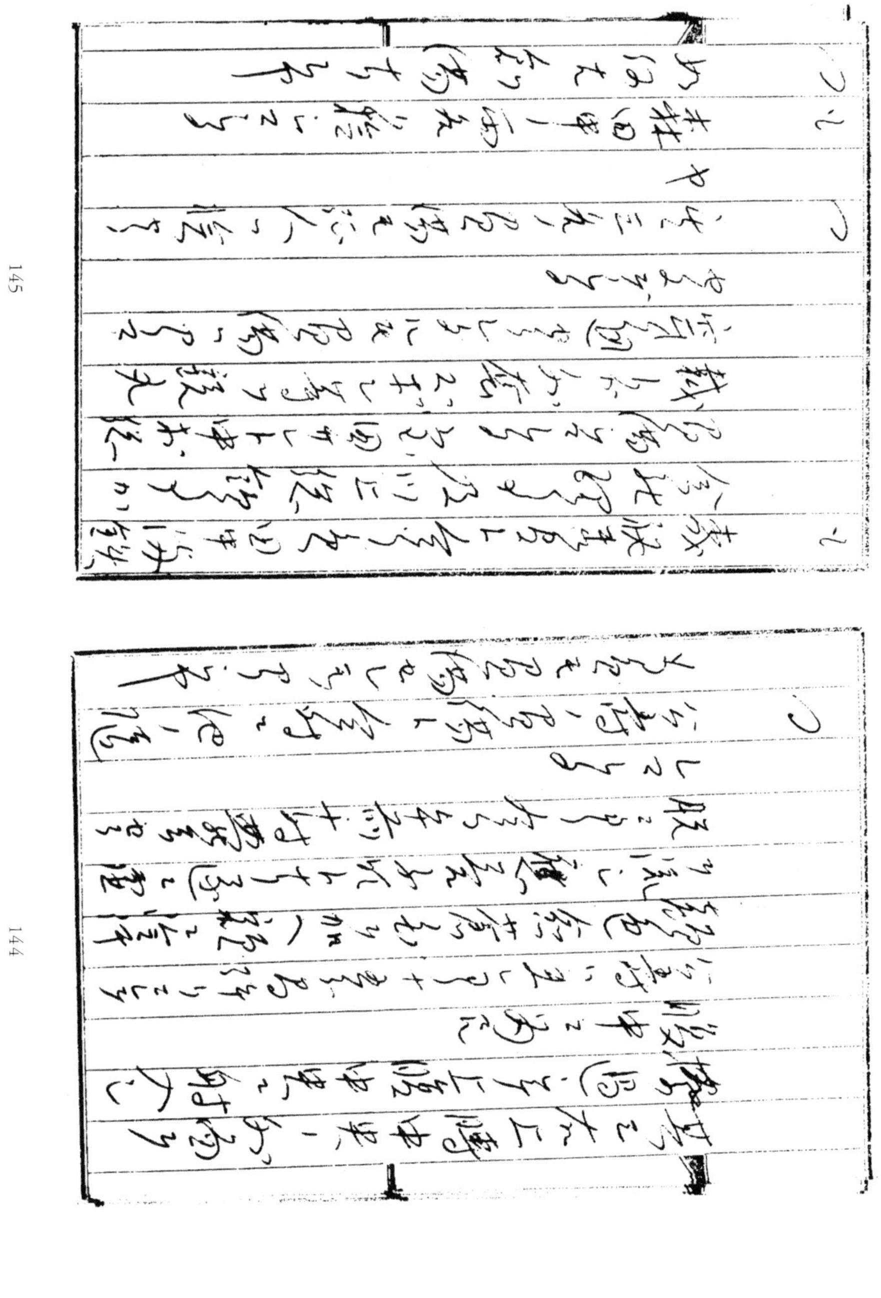

145

144

ニ公爵ヲ抱ヘテ汽車ノ元ノ
室ニ運ビマシタ
問 公爵ノ負傷ノ模様ハ如何ナ
リシカ
答 汽車ニ御運ビ申シテ診シニハ
顔色蒼白ニテ脈ハ甚微ニ
見受ケラレマシタガ衰弱甚シ
拭テシタノデ其上血液等ヲ
見ルコトガ出来マセンデシタ衣ヲ
解テ見マシタ処ガホワイト襯衣

142

ヲ[illegible]通シ多量ノ出血ヲ認メマシ
タ又其ノ三個ノ創傷ヲ認メマシタ
第一ハ右上膊中央部ヲ射入
シ右胸腋窩第五肋間ヨリ水平ノ方
向ニ両肺ヲ穿通シ左肺ニ留
マル胸内出血多シ
其二右肘関節後面ノ外側
ヨリ射入シ右胸腋窩ノ九肋間
ヨリ胸腔ヲ穿通シテ左季肋
下ニ留ル

143

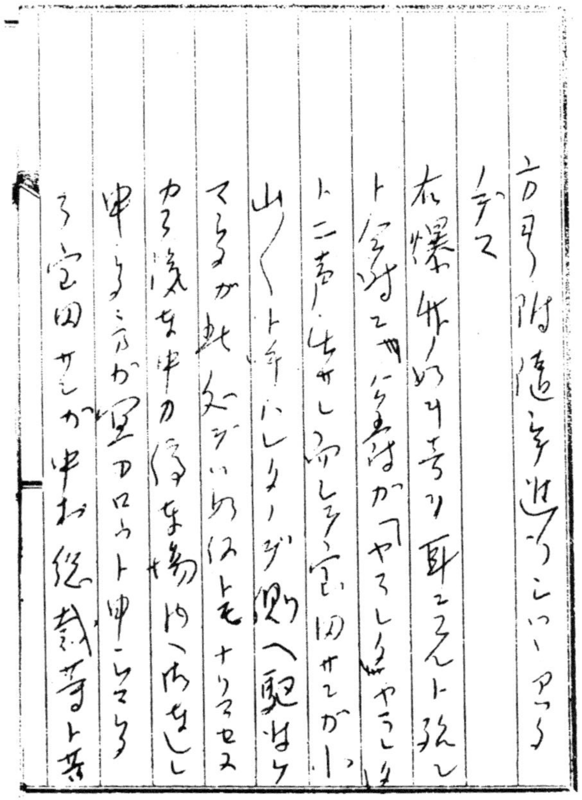

141

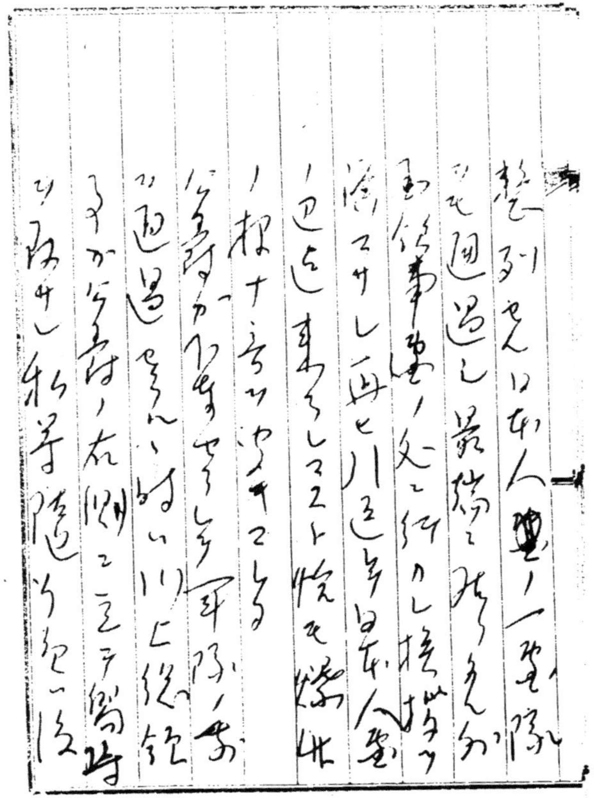

140

署セシヤ

も 本月八日午前[illegible]何時十分ニ着

シタル

つ 伊[illegible]ガ[illegible]番[illegible]

春陽門ニ於テ先ツ遭遇セシ

[illegible]場ヲ護ル人ハ定メテ[illegible]

[illegible]ヤ

も 定メテ知ラル

つ [illegible]付ノ[illegible]中[illegible]

も 流石ガ[illegible]番[illegible]ニ暑シ[illegible]ト

138

更ニ露兵大勢大院ガ[illegible]

ノ[illegible]ニ[illegible]ヲ[illegible]

[illegible]ガ[illegible]見シカラ大勢大

[illegible]ガ先ニ[illegible]ハ[illegible]ト[illegible]

[illegible]下[illegible]シテ[illegible]更ニ[illegible]

[illegible]露兵[illegible]十五六名見エ

[illegible]見シニ[illegible]セシ

見シカラ[illegible]

[illegible]露兵[illegible]

[illegible]遭遇[illegible]

139

答
氏名ハ 小山善
年齢ハ 万延元年八月生
身分ハ 平民
職業ハ 侍医
住所ハ 東京市麹町区三番
六十三番地
問 被告人ト親族関係人後見
人被後見人ノ関係有ヤ
答 何ノ関係モアリマセヌ
問 然ラハ伊藤公爵満洲巡遊セ

136

ラルヽニ付テ随行人トシテ出張中ナ
リシヤ
答 左様デス
問 随行員ハ誰々カ
答 森宮内大臣秘書官鄭外
務書記官古谷秘書官松
木陸軍少佐室田貴族院
議員私其外属官二三名デ
アリマス
問 其日ハ何時哈爾賓ニ到

137

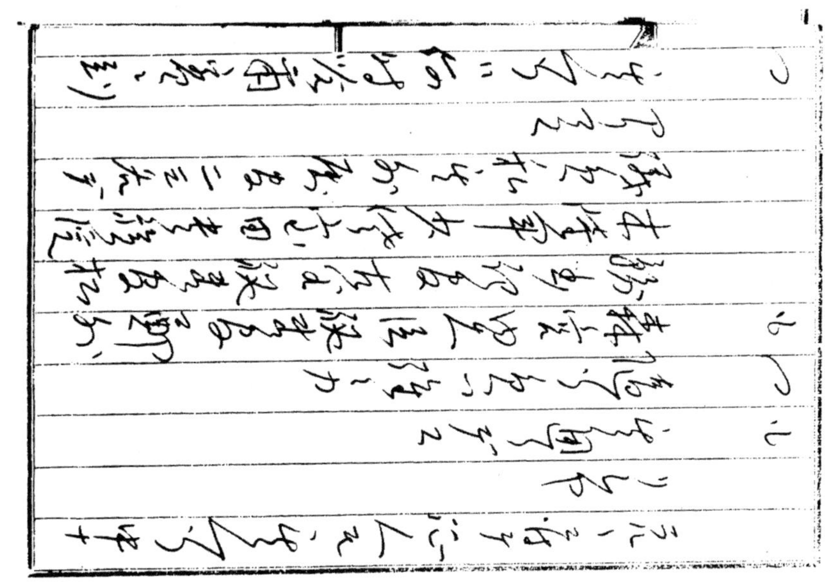

證人訊問調書

證人　小山善

右ハ安應七[illegible]ニ對スル殺人被告

事件ニ付キ明治四十二年十一月二十七日

關東都督府高等法院檢察官

溝淵孝雄ハ書記竹内靜衛列席

檢察官ハ證人ニ對シ訊問ヲ為ス

コト左ノ如シ

問　氏名年齡身分職業住所

如何

135

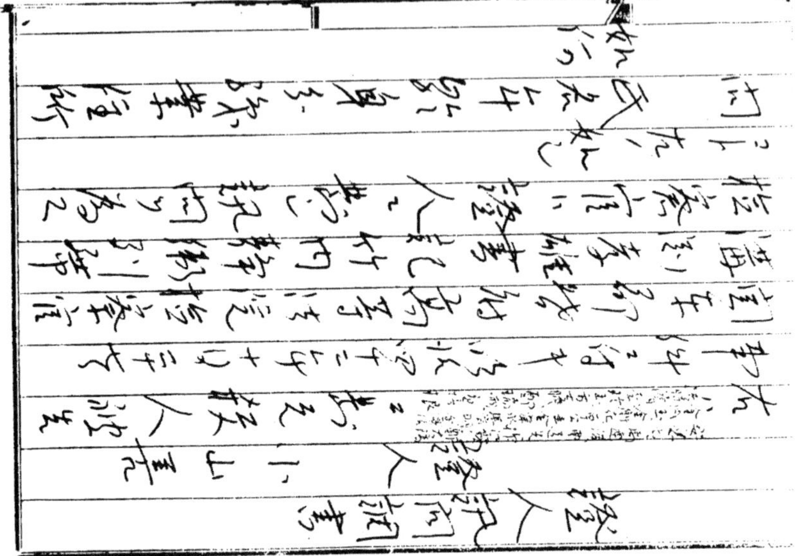

133

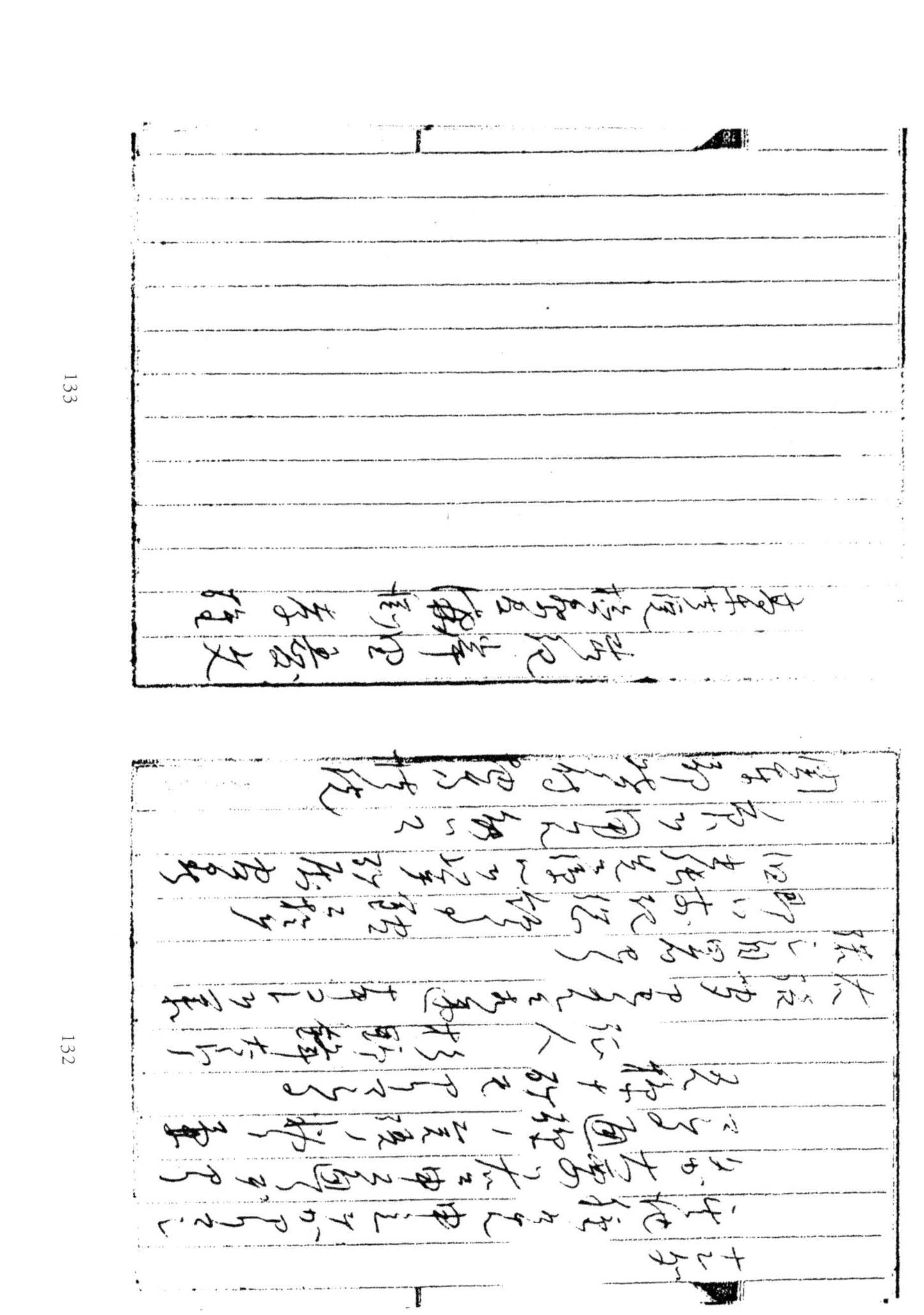

132

アリマシタカラ気ヲ付ケテハ居リマス

セナイカ

問　犯人ハ主公ヲ見タ時犯人ハ何ト

申シマシタカ

答　韓国人ガ通訳ヲシテ其ノ

夫ニ依レハ伊藤公爵ヲ狙撃

シタノハ韓国ノ独立ヲ保ツ

為メ友人ト申合セ来タ者デアリ

又若シ見込ミカツタラ見ル者ガ好

其他ニ命ヲ犠牲トスル

シテ居マス

問　犯人ハ公爵ニ弾丸ノ命中シタ

130

ルヲ知ツテ申立テマシタカ又公爵

ヲ殺スコトノ出来タ事ヲ知ツテ

歓喜シテ居リマシタカ

答　其様ナ事ハ私ハ見聞シマセ

ナンダ

問　犯人ハ名ヲ何ト申シマシタカ

答　ソレハ通訳ハ應七ト申シ韓

文字ニテ自署致シマシタ

問　犯人ハ其ノ様ナ事ヲ申シマシタハ

サウシタカ

答　自分ガ単独ニテ決行シタト

申シ其ノ仲間ノコトハ申シマセ

131

リ女ノ内ヨリ掛ケ居ルノヲ見受ケ
マシタカ
答 マシタ私ハ露兵ノ従僕デアル
カラ込ミタル者ハ韓人ナルカ日本人
ナルカ分ラヌ者ナルヤ否ヤ分リマセン
後ニ命令ヲ発シトモ云ハレシ分間
ヘ王命令ヲ聞キ記者ヲ殺シマ
シタ
問 其様ガ見エ居テ掛ヲ殺タ承知
ハ公使館ノ官舎ナリシカ
答 モ根ラ公使館ノ直接官
リ出タ路ノ官デアリマシタ

128

問 下手人ガ公使館ヨリ狙撃シタ
現場ヲ見タカ
答 現場ハ見マセヌ又私ハ露兵ノ部屋
ニ這入ッテ居ッタ時ニ犯人ノ声ヲ
聞キマシタ
問 其犯人ハ何者ナリシヤ
此時将校ガ居テ何者ナリシカ又
答 此者ハ分リマセヌ
問 露国公使館ノ部屋ノ時犯人ハ
何者ガ居リシヤ
答 何者モ将校モ居リマセヌ又
彼ハ此国者ノ通リノ行キシ

129

問　役人ガ車内ヘ抱キ入レタ公爵
ノ姿ヲ見タカヤ
答　見テ居ル車内ヘ入レル時顔カ
余程見マシタカラ私ハ少カ
ラ顔ヲ見ヘマシタ其時公爵ハ
顔色蒼白デ口ヲ締メテ上目
ヲ使フテ居タ後ハ覚ヘマセナンダ
問　其時ハ川上総領事ハ如何
シテ居タカヤ
答　公爵ヲ車内ヘ入レテシマフテ後総
領事ノ姿ハ見ヘマセヌデ居
マシタガ約十分程経テ総領

126

事モ負傷シテ病院ヘ行キタト云フテ
聞キマシタ
問　伊藤公爵ヲ車内ヘ抱キ入レタ時
川上総領事ノ姿ヲ見タカヤ
答　其時ハ見受ケマセナンダ
問　公爵ハ狙撃セラレタ時倒レタカヤ
答　其事ハ知リマセヌ
問　其時公爵ト同時ニ怪我シタ
人ハアリシヲ見タカヤ
答　其時ハ見マセヌ後トデ田中
理事ガ病院カラ繃帯シテ居ル又
ハ森ト云フ人ガ負傷シテ

127

カラ何カ抱ツタカト思ッテ内能
速急ガ発生シテ居ルカラ私ハ
之ヲ割テ其声ノスル方面ニ
行キマシタラ伊藤公爵ハ人ニ抱
カレテ居マシタカラ此ノ附近デ
兇行ヲ加ヘタル者ト思ッテ居ル
問　公爵ハ何人ニ抱ヘラレテ居タリヤ
答　日本人ト露国人トガ抱ヘテ居
マシタ其人ハ知リマセヌ然シ
日本人ガ公爵ヲ車内ヘ運ビ入
レテ居ル
問　犯人ハ中村満鉄総裁及ヒ室

124

田氏ヲ知リシヤ
答　知リマセヌ
問　公爵ヲ車内ヘ抱キ入レシハ「プラ
ットホーム」ニテ「プラットホーム」ヨリ車上ヘ
アゲハアラサリシヤ
答　其事ハ知リマセヌ然シ或ハナカ
ッタ様ニ思ヒマス
問　公爵ハ下車セラレタル時危険ノ
前後ノ警衛ヲ為シタル者アリヤ
答　下車ノ時ハ知リマセヌガ負傷シ
テ車内ヘ抱キ入レタル時ニハ御座
モ附テ看護致シマセナンダ

125

シタカ未タ何モセス
問 公爵ハ[illegible]
挨拶セラレシコトニ就テ居タ
ルヤ
答 支那側ノ総領事ガ何カ[illegible]
段々ニ[illegible]モ挨拶
サセラレ[illegible]公爵ノ[illegible]
ク[illegible]自然ニ[illegible]
ブラツトホームニ挨拶ガ終ハレハ
公爵ハ[illegible]ヘ乗ラレル
問 [illegible]ナリシヤ
答 左様デス

122

問 公爵ノ降車ニ於ケル挨拶ハ
如何
答 降車ノ節ハ何カ変事ニ遭遇セシテ
私ノ居ツタ所カラハ見ヘマセヌカ
問 [illegible]何ヲ付ケテ居
リシヤ
答 銃声ノ音カト思ツタ所デパチ
パチト三発位発射シマシテ
私ハ爆竹カト思ヒマシテ居リマシタガ
[illegible]ノ兵隊モ居リマシタガ[illegible]ノ方ヘ
飛ヒ込ンテ銃ヲ突キ出シ又人ヲ抱
ヘテ居ル[illegible]アリマシタ

123

公爵ノ寝室ヘ其処ニ出テ
居ラレタ
問 然ラハ寝室ノ前ヲ行ク時ハ人ハ
其内ニ居ラレ公爵ノ姿ヲ見タ
カ
答 見マセヌ私ガ館ノ近辺ノ所ヘ
行キマシタ時公爵ハ帽子ヲ被
イテ其内ニ立テ私等ノ様ニ穴
カラ見テ居ラレマシタカラ帽子越
ニ見テ居タ
問 熊本ガ君ヲ公爵ガ下ラセタ
トキ近ノ時見タカ如何

120

答 其日ハ私共ニ會イ内デ紫館
近辺ヘ行ク ト云フテ居テ
タ時分ハ正殿ニ於テ見セタガ
熊本何ナスマスト十分ニ正ノ時
分ツ経テ居タ
問 熊本ガ下セシ近ノ事ニ於テハ模様ハ
如何
答 熊本ノ来テ居ル時露国ノ大臣
大臣ガ日本人ヲ見ノ為ノ通弁ヲ連レツ
通ラレタ事ハ指摘居テラレタガ
其時ハ見マセナンダ又大臣ト
公爵ガ如何ナル風ニ対話セラ

121

考ヘシハ確カニ居ルハ右ノ方ヲ
アッタト思ヒマス

問 一般観迎者ガプラットホームヘ入
ルニ付テハ制限ヲ設ケアリシヤ

答 別ニ付テハ制限ヲ設ケアリマセ
ナク観迎ヲ為ス公爵ノ為後ニ入レ
ヲ一ニ皆ヲ残シマシタ

問 プラットホームノ何位宅ノ辺ノ
内外附近ノ警戒ハ如何ナリ
シヤ

答 憲兵探ハ平素ヨリ嚴重ニ
シテアリマシタ

118

問 公爵ノ客車ガ着セラレタガプラッ
トホームノ位置ハ何レノ辺ナリシヤ

答 日本人ノ並ヒハ概ネ向ッテ右ノ
方ヘ寄リ居タト思ヒマス

問 公爵ノ乗ッテ居タ客車ハ
列車ノ何ノ辺ニ在リシヤ

答 列車ノ最後ノ部デアリマシタ
露国ノ警察者ハ北方路傍
ニ並ンデ何レノ方ニテモ眺メラレ、
様ニ居ッテ居マシタ、其後
ニ方ッ眺メ出シテ居タノ列車ノ最後
ニ居ッタノカ何ニアッテス御手

119

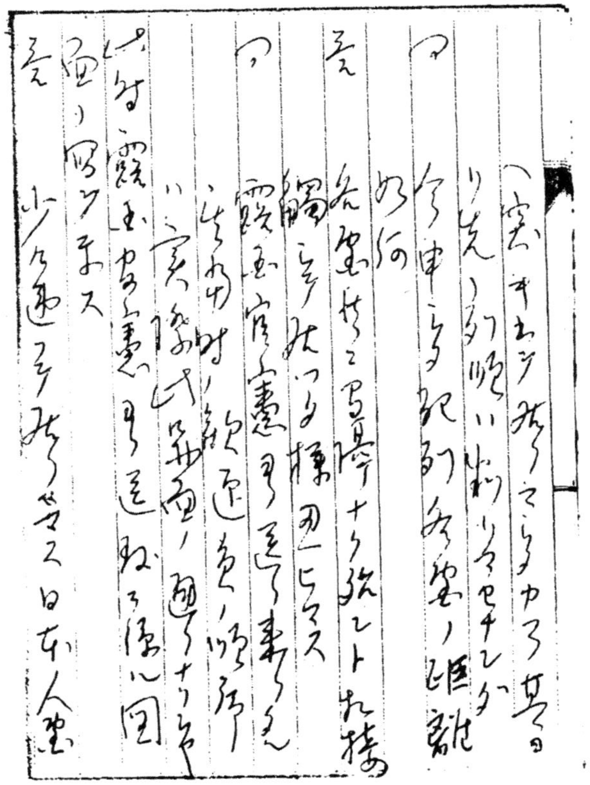

117

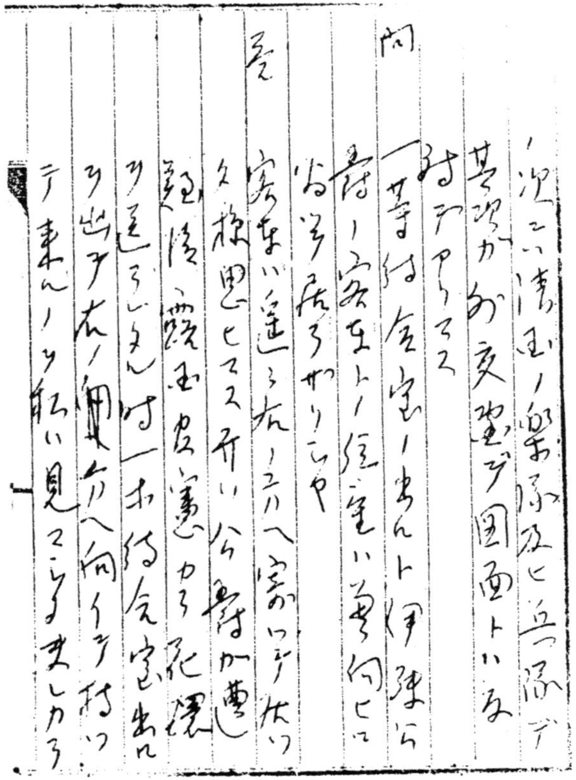

116

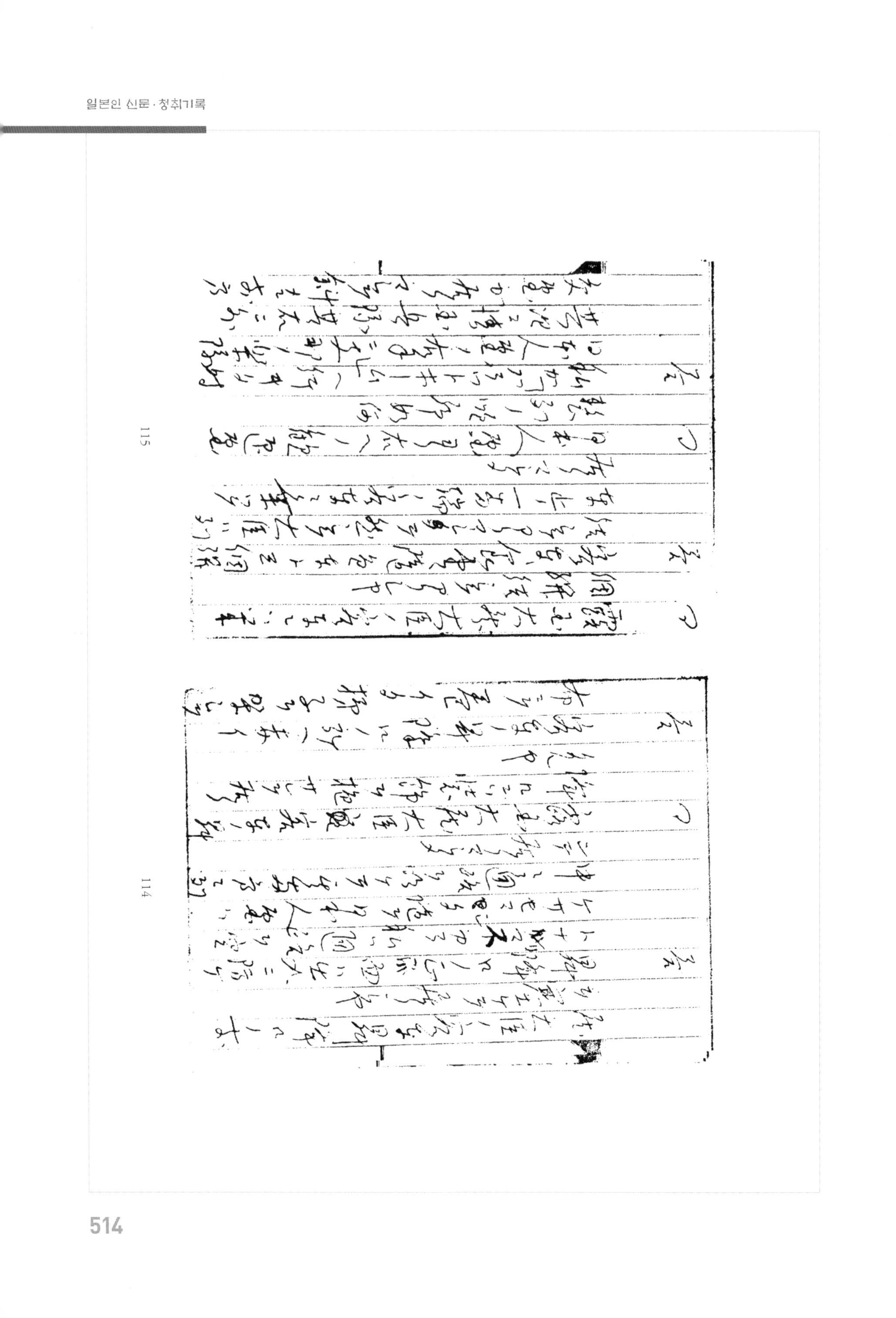

115

114

此建物ハ如何ナル名称ノ所ヲ指ス

ト思ヒタルヤ

問 停車場ノ東端ニ対シ三等待

合室ノ出入口ヲ閉塞シ居ル時ニ這

入リタルコトアリヤ

答 私ハ一等待合室ノ入口カラ

這入ッテ行ッタトキ一ハ出テ

私ハ後カラ続イテ行キマシタ 日本

人警察ノ巡査ニ連レラレテ

階段ヲ降リテ行ッタカラ三等待

合室ニ入ルノデアル気付キマ

セヌデシタ

112

問 日本人警察ハ指定ノ位置ニ整

列シテ居タカ

答 位置ハ予メ指定セラレアリタ

ル即チ一二等待合室ノ出入

口ノ左右ニ露西亜大蔵大臣ノ乗ラ

レタル汽車ノ前ニ[illegible]

場所ニ整列シテ居タ

問 日本人整列ノ時露國大蔵

大臣ハ何処ニ居リシヤ

答 其時ハ未ダ同大臣ノ客車内ニ在ラレタ

問 日本人警察ノ位置ハ露國大蔵大

[illegible]

113

出來ル事ハアリマセヌ
問 當地ノ韓國民ニシテ日本人
ノ命令ニ對シ[illegible]逆ノ企ニ加
入セシ者アリヤ
答 然ル事ハ存シマセヌ
問 日本人ト韓國人トハ[illegible]ルカ
出來ヌカ然ラハ伊藤公ノ如キ方ヘ
キ方カ宜シク[illegible]ハ[illegible]カサ
リシヤ
答 當館ノ館ニ於テハ[illegible]ノ
事ニ迄思ヒ及ホシ居リマ
セナイ

111

問 韓國人ハ特ニ注意ヲ要ス
ルモノナキヤ露國ノ上方ト[illegible]ノ
交渉ハナカリシヤ
答 私ハ露國ニ居リマスカラ委敷ハ
知リマセヌモ其探知ナルモノハナ
カリシカト思ヒマス
問 伊藤公ニ付テ何等ノ情報ノ如キ及
ヒ付近ニ[illegible]
ホシハホシ露國ノ取締方ハ如
何ナリシヤ
答 別ニ取締ト云フナリマセヌ
モ見ヘズ[illegible]

110

行ク時ニ護衛ノ為メ軍隊ヲ繰出
シタト申事デアリマスカ軍
隊ノ趣意ハ只皇后ニ対スル乱
ナカ始メ何トカ一[illegible]ニ露王ニ
[illegible]ハ其[illegible]ナラヌト申シ
タル[illegible]アリ[illegible]ハ何[illegible]ス
モ申シテ来マセヌ

問 露王[illegible]意見ヲ[illegible]来居
ヲ[illegible]ノ[illegible]ヲ[illegible]聴イテ
ノ通リ[illegible]アリマスヤ

答 其通デハアリマセヌ[illegible]
[illegible]カ[illegible]テ　川上[illegible]

108

ガ露王ノ[illegible]ノ為ニ行ツタ
ル節ニ[illegible]時[illegible]日本ノ[illegible]
[illegible]ノ為メ[illegible]ハ[illegible]
何トノ[illegible]アリマシテモ日本人ハ何シ
モ[illegible]日本人ニ対シ
ル[illegible]ノ事ハ止メテ[illegible]
ト[illegible]ナリマス[illegible]ニ川上[illegible]
[illegible]帰ツテ[illegible]マス

問 日[illegible]ニ[illegible]ノ[illegible]
モ[illegible]テカアリマスヤ

答 日本人[illegible]ノ企テアリマスハ
[illegible]ガ[illegible]王人ノ事ハ何モ

109

ハ知リマセヌ

問 伊藤公ト伊藤ト云フ人ハ如何

ナ物(?)シ居ルカヤ

答 日本カラ来タ人ノ名ハ知リマセ

ヌ居ッテ居ル者(?)ハ電報ヲ打ツタセ(?)

カアリマシタ

問 其日(?)ヨリ君ハ何処(?)ニ居タカ

答 室田義文、古谷、森林(?)、小山

ノ各氏 松本又作(?) 其外ニ

三名ノ護衛カアルトノ事デア

リマス

問 右者又ハ東清道府(?)ヨリ伊藤

106

公ノ護衛ニ来テ居タノデハナ

カリシカ

答 其事ハ知リマセヌ

問 当停車場ニ於テ伊藤公ガ鉄道(?)

ハ北部ニ於テ露国大臣ト

挨拶(?)ノ上ニ定メラレタルカ

答 鉄道ノ北部ハ帰(?)途ニ白(?)マセ文(?)ヌ

又公ガ停車場ノ上ハ何(?)ヲ以テ露国

大臣(?)何ヲ以テ卯(?)ノカラ来タ旨(?)ヲ報(?)

カルト云フ事ハ大分(?)ハ物(?)分カラナカ(?)

リマシタ

右モ露国大臣ノ方ヲ見テ伊藤

107

年齢ハ明治六年四月ノ廿三日生

身分ハ士族

職業ハ外務書記生

住所ハ哈爾賓日本総領事館

[illegible]総領事館

問　右被告人ト親族後見人

被後見人又ハ同居人ノ関

係ナキヤ

答　アリマセヌ

問　去ル十月廿六日伊藤公爵ハ

何時頃長春ヨリ当哈爾賓

[illegible]停車場ニ着セシヤ

104

答　午前九時ノ定メデアリマシタガ

十分許リ遅レテ着キマシタ

問　当館ヨリ館員ヲ長春近傍

迄迎ヒニ行キマシタカ

答　川上総領事ガ出迎ノ為メ

十月廿日頃長春ヘ行キマシタ

問　伊藤公来着ニ付韓国人

ノ動静ニ関シ何カ調査

セラレシヤ

答　其様ナ事ハ耳ニモ致シ

[illegible]

105

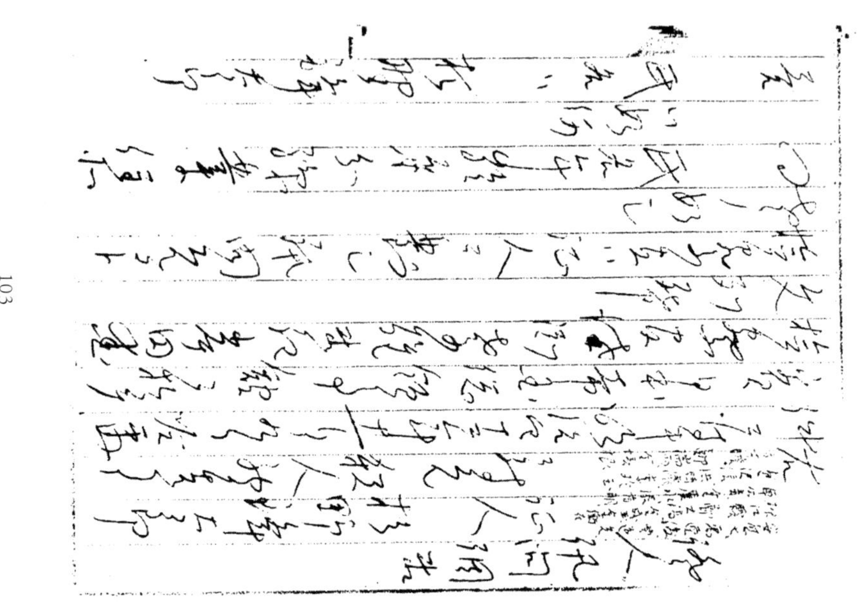

103

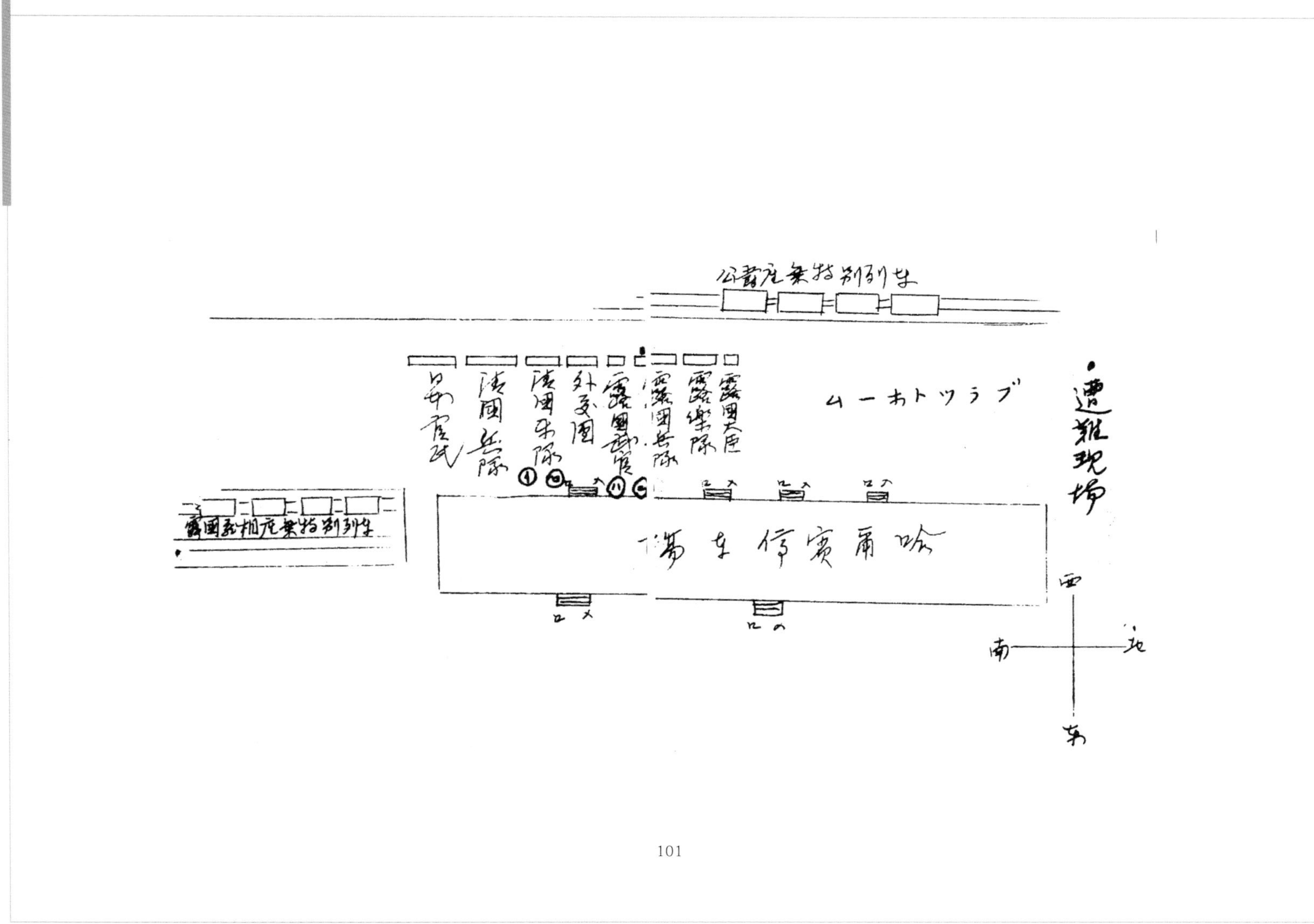
公爵座乗特別列車
露国蔵相座乗特別列車
日本官民
清国兵隊
清国楽隊
外交団
露国兵隊
露楽隊
露国大臣
プラツトホーム
哈爾賓停車場
遭難現場
西
南
北
東
101

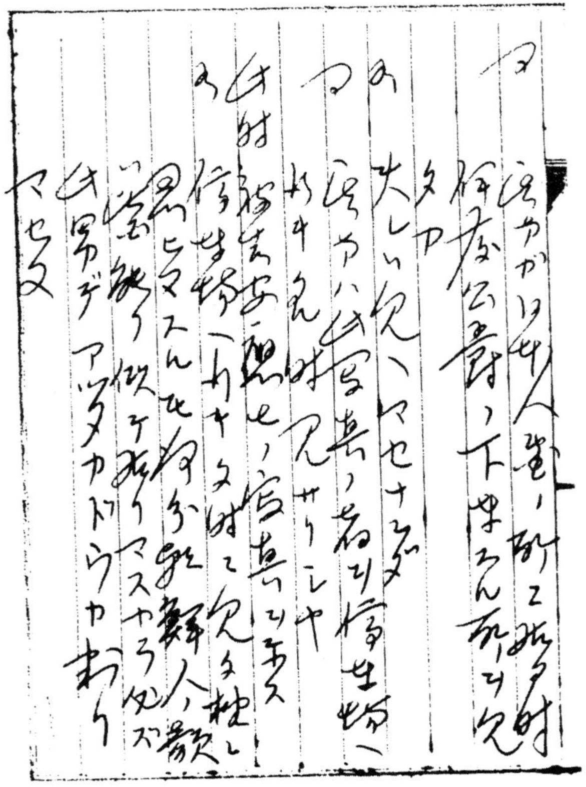

98

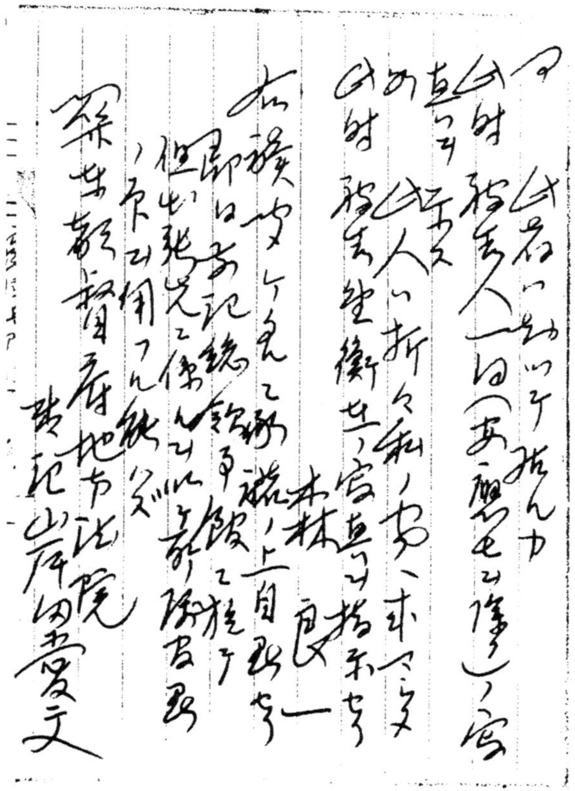

97

露兵隊ノ整列シテ居ル所ノ背
ニ立ッテ居リマシタレバ少シバカリ
人ノ音ガシマシタガ汽車ガ着キ
其ノ中ノ一名プラットホームカラ
西ノ方ヘ倒レルノヲ見マシタ[illegible]
外人ノ為ニ整列ハシテ居ラレル
ガ後ケ方ヘ通リマシタ
既ニ巡査ガ駆付ケマシタ
デ御方ガアッタト思ッテ目
外人ノ人々ト一所ニ来ル露兵ガ整
列シテ居ルガ当ッテ後ニ集合ヘ
居リマシテハ一人整列シテ居ル

95

人ニ人ガ抱ヘテ汽車ノ中ヘ入リ
居ルカラ又伊藤公爵ガ汽車
ノ中ヘ抱キ入レルノヲ見マシタ
居ル見キ入汽車ノ中ヘ抱キ込ンデ
シタ人ハ田中サントモウ人デ忠
ニ整列シテ居ル事ニ依リ待ッテ
マシタ
夫レカラ私ハ婦人ノ姿ガ見ヘ
マセナンダカラ探シニ行ッテ帰ッテ
マシタシ見ルト入口ヲ出テ来
マシタカラ私ハ後ニ付イテ帰ッテ
来マシタ

96

ラ女ガ引張口ノ方ヘ去ラレマ
シタガ女二人ハ後ヨリ室ノ入口ノ
方ヘ向ッテ行キマシタガ、右側
伍ノ砲塔カラ出タマス下位置
ノ入口ノ前ノ方(別紙図面(イ)(ロ)ノ
所)ヲ行キテ暫ク時立ッテ居ッテ
再ビ入口ノ北側ノ方(別紙図面
(ハ)(ニ)ノ所)ヲ行キテ二人デ立ッテ
居ッタト申シマシタ
私ハ女カノ去ッタ後ヨリ中人迄ノ
所ニ居リマシタガ、後ニ見タガ着イ
タノデ女ガニ仲度公判ヲ為シテ

93

迄ニ向ッテ行キ入口ノ方ヘ
行キマシタレハ女ガハ入口ノ北ノ側ノ
(図面(ハ)(ニ)ノ所)ニ居リマシタガ
ラ仲度公判ヲ為シテヤリマ
シタガ、後日公判ノ際中デ
立ッテ居リマシタ私ガ見タ時
ニ私ガノ砲塔ノ砲台北ノ方
ニ露出ノ士官ヤ伴船ノ者ガ
旧式人ノ様十人ガ四五名立ッテ
居リマシタ
私ハ女ニ仲度公判ヲ為シテ
返イテ引返シテ自分人迄ト従

94

職業ハ　料理店業
住所ハ　哈爾賓傅家甸北四道
街五百一号
問　右ニ居ル人ト親族後見人ハ被後見
人、雇人、同居人ノ関係ナキヤ
答　アリマセヌ
問　伊藤公爵ガ来着セラルニ付キ
汝方ハ十月廿六日朝哈爾賓
停車場ヘ歓迎ニ行キタカ
答　行キマセヌ
問　汝ハ汝方ニ[illegible]張ル[illegible]ノ[illegible]
カ
[illegible]ハ[illegible]ノ何人[illegible]マスカ

91

答　[illegible]アリマセヌ
問　汝方ハ停車場ヘ行キテ[illegible]ヲ張
ッタカ[illegible]ニ依リ指示[illegible]
付[illegible]露國官憲ヨリ送リ来タル信
[illegible]所在ノ取調ヲ求メテ指示セラレ
[illegible]調書ニ添付ス
答　[illegible]公所ヘ行キマシタ[illegible]
十人カ張リマシタガ暫クシテ私
ハ二階ノ女ニ逢ヒテプラットホーム
ヘ出テ日本人[illegible]張ル処ヘ行キ
マシタシハ[illegible]ノ人ガ婦人カ[illegible]
[illegible]ヘ来テ[illegible]ナラヌト申シマシタカ

92

証人訊問調書

証人 森良一

右安應七、禹連俊、曺道先、柳江露、鄭大鎬、金成玉、金衡在、卓公圭、金麗水、張首明、金澤信、洪時濬、李珍玉、方士瞻、鄭瑞雨、金培根ニ對スル殺人被告事件ニ付明治四十二年十一月二十日哈爾賓日本総領事館ニ於テ検察官溝淵孝雄書記岸田愛文列席検察官ハ証人ニ對シ訊問スルコト左ノ如シ

問 氏名年齢職業住所ハ如何

答 氏名ハ 森良一(日本人)

年齢ハ 三十二年

90

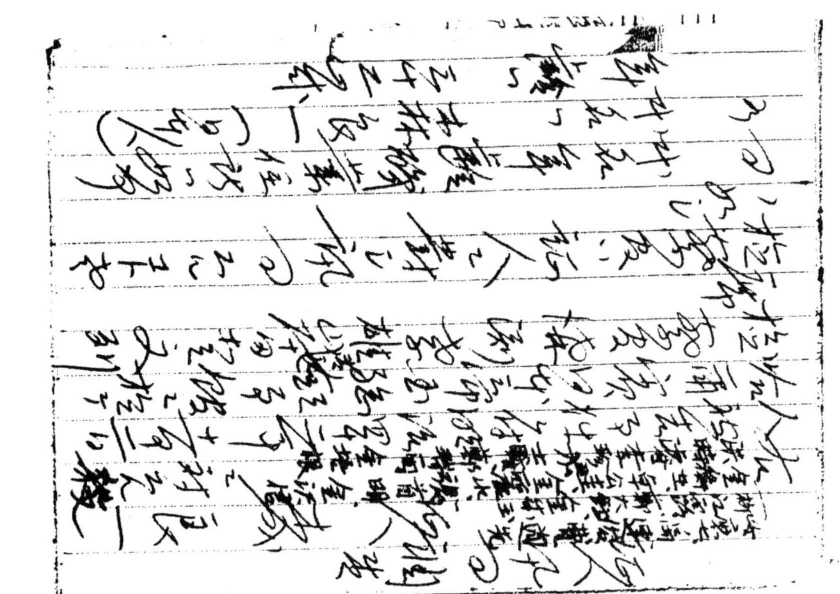

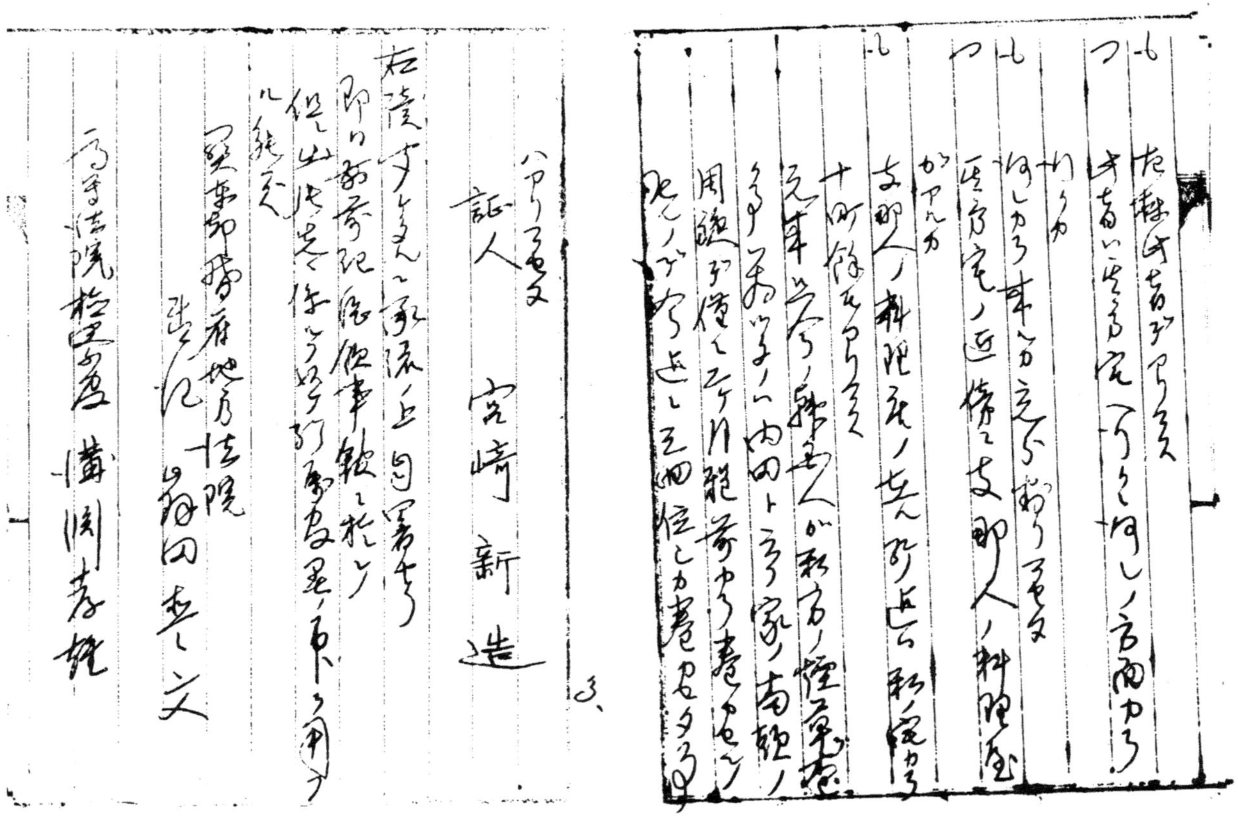

右様申立タリ
其前ハ何シノ方面カラ
来タカ
何シカラ其方カ之ヲ知ッテ居マス
答 宅ノ近傍ニ支那人ノ料理屋
ガアルカ
支那人ノ料理屋ノ主人ガ近所ニ私ノ宅カラ
十間位アリマス
元年正月ノ騒キ人ガ私方ノ煙草店
ヲ買ヒニ来テ内田ト云フ家ノ南隣ノ
周旋ヲ依頼シタリ能ク貸シテヤリ其ヲ
兆ノ時ニ近ク三四位シカ書ヲ出シタリ

87

ハカリマス
証人 宮崎新造
右読聞ケタルニ承認ノ上自署セリ
即日於警務部記録係事務ニ於テ
但出張先ニ付所属官署ノ印ヲ用フ
ル能ハス
京畿道警務部 地方法院
書記 中村 [illegible]
高等法院檢事局 [illegible]

88

3、

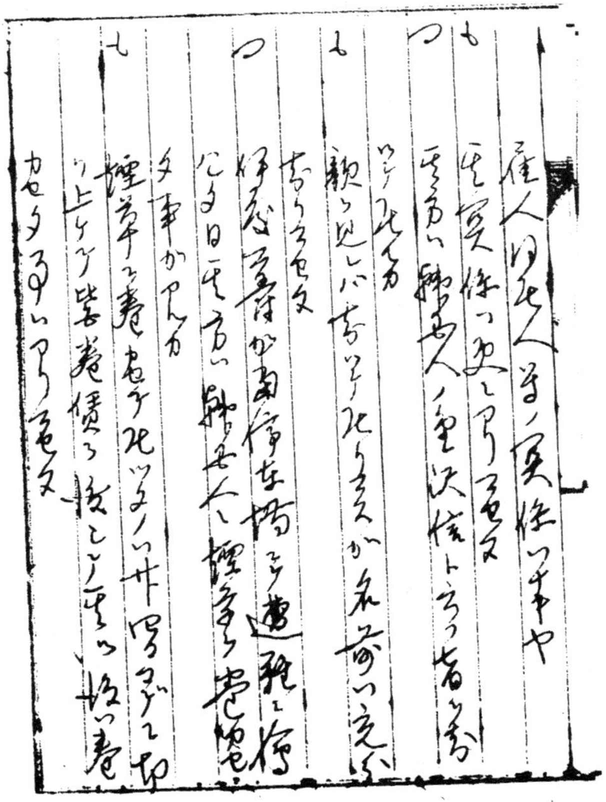

86

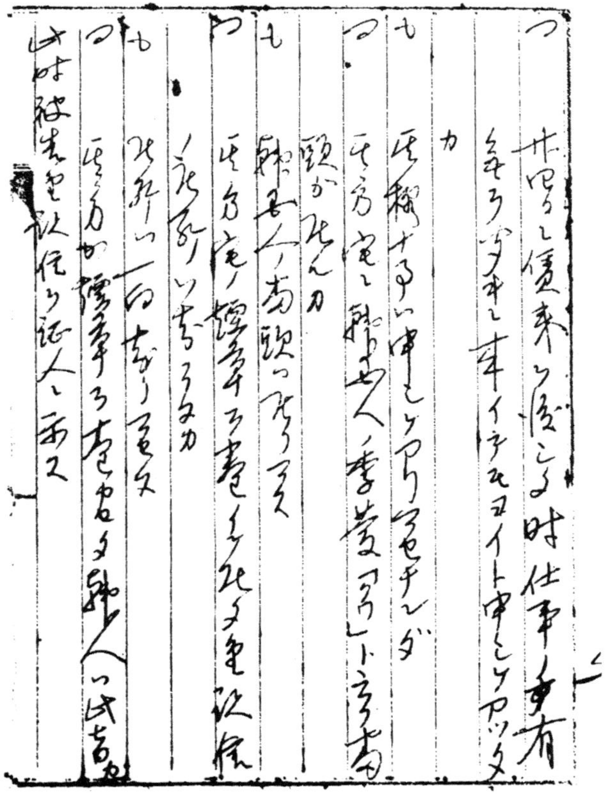

85

証人訊問調書

右安應七、禹連俊、曺道先、柳江露、鄭大鎬、金成玉、金衡在、卓公圭、金麗水、張首明、金澤信、洪時濬、李珍玉、方士瞻、鄭瑞雨、金培根ニ對スル殺人被告事件ニ付明治四十二年十一月一日哈爾賓日本帝国総領事館ニ於テ検察官溝淵孝雄書記岸田愛文列席ノ上検察官ハ証人ニ對シ訊問スルコト左ノ如シ

証人 宮崎新造

問 氏名年齢職業住所ハ如何

答 氏名ハ宮崎新造
年齢ハ三十九歳
職業ハ料理店営業
住所ハ哈爾賓プリスタンプロワヤ街

問 右被告人ト親族関係ノ人被害関係ノ人

84

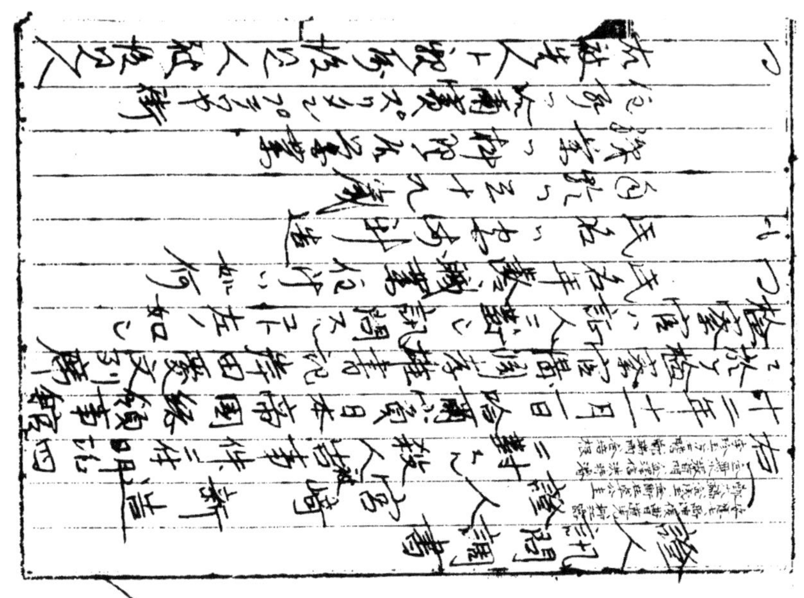

キ風説アリマシタガ其ノ風評ノ
是ニ付キ右様ノ心当ナキヤ
問 昨年欧露ニ於テ役所ニ雇ハレテ
拙者ハ右ノ支那人ノ中ヨリ雇ハレタ者ナリ
ヌルト直グ始メテ望ミ取引シテ支
那人ニ面会シ詳細ヲ聞キシテ帰
国人ガアリマス
問 其ノ人ハ何ト云フ名ノ人ナルカ
答 其ノ者ノ月ノ初メ廿七八日デアリマス
証人 工藤清三郎
右読聞ケタル処相違ナキ旨承認シ署名捺印シ
タリ

81

同日於前記検察庁ニ於テ
但十張毎ニ契印ヲ為ス所修正ナシ
[illegible]
関東都督府地方法院
書記 岸田愛文
法院検察官 溝渕孝雄

82

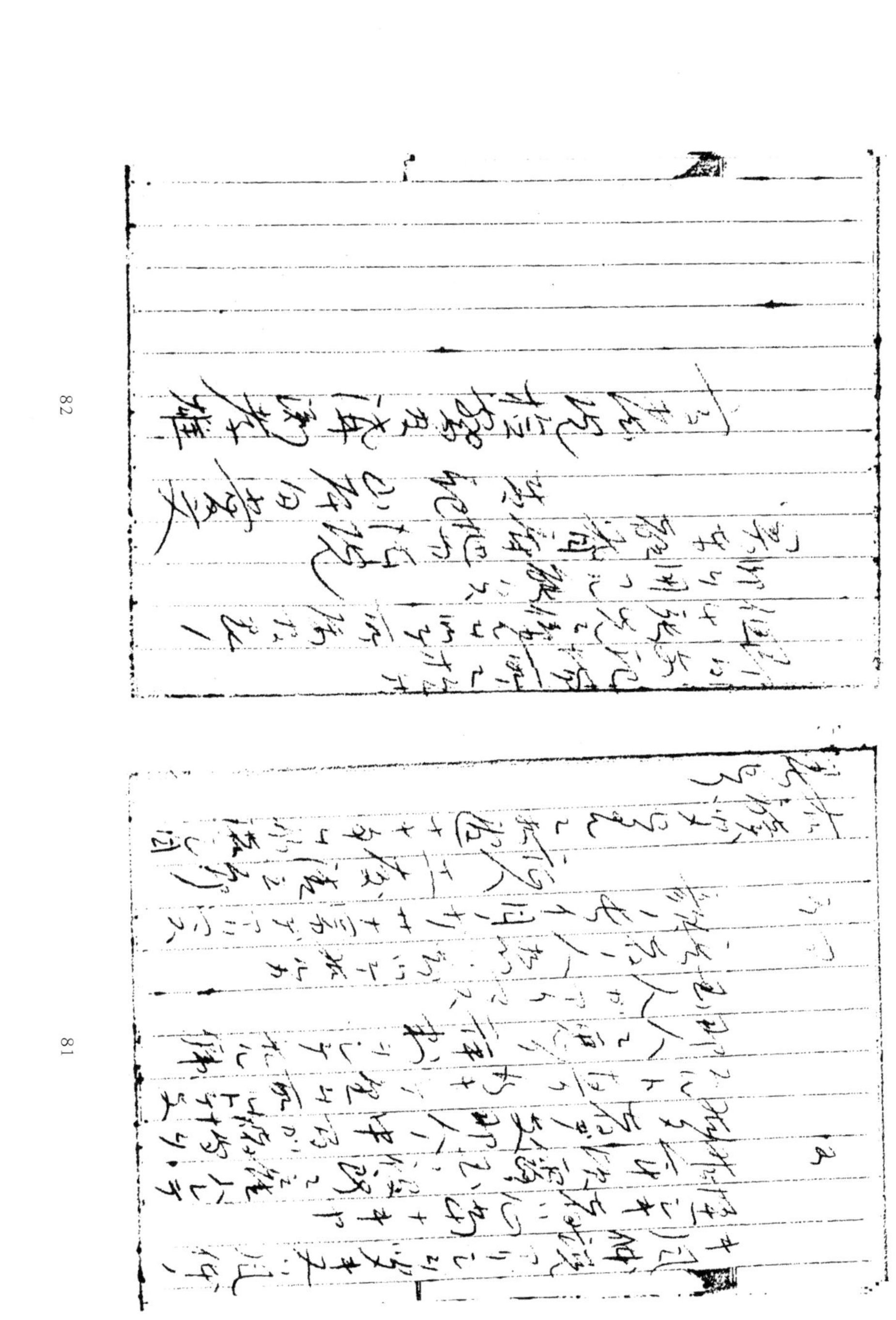

十マシタ
問 彼方ガ初メプラツトホームニ来ル時
待合室ノ中ノ飲食店ニ誰カ
人ハ居ラナカツタカ
答 飲食店ニハ露西亜婦人ト其男
ガ二三人ト居リマシタ
問 彼所ニ日本人又ハ朝鮮人ハ居ラザ
リシカ
答 彼様ナ人ハ見エマセナンダ
問 其者ハ彼方ハ知ツテ居ルカ
其時桜安重根モ除リ外ニ外客一名ノ
客席ニ居リマス

79

露人方士勝ノ室ニ居リ話手ヲシテ
答 其者ハ医師デアリマスガ私ハ付ク
見マシタガ外ノ者ハ知リマセヌ
問 其者ハ如何ナル者カ
答 其時桜安重根モ其室ニ居リマス
答 昨年晩二後街ニ居リタ桜洞
思ヒマスルモ其後ハ知リマセヌ
又今ハ中ラ家（方士勝）ハ件
夜トミラ日本ノ歯医師ニ付テ
来テ居リマシタノデ露西亜人ノ妻
ニ掛ツテ居リマスル者デス
問 彼方ハ桜井ガ韓国人中ニ煙レ

80

十四 医師ト云フ男ハ如何ナル風体デ
アッタカ
十五 丈ハ高クハ有リマセナンダ
十六 夫カラ医者カハ如何ニシテ知ルカ
誰レ言フトナク伊藤サンハ一寸出来
ルカラ部屋ヘ出ラレタト聞キマシ
タカラ私ハ一等ノ治療ヲ受ケ
ケテ仕舞ヒ、所ヘ行キマシタル時川
上サンガ医者ニ、私ノ下ニ居ル
手ヲブラ下ゲテ居ル手ヲ引キ出シ
上ゲテ来テ、オ前マシタカラ私ハ
ドウナサッタト言ヒマシタレハ川上

77

サンガヤラレタト申シマシタカラ私ハ
医師ニ来テ貰フ積リデブラブラ
トホームヘ行キマシタラ医師ハ居リ
マセナンダカラ引返シテ来マシ
タレハ医者ハ川上サンノ家ヘ御出デ
手ガ切レテ抱イテ居リマシタ
十七 医者ガ来テ川上サンノ家ヘ行キ
其時、医者ノ傍ラニ人ガ居タカ
十八 人ハ誰モ居リマセナンダガ私ガ二
度目引返シテ来タ時ハ沢山人ガ
来テ露西亜ノ憲兵モ来テ居リ
マシテ川上サンヲ車ニ乗セテ行

78

問 貴方ガプラットホームニ在ル所ヘ行ク時日本人ハ沢山居マシタカ

答 日本人ハ露国ノ軍人ノ居ル所ノ前ニ
七八名居リマシタ私ガ来ル方ヘ
列車入ル時ニモ日本人ニ交ヒマシタ

又

問 貴方ハプラットホームデ何所ニ居タカ
車ニ居タカ

答 プラットホームデハ日本人ニ交ヒマシタ

問 貴方ハ銃ノ音ヲ聞イタカ

答 楽隊ト陸軍兵ノ居ル所ヘ来タ
時パンパント云フ音ヲ聞キマシタ

75

問 其音ハ銃ノ発射デアリマシタカ

答 私ノ右ノ後ノ方デ五六発程発シ聞ヘ
マシタ

問 何人カ撃ッタカ分ラサリシカ

答 夫レハ分リマセヌ

問 其音ハ露国兵ノ中カラ出タカ
又如何ナル方カラ出タカ

答 十分大シテハ分リマセヌ音カラ見タノ
デ私ハ怪シンデ居リマシタ然ルニ私
ノ右ニ居タ人ガ日本語デ何カ云ヒ
ニモ川上サンモ撃タレタト申
シマシタ

76

問 [illegible]ニ女ハ居ナカッタカ
答 [illegible]ノ[illegible]ニハ一所ニ青イ衣物ヲ着タ朝鮮ノ女ガ二人立ッテ居リマシタ
問 證人ハプラットホームヘ出テ行ク時見タカ
答 [illegible]室ヨリ出テ右ノ方ヘ行キ伊藤サンノ案内デ汽車ノ見ヘル所迄行キマシタ
問 伊藤サンガ汽車カラ降ルノヲ見タカ
答 見マセヌ

73

問 伊藤サンノ先ニハ誰カ降リタカ
答 伊藤サンカ中ニ居ッテ二三人一所ニ降リタ様ニ思ヒマス
問 伊藤サンハ誰レカニ挨拶ヲセラレタカ
答 夫レハ見ヘマセナンダ二人カ居リマシタカラ私ノ所カラハ[illegible]
問 夫レカラ證人ハ伊藤ノ方ヘ行キマセナンダカ
答 伊藤サンノ帽子丈ケカ見ヘマシタカラ證人ハ帽子ノ振ル方ヘ付イテ行キマシタ

74

身分ハ 平民

職業ハ [illegible]

[illegible]

問 右殺害人ハ [illegible] 関係ハ ナキヤ

答 アリマセヌ

問 十月二十六日伊藤公カ当地ヘ来着ノ時停車場ヘ迎ヒニ行キマシタカ

答 [illegible]

問 [illegible]

72

答 フロク [illegible] 着テ居マシタ

帽子ハ被ッテ居マシタ

問 ステッキハ持ッテ居マシタカ

答 持ッテ居マセヌ

問 何時頃ニ停車場ヘ行キマシタヤ

答 [illegible]

[illegible]

問 停車場ヘ行ク [illegible]

答 [illegible]

[illegible]

[illegible]

[illegible]

71

証人訊問調書

安應七、禹連俊、曹道先、柳江露、鄭大鎬、金成玉、金衡在、卓公圭、金麗水、張首明、金沢信、洪時燮、李珍玉、方士瞻、金培根 被告人　工藤清三郎

右ニ対スル殺人被告事件ニ付明治四十二年十一月六日哈爾賓日本帝国総領事館ニ於テ検察官溝淵孝雄書記岸田愛文列席検察官ハ証人ニ対シ訊問スルコト左ノ如シ

問　氏名、年齢、身分、職業、住所ハ

答　氏名ハ工藤清三郎（[illegible]）

年齢ハ四十一才

70

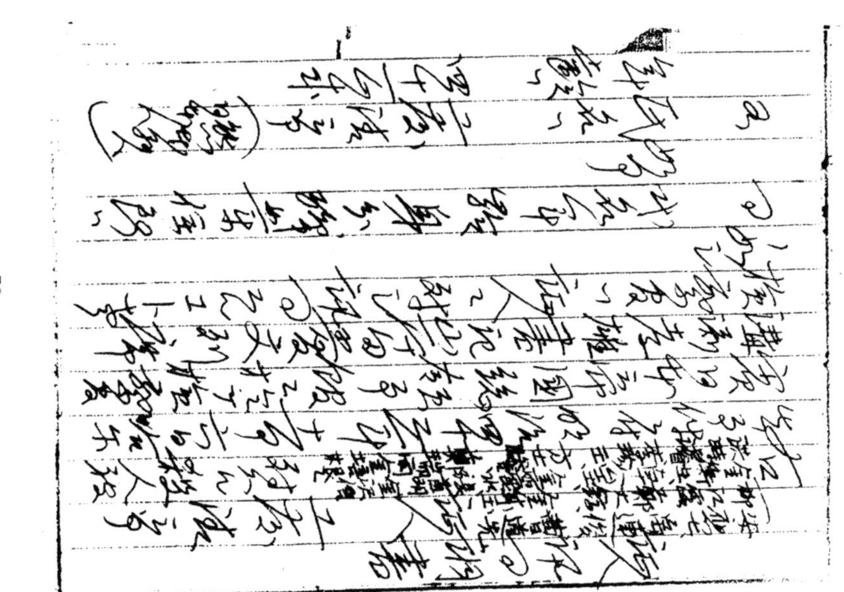

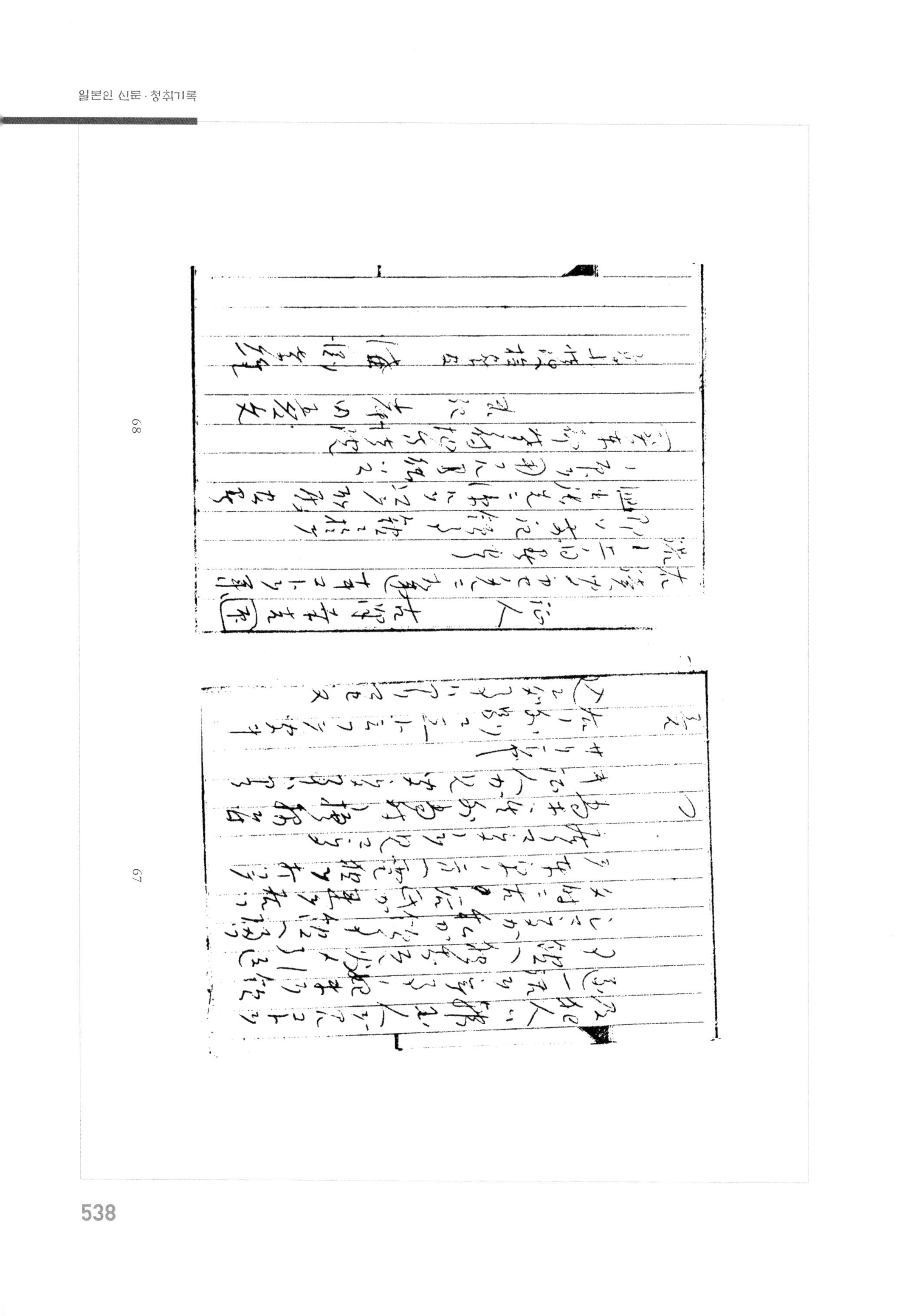

ノ人ガ室ノ仕事ヲヤツカ出来マセ
ナイカラ人ノ後ヲ廻ツテ一
緒ニ付イテ来ルノデ私ハ一寸来
マシタ時伊藤公ハ乗車中ニ
抱付人ハ一ノ力見マシタ
伊藤公ハ顔色カ悪ク
[illegible]マシタ[illegible]
ノ[illegible]ハ[illegible]出テ居マシタ
[illegible]マシタガ目ハ[illegible]ツテ
居ツタト思ヒマス
問
其時森ト云フ人モ負傷シ
[illegible]居ヤ

65

答
私ハ森ノ事ハ知リマセヌ
然シ其時川上総領事モ
居リマセナンダカラ[illegible]
デシタシ川上モ負傷シテ居リ
後ヘ廻リテ居ルトカ思ヒマス
カラ其ノ傍ノ[illegible]ヘ行キマシタ
室田中ト云フ人モ負傷シ
[illegible]テ傷ガ[illegible]
マシタ
問
川上総領事ハ伊藤公ニ附イテ居タノカ
答
会ヒマシタ総領事ハ伊藤
公爵モ握手セラレマシタ

66

入レラレ〳〵ナイ附イ腕カ余リ大キイ為ニ
テ捕ヘラサリシ様ニ思ヒマス

問 ソノ者カ下車シタ其後ノ様子
ハ如何

答 ソノ者カ下車シタ同時ニ警察カ
整列シ御迎ヘシマシタカ伊藤公ハ
露兵ノ所マデ来ラレシ頃車回
シテ通リ過サレタ様ニ見ヘマシタカ
其時ハパチン〳〵ト音カ致シテ
私ハ爆竹カト思ヒマシタカ其
ハプラットホームデ倒レ掛ケシ
タ人カ一人アリマシタ

63

尚未タ此レト殆ト同時ニ発砲シ
中ヘ倒レタ人カアッタノヲ見マシタ
後デ分リマシタラ保安課ヘ倒レタ
人ハ露西亜ノ大蔵大臣デアッテ
シーブトシタ人デスホームヘ手ヲ
突イタ人ハ高官[illegible]私ハ[illegible]、
ミーヌトシタ日本人ダト思ッ
テ居リマシタカ満鉄田中理
事デアッタトノコトデス
夫レカラ私ハ日本人カ撃タ
ノヲ制止ヨウ[illegible]分ノ
所ヘ行カウト致シマシタカ川上

64

居リタル所ヘ一露国軍隊ノ
居ル所ハ見ヘヌセナンダ然ニ
公爵ハ露兵ハ見ヘテ居リ
マシタカ公ノ客車ノ昇降口ニハ
一等待合室ノ出入口ト
相対シテ居タ所ニ居リ
ニナル

問 証人ハ公爵カ下車セラレシ所ヲ
見タカ

答 見テ居ル下車シテ公爵ハ私等
ノ居ル方ヘ向テ進テ来ラルヽカ
何モナク其露国代表者ノ一覧ニ

61

其カ隠レテ見ヘヌ様ニ成リマ
シタ

問 公爵カ降車セラレシ際ハ何
如何

答 此ノ一当時露国大臣ト談話シテアツ
エレチエハ其方面ニ伊藤公爵カ
下車セラレシ都ニ思ヒマス

問 伊藤公爵ハ何ヲ為シテ居ラ
居ラレシヤ

答 下車ノ時ハ公ガ兵ヲ閲シテ居リ
又カドウカ気カ付キマセナンダガ
狙撃セラレテ居ル中ニ軍隊ハ

62

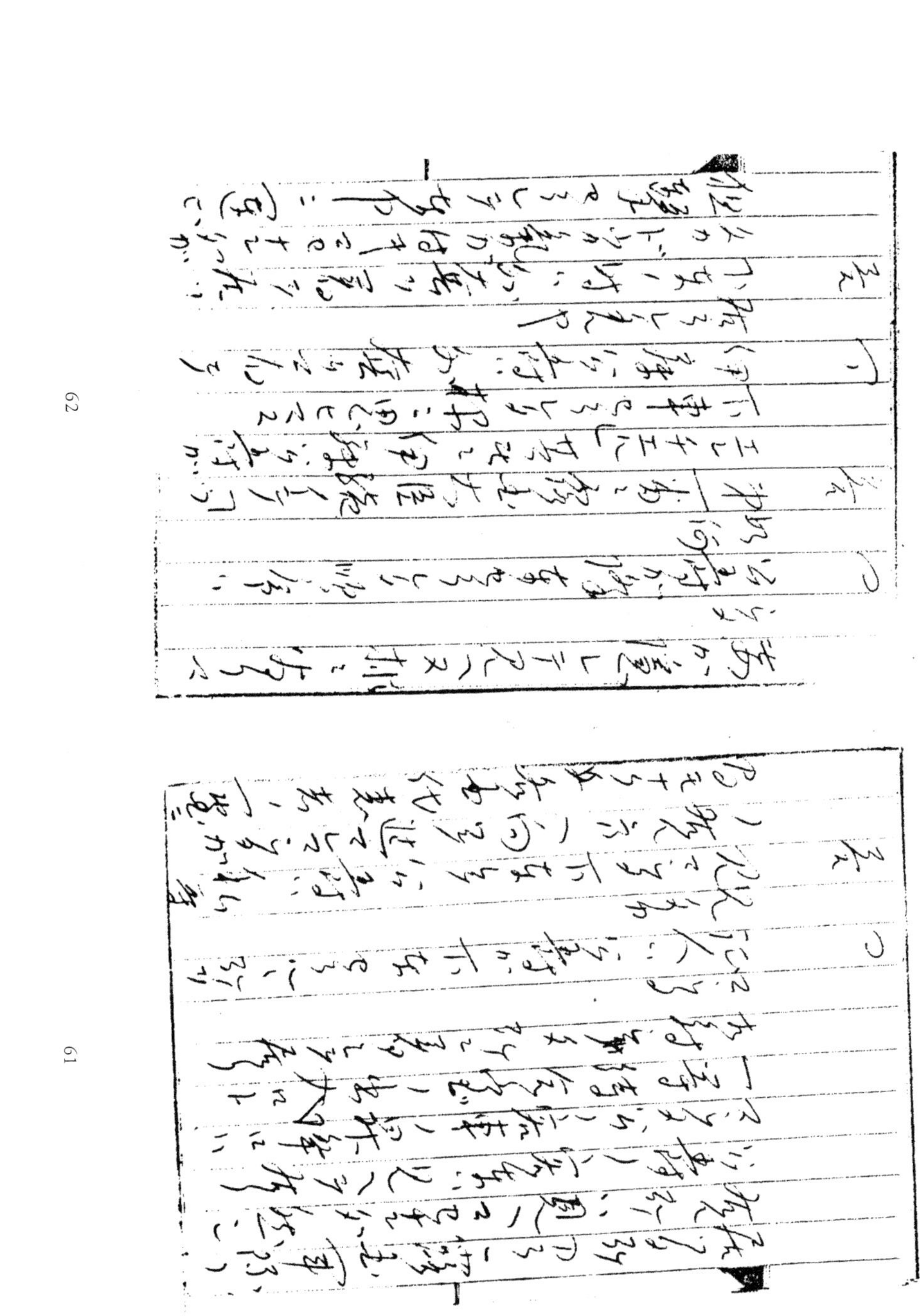

ニ向ツテ東清鉄道ノ附
従者ナルモ二三ノ人ガ一
人居リテ多大ナデアリマス

問 伊藤公爵ハ日本人ノ鉄道聖
ノ所ヘモ接近シテ来テ折合
ヒシニ出来タルヤ

答 来テ居ナカッタ様デアリマセ
ハ日本人ノ望カラ公ノ着席
ヨリ帰ヘルベク見テアリマシタ

問 伊藤公ノ来着ノ際停車場
ニ於テ出迎ヘニ於テ接待ノ手
筈アリタル配置セシヤ

59

居リタルヤ

答 同所ニハ儀仗兵ニハ露兵モ居リ
然シ隊ノ所謂ニハ山ノ整
来ル者ガ居タ模様ニ思ヒマス

問 ブラットホームニ整列シテ居
ツタ鉄道ノ隊ハ如何

答 ブラットホームノ左ノ端ニ太ニ
ソレカラ日本人会ガ居ッテ夫
其右ニ清国軍隊ガ整列シ
ソレカラ右ニ各国ノ代表者
ガ一纏ニ居ッテ夫ニ来タ
ニ居リマシタカラ私ノ

60

ノハ何露国ニ於テハ何程ヲ切將
リ聞イテ居タカ昨年ノ夏頃十二月ナ
問 事ノ倚ク合点モアルカラフラリト
ホームヘ来テ居ル故帰ルカアリマスカ
答 ニ去レハ帰ヘシテ居タ大刀年来又
様ニ話シテ居ラテ居ル
韓人ハ総テ自国ノ独立ヲ望ンテハ居
問 メノ望メアリマスヤ
答 ヲ以テ望メハカリテヨ又臨機様
大隈大臣ノ容貌ヲ見ニ望メ居
タノテアリマス
問 日本人ノ望ノ中ニ大隈大

57

臣カ容貌カラ出テ来ル筈ナリ
再ヒ手ヲ居ラ見タノヤ
答 国ヲ統ヘハ再ヒ手ハ居ラ再ヒ[illegible]又五千之外
別ニ国ヲ統ヘ再ヒ六ハ又要ナリ
日本人ノ望ノ後ハ居ラレハ[illegible]
リマスカラ大隈大臣ハ後ニ
自国ニ回シマス
既ニ大隈大臣ハ日本人ノ望ノ
ニ至ラ国ノ為ニアリマセヌカ
カラ後ニノ方カラ回シテモラレン
ラナト思ツテ居リマス日本
人望ノ為ニ伊藤公ノ引ナ

58

説ガアリシヤ

答 其事ハ分リマセヌ

問 公爵来着ノ時ヨリ迎ヘ時プラットホーム又ハ待合室ノ内外ニ何カ様子ノ変ツタコトハナカリシヤ

答 日本人ハ着集リテ居ルモノト停車場ニ行クコトニナッテ居リマシタノデ私モ其所ニ居テ停車場ヘ行キマシタガ重要ナル者ヨリ露国兵ノ整列シテ居リマシタ又露国人ノプラット

55

ホームヘ這入ルヲ見ルト露国大蔵大臣ノ特別車ノ後ノ方ニ居ル一冊ガ二洋山ニ居ッテ様子ヲ見テ居リ其外別ニ変ッタ様子ハ見マセヌデシタ

問 其時待合室ノ中ニ人ガ沢山集ッテ居タカ

答 其事ハ沢山ニ人ガ居ッタ夕方ヨリ露国大蔵大臣ノ来着セラレ待合室ニ待合セ居タ都デ入場者ノ切符ヲ取ラレ居ッテモ尚伊藤公来着

56

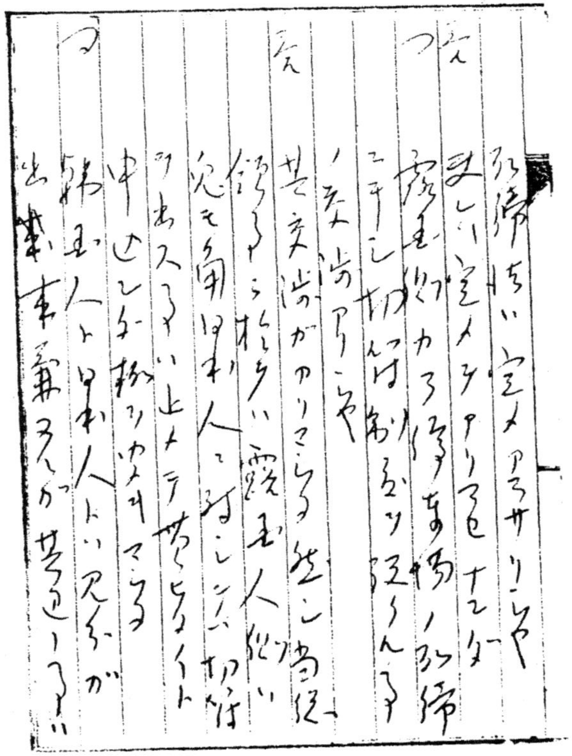

54

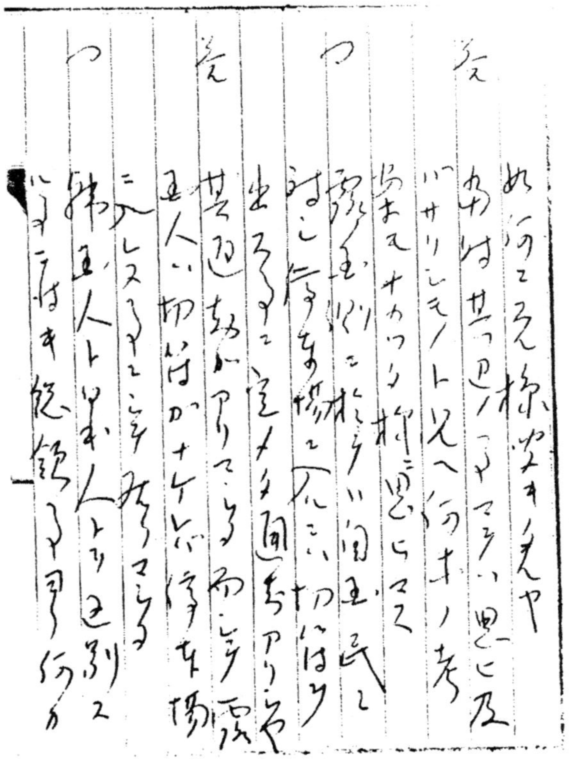

53

アリシヤ
答 夫レモ確ト極メテ居ラヌガ奮闘ノ気
発シタノテアリマス
問 韓人ノ態度ヲ居テハ如何
答 別ニ韓人ヲ居テハ如何ニモ之ヲ
ヲ斯リテ其ノ後ニ二三ノ韓人ガ
加入シテ居ッタ様デアリマス
問 伊藤公ヲ云フ者ハ居士瞭及ヒ事
答 伊藤公ハ何ノ為ナルヤ
問 伊藤公ヲ殺シタ者ハ其ノ者カ
セズカ芽生日本人ト交際ヲ
答 知ラス

51

問 伊藤公来哈居テハ関係
露国ノ者ハ予メ知ラセナカリシヤ
従テ警戒ノ方法ハ厳重セサリ
シヤ
答 露国ノ方デハ多少其辺ノ
準備ハ出来テ居ッタデアロウ
ト思ヒマス
又当地ノ韓人来哈居テ
ハ露国官憲ニ於テ取締
シテ居ルノガ通例トシテ居
リマス
問 伊藤公カ出立セバ韓国人ノ

52

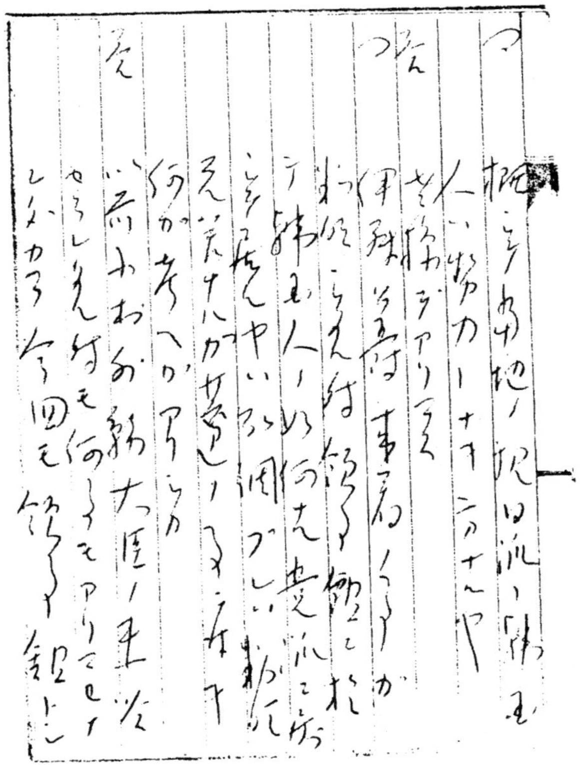

50

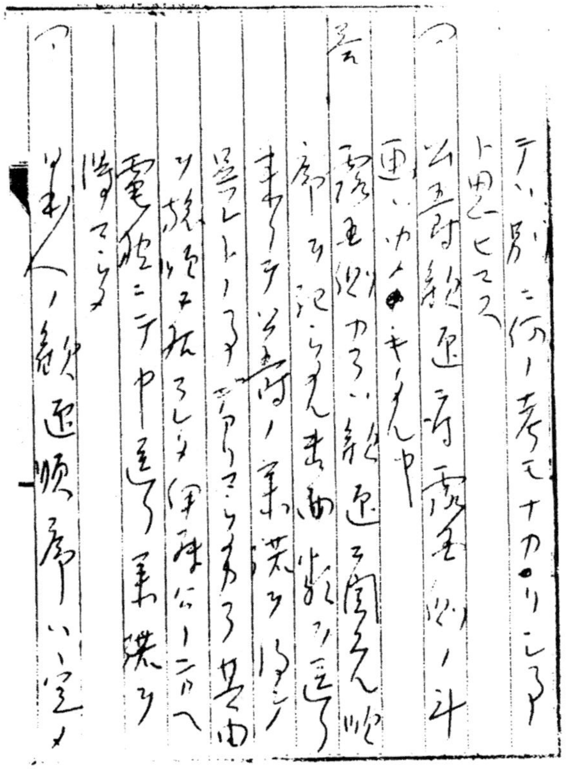

49

答　同志ニ仲ノ悪イ様ナ模
様ハアリマセヌ
問　日韓人ノ間ニ平素出入シテ
居ル者ヤ
答　韓国人ハ多クハ煙草屋
ノ様ナ職人デアルカラ日本人カ
深ク交際スル者ハ主人ヲ居ル様カ
ナイ事モ少ナキマセヌ
問　御本国ハ露国ヘ帰化シ
テ居ルト申シタカ果シテ然
ルヤ
答　其事ハ知リマセヌ

47

問　脱走韓国民会ノ名ハ浦潮派
ノ名ナルヤ
答　浦潮ニハ韓国民ヲ浦潮派ト
内地ノ韓国民モ其浦潮派デス
カラ浦潮派デアリマス
問　内地韓国民会ハ浦潮ニ於
テ何等ノ居ルヤ又何ニ敵
ニ大シテ特別ノ待遇リタト
ヲナカ其レハ何ニ依ルカ
答　浦潮ニ在ッテハ其事アリ事ニ
己ヲ以テ内地ヲハ其様ナ
ハ少ナキマセヌ

48

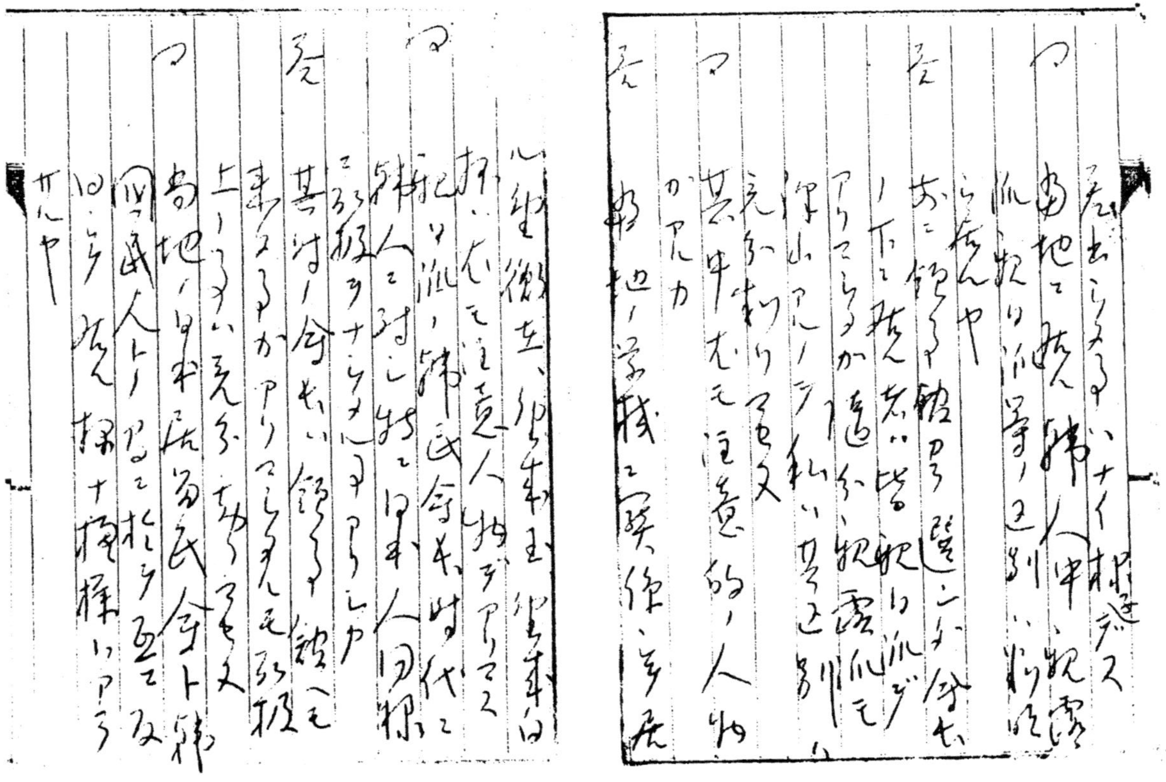

答 出来ヌ事ハナイ相違デス

問 当地ニ於ケル韓人ノ中ニハ親露
派親日派等ノ区別ハ判明
スルヤ

答 [illegible]
ノ下ニ[illegible]者ハ皆親日派ダ
アリマシタガ[illegible]親露派モ
[illegible]アルノデ私ハ其区別ハ
充分判リマセヌ

問 其中デモ注意的ノ人物
ガアルカ

答 当地ノ学校ニ関係シテ居ル
[illegible]、[illegible]
[illegible]ハ右モ注意人物デアリマス
[illegible]ノ派ノ韓民今ハ時代ニ

問 韓人ニ対シテ日本人同様ニ
[illegible]ナラヌヲ以テアルカ

答 其時ノ今モ[illegible]
[illegible]アリマシテモ[illegible]
上リマシ[illegible]

問 当地ノ日本居留民今ト韓
国人トノ間ニ於テ是迄ニ[illegible]
[illegible]様ナ[illegible]様ナコトア
ルヤ

46　45

ナカニハ御座ラセ同派ニ
属シ韓人ハ己ニ日本派ニ
附随シ居ルモノ多ク民会ハ
終ニハメチャメチャニナツタノデアリ
キマシタ私ハ韓国人デ[illegible]
居ル所ノ民会ニ関係カアリ
マセヌノデ委敷ハ承知シテハ居リ
マセヌ

問 民会モ一派ハ補助運動ニ[illegible]
ル朴トイフ者ハ露派ノ者ナリ
シカ

答 同人ハ日本派ノ者デ[illegible]今

43

モメテコトヲ起シテ競争
シテ居ルニ過キサリシ様ナイテ
居リマス

問 当館ヘ[illegible]韓国民会ヨ
リ韓人ノ居留人ヲ代表シ其氏
名ヲ[illegible]ニ届ケ出シ其名簿
ヲ提出シアルヤ

答 御座リマス[illegible]館ガ関係シテ居ル民
会ヲ認メテ居ル者ニ其会長
カラ名簿ヲ提出シテ居リマシタ
アリマスカ其後韓人ノ異
動又ハ名簿ノ[illegible]

44

ニナツテ居ルモ近キ将来
必ズ其ノ独立ノ運ニ向フ
テ居ルトノ文

問
韓人取扱ノ[illegible]ノ訓令
ニ[illegible]当総領事館
ヨリ於テ[illegible]ノ韓国人ニ対
シ取扱方ニ付キ[illegible]トアリシヤ

答
[illegible]当館ニ於テ韓国民
会ノ組織ヲ[illegible]セラレ会長
ヲ選[illegible]其後韓人
ニ対スル自身ノ[illegible]ヲ[illegible]
ハル権利ヲ与ヘ一面其[illegible]

41

勤ハ[illegible]
サレ[illegible]コトデアリマスガ
日本[illegible]ニハ露[illegible]派ノ韓
人ト日本派ノ韓人トアリ其
間互ニ面白カラズ中[illegible]
殊ニ[illegible]朴ト云フ者
ガ民会長[illegible]
[illegible]シ其当時ノ[illegible]排斥
運動ニ[illegible]モ既ニ其
競争ハ未生セサリシモ
其当時ノ会長ハ[illegible]ニ
其[illegible]派ノ韓人勢

42

身分ハ　士族
職業ハ　領事館通譯生
住所ハ　[illegible]
領事館
問　右被告人ト汝ハ[illegible]
被告人ハ[illegible]人[illegible]
[illegible]ヤ
答　其関係ハアリマセヌ
問　汝ハ何年頃カラ當地ニ居ラル
ヤ
答　明治四十年四月當地領事館
當館ニ附シ領事館通譯生ト

39

シテ當地ニ來リテ在勤シテ
居リマス
問　領事館ニ於テ韓國民ヨリ
日本人ノ取扱ニ[illegible]
東京ヨリ訓令アリシヤ
答　私カ當地領事館ヘ來テ[illegible]
ノ館ニ在勤中其訓令カア
リマシタ[illegible]領事館ニモ韓
國人[illegible]韓國人ノ通
陳情[illegible]本省ヘ申達
[illegible]其他[illegible]
ヘシトノ事デアリ[illegible]

40

證人訊問調書

証人　古澤幸吉

右安応七、禹徳淳、曹道先、劉東夏、鄭大鎬、金成玉、金衡在、金麗水、張首明、方士瞻、洪時濬、金澤信、柳江露、卓公圭ニ對スル殺人被告事件

ニ付キ明治四十二年十一月九日哈爾賓日

本帝國總領事館ニ於テ檢察官

溝淵孝雄ハ書記岸田愛文列席

檢察官ハ證人ニ對シ訊問スルコト左ノ

如シ

問　氏名身分職業住所ハ

如何

答　氏名ハ古澤幸吉

年齢ハ三十二年

38

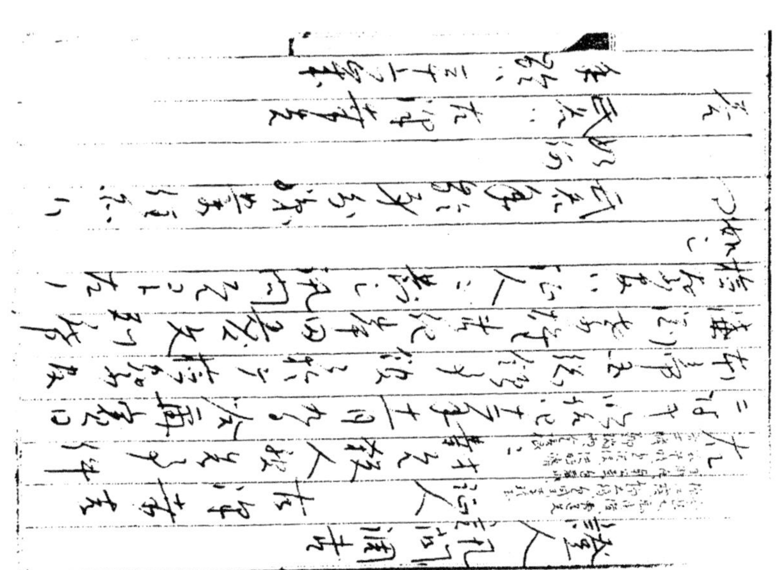

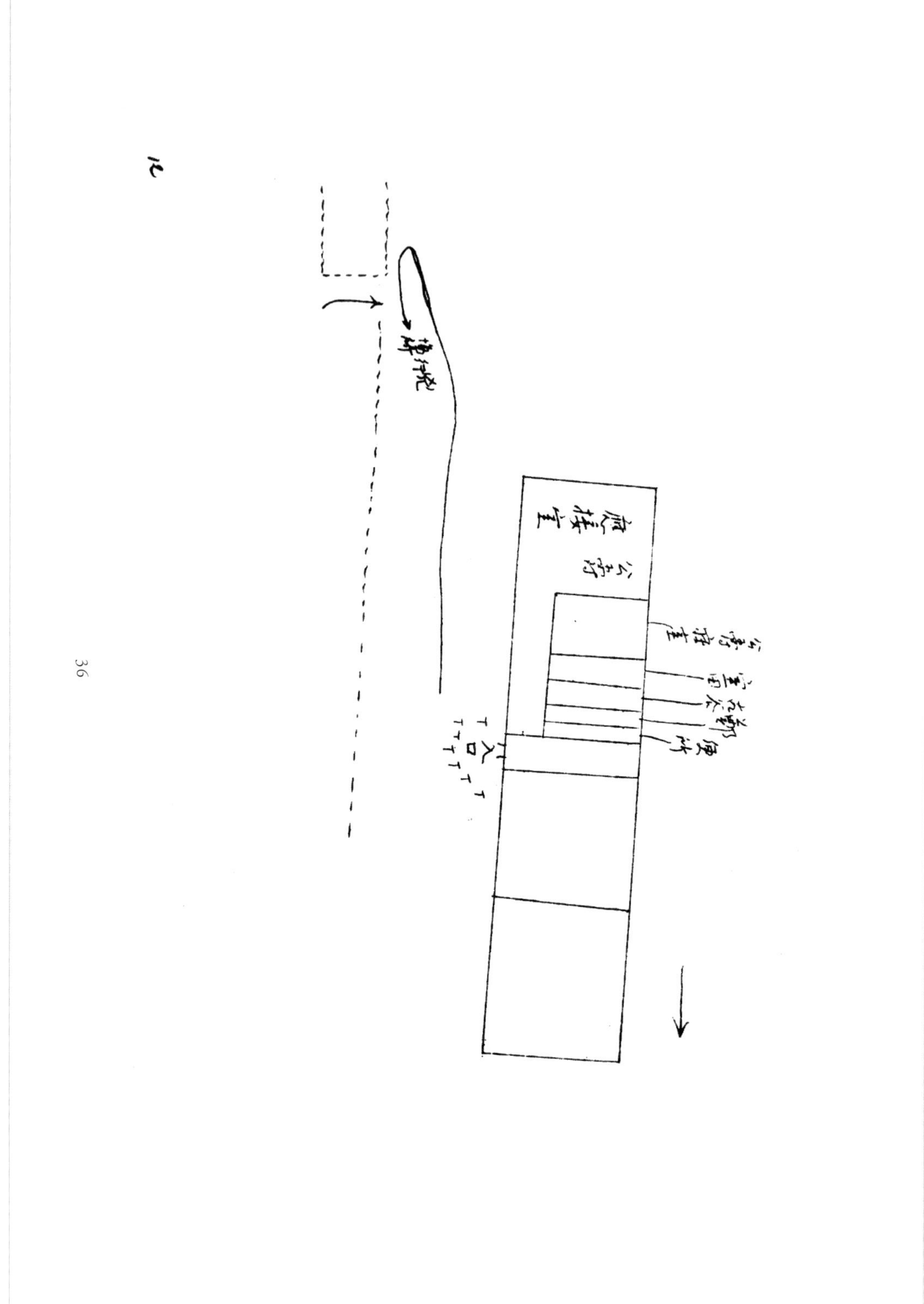
応接室
入口
便所
36

リ者ノ姓名ハ既ニ明瞭ニ[illegible]居
自分ハ記憶セスト
右大臣大隈ノ随従ノ他ニハ自
分ハ何モ少シモ知ラヌノデアリマス
又
証人ハ此場合問ヨリ自書ニ捏セセ
ルヨリ読聞カセ其ノ末尾ニ拇付ス
証人　古谷久綱（印）
右證人ノ知得者書記自
署捺印ス

34

明治四十二年十一月廿七日於大連ヤマト
ホテル内
出張先ナルヲ以テ所属官署ノ印ヲ
押捺セス
書記　竹内静衛
高等法院検察官　溝淵孝雄

35

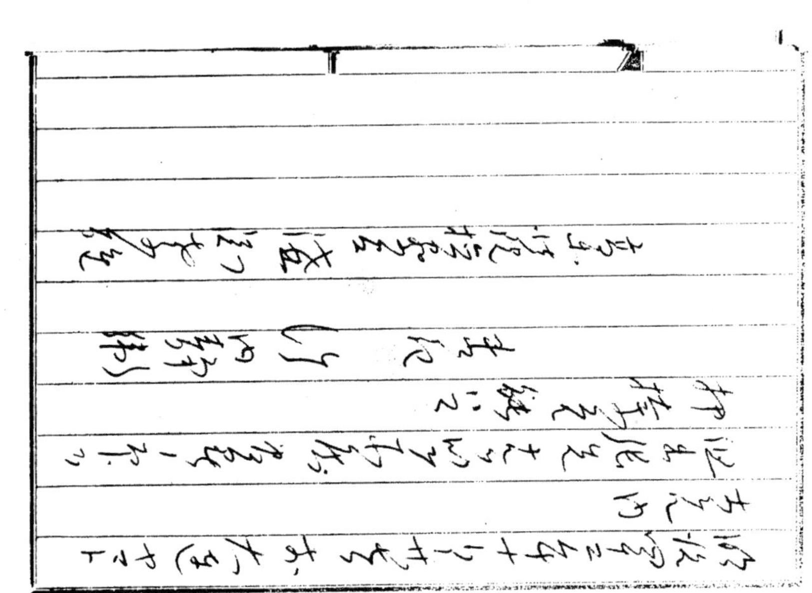

行ノ目的ハ伊藤公暗殺ノ為メニ韓
国ハ公ノ為ニ名誉ヲ汚カサレ
民力枯ニ公ハ実ニ多年累ヲ加ヘ
名誉ヲ回復セント欲シタリ
一個人トシテハ公爵ニ対シ何等
ノ恨ミナシ但自分ノ朋友ハ公爵
ノ為メニ重刑ニ処セラレタル者
数多アリ自分ハ何レモ此事
ニモ関係スル者ナク此事
ハ全ク独断ニテ何人トモ共謀

32

セスト称シ其要点ノ答ヘスルニ
足ラサルハ昨ノ従軍シタル地ヲ記
スル南方ノ停車場ニ於テ偶々怪シ
キ三名ノ韓人ヲ捕ヘタルニ何レモ
ピストルヲ所持シ陳述ストノ報ニ
接シタルモノアリ（中略）ハ何等関係
人ノ力ヨリ少シ遊撃ニシテ自身ニ
十一日ノ深夜ハ何ケ所ニ於テ
出サレタル陰謀ナキヤ其目的ヲ
達シタルヲ上帝ニ感謝セリ

33

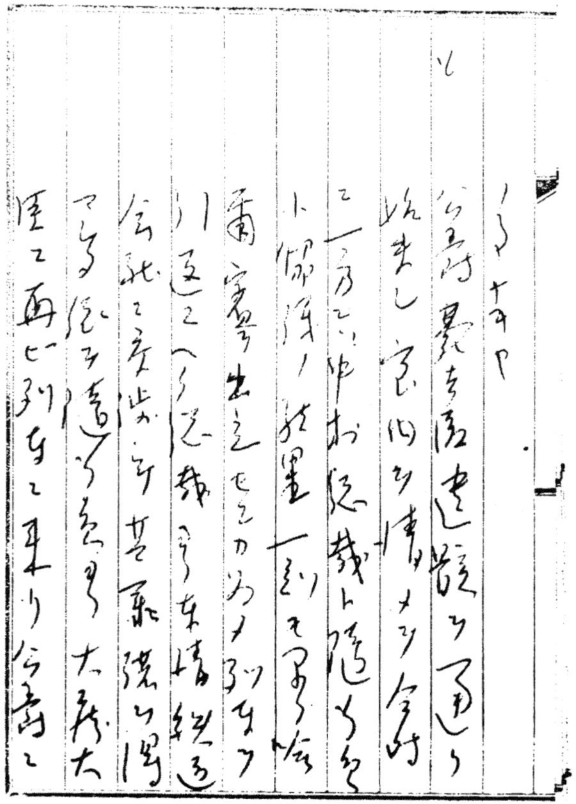

31

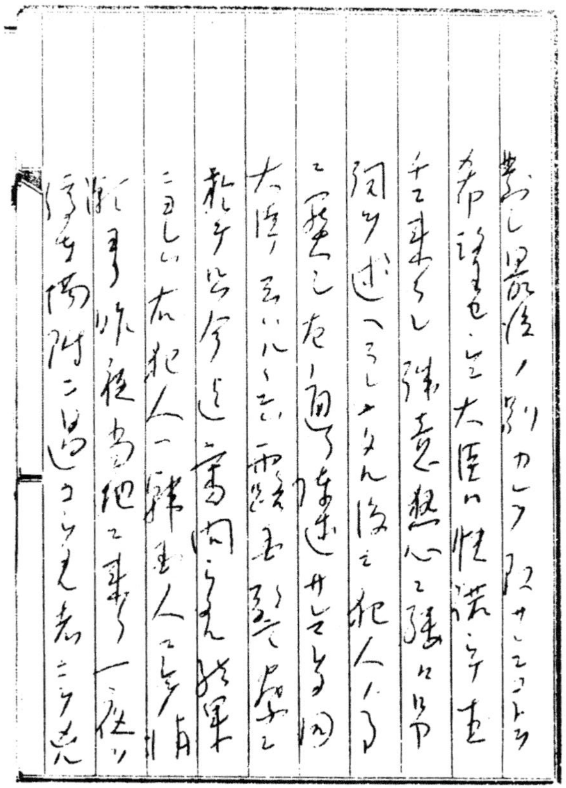

30

カラ巡査ガ[illegible]ノ元ノ室ニ入レ加山
警部ハ本千ニ手當リ阻ミテ居タ
カ斬シ[illegible]ナクテ居タ、高
ハ照カ[illegible]タカト法廷ヲ見ルニナリ
マシタガ其時ハ其他ノ人ガ十二人カ
分ラヌ様デシタカラ第一ニ捕ヘテ
レタトカ上ゲマシタ、其体ハ高橋
ハウシト声ヲ出サレ其ハモシイカ
スト云ハレテ居ル内ニ加山警部
殴ヲ比上見込カ在ト云ヒマスカラ

28

私ハ[illegible]銀ニ行キ総督
大臣乃公爵[illegible]人ニ公爵閣見
傷付負傷者十[illegible]ノ重症
驚シ傷ツ見テ居タトハ公爵ハ既ニ絶
命トサレテ落シテ居ル際ニ私
又者ニヤラレマシタ十時ニ[illegible]
サレタトノ事デ負傷後三十分程
許リデアリマシタ

ア
犯人ノ氏名其陳述氏名等
ニ付テ他ヨリ聞込テシ居ル様

29

逃ケシセタカ
答 然ルニ犯者ハ銃ヲ近ハシテ公爵ヲ
リ狙撃シテ居ルカラ公爵ハ狙撃サレ
ナカラウト云フ米若カ迫迄シテモ
其レヨリ兇漢ノ者ハ猶狙撃シタ
デハ他ハ何ヨリ先ニ出テ居タ
ルカト思ヒマス
問 然シ犯者ハ人違ハ如何
答 手紙ニ三十余程デ後カ出タノト
思ヒマシテ北ノ董ノ顔ノ服デ

26

一見韓人風ノ男デアル
問 負傷後公爵ハ如何セラレシカ
答 公爵ハ直ク狙撃者ハ何ト云ハレマシ
タカ又私ハ其附近ニ近寄ツタ様
ノデアリマスト云ヒマシテ公
爵ハ十二発撃タレル銃丸カ大分入
タ様ト言ハレタカテ容態
カ段々ヘテト銃丸ノ痕跡ヲ
発見シテ居ルカラ驚テ中村
総裁室田等ト共ニ抱キナ

27

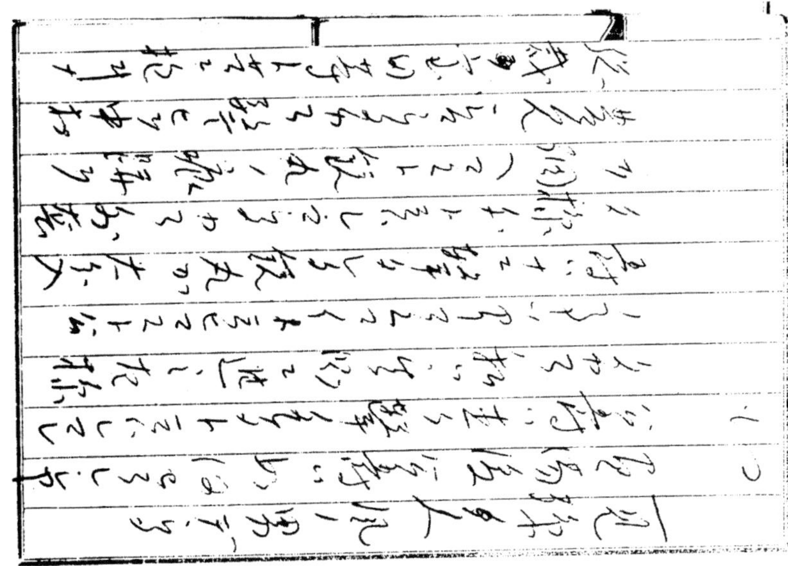

マレマシタ所ガ私ハ横ヲ向テ居タノ
外国人ト露国軍隊トノ間
ニナリ突然ノ兇漢ガ来テ公
爵ガ露軍ニ近寄リシテヰト其
軍隊ノ後ニ一人ノ韓人ニテ洋
服ヲ着タル男ガ出テ来テ
ト既ニ手ニピストルヲ握持チ
公爵ヲ目懸ケテ拳銃ヲ三発放チ
続ケ撃チテ又三発許リ随
リノ一行ニ向テ発射シタ

24

付公爵ト先行者トノ距離ハ
僅カ一歩カ一歩以内位デ在タト
思ヒマス
此時負傷セラレシハ公爵ガ死ナレ
テ森、田中、川上総領事デ
ス、其他ハ室田ハ外套及
ズボンヲ弾丸貫通シテ居
リ後ニ発見シマシタガ負傷
ハアリマセンデシタ
此ノ者ハ韓ニ引渡サレ方ニ

25

23

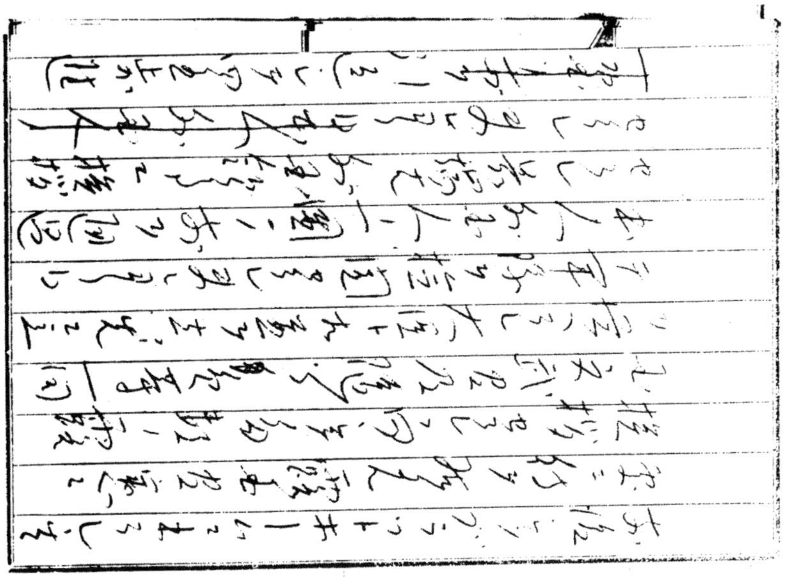

22

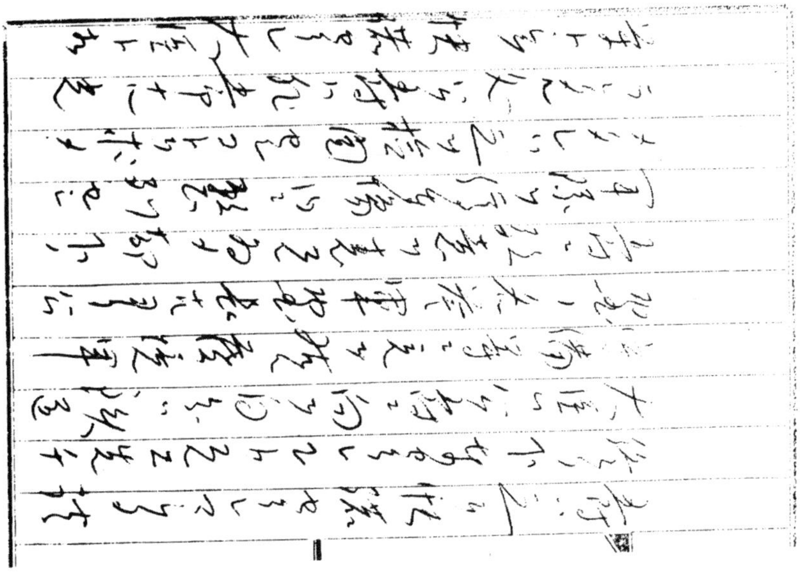

問　何時哈爾賓ニ到着セシヤ

答　本月廿六日午前九時デス（露暦

　　[illegible]標準時計デ）

問　哈爾賓ニ於テハ公爵ハ[illegible]

　　サレシヤ

答　左様デス

問　其時ノ模様ハ如何

答　多分九時汽車ガ哈爾賓ニ

　　着シマシタ停車ト同時ニ出迎

　　ヘシ露國大藏大臣ココフツエ

20

フ氏ハ公爵出迎ノ為ニ停車場

ニ来リ公爵ノ列車室内ニ入リ

鐵道ノ[illegible]ヲ述ヘラレタル後

其場ニ居タ者ハ中村室田私

[illegible]川上總領事デアリマス[illegible]

[illegible]ハ川上總領事ガ通譯シ

リ公爵ト大臣ハ[illegible]談話セシ

ガ後大臣ハ公爵ヲ其列ノ外

[illegible]列ノ内ニ於テ整列セル人數

ニ[illegible]トセシト云フシ公

21

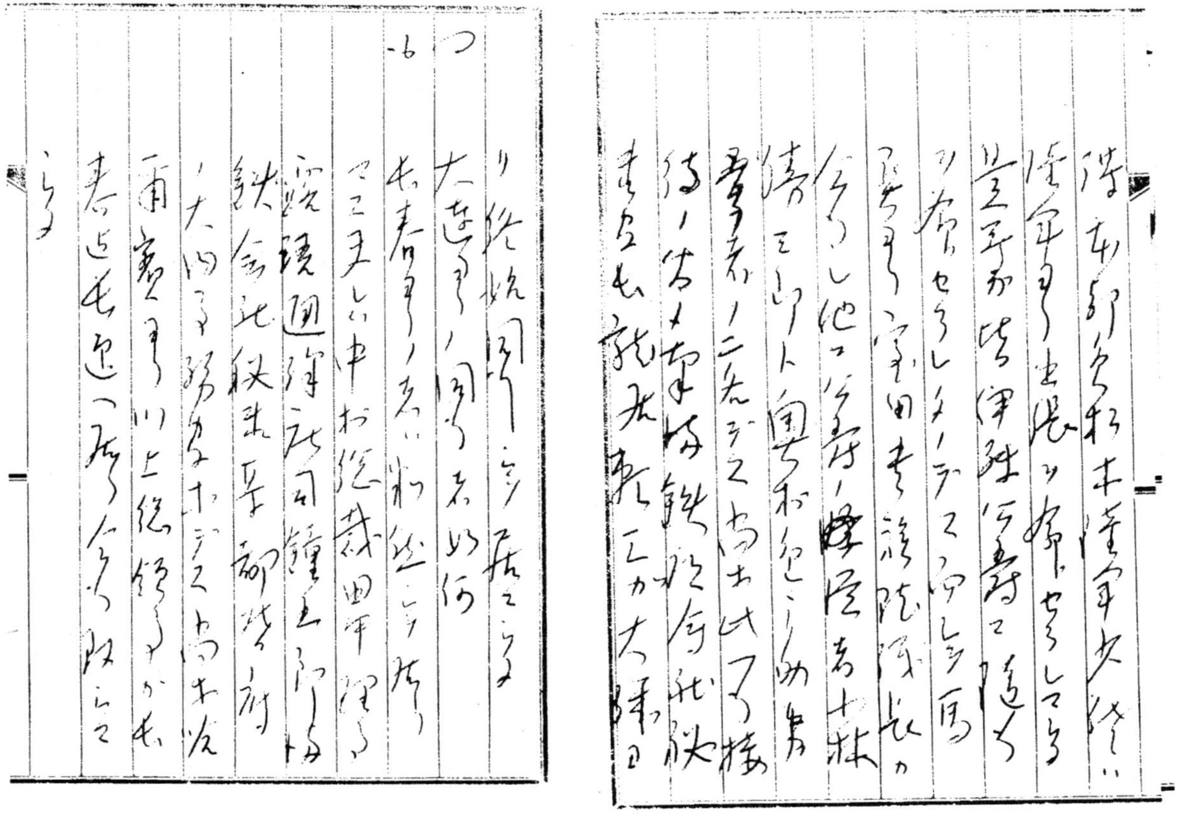

19

18

答 氏名ハ古谷久綱
年齢ハ三十六歳
身分ハ平民
職業ハ官吏
住所ハ東京市赤坂区[illegible]
竹[illegible]
問 証人ハ被告人ト親族同居人又ハ雇人ノ関係ナキヤ
答 何ノ関係モアリマセヌ
問 今回伊藤公爵ノ遭難ノ状況

16

答 ニハ予モ証人ハ随行シテ居
私ハ式部官ト共ニ満洲ニ出張
仰付ケラレマシタカ大臣ヨリ
従テ伊藤公爵ノ御供ヲシテ
トハ御会ヒアリマセヌ
問 随行シタルハ何々ナリシヤ
答 森宮内大臣秘書官ト
医師宮内省御用掛小山
内侍医ハ宮内省ヨリ御付
二等出張員ハ[illegible]

17

證人訊問調書

證人 古谷久綱

右ハ安應七、禹連俊、曹道先、劉東夏、鄭大鎬、金成玉、金衡在、卓公圭、金麗水、張首明、金澤信、洪時濬、李珍玉、方士瞻、鄭瑞雨ニ對スル殺人被告事件ニ付明治四十二年十一月廿七日關東都督府高等法院檢察官溝淵孝雄ハ書記竹内靜衛列席ノ上檢察官ハ證人ニ對シ訊問スルコト左ノ如シ

問 氏名年齡、身分、職業住所ハ

以下

15

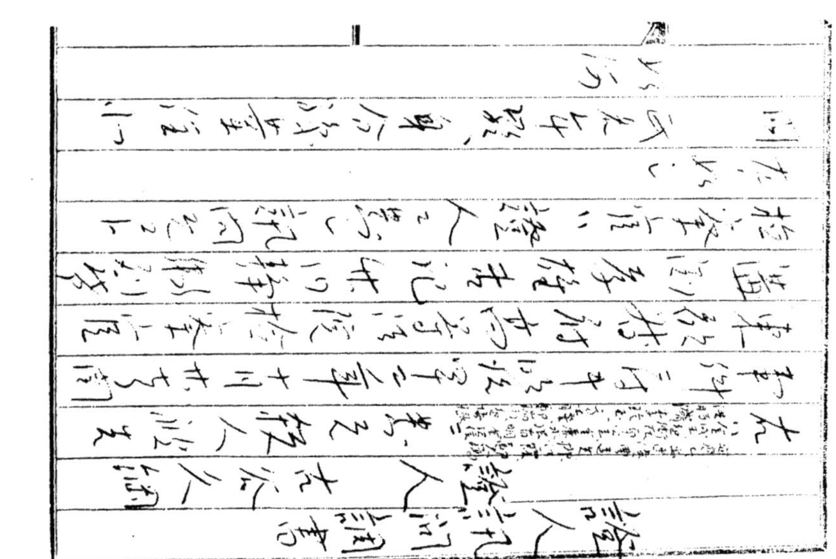

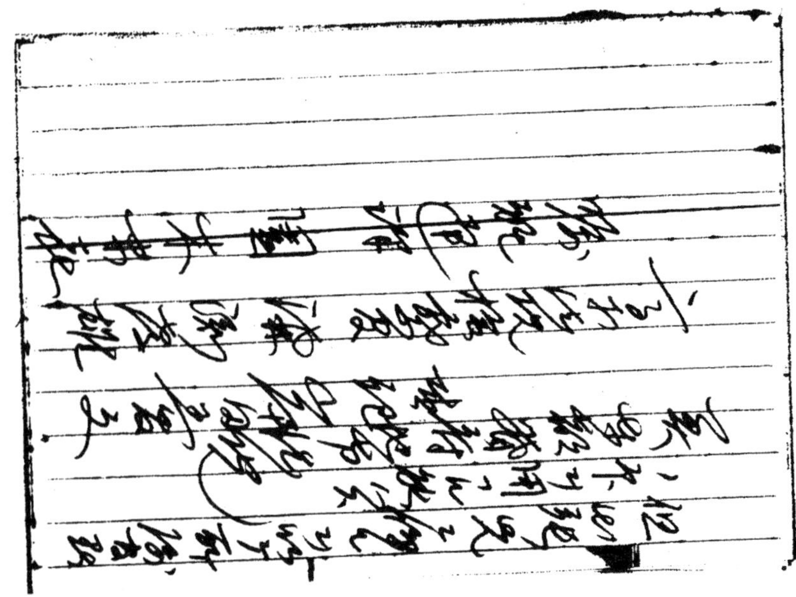

12

其ノ男ガ歳ノ若イ者ノ言
クナイ様ガブラット来ム為ヘ
言ッテ居タノヲ見タト申シマ
シタ
問 証人ハ如何ナル風体ヲシテ居タ
トイフノカ
答 朝鮮ノ白紬ヲ付ケタ人デ日本
人ト見タ様ナ人デアルト申シ
マシタ
問 証人ハ飲食店デ食事シテ
居タノカ
答 夫レハ判リマセヌガ露国ノ古服デ

10

素ハ遠ソテ来テ居ル人ト識ラレ
テ居タト申シテ居リマシタ服装
モノ古着ノ様ナ大キクナイ
人デアルト申シマシタ
問 証人ハ見覚ヘハナキヤ
時 被告安應七ノ寫眞ヲ示ス
答 判リ兼ネマス
証人 江崎勝太郎
右讀聞セシニ相違ナキ旨承認
シ自署セリ
即日於現場所ニ於テ

11

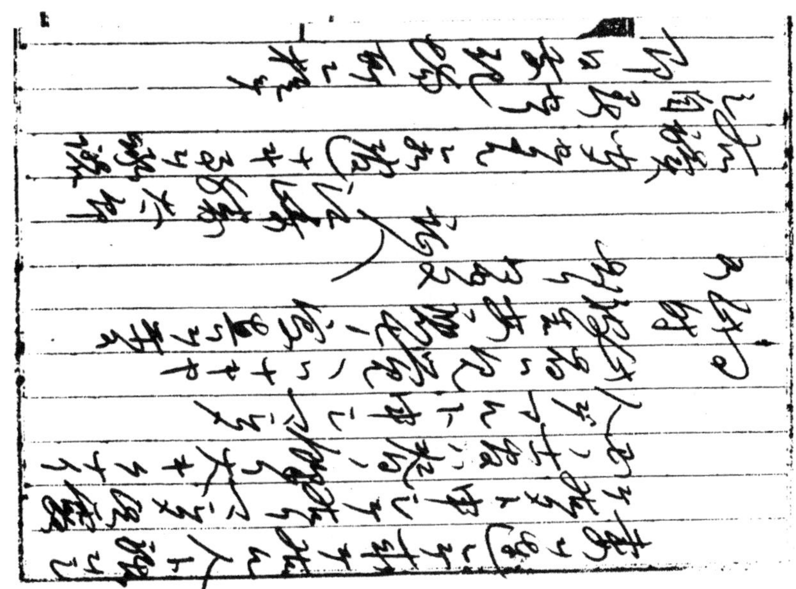

ツタノデアロウト思ヒ居リマシテ、
日本人ヲ他ノ方ヘ連レテ行キマ
シタ

問　伊藤サンノ撃タレタ所ニ怪
我ヲシタ人ガアツタカ

答　日本人ガ背ノ高クナイ
人モ撃タレタトノ事デアリマシ
タ然シ私ガ見タ時ハ其人ハ立ツテ
居リマシタ

問　此ノ男ガ何ン發短銃ヲ撃ツタカ
知ラヌカ

答　夫レハ知リマセヌ

8

問　其館ノ様子ハ如何ニシテ居ル

答　伊藤サンノ姿ハ私ハ見マセナンダ

問　伊藤サンヲ撃ツタ下手人ヲ捕
ヘタ所ヲ見マシタカ

答　見マセヌ

問　プラツトホームヘ出ル前ニ待合室
デ風采ノ怪シイ者ハ見ザリ
シカ

答　私ハ見マセヌガ私ノ妻ノ申ス
所ニ依レハ伊藤サンノ随員ガ着
クト間モナク一等待合室ノ中
ニ出テ歓迎張ノ中カラ廿二三

9

7

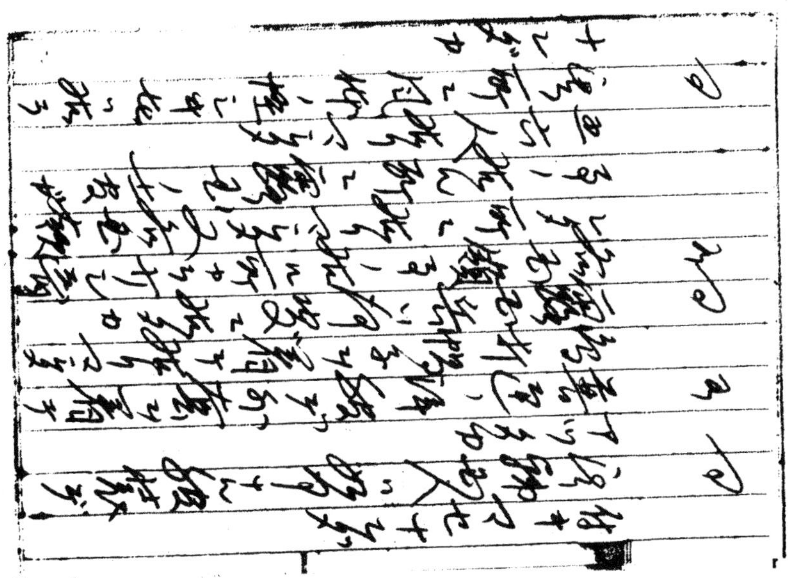

6

答 三人一所ニ私ハ出マシテ一緒ニ露
国ノ大蔵大臣ノ停車場ニ着スル
日本人ノ出迎ノ所ヘ行キマシタ
カ私ハ停車場ノ前ノ方ニアル便
所ヘ用達シニ行キマシタ
時伊藤公ハ汽車ヲ下車シテ居リ
マシタカラ馳セテ[illegible]人ノ兵ノ
居タ所迄行キマシタ

問 [illegible]兵ノ後ノ辺ニハ人カ居
タカ

答 露国ノ普通人民ガ五六名居リ
マシタ

4

問 [illegible]ノ停車場ノ何処カ

答 警察隊ハ日本人ノ出迎ノ方ヘ寄ッテ
居リマシタ

問 汝カ便所ヘ行キ[illegible]ブラットホ
ームノ後ノ方ニ日本人カ朝鮮
人ハ居ラナンダカ

答 私カ便所ヘ行ク時一人[illegible]
口ノ入口ノ所ニ朝鮮人カ一人居
リマシタ私ニ五六間離レテ日本
ノ女カ私ノ縫付ノ衣裁ヲ着
テ居リマシタ私ノ便所カラ帰リ
ニハ其人ガ居タカドウカ[illegible]

5

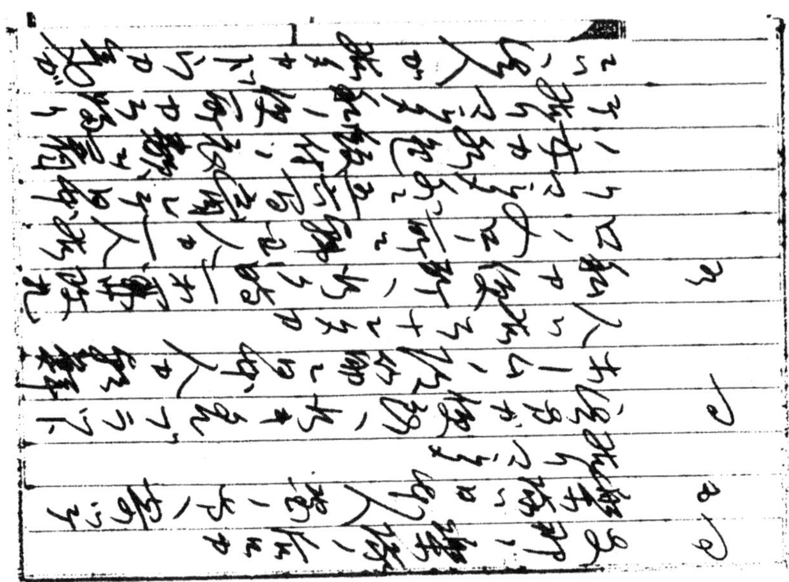

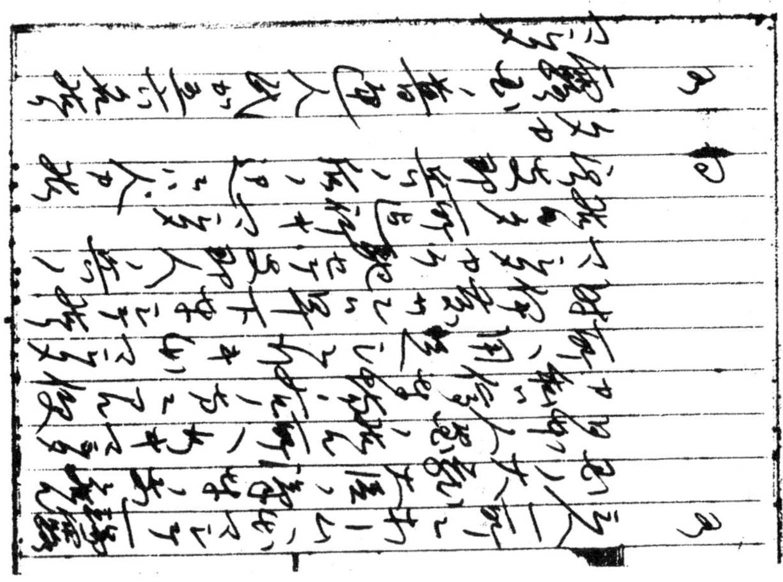

年齢ハ 三十一年
身分ハ 平民
職業ハ 洗濯業
住所ハ 哈尓賓ポレワヤ街
十三号
問 被告人ト親族後見人[illegible]
雇人同居人[illegible]ナキヤ
答 アリマセヌ
問 十月廿六日停車場ニテ伊藤公
[illegible]狙撃[illegible]カ
答 妻ト共ニ連レテ午前九時頃家ヲ出テ
マシタ

2

問 停車場ヘ行キテ[illegible]
答 停車場ニ行キテ[illegible]口カラ
プラットホームヘ出マシタ
問 [illegible]停車場口ノ[illegible]服装ヲ見タカ
答 私ハフロックコートニ山高帽ヲ被
テ行キマシタ[illegible]
モ[illegible]テ行キマシタ
問 [illegible]服装[illegible]
答 日本人ハフロックコートニ憲兵ノ
[illegible]帽子[illegible]被リマシタ
プラットホーム[illegible]ニ並ビマシタ
問 三人[illegible]カ

3

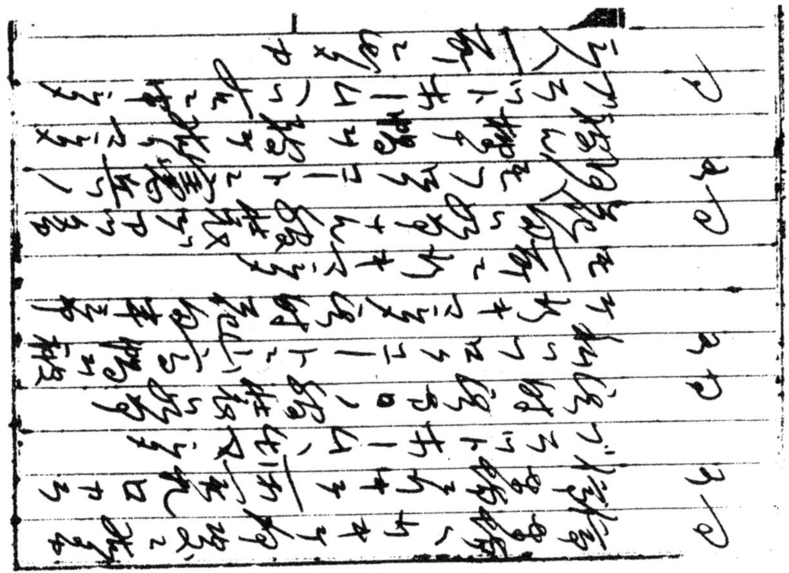

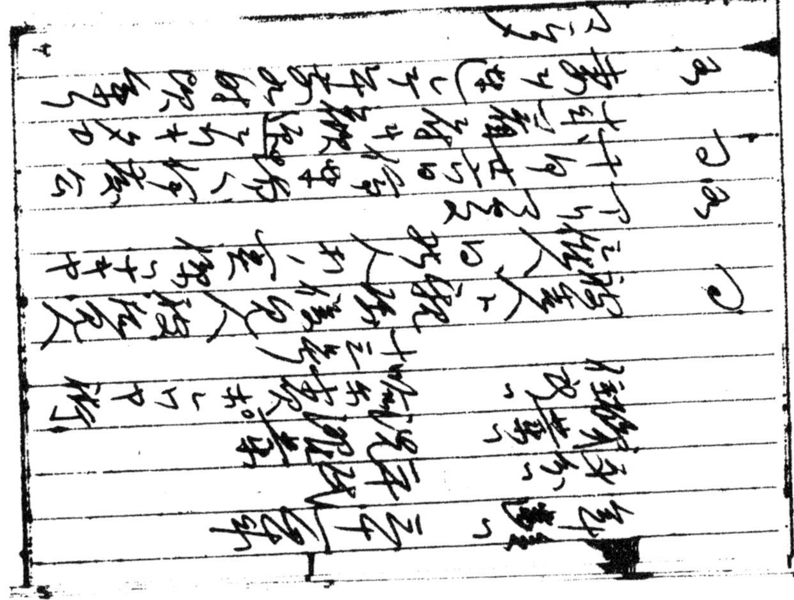

證人訊問調書

證人 江崎勝太郎

右ハ安應七、禹連俊、曹道先、柳江露、鄭大鎬、金成玉、金衡在、卓公圭、金麗水、張首明、金澤信、洪時濬、李珍玉、方士瞻、鄭瑞雨、金培根ニ對スル殺人

被告事件ニ付明治四十二年十一月五日

於旅順地方法院ニ於テ檢

察官溝淵孝雄書記岸田愛文列

席

檢察官ハ證人ニ對シ訊問スルコト左ノ如シ

一 問 氏名、年齢、身分、職業、住所ハ

答

氏名ハ 江崎勝太郎

1

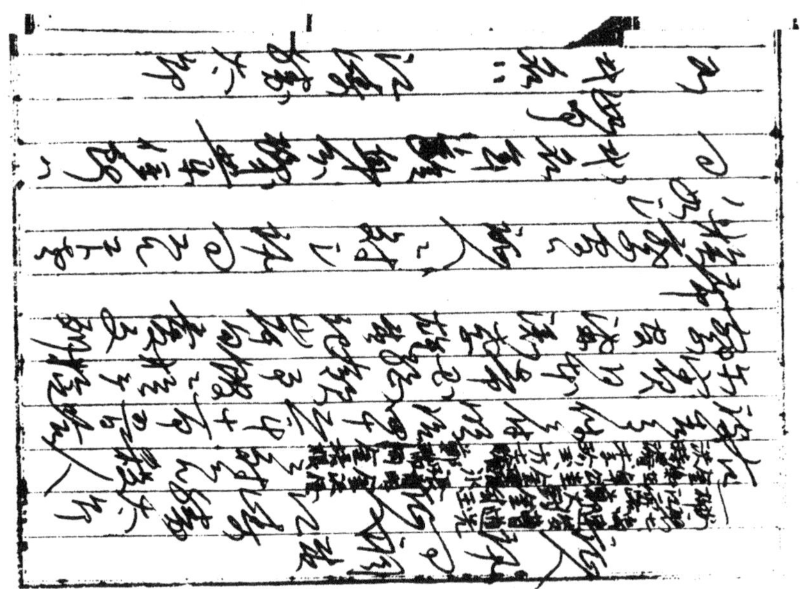

일본인 신문·청취기록

원본(原本)